BASIC CONVERSATIONAL FRENCH

Julian Harris
&
André Lévêque

The University of Wisconsin

Revised Edition

New York:
HOLT, RINEHART AND WINSTON

TABLE OF CONTENTS

REFERENCE MATERIALS

INTRODUCTION

Like the original edition of the Harris-Lévêque *Conversational French for Beginners,* the shorter form takes as its point of departure three assumptions: that language is something you do, that the easiest and most natural way to learn a language is by using it, and that—at least for literate adults who want to master a foreign language—a systematic study of practical grammar is an invaluable aid.

The earlier version was published right after World War II when it seemed reasonable to suppose that all educators would understand the importance of foreign language study in the education of young Americans and that they would provide ample time for it. But while many institutions did indeed set up intensive courses meeting six, eight, ten, or twelve hours per week, others continued to expect foreign language teachers to get along with three or four hours a week. The Shorter Form is now issued in answer to the demand of teachers who want to use an intensive method but who do not have at their disposal several additional hours per week for oral practice in small groups. After trying out the new version in substantially its present form in a class which had no "laboratory sections", we give it to the public with confidence that it can be used satisfactorily without an elaborate intensive set-up.

It is shorter than its predecessor by four Grammar Units and five Conversations. Some of the Conversations have been completely rewritten, others only slightly changed. Practically all the Grammar Units have been entirely recast. In order to offset this loss of material, we have introduced more written work; in particular we have included a *thème d'imitation* in each Grammar Unit beginning with Grammar Unit XI. At first glance, these little compositions will seem somewhat difficult for first year students, because they call for a considerably greater knowledge of French idiom than is normally expected of first year students. However, no construction, verb-form, or idiom is used which has not repeatedly appeared in the Conversations and in the exercises. (See note on p. 112.) Our experience has been that with the hints and references given in the footnotes, students turn out very acceptable themes.

Like its predecessor, the book is made up of Conversations and Grammar Units arranged so that the students learn concrete examples before being introduced to abstract rules of grammar. For example, before they come to the first Grammar Unit, they have four little Conversations which are devised to give them the habit of hearing, understanding, and saying simple things in French, in answering and asking questions in French, in thinking in French about a few very simple matters, and in "reacting" in French to a few everyday situations. The exercises of the first Conversations are nothing more than a series of devices to get the students to use understandingly the phrases of the Conversations without changing them at all. The exercise labelled "Dites en français", far from being an exercise in translation, is merely an additional way to induce students to utter again the phrases they are in the process of mastering.

It is of the greatest importance that students realize from the very beginning that they are trying to learn the language rather than to learn ABOUT the language. Many of them have devoted a year or two to the study of Latin in which their work consisted largely in memorizing vocabularies and paradigms; and it often happens that students bring to the study of French the idea that each English word has its equivalent in French and that by memorizing words and verb forms they will eventually know the language. One of the functions of the first four Conversations is to overcome this literal-mindedness and to give the students a more realistic attitude towards language and the language learning process. In order to produce the desired effect, all the exercises should of course be conducted with books closed so that the students will not be tempted to try to find the correct answer in the book without taking the trouble to understand the question sharply and to think the answer independently of the printed page. It goes without saying that this procedure calls for a great deal more effort at first than the traditional procedure; but once the students realize that the instructor is actually teaching them the lesson rather than trying to find out whether they have already learned it, they are willing and even eager to cooperate in the common undertaking.

Each Conversation is accompanied by an English translation whose functions are (1) to provide a means by which students can understand precisely and immediately what a given sentence means, and (2) to serve as a prompt-script from which they can practice saying the French sentences of the Conversations at home. With this arrangement, it is possible to proceed without having them begin by studying definitions and memorizing lists of words; in fact, they begin to work on the first day at the stage which many classes reach only after long and tedious manipulation of more or less artificial sentences, word-lists, and abstract definitions. And what is more important, from the first day students begin to acquire mastery of authentic French word patterns — patterns which they will always find useful in speaking, reading, or writing French.

The first Grammar Unit, which follows the fourth Conversation, is a lesson on the use of articles. It is based upon examples which have appeared in the preceding Conversations, and the exercises, like those of the Conversations, should be done orally for the most part. However, although grammar is studied as a means to an end rather than as an end in itself, the Grammar Units are frankly intended to drive home principles of grammar. We have not, of course, attempted to explain anything like all the fine points of French grammar, but we have tried to provide a systematic study of the fundamentals; for while it is of course possible to learn to read and speak a language without a complete mastery of the rules of grammar, a judicious study of the way a language works is undoubtedly a great time saver. Besides, students who are more or less mature like to get a clear picture of the forms of the different parts of speech and of the use of these forms.

As in the case of the first Grammar Unit, each subsequent one is preceded by one or more Conversations in which a few new forms and constructions are mastered orally and aurally, preparatory to being considered from the point of view of grammar. Thus, instead of attempting to comprehend the subtleties of, say, the partitive by poring over abstract explanations, the students first learn a few concrete examples in easily remembered contexts, and, a few days later, come fore-armed to the complicated matter of the use of **du, de la, des, pas de,** etc. New vocabulary items are also introduced in the Conversations so that the grammar lessons can be devoted entirely to the principles of grammar which are to be learned. It is surprising to see how quickly a grammar lesson can be assimilated when the students understand precisely what it is all about. One very well-known professor, seeing how quickly the students grasped the principles of grammar in studying the original version, suggested that we publish a revised edition containing only the Grammar Units! But the truth is that the principles of grammar are so nearly mastered in the Conversations that the Grammar Units serve merely as a systematic explanation of what is already comprehended. The Conversations are really the flesh and blood of the book. They not only lay the foundation for future Grammar Units but also continually review constructions that have been studied in previous ones.

Written work. We recommend that students begin to write in the second week of their study of the language: on the day when the fifth Conversation is studied (orally only, of course), students are asked to learn to write the phrases of the first Conversation. By this time, every member of the class knows the first Conversation by heart and can learn to write it correctly in ten or fifteen minutes. Thereafter, for each new Conversation, the students are expected to learn to write the phrases of an old one which they have already studied. In this way, (1) the students are made to realize that the art of spelling is merely a means of recording a language (rather than the language itself) — a fact which is basic for any serious linguistic study, and (2) spelling, which is purely a function of writing, is used only for writing.

Aside from the *dictées* and the brief quizzes (see below) we have our students do very little written work before they reach Grammar Unit XI. Thus they do not get the habit of automatically looking up words without thinking and of concocting badly spelled, un-French "sentences". But by the time they have reached Grammar Unit XI, they have developed enough FEEL for the language to use with some facility the patterns they have learned; therefore from that point on, we have included in each Grammar Unit a *thème d'imitation*.

Pronunciation. We recommend that students learn French pronunciation primarily by listening attentively to the instructor — and the recordings — and by repeating what they hear; but we do not hesitate to supplement this procedure with pertinent explanations and appropriate exercises. In the present edition, we have included such material in a special section (pp. 363-381) entitled *Pronunciation Exercises*.

Taking the phrase (rather than the word or the syllable or the individual sounds of the language) as the point of departure, we insist first upon the rhythm of the phrase. Many students can imitate at once — and very accurately — the rhythm, the intonation, and the sounds of a phrase in French. For others, however, English spelling and pronunciation have become so deeply ingrained that they unconsciously carry over into French many of their English speech habits. Certain experts believe the way to overcome this hazard is not to let students see any text in "conventional French orthography" for a given period; but no literate student is so insular that he has not already seen French words and, what is worse, heard pronunciations such as "Monsoor," the "rooduhla Pay," "Madamuzzell," and so on. Other experts maintain that the first step should be a detailed study of the sounds of the French language, the alphabet, French accents, and French orthography — with silent letters and the rest. But as our objective is to teach students to use authentic patterns of the language correctly (not how to figure out how something *would be pronounced* in French) we always keep the emphasis on the phrase and show students how French sounds are produced only *à propos* of phrases that are actually being learned.

Although we use the symbols of the International Phonetic Alphabet, we do not recommend that students be asked to learn the entire I.P.A. (Did anyone ever attempt to memorize the Key to Pronunciation in an English dictionary before venturing to look up a word?) If the symbols are used only to focus attention upon sounds that occur in words and phrases that are being especially studied, and always placed between square brackets, students are never confused by them.

Quizzes. We find that a short weekly or at least a fortnightly quiz is an invaluable teaching device. Throughout the week, students should be encouraged to use the language orally as much as possible, and without worrying too much about mistakes; but it is necessary to keep a very careful check on the progress each student makes, and to keep each student informed as to the result of his work. The first quiz will necessarily consist only of a *dictée,* a few questions asked orally in French which are to be answered in French and a series of sentences in French for which the students will be expected to give the English equivalent. All the items in the first quizzes will of course be taken from the Conversations. As the first semester progresses, and as the exercises become more and more varied, any of the types of questions found in the exercises can be used. For variety, true-false statements may be included, but it is practically impossible to avoid being trite in such questions. The *dictée* may occasionally be replaced by a simple anecdote which the students retell in their own words though, again, it is difficult to find anecdotes which are simple enough to be comprehensible and at the same time capable of interesting students. After a few Grammar Units have been studied, questions calling for a mastery of the Grammar Units can be included, and after a Reader has been begun, passages can be included for translation into English or as a basis for questions in French to be answered in French.

Reading in French. We have included in the present edition eight very brief sketches which deal with the same subject matter as the Conversations and which make use of words and phrases with which the students are familiar. We have tried to combine text, subject matter, and illustrations in such a way that the students can have the salutary experience of reading in French something that they can actually understand *in French.*

In our classes, before we have students begin to read, we explain to them that reading is, essentially, understanding what is written or printed, and that reading the sketches in this book is little more than understanding the written form of a few phrases — slightly rearranged, of course — that they have been understanding and using orally for some time. The first step in learning to read in a foreign language is to realize that reading is a very different operation from translating, and that it is actually possible to read and understand a text in French without translating it into English. The second step is to learn to infer from the context the meaning of unfamiliar words. And the third step is to learn to consult the vocabulary — that is, to look up a word and select the meaning it has in the context. In all three steps, the emphasis, we think, should always be upon trying to understand the meaning of the text in French.

We try to give students the experience of reading in French with understanding and pleasure, in the hope that they will not form the habit of trying to find a supposed English equivalent of every word in a passage before they attempt to understand what it is all about. If they are left to their own devices, however, they will go to any amount of trouble to avoid thinking — underlining "new" words, looking up the same words time after time, writing them down, memorizing English equivalents, and "overlearning" them. Meanwhile, instead of learning to read in French, they are building the habit of not even trying to learn!

We recommend that after about three weeks, students be given short reading assignments once a week in a French Reader, brief periods of practice in sight reading, and, eventually, a little outside reading. The Readers best adapted to our method are, in our opinion, the Harris and Lévêque, *Basic French Reader* and the Harris, *French Reader for Colleges* (both published by Henry Holt and Co.). It goes without saying that students who ask and answer questions in French in connection with the Conversations and Grammar Units, can do the same in connection with easy texts of a French Reader. Such exercises need not be used to the exclusion of brief translation exercises, but whenever one can be sure the students understand a passage in French, it is obviously good practice to ask them questions on it in French rather than to have them translate it into English.

(See p. 351 for information concerning the relation between French spelling and French pronunciation.)

Ways of using the book. We recommend that the instructor teach at least the first few Conversations largely by imitation, with books closed, and with a minimum of explanation about French spelling, French pronunciation, or phonetics. As we have said, students usually have an easier, more natural, less self-conscious pronunciation when they acquire it through the ear than when they begin by learning the mechanics of speech, peculiarities of spelling, etc.

At Wisconsin, at the first meeting of the class, we give the students a mimeographed schedule of assignments and quizzes for the semester and explain very briefly the basic assumptions and procedures which are used, insisting especially on the importance (1) of listening with all possible attention to the way the instructor utters each phrase, (2) of trying at all times to understand the meaning of each French phrase each time it is repeated, and (3) of trying to reproduce each phrase precisely as the instructor utters it. We also point out that the difficult part is not pronouncing the phrases right but in hearing them right! For once a student really hears how a phrase sounds, he usually has little trouble imitating it.

After this brief introduction, we explain that the first Conversation takes place between John Hughes, an American who is living in Paris, and the concierge, or caretaker-superintendent, of the apartment house in which he lives. Then we say, "The concierge says to John, Good morning, Sir, **Bonjour, monsieur. Bonjour, monsieur. Bonjour, monsieur.** Please listen with all possible concentration. **Bonjour, monsieur.** Now repeat after me **Bonjour, monsieur.**" We have our students do all the exercises at normal conversational tempo although a more deliberate speed is sometimes used in case they seem unable to hear a phrase spoken at normal speed. It takes a great many repetitions and much listening to get the students to say **Bonjour, monsieur** correctly. In fact, *this is the most difficult step in their entire language-learning career!* But we find it is easier to get them to break with their habits of speech by imitation and at the beginning than it is at any other time and in any other way. Therefore we come to the first Conversation with a vast store of patience. It may take five minutes or even longer to teach these two words. Some students know that **monsieur** ends in an **r** and insist upon pronouncing it. We sometimes find it helpful to write [bõ ʒuʀ məsjø] or the familiar **"m'sieu"** on the blackboard and to explain that the **r** in **monsieur** has not been pronounced for centuries.

Before **Bonjour, monsieur** is completely mastered, we introduce John's answer **Bonjour, madame.** After the first two phrases are more or less mastered, the instructor can say to the class: "I am the concierge and you are John Hughes" and can act out the greeting with them.

After the initial greeting is mastered, the next two lines are studied, repeated in a group and individually, and finally acted out in a group and individually. When the class can run through four lines without prompting, the instructor teaches them the next part of the Conversation, and so on until the whole dialogue is covered. The class can then look at the English version and go through the dialogue in French once more but without looking at the French text.

We encourage the students to identify themselves with the characters in so far as possible and to progress as quickly as they can from the stage where they merely repeat to the stage where they can think a Conversation through.

Acknowledgments. It would be impossible to mention the names of all the books, articles, and individuals we have consulted but we should like to acknowledge our indebtedness to those persons who have been associated most closely with the working out of the book. First, thanks are due to our colleagues — including scores of teaching assistants — in this university who have given us valuable criticisms and suggestions. We are especially grateful to M. Alfred Glauser, who has given our material a three-year try-out in a class which has no laboratory sections, and to Mme. Jeanne Varney Pleasants; Mr. Karl Bottke and M. Pierre Delattre who have given us many excellent suggestions for the new section on French pronunciation and for the phonetic transcriptions. We take this opportunity also to express our gratitude to teachers from all over the country for the numerous letters in which they have shown their interest in the original version or made suggestions for a shorter form; in fact, the form of the present version is in no small part due to their suggestions. We hope very much that they and others will let us know of any desiderata which might serve as a point of departure for subsequent editions of the book.

J. H.   *The University of Wisconsin*
A. L.   Madison, Wisconsin.

CONVERSATION 1

Getting Acquainted

As John Hughes, a young American chemist, leaves his apartment on the Avenue de l'Observatoire in Paris, he speaks to the concierge of the building. (A concierge is the doorkeeper, janitress, and general caretaker of an apartment house or hotel.)

La concierge—[1]Bonjour, monsieur.

John Hughes—[2]Bonjour, madame.

La concierge—[3]Êtes-vous M. Hughes?

John Hughes—[4]Oui, madame. Je suis M. Hughes.

La concierge—[5]Comment allez-vous, monsieur?

John Hughes—[6]Bien, merci. Et vous?

La concierge—[7]Pas mal, merci.

John Hughes—[8]Parlez-vous anglais?

La concierge—[9]Non, je ne parle pas anglais. [10]Mais vous parlez français, n'est-ce pas?

John Hughes—[11]Oui, madame, je parle un peu français.

La concierge—[12]Voici une lettre pour vous.

John Hughes—[13]Merci beaucoup.

The Concierge—[1]Good morning, sir.

John Hughes—[2]Good morning, (Madam).

The Concierge—[3]Are you Mr. Hughes?

John Hughes—[4]Yes, (Madam) I am Mr. Hughes.

The Concierge—[5]How do you do, sir?

John Hughes—[6]Well, thank you. And you?

The Concierge—[7]Not bad (thank you).

John Hughes—[8]Do you speak English?

The Concierge—[9]No, I don't speak English. [10]But you speak French, don't you?

John Hughes—[11]Yes, (Madam) I speak French a little.

The Concierge—[12]Here is a letter for you.

John Hughes—[13]Thank you very much.

LA CONCIERGE—[14]De rien, mon-   THE CONCIERGE—[14]You are wel-
sieur.   come, (sir).
JOHN HUGHES—[15]Au revoir, ma-   JOHN HUGHES—[15]Good-bye,
dame.   (Madam).
LA CONCIERGE—[16]Au revoir, mon-   THE CONCIERGE—[16]Good-bye, sir.
sieur.

A. Dites en français (Say in French):

1. Good morning, sir. **2.** Good morning, (Madam). **3.** Are you Mr.
Hughes? **4.** Yes, (Madam), I am Mr. Hughes. **5.** How do you
do, sir? **6.** Well, thank you, and you? **7.** Not bad (thank you).
8. Do you speak English? **9.** No, I do not speak English. **10.** But
you speak French, don't you? **11.** Yes, (Madam) I speak French a
little. **12.** Here is a letter for you. **13.** Thank you very much.
14. You are welcome, sir. **15.** Good-bye, (Madam). **16.** Good-bye,
sir.

B. Donnez une réponse convenable, en français, à chacune des phrases suivantes (Give a suitable answer in French to each of the following sentences):

1. Bonjour, mademoiselle. **2.** Bonjour, monsieur. **3.** Comment allez-
vous? **4.** Êtes-vous M. Hughes? **5.** Parlez-vous français? **6.** Parlez-
vous anglais? **7.** Voici une lettre pour vous. **8.** Merci beaucoup.
9. Merci, mademoiselle. **10.** Merci, monsieur. **11.** Au revoir, madame. **12.** Au revoir, mademoiselle. **13.** Au revoir, monsieur.

C. Dites en français (Say in French):

1. Dites-moi bonjour. (*Say "bonjour" to me.*) **2.** Dites-moi au revoir.
3. Dites bonjour à un autre étudiant. (*Say "bonjour" to another
student (m.).*) **4.** Dites bonjour à une autre étudiante. (*Say "bonjour" to another student (f.).*) **5.** Dites au revoir à un autre étudiant.
6. Dites au revoir à une autre étudiante.

D. Posez les questions suivantes en français (Ask the following questions in French):

1. Demandez-moi si je suis M. Hughes. (Ask me if I am Mr. Hughes.)
2. Demandez-moi si je parle anglais. **3.** Demandez-moi si je parle

français. **4.** Demandez-moi comment je vais. (Ask me how I am.) **5.** Demandez à un autre étudiant s'il est M. Hughes. **6.** Demandez à une autre étudiante si elle est Mlle Hughes. **7.** Demandez à un autre étudiant s'il parle français. **8.** Demandez à une autre étudiante si elle parle français. **9.** Demandez à un autre étudiant comment il va. (Ask another student how he is.) **10.** Demandez à une autre étudiante comment elle va.

E. *Dialogue:*

Act out the scene between John Hughes and the concierge. Practice doing the scene until you are perfectly at home in both roles.

CONVERSATION 2

Asking for Directions

John Hughes is spending a few days visiting some of the interesting places in the Île-de-France (the region around Paris). He has just arrived at Chantilly where he plans to see the château, museum, racetrack, etc. He asks for information first in the railroad station and then on the street.

A la gare

JOHN—¹Où est le château, s'il vous plaît?

UN EMPLOYÉ—²Tout droit, monsieur.

JOHN—³Est-ce que le musée est dans le château?

L'EMPLOYÉ—⁴Certainement, monsieur.

JOHN—⁵Y a-t-il un restaurant près du château?

L'EMPLOYÉ—⁶Oui, monsieur. Il y a un restaurant près du château.

JOHN—⁷Merci beaucoup.

L'EMPLOYÉ—⁸De rien, monsieur.

Dans la rue

JOHN—⁹(A un passant) Pardon, monsieur. Où est le bureau de poste?

LE PASSANT—¹⁰Sur la place, là-bas, à gauche.

JOHN—¹¹Y a-t-il un bureau de tabac* près d'ici?

At the Station

JOHN—¹Please tell me where the château is.

AN EMPLOYEE—²Straight ahead, sir.

JOHN—³Is the museum in the château?

THE EMPLOYEE—⁴Certainly, sir.

JOHN—⁵Is there a restaurant near the château?

THE EMPLOYEE—⁶Yes, sir. There is a restaurant near the château.

JOHN—⁷Thank you very much.

THE EMPLOYEE—⁸You are welcome, sir.

In the Street

JOHN—⁹(To a passer-by) Pardon me, sir. Where is the post office?

THE PASSER-BY—¹⁰On the square, over there, to the left.

JOHN—¹¹Is there a tobacco shop near here?

---

*A bureau de tabac is a tobacco shop in which one can buy also stamps, stationery, newspapers, and in which there is usually a bar.

[4]

LE PASSANT—[12]Mais oui, monsieur. Il y a un bureau de tabac dans la rue de la Paix.

THE PASSER-BY—[12]Oh yes, sir. There is a tobacco shop on (in) the Rue de la Paix.

JOHN—[13]Où est la rue de la Paix?

JOHN—[13]Where is the Rue de la Paix?

LE PASSANT—[14]A droite, monsieur.

THE PASSER-BY—[14]To the right, sir.

JOHN—[15]Merci beaucoup.

JOHN—[15]Thank you very much.

A. Dites en français:

1. Please tell me where the château is. 2. Straight ahead, sir. 3. Is the museum in the château? 4. Certainly, sir. 5. Is there a restaurant near the château? 6. Yes, sir. There is a restaurant near the château. 7. Thank you very much. 8. You are welcome, sir. 9. Pardon me, sir. Where is the post office? 10. On the square, over there, to the left. 11. Is there a tobacco shop near here? 12. Oh yes, sir. There is a tobacco shop on the Rue de la Paix. 13. Where is the Rue de la Paix? 14. To the right, sir. 15. To the left. 16. Thank you very much.

B. Répondez en français à chacune des questions suivantes:

1. Où est le château, s'il vous plaît? 2. Est-ce que le musée est dans le château? 3. Y a-t-il un restaurant près du château? 4. Où est le bureau de poste? 5. Y a-t-il un bureau de tabac près d'ici? 6. Où est la rue de la Paix? 7. Comment allez-vous? 8. Êtes-vous M. Hughes (Mlle Hughes)? 9. Parlez-vous français? 10. Parlez-vous anglais?

C. Demandez à un autre étudiant (à une autre étudiante):

1. où est le château. 2. où est le musée. 3. s'il y a un restaurant près du château. 4. où est le bureau de poste. 5. s'il y a un bureau de tabac près d'ici. 6. où est la rue de la Paix. 7. comment il (elle) va. 8. s'il est M. Hughes (si elle est Mlle Hughes). 9. s'il (si elle) parle français. 10. s'il (si elle) parle anglais.

D. *Demandez-moi:*

1. où est le château.   2. où est la gare.   3. où est le bureau de tabac.
4. où est le bureau de poste.   5. s'il y a un restaurant près du château.
6. s'il y a un bureau de tabac près d'ici.   7. s'il y a un restaurant près
d'ici.   8. s'il y a un musée dans le château.   9. s'il y a un restaurant
dans la rue de la Paix.   10. s'il y a un bureau de tabac dans la rue
de la Paix.

E. (1) *Comptez en français de un à dix (Count in French from one to ten):*

un (1)	trois (3)	cinq (5)	sept (7)	neuf (9)
deux (2)	quatre (4)	six (6)	huit (8)	dix (10)

(2) *Donnez les nombres pairs de deux à dix (Give the even numbers from two to ten):*

deux (2)	quatre (4)	six (6)	huit (8)	dix (10)

(3) *Donnez les nombres impairs de un à neuf (Give the odd numbers from one to nine):*

un (1)	trois (3)	cinq (5)	sept (7)	neuf (9)

F. *Conversation:*

"Good morning, sir (Mlle), (Madame). Do you speak English?"
"No, sir, I do not speak English." "Please tell me where the station is."
"Straight ahead, sir." "Thank you very much." "You are welcome."

G. *Dialogue:*

You stop someone and ask for the location of a restaurant.

Getting a Hotel

Dans la rue

JOHN—[1]Pardon, où est l'hôtel du Cheval blanc?

UN AGENT DE POLICE—[2]Sur la place, monsieur.

JOHN—[3]Est-ce que c'est loin d'ici?

L'AGENT—[4]Non, ce n'est pas loin d'ici.

JOHN—[5]Est-ce que c'est un bon hôtel?

L'AGENT—[6]Oui, monsieur, c'est un très bon hôtel.

JOHN—[7]Est-ce que la cuisine est bonne?

L'AGENT—[8]Oui, la cuisine est excellente.

JOHN—[9]Y a-t-il un autre hôtel ici?

L'AGENT—[10]Oui, il y a un hôtel en face de l'église.

JOHN—[11]Merci beaucoup.

L'AGENT—[12]De rien, monsieur.

On the Street

JOHN—[1]Pardon me, where is the White Horse Inn?

A POLICEMAN—[2]On the square, sir.

JOHN—[3]Is it far from here?

THE POLICEMAN—[4]No, it isn't far (from here).

JOHN—[5]Is it a good hotel?

THE POLICEMAN—[6]Yes, sir, it is a very good hotel.

JOHN—[7]Is the food (cuisine) good?

THE POLICEMAN—[8]Yes, the food is excellent.

JOHN—[9]Is there another hotel here?

THE POLICEMAN—[10]Yes, there is a hotel opposite the church.

JOHN—[11]Thank you very much.

THE POLICEMAN—[12]You are welcome, sir.

A l'hôtel du Cheval blanc

JOHN—[13]Quel est le prix de la pension?

L'HÔTELIER—[14]Quinze cents francs par jour.

At the White Horse Inn

JOHN—[13]What is the price of board and room?

THE INNKEEPER—[14]Fifteen hundred francs per day.

JOHN—[15]Quel est le prix des repas?

L'HÔTELIER—[15]Cent cinquante francs pour le petit déjeuner, [17]trois cent cinquante francs pour le déjeuner, [18]et quatre cents francs pour le dîner.

JOHN—[15]What is the price of meals?

THE INNKEEPER—[16]One hundred and fifty francs for breakfast, [17]three hundred and fifty francs for lunch, [18]and four hundred francs for dinner.

A. *Dites en français:*

1. Pardon me, where is the White Horse Inn? 2. On the square, sir. 3. Is it far from here? 4. No, it isn't far. 5. Is it a good hotel? 6. Yes, sir, it is a good hotel. 7. Is the food good? 8. Yes, the food is excellent. 9. Is there another hotel here? 10. Yes, there is a hotel opposite the church. 11. Thank you very much. 12. You are welcome, sir. 13. What is the price of board and room? 14. Fifteen hundred francs per day. 15. What is the price of meals? 16. One hundred and fifty francs for breakfast, three hundred and fifty francs for lunch, and four hundred francs for dinner.

B. *Répondez en français à chacune des questions suivantes:*

1. Où est l'hôtel du Cheval blanc? 2. Est-ce que c'est loin d'ici? 3. Est-ce que c'est un bon hôtel? 4. Est-ce que la cuisine est bonne? 5. Y a-t-il un autre hôtel ici? 6. Quel est le prix de la pension? 7. Quel est le prix du petit déjeuner? 8. Quel est le prix du déjeuner? 9. Quel est le prix du dîner? 10. Quel est le prix des repas?

C. *Demandez à un autre étudiant (à une autre étudiante):*

1. où est l'hôtel du Cheval blanc. 2. si c'est loin d'ici. 3. si c'est un bon hôtel. 4. si la cuisine est bonne. 5. s'il y a un autre hôtel ici. 6. le prix de la pension. 7. le prix du petit déjeuner. 8. le prix du déjeuner. 9. le prix du dîner. 10. le prix des repas.

D. *Mettez les phrases suivantes à la forme interrogative en plaçant «est-ce que . . . ?» devant chacune d'elles (Put the following sentences in the interrogative form by placing «est-ce que . . . ?» in front of each of them):*

1. L'hôtel du Cheval blanc est près d'ici. 2. L'hôtel du Cheval blanc est loin d'ici. 3. Il y a un bon hôtel près d'ici. 4. Il y a un restaurant en face de l'église. 5. Il y a un bureau de tabac dans la rue de la Paix. 6. Il y a un bureau de tabac en face de la gare. 7. Il y a un restaurant dans la gare. 8. La cuisine de l'hôtel du Cheval blanc est bonne. 9. La cuisine de l'autre hôtel est bonne. 10. L'hôtel Continental est près d'ici.

E. (1) *Comptez en français de un à dix.*
(2) *Comptez en français de dix à vingt.*

onze (11)   treize (13)   quinze (15)   dix-sept (17)   dix-neuf (19)
douze (12)   quatorze (14)   seize (16)   dix-huit (18)   vingt (20)

(3) *Donnez les nombres pairs de deux à vingt.*
(4) *Donnez les nombres impairs de un à dix-neuf.*
(5) *Dites en français les nombres suivants:*

1, 11	2, 12	3, 13	4, 14	5, 15
6, 16	7, 17	8, 18	9, 19	2, 20

(6) *Comptez par trois de 3 à 18 (Count by threes from 3 to 18).*
(7) *Dites un franc, deux francs, trois francs, etc.*

F. *Conversation:*

"Is there another hotel here?" "Yes, there is the Hotel Continental." "Where is the Hotel Continental?" "On the square, opposite the station." "What is the price of board and room?" "Eighteen hundred francs a day."

Catching a Train

A l'hôtel	*At the Hotel*
JOHN—[1]Quelle heure est-il?	JOHN—[1]What time is it?
L'HÔTELIER—[2]Il est onze heures.	THE INNKEEPER—[2]It is eleven o'clock.
JOHN—[3]Est-ce que le déjeuner est prêt?	JOHN—[3]Is lunch ready?
L'HÔTELIER—[4]Non, monsieur, pas encore. [5]A quelle heure voulez-vous déjeuner?	THE INNKEEPER—[4]No, sir, not yet. [5]At what time do you want to have lunch?
JOHN—[6]A onze heures et quart, [7]ou à onze heures et demie.	JOHN—[6]At a quarter past eleven, [7]or at half past eleven.
L'HÔTELIER—[8]A quelle heure allez-vous à la gare?	THE INNKEEPER—[8]At what time are you going to the station?
JOHN—[9]Je vais à la gare à midi. [10]Le train pour Paris arrive à midi et quart, n'est-ce pas?	JOHN—[9]I am going to the station at noon. [10]The train for Paris arrives at a quarter past twelve, doesn't it?
L'HÔTELIER—[11]Non, monsieur. Il arrive à deux heures moins le quart.	THE INNKEEPER—[11]No, sir. It comes at a quarter of two.
JOHN—[12]Alors, je vais déjeuner à midi, comme d'habitude. [13]Est-ce que le bureau de poste est ouvert cet après-midi?	JOHN—[12]Then I am going to have lunch at noon, as usual. [13]Is the post office open this afternoon?
L'HÔTELIER—[14]Oui, monsieur. [15]Il est ouvert de huit heures du matin à sept heures du soir.	THE INNKEEPER—[14]Yes, sir. It is open from eight o'clock in the morning to seven o'clock in the evening.

A. *Dites en français:*

1. What time is it? 2. It is eleven o'clock. 3. Is lunch ready? 4. No, sir, not yet. 5. At what time do you want to have lunch? 6. At a quarter past eleven or at half past eleven. 7. At what time are you going to the station? 8. I am going to the station at noon. 9. The train for Paris arrives at a quarter past twelve, doesn't it? 10. No, sir. It comes at a quarter of two. 11. Then I am going to have lunch at noon, as usual. 12. Is the post office open this afternoon? 13. Yes, sir. It is open from eight o'clock in the morning to seven o'clock in the evening.

B. *Répondez en français à chacune des questions suivantes:*

1. Quelle heure est-il? 2. Est-ce que le déjeuner est prêt? 3. A quelle heure voulez-vous déjeuner? 4. A quelle heure allez-vous déjeuner? 5. A quelle heure allez-vous à la gare? 6. Le train pour Paris arrive à midi et quart, n'est-ce pas? 7. Est-ce que le bureau de poste est ouvert cet après-midi? 8. Est-ce qu'il est ouvert à midi? 9. Est-ce qu'il est ouvert à six heures du soir? 10. Est-ce que le train pour Paris arrive à midi et demi?

C. *Demandez à un autre étudiant (à une autre étudiante):*

1. quelle heure il est. 2. si le déjeuner est prêt. 3. à quelle heure il (elle) veut déjeuner. *(what time he (she) wants to have lunch.)* 4. si le train pour Paris arrive à midi et quart. 5. si le bureau de poste est ouvert cet après-midi. 6. si le bureau de poste est ouvert à neuf heures du matin. 7. si le bureau de poste est loin d'ici.

D. *Dites en français:*

1. What time is it? 2. What time do you want to have lunch? 3. What time are you going to the station? 4. Is the White Horse Inn far from here? 5. Is the post office open this afternoon? 6. Is it open at 9:00 A.M.? 7. Is it open at 6:00 P.M.? 8. Does the train for Paris arrive at a quarter past twelve? 9. Is there a tobacco shop near here? 10. Is there a restaurant in the station? 11. Is there a train for Paris at noon? 12. Is there a train for Paris this afternoon? 13. What is the price of board and room? 14. What is the price of meals?

E. *Dites en français:*

1. une heure, deux heures, trois heures, etc., jusqu'à *(to)* midi.　2. une heure et quart, deux heures et quart, etc., jusqu'à six heures et quart. 3. une heure et demie, deux heures et demie, etc., jusqu'à six heures et demie.

F. *Dites en français:*

1. A quarter past one.　2. A quarter past two.　3. A quarter past three.　4. Half past four.　5. Half past five.　6. Half past six.　7. A quarter to seven.　8. A quarter to eight.　9. A quarter to nine.　10. At ten o'clock.　11. At eleven o'clock.　12. At noon.

G. *Conversation:*

"What time is it?" "It's noon." "Where are you going?" "I am going to the station." "Does the train for Paris arrive at 12:15?" "Yes." "Thank you very much."

I   GRAMMAR UNIT

Articles and Prepositions de and à

1. MASCULINE AND FEMININE GENDER.

In French, nouns fall into two classes, or, as they are traditionally called, GENDERS: masculine and feminine. You have noticed that we say «Y a-t-il **un restaurant** près d'ici?» but «Voici **une lettre** pour vous.» **Un restaurant** belongs to the masculine gender; **Une lettre** belongs to the feminine gender. While in English the question of gender is of little importance, it is very important in French because the form of articles and adjectives used with a noun must conform to the gender of the noun. There is no dependable rule for finding the gender of nouns: it is true that the gender of nouns which denote persons normally corresponds to their sex, but the gender of those which denote animals, inanimate objects, ideas, etc., does not follow so simple a pattern.

The easiest and most effective way to learn the gender of a noun is to practice using the noun with its article in a phrase. Of course it would be a simple matter to learn each day a short list of detached words with their genders; but unfortunately words which are merely memorized are soon forgotten. On the other hand, it is relatively easy to remember word learned in context: the meaning of the sentence, its sound, its rhythm — everything helps you recall all the parts of the sentence. Therefore, even in grammar exercises, we shall continue to work with complete phrases rather than with detached words.

2. INDEFINITE ARTICLE (ENG. *a, an*).

The masculine form **un** is used with masculine singular nouns; the feminine form **une**, with feminine singular nouns:

un restaurant	*a* restaurant
un bureau de tabac	*a* tobacco shop

un hôtel	*a* hotel
un bon hôtel	*a* good hotel
un autre hôtel	*another* hotel
une lettre	*a* letter
une gare	*a* railroad station
une place	*a* public square
une rue	*a* street
une église	*a* church
une autre église	*another* church

3. DEFINITE ARTICLE (ENG. *the*).

(1) The form **le** (masculine singular) is used before nouns or adjectives which are masculine and singular if they begin with a consonant other than a mute **h***:

le bureau de tabac	*the* tobacco shop
le déjeuner	lunch, or *the* lunch
le restaurant	*the* restaurant
le bon restaurant	*the* good restaurant
le bon hôtel	*the* good hotel
le petit hôtel	*the* little hotel

(2) The form **la** (feminine singular) is used before nouns or adjectives which are feminine and singular if they begin with a consonant other than a mute **h**:

la gare	*the* railroad station
la rue	*the* street
la pension	board and room
la bonne cuisine	good cooking

---

* Although all **h**'s in French are silent in everyday conversation, they fall into two groups traditionally known as mute **h**'s and aspirate **h**'s:

Before a word beginning with a mute **h**, linking and elision take place precisely as if the word began with a vowel. Ex.: **l'hôtel, les‿hôtels.**

Before a word beginning with an aspirate **h**, linking and elision do not take place. Ex.: **Le/héros** *(the hero)*, **les/héros.**

In the vocabulary of this book, and in most dictionaries, words beginning with an aspirate **h** are marked with an asterisk.

For a definition of linking and elision, see p. 365.

(3) The form **l'** (masculine or feminine singular) is used before nouns or adjectives of either gender if they begin with a vowel or mute **h:**

l'agent de police (*m.*)	*the* policeman
l'hôtel (*m.*)	*the* hotel
l'autre hôtel	*the* other hotel
l'église (*f.*)	*the* church
l'autre église	*the* other church
l'autre restaurant (*m.*)	*the* other restaurant
l'autre gare (*f.*)	*the* other station

In order to explain the form **l'**, it is usually said that the vowel of **le** or **la** is elided or that elision takes place. However, do not infer that this is an operation that *you* are supposed to perform: there is no point in imagining a vowel and then eliding it! Just say, think, and write **l'hôtel** and be done with it.

(4) The form **les** is used before any plural noun or adjective:

les restaurants	the restaurants
les autres restaurants	the other restaurants
les églises	the churches
les hôtels	the hotels
les bons restaurants	the good restaurants
les autres hôtels	the other hotels

Note that the **s** of **les** is linked (and pronounced **z**) if the noun or adjective which follows begins with a vowel or mute **h.**

4. PREPOSITION de *(of, from)*.

(1) When the preposition **de** is used with a noun before which the definite article **le** or **les** would normally stand, you say **du** or **des**—never **de le** or **de les.**

le déjeuner	le prix **du** déjeuner	the price *of* lunch
les repas	le prix **des** repas	the price *of* meals
les hôtels	la cuisine **des** hôtels	the cooking *of the* hotels

Since you say **près de**, loin de as in près **d'ici** *(near here)*
and loin **d'ici** *(far from here)* you say:

| le château | **près du** château | *near the* chateau |
| les églises | **près des** églises | *near the* churches |

(2) When the preposition **de** is used with the noun before
which the definite article **la** or **l'** would normally stand, you
say **de la** or **de l'**—just as you would expect:

la pension	le prix **de la** pension	the price *of* board and room
la gare	près **de la** gare	*near the* station
l'hôtel	la cuisine **de l'**hôtel	*the* hotel's cooking
l'autre hôtel	la cuisine **de l'**autre hôtel	*the* other hotel's cooking

5. PREPOSITION à *(to, in, at)*.

(1) When the preposition **à** is used with a noun before
which the definite article **le** or **les** would normally stand, you
say **au** or **aux**—never **à le** or **à les**:

le château	Il est **au** château	He is *in the* chateau
le bureau de tabac	Je vais **au** bureau de tabac	I am going *to the* tobacco shop
les bons restaurants	Je vais **aux** bons restaurants	I go *to the* good restaurants
les étudiants	Je parle **aux** étudiants	I am talking *to the* students

(2) When the preposition **à** is used with a noun before
which the definite article **la** or **l'** would normally stand, you
say **à la** or **à l'**, as you would expect:

la gare	Je vais **à la** gare	I am going *to the* station
la concierge	Je parle **à la** concierge	I speak *to the* concierge
l'église	Je vais **à l'**église	I am going *to (the)* church
l'hôtel	Je vais **à l'**hôtel	I am going *to the* hotel
l'autre hôtel	Je vais **à l'**autre hôtel	I am going *to the* other hotel

6. USE OF THE DEFINITE ARTICLE.

The definite article is used much more commonly in French than in English. Specific cases of its use or omission will be studied later. But meanwhile, note that in French you say:

Quel est le prix **des** repas?	What is the price *of* meals?
350 francs **pour le** déjeuner et	350 francs *for* lunch and
400 francs **pour le** dîner.	400 francs *for* dinner.
Je vais **à l'**église.	I am going *to* church.
Le déjeuner et **le** dîner.	Lunch and dinner.

A. *Dites en français:*

1. (*a*) A restaurant. (*b*) The restaurant. (*c*) Is there a restaurant near here? (*d*) I am going to the restaurant. (*e*) I am going to have lunch at the restaurant. (*f*) I am in (at) the restaurant. 2. (*a*) A hotel. (*b*) The hotel. (*c*) Is there a hotel near here? (*d*) I am going to the hotel. (*e*) I am going to have lunch at the hotel. (*f*) I am at the (in the) hotel. 3. (*a*) A station. (*b*) The station. (*c*) I am going to the station. (*d*) I am in the (at the) station. 4. (*a*) A church. (*b*) The church. (*c*) I am going to (the) church. (*d*) I am at church. 5. (*a*) A meal. (*b*) The meal. (*c*) The meals. (*d*) What is the price of meals? 6. (*a*) A student (*m.*). (*b*) A student (*f.*). (*c*) The student (*m.*). (*d*) The student (*f.*). (*e*) The students (*m.*). (*f*) To the students (*m.*). 7. (*a*) Near the station. (*b*) Near the hotel. (*c*) Near the square. (*d*) Near the post office. (*e*) Opposite the post office. (*f*) Opposite the church. (*g*) Opposite the hotel. 8. (*a*) Another hotel. (*b*) The other hotel. (*c*) I am going to the other hotel. (*d*) Do you want to have lunch at the other hotel? 9. (*a*) A street. (*b*) The street. (*c*) On (in) the street. (d) On the Rue de la Paix. (*e*) Near the Rue de la Paix. 10. (*a*) Where is the post office? (*b*) Is it far from here? (*c*) Is the post office open this afternoon? (*d*) It is open at 6:00 P.M. 11. (*a*) I speak to the concierge. (*b*) I speak to the policeman. (*c*) I speak to a policeman. (*d*) I speak to a passer-by. (*e*) I speak to the innkeeper. (*f*) I speak to the student (*m.*). (*g*) I speak to the students (*m.*). 12. (*a*) It is

nine o'clock. (*b*) It is half past eleven. (*c*) At 10:00 A.M. (*d*) **At 10**:00 P.M. (*e*) At 8:00 A.M. (*f*) At 3:00 P.M. (*g*) At 6:00 P.M. (*h*) At 11:00 P.M.

B. *Donnez une réponse convenable, en français, à chacune des questions suivantes:*

1. A quelle heure allez-vous à la gare? **2.** A quelle heure allez-vous au théâtre? **3.** A quelle heure allez-vous à l'hôtel? **4.** A quelle heure allez-vous à l'église? **5.** A quelle heure allez-vous au restaurant? **6.** Y a-t-il une lettre pour moi? **7.** Est-ce que le déjeuner est prêt? **8.** Quel est le prix de la pension? **9.** Quel est le prix du déjeuner? **10.** Quel est le prix du dîner? **11.** Quel est le prix du petit déjeuner?

C. *Demandez en français:*

1. s'il y a un restaurant près d'ici. **2.** si c'est un bon restaurant. **3.** si la cuisine est bonne. **4.** si l'hôtel du Cheval blanc est un bon hôtel. **5.** si c'est loin d'ici. **6.** le prix de la pension. **7.** le prix des repas.

D. *Demandez à une autre personne** (Ask another person):*

1. à quelle heure elle veut déjeuner. **2.** à quelle heure elle va déjeuner. **3.** où elle va déjeuner. **4.** à quelle heure elle va à la gare. **5.** s'il y a un restaurant près de la gare.

SPECIAL NOTE

The exercises of Conversation 5 will include a short dictation taken from Conversation 1. Before the next meeting of the class, you should learn to write all the sentences of the first Conversation.

The easiest and most natural way to do this is to spell through a phrase while looking at it, then write it down without looking at it, and finally check what you have written against the original. When you can write the first phrase cor-

---

*As the French word **personne** is feminine, the personal pronoun used to refer to it is **elle.**

rectly, continue the same exercise until you can write all the sentences of the first Conversation.

The purpose of this exercise is to help to teach you to write correctly in French. A brief dictation will be included in the exercises of each subsequent Conversation and you should learn to write the sentences of the Conversation which is indicated.

Getting Identification Papers

*A la préfecture de police**	At the Prefecture
L'EMPLOYÉ—[1]Comment vous appelez-vous, monsieur?	THE EMPLOYEE—[1]What is your name, sir?
JOHN—[2]Je m'appelle John Hughes.	JOHN—[2]My name is John Hughes.
L'EMPLOYÉ—[3]Quelle est votre nationalité?	THE EMPLOYEE—[3]What is your nationality?
JOHN—[4]Je suis Américain.	JOHN—[4]I am an American.
L'EMPLOYÉ—[5]Où êtes-vous né?	THE EMPLOYEE—[5]Where were you born?
JOHN—[6]Je suis né à Philadelphie.	JOHN—[6]I was born in Philadelphia.
L'EMPLOYÉ—[7]Quel âge avez-vous?	THE EMPLOYEE—[7]How old are you?
JOHN—[8]J'ai vingt et un ans.	JOHN—[8]I am twenty-one.
L'EMPLOYÉ—[9]Quelle est votre profession?	THE EMPLOYEE—[9]What is your profession?
JOHN—[10]Je suis ingénieur-chimiste.	JOHN—[10]I am a chemical engineer.
L'EMPLOYÉ—[11]Où demeurez-vous?	THE EMPLOYEE—[11]Where do you live?
JOHN—[12]Je demeure à Paris.	JOHN—[12]I live in Paris.
L'EMPLOYÉ—[13]Quelle est votre adresse à Paris?	THE EMPLOYEE—[13]What is your Paris address?
JOHN—[14]Quinze, avenue de l'Observatoire.	JOHN—[14]Fifteen Observatory Avenue.
L'EMPLOYÉ—[15]Où habitent vos parents?	THE EMPLOYEE—[15]Where do your parents live?

---

*Administrative offices of Prefect of Police (in Paris).

JOHN—[15]Mon père habite à Phila-delphie. [17]Ma mère est morte.
L'EMPLOYÉ—[18]Avez-vous des pa-rents en France?
JOHN—[19]Non, je n'ai pas de pa-rents en France.
L'EMPLOYÉ—[20]Voici votre carte d'identité.
JOHN—[21]Merci, monsieur.

JOHN—[16]My father lives in Phila-delphia. [17]My mother is dead.
THE EMPLOYEE—[18]Have you any relatives in France?
JOHN—[19]No, I haven't any rela-tives in France.
THE EMPLOYEE—[20]Here is your identification card.
JOHN—[21]Thank you, sir.

A. Dites en français:

1. What is your name? 2. My name is John Hughes. 3. What is your nationality? 4. I am an American. 5. Where were you born? 6. I was born in Philadelphia. 7. How old are you? 8. I am twenty-one. 9. What is your profession? 10. I am a chemical engineer. 11. Where do you live? 12. I live in Paris. 13. What is your address? 14. Fifteen Observatory Avenue. 15. Where do your parents live? 16. My father lives in Philadelphia. 17. My mother is dead. 18. Have you any relatives in France? 19. No, I haven't any relatives in France. 20. Here is your identification card.

B. Répondez en français à chacune des questions suivantes, d'après le texte (according to the text):

1. Comment vous appelez-vous? 2. Quelle est votre nationalité? 3. Où êtes-vous né? 4. Quel âge avez-vous? 5. Quelle est votre pro-fession? 6. Où demeurez-vous? 7. Quelle est votre adresse? 8. Où demeure votre père? 9. Où demeure votre mère? 10. Avez-vous des parents en France?

C. Répondez en français à chacune des questions person-nelles suivantes:

1. Comment vous appelez-vous? 2. Quelle est votre nationalité? 3. Où êtes-vous né (née)? 4. Quel âge avez-vous? 5. Quelle est votre profession? (étudiant, étudiante). 6. Où demeurez-vous? 7. Quelle est votre adresse? 8. Où demeurent vos parents? 9. Avez-vous des parents en France? 10. Avez-vous des frères (brothers)?

11. Avez-vous des sœurs (*sisters*)? 12. Avez-vous des oncles (*uncles*) et des tantes (*aunts*)?

D. *Demandez à un autre étudiant (à une autre étudiante):*
1. comment il (elle) s'appelle. 2. où il (elle) est né (née). 3. quel âge il (elle) a. 4. où il (elle) demeure. 5. quelle est son (*his* or *her*) adresse. 6. quelle est sa (*his* or *her*) nationalité. 7. quelle est sa profession. 8. s'il (si elle) a des parents en France. 9. s'il (si elle) a des frères. 10. s'il (si elle) a des sœurs. 11. s'il (si elle) a des oncles. 12. s'il (si elle) a des tantes. 13. où demeurent ses (*his* or *her*) parents. 14. si ses parents demeurent près d'ici.

E. (1) *Répétez en français les nombres suivants:*
vingt et un (21), vingt-deux (22), vingt-trois (23), vingt-quatre (24), vingt-cinq (25), vingt-six (26), vingt-sept (27), vingt-huit (28), vingt-neuf (29), trente (30).

(2) *Comptez par cinq (by fives) de cinq à trente.*

(3) *Comptez par trois de trois à trente.*

(4) *Dites en français:*
1, 11, 21   2, 12, 22,   3, 13, 23   4, 14, 24

F. *Dictée d'après la première conversation.*

G. *Dialogue:*
Inquiries about birthplace, age, family connections, etc., between students.

CONVERSATION 6

Having Lunch

JOHN—[1]J'ai faim.

ROGER—[2]Moi aussi.

JOHN—[3]Allons déjeuner.

ROGER—[4]Voici un restaurant. Entrons.

JOHN—[5]Voici une table libre. Asseyez-vous.

ROGER—[6]Garçon, donnez-moi la carte, s'il vous plaît.

LE GARÇON—[7]Voici, monsieur. Voulez-vous des *hors-d'œuvre?

ROGER—[8]Oui, apportez-moi des hors-d'œuvre. [9](à John) Voulez-vous du vin blanc ou du vin rouge?

JOHN—[10]Du vin rouge, s'il vous plaît.

ROGER—[11]Qu'est-ce que vous voulez comme plat de viande?

JOHN—[12]Du rosbif et des pommes de terre frites.

LE GARÇON—[13]Qu'est-ce que vous voulez comme dessert?

ROGER—[14]Qu'est-ce que vous avez?

JOHN—[1]I am hungry.

ROGER—[2]So am I.

JOHN—[3]Let's go have lunch.

ROGER—[4]Here is a restaurant. Let's go in.

JOHN—[5]Here is a (free) table. Sit down.

ROGER—[6]Waiter, give me the menu, please.

THE WAITER—[7]Here (it) is, sir. Do you want hors d'oeuvres? †

ROGER—[8]Yes, bring me some hors d'oeuvres. [9](to John) Do you want white wine or red wine?

JOHN—[10]Red wine, please.

ROGER—[11]What do you want for your meat course?

JOHN—[12]Roast beef and French fried potatoes.

THE WAITER—[13]What do you want for dessert?

ROGER—[14]What have you?

---

* The **h** in **hors-d'œuvre** is aspirate *(See paragraph 3)*.

† **Hors d'œuvres,** highly flavored dishes (olives, radishes, anchovies, salami, etc.), usually served on a large tray at the beginning of a meal.

[23]

LE GARÇON—[15]Nous avons des pommes, des bananes, des poires et du raisin.

THE WAITER—[15]We have apples, bananas, pears, and grapes.

ROGER—[16]Apportez-moi une poire.

ROGER—[16]Bring me a pear.

LE GARÇON—[17]Voulez-vous du café?

THE WAITER—[17]Do you want coffee?

ROGER—[18]Oui, donnez-moi du café noir.

ROGER—[18]Yes, give me some black coffee.

LE GARÇON (à John)—[19]Et vous, monsieur?

THE WAITER (to John)—[19]What about you, sir?

JOHN—[20]Merci, je n'aime pas le café.

JOHN—[20]No, thank you, I don't like coffee.

ROGER (au garçon)—[21]Garçon, l'addition, s'il vous plaît.

ROGER (to the waiter)—[21]Waiter, the bill, please.

LE GARÇON—[22]Tout de suite, monsieur.

THE WAITER—[22]Right away, sir.

A. *Dites en français:*

1. I am hungry. **2.** So am I. **3.** Let's go have lunch. **4.** Here's a restaurant. **5.** Let's go in. **6.** Here is a free table. **7.** Sit down. **8.** Waiter, give me the menu, please. **9.** Here (it) is, sir. **10.** Do you want some hors d'œuvres? **11.** Yes, bring me some hors d'œuvres. **12.** Do you want white wine or red wine? **13.** Red wine, please. **14.** What do you want for a meat course? **15.** Roast beef and French fried potatoes. **16.** What do you want for dessert? **17.** What have you? **18.** We have apples, bananas, pears, and grapes. **19.** Bring me a pear. **20.** Do you want coffee? **21.** Yes, give me some black coffee. **22.** What about you, sir? **23.** No, thank you, I don't like coffee. **24.** Waiter, the bill, please. **25.** Right away, sir.

B. *Répondez en français à chacune des questions suivantes:*

1. Quelle heure est-il? **2.** Avez-vous faim? **3.** A quelle heure allez-vous déjeuner? **4.** Y a-t-il un restaurant près d'ici? **5.** Où est le restaurant? **6.** Y a-t-il une table libre? **7.** Voulez-vous des hors-d'œuvre? **8.** Voulez-vous du vin blanc ou du vin rouge? **9.** Qu'est-ce que vous voulez comme plat de viande? **10.** Qu'est-ce que vous

voulez comme dessert? **11.** Qu'est-ce qu'il y a comme dessert?
12. Voulez-vous du café noir? **13.** Aimez-vous le café? **14.** Aimez-vous les hors-d'œuvre?

C. *Dites à un autre étudiant (à une autre étudiante):*
1. qu'il est midi. **2.** que vous avez faim. **3.** qu'il y a un restaurant en face. **4.** que c'est un bon restaurant. **5.** d'entrer dans le restaurant. **6.** qu'il y a une table libre là-bas à droite. **7.** de s'asseoir (*to sit down*).

D. *Demandez à quelqu'un (someone):*
1. s'il a faim. **2.** à quelle heure il va déjeuner aujourd'hui. **3.** à quelle heure il va dîner. **4.** où il va déjeuner aujourd'hui (*today*). **5.** où il va dîner. **6.** s'il veut (*if he wants*) des hors-d'œuvre. **7.** s'il veut du café.

E. *Dictée d'après la deuxième conversation.*

F. *Conversations:*
(1) "What time is it?" "It's twelve o'clock (noon)." "I'm hungry. Let's go have lunch." "Here is a restaurant. Let's go in."
(2) "What time is it?" "It's 6:15." "I'm hungry. Let's go have dinner." "Is there a good restaurant near here?" "Yes. There is a good restaurant on the square."
(3) "Waiter, give me the menu, please." "Here it is, sir." "Bring me some hors d'œuvres." "Yes, sir. What do you want as a meat course?" "Bring me some roast beef and French fried potatoes." "What do you want for dessert?" "What have you?" "Pears, apples, bananas, and grapes." "Bring me some grapes, please." "Right away, sir."

II GRAMMAR UNIT

Nouns used in a Partitive Sense

7. EXPLANATIONS OF NOUNS USED IN A PARTITIVE SENSE.

— Voulez-vous **du café?**   Do you want *some coffee?*

— Voulez-vous **des pommes?**   Do you want *some apples?*

— Apportez-moi **des hors-d'œuvre.**   Bring me *some hors d'œuvres.*

— Avez-vous **des parents** en France?   Have you *any relatives* in France?

The nouns **café, pommes, hors-d'œuvre,** and **parents** are taken in a partitive sense; i.e., they refer to *a part of* the beverage, the fruit, the food, or the people in question.

In English the partitive sense is frequently expressed by the words *some* or *any,* but it is often implied rather than expressed. You can say: *Do you want some coffee? Do you want any coffee?* or *Do you want coffee?* In French, however, the only possible way to express the idea is: **Voulez-vous du café?**

8. WHEN NOUNS ARE USED IN A PARTITIVE SENSE IN AFFIRMATIVE STATEMENTS, COMMANDS, AND QUESTIONS, THEY ARE PRECEDED BY ONE OF THE SPECIAL PARTITIVE FORMS, **du, de la, de l',** OR **des.**

(1) The form **du** is used with a masculine singular noun before which **le** would normally stand:

| le café | Voulez-vous **du café?** | Do you want *(some) coffee?* |
| le café noir | Voulez-vous **du café noir?** | Do you want *(some) black coffee?* |

(2) **De la** is used with a feminine singular noun before which **la** would normally stand:

| la crème | Donnez-moi **de la crème.** | Give me *some cream.* |
| la monnaie | Avez-vous **de la monnaie?** | Have you *any change?* |

(3) **De l'** is used with a masculine or feminine singular noun before which **l'** would normally stand:

l'argent (*m.*)	Avez-vous **de l'argent?**	Have you *any money?*
l'eau (*f.*)	Donnez-moi **de l'eau.**	Give me *some water.*

(4) **Des** is used with masculine or feminine plural nouns:

les fruits (*m.*)	Avez-vous **des fruits?**	Have you *any fruit?*
les pommes (*f.*)	Nous avons **des pommes.**	We have *apples.*
les poires (*f.*)	Voulez-vous **des poires?**	Do you want *pears?*

9. USE OF **de** ALONE.

(1) **De** is used instead of **du, de la, des,** when a noun in the partitive sense is the direct object of the negative form of a verb:

— Nous n'avons **pas de café.**	We have *no coffee.*
BUT: Avez-vous du café?	Have you *any coffee?*
— Nous n'avons **pas de crème.**	We have *no cream.*
BUT: Avez-vous de la crème?	Have you *any cream?*
— Je n'ai **pas de parents** en France.	I have *no relatives* in France.
BUT: Avez-vous des parents en France?	Have you *any relatives* in France?
— Il n'y a **pas d'eau** sur la table.	There is *no water* on the table.
BUT: Y a-t-il de l'eau sur la table?	Is there *any water* on the table?

(2) **De** is used instead of **un, une,** when the noun is the direct object of the negative form of a verb:

— Je n'ai **pas de carte d'identité.**	I have *no identification card.*
BUT: J'ai une carte d'identité.	I have *an identification card.*
— Il n'y a **pas d'hôtel** près d'ici.	There is *no hotel* near here.
BUT: Y a-t-il un hôtel près d'ici?	Is there *a hotel* near here?

(3) **De** is frequently used instead of **des,** when the noun is preceded by an adjective:

—Il y a **de bons restaurants** sur la place.	There are *good restaurants* on the square.
(BUT: Il y a **des restaurants** sur la place.)	There are *restaurants* on the square.
—Y a-t-il **d'autres hôtels** ici?	Are there *other hotels* here?
(BUT: Y a-t-il **des hôtels** ici?)	Are there *any hotels* here?

(4) **De** alone is used after adverbs **beaucoup** *much,* **un peu** a little, and most expressions of quantity:

—Il y a **beaucoup de restaurants** sur la place.	There are *many restaurants* on the square.
—Voulez-vous **un peu de café?**	Do you want *a little coffee?*

10. REMARKS ABOUT WHEN TO USE THE PARTITIVE FORMS.

(1) With verbs such as *want, have, eat, order, bring,* etc., you often use nouns in a partitive sense because you are likely to want, have, order, etc., only a part of the thing or things you are talking about.

(2) With *I like,* on the other hand, it is most unusual to use a noun in a partitive sense. You can say:

—J'aime le café.	I like coffee.
—J'aime le café noir.	I like black coffee.
—Je n'aime pas le café.	I don't like coffee.

If you say "I like *some* coffee", you are still not using the noun in a partitive sense because you like *all* the particular kind of coffee you are referring to. The partitive could not be used to express this phrase which means "I like certain kinds of coffee."

(3) Observe the sense in which the nouns are taken in the following sentences and try to see how the different shades of meaning are expressed:

(a)

—Aimez-vous les pommes?	Do you like apples? (in general)
—Voulez-vous la pomme?	Do you want the apple? (a whole object)

—Voulez-vous les pommes?   Do you want the apples? (a whole group of objects)

— Voulez-vous des pommes?   Do you want some apples? (a part of the whole group of objects)

(b)

I like *coffee* (le café). I want to buy *some coffee* (du café). I go to the grocery store where they sell *coffee* (du café). I go to the counter where *the coffee* (le café) [i.e., all the coffee they have for sale] is sold. I buy *some coffee* (du café) [i.e., some of the coffee that is for sale]. The salesman puts *the coffee* (le café) [i.e., all the coffee I bought] into a bag. I take *the coffee* (le café) home.

Now I want to make *some coffee* (du café) [i.e., some of the beverage that can be brewed with ground coffee beans]. I take *the coffee* (le café) from the table and put *some coffee* (du café) [i.e., some of the coffee that is in the bag] and some boiling water into a coffee maker and make *coffee* (du café). I pour *coffee* (du café) into a cup. I drink *the coffee* (le café) that is in the cup. I always drink *coffee* (du café) [i.e., some of the beverage which can be made from coffee beans] for breakfast.

A. *Répondez affirmativement, en français, à chacune des questions suivantes:*

1. (a) Avez-vous un frère? (b) Avez-vous une sœur? (c) Avez-vous une lettre pour moi? (d) Avez-vous des frères? (e) Avez-vous des sœurs? (f) Avez-vous des lettres pour moi? 2. (a) Avez-vous des pommes? (b) Avez-vous des bananes? (c) Avez-vous du vin rouge? (d) Avez-vous du rosbif? (e) Avez-vous des pommes de terre frites? (f) Avez-vous du raisin? (g) Avez-vous du café? (h) Avez-vous du vin blanc? (i) Avez-vous de la crème? (j) Avez-vous des fruits? 3. (a) Y a-t-il un hôtel ici? (b) Y a-t-il un autre hôtel ici? (c) Y a-t-il un bon hôtel ici? (d) Y a-t-il un bureau de tabac près d'ici? (e) Y a-t-il un restaurant près d'ici? (f) Y a-t-il de bons restaurants ici? (g) Y a-t-il des restaurants sur la place? (h) Y a-t-il de bons restaurants sur la place? (i) Y a-t-il une table libre? (j) Y a-t-il des tables libres? (k) Y a-t-il de l'eau sur la table? 4. (a) Aimez-vous le café?

(*b*) Aimez-vous le café noir? (*c*) Aimez-vous les pommes? (*d*) Aimez-vous le rosbif? (*e*) Aimez-vous les pommes de terre frites? (*f*) Aimez-vous la crème?   5. (*a*) Y a-t-il beaucoup de restaurants sur la place? (*b*) Voulez-vous un peu de café?* (*c*) Voulez-vous un peu de crème?* (*d*) Voulez-vous un peu de vin rouge?* (*e*) Avez-vous beaucoup de frères? (*f*) Avez-vous beaucoup de sœurs?

B. *Répondez négativement, en français, à chacune des questions précédentes.*

C. (1) *Demandez à un autre étudiant (à une autre étudiante):*
1. s'il (si elle) a un frère.   2. s'il (si elle) a des sœurs.   3. s'il y a un hôtel ici.   4. s'il y a un autre hôtel ici.   5. s'il y a de bons hôtels ici.

(2) *Imaginez que vous êtes dans un restaurant et demandez au garçon:*
1. s'il y a une table libre.   2. s'il y a d'autres tables libres.   3. s'il y a des poires.   4. s'il y a du raisin.   5. s'il y a du rosbif et des pommes de terre frites.

D. *Dites en français:*
1. (*a*) Do you like coffee? (*b*) Have you any coffee? (*c*) I have no coffee.   2. (*a*) Do you like grapes? (*b*) Have you any grapes? (*c*) I have no grapes.   3. (*a*) Do you like pears? (*b*) Do you want some pears? (*c*) I have no pears.   4. (*a*) Here are some apples. (*b*) Here are some good apples. (*c*) I like good apples. (*d*) Do you want some apples? 5. (*a*) Do you want some water? (*b*) Give me some water. (*c*) There is no water on the table.

---

* For the affirmative answer, the student should reply: **Oui, donnez-moi...** For the negative answer, he should say: **Non, merci, madame (monsieur, etc.).**

CONVERSATION 7

Making Plans

John—[1]Quelle est la date aujourd'hui?

Roger—[2]C'est aujourd'hui le trente septembre. [3]Quand allez-vous à Marseille?

John—[4]Au mois d'octobre. [5]Voici mon emploi du temps: [6]octobre et novembre à Marseille; [7]décembre, janvier et février à Paris; [8]mars et avril à Lyon; [9]mai, juin, juillet et août à Paris.

Roger—[10]Est-ce que vous êtes libre la semaine prochaine?

John—[11]Voyons . . . Quel jour est-ce aujourd'hui?

Roger—[12]C'est aujourd'hui vendredi.

John—[13]Je vais au laboratoire lundi, mardi, mercredi et jeudi. [14]Je suis libre vendredi, samedi et dimanche.

Roger—[15]Voulez-vous venir à Rouen avec moi?

John—[16]Volontiers. A quelle heure partez-vous?

Roger—[17]Le train part à cinq heures.

John—[18]C'est entendu. A jeudi après-midi.

John—[1]What's the date today?

Roger—[2]Today is September 30. [3]When are you going to Marseilles?

John—[4]In the month of October. [5]Here is my schedule: [6]October and November in Marseilles; [7]December, January, and February in Paris; [8]March and April in Lyons; [9]May, June, July and August in Paris.

Roger—[10]Are you free next week?

John—[11]Let's see . . . What's today?

Roger—[12]Today is Friday.

John—[13]I am going to the laboratory Monday, Tuesday, Wednesday and Thursday. [14]I am free Friday, Saturday and Sunday.

Roger—[15]Do you want to go (come) with me to Rouen?

John—[16]Gladly. What time are you leaving?

Roger—[17]The train leaves at five o'clock.

John—[18]Agreed. See you Thursday afternoon.

A. *Dites en français:*

(*a*) 1. January, February, March. 2. April, May, June. 3. July, August, September. 4. October, November, December.

(*b*) 1. Today is September 30. 2. Today is October 30. 3. Today is November 20. 4. Today is December 20. 5. Today is February 15. 6. Today is April 15. 7. Today is May 10. 8. Today is June 8. 9. Today is July 4. 10. Today is August 25. 11. Today is January 17. 12. Today is March 16.

(*c*) 1. Monday. 2. Tuesday. 3. Wednesday. 4. Thursday. 5. Friday. 6. Saturday. 7. Sunday.

(*d*) 1. Today is Monday. 2. Today is Wednesday. 3. Today is Friday. 4. Today is Thursday. 5. Today is Saturday. 6. Today is Tuesday. 7. Today is Sunday.

(*e*) 1. See you Thursday. 2. See you Friday. 3. See you Sunday.

B. *Répondez en français à chacune des questions suivantes, d'après le texte:*

1. Quelle est la date aujourd'hui? 2. Quand allez-vous à Marseille? 3. Quels jours allez-vous au laboratoire? 4. Quels jours êtes-vous libre? 5. Quel jour est-ce aujourd'hui? 6. Voulez-vous venir à Rouen avec moi? 7. A quelle heure le train part-il? 8. A quelle heure allez-vous à la gare?

C. *Répétez en français après le professeur:*

1. Premier (*m.*) première (*f.*) (*first*). 2. deuxième (*second*). 3. troisième (*third*). 4. quatrième (*fourth*). 5. cinquième (*fifth*). 6. sixième (*sixth*). 7. septième (*seventh*). 8. huitième (*eighth*). 9. neuvième (*ninth*). 10. dixième (*tenth*). 11. onzième (*eleventh*). 12. douzième (*twelfth*).

D. *Répondez en français à chacune des questions suivantes:*

1. Quels sont les mois de l'année (*year*)? 2. Quel est le premier mois de l'année? 3. Quel est le deuxième mois de l'année? 4. Quel est le quatrième mois de l'année? 5. Quel est le sixième mois de l'année? 6. Quel est le huitième mois de l'année? 7. Quel est le dixième mois de l'année? 8. Quel est le douzième mois de l'année? 9. Quel est le

dernier *(last)* mois de l'année? **10.** Quel est le premier jour de la semaine? *(Monday,* in France). **11.** Quel est le deuxième jour de la semaine? **12.** Quel est le troisième jour de la semaine? **13.** Quel est le quatrième jour de la semaine? **14.** Quel est le cinquième jour de la semaine? **15.** Quel est le sixième jour de la semaine? **16.** Quel est le dernier jour de la semaine?

E. *Dites en anglais ce que vous suggère chacune des dates suivantes (Say in English what each of the following dates suggests to you):*

1. Le premier* avril.   **2.** Le dernier jeudi de novembre.   **3.** Le trente et un octobre.   **4.** Le quatre juillet.   **5.** Le vingt-cinq décembre.   **6.** Le vingt-deux février.   **7.** Le vingt-neuf février.   **8.** Le premier janvier. **9.** Le premier lundi de septembre.

F. *Dites en français:*

1. Are you free this afternoon?   **2.** Are you free Friday evening? **3.** What time are you leaving?   **4.** What time are you free?   **5.** I am free at five o'clock.   **6.** At eight o'clock.   **7.** At noon.   **8.** Do you want to have lunch with me?

G. *Demandez à un autre étudiant (à une autre étudiante):*

1. quel jour c'est aujourd'hui.   **2.** quelle heure il est.   **3.** à quelle heure il (elle) déjeune.   **4.** si le bureau de poste est ouvert à neuf heures. **5.** si le bureau de poste est ouvert cet après-midi.   **6.** comment il (elle) s'appelle.   **7.** quel âge il (elle) a.   **8.** où il (elle) est né (née).   **9.** où il (elle) habite.   **10.** s'il (si elle) est libre dimanche.

H. *Dictée d'après la troisième conversation.*

I. *Dialogue:*

Vous invitez un de vos amis *(a friend of yours)* à dîner ce soir. Vous fixez un rendez-vous *(Decide upon a time and place to meet.)*

---

* Note that the ordinal number is used for the first of the month, but that the cardinal numbers are used for the other days of the month.

Present Indicative of être and avoir, and Regular Verbs of the First Conjugation

11. HOW TO LEARN VERB FORMS.

The best way to learn *anything* is to associate the thing to be learned with something which you already know. In studying the present indicative of the verb **être**, for example, you should bear in mind the forms which you have already mastered and relate the unfamiliar forms to them.

If you make it a point to think what each form means each time you say it or hear it, you will have little difficulty in learning verb forms.

12. PRESENT INDICATIVE OF être, *to be:* IRREGULAR.

— **Êtes-vous** Français?	*Are you* French?
— Non, **je ne suis pas** Français.	No, *I am not* French.
Je suis Américain.	*I am* an American.
— Quelle heure **est-il?**	What time *is it?*
— **Il est** dix heures.	*It is* ten o'clock.
— Où **sont** Roger et John?	*Where are* Roger and John?
— **Ils sont** à Paris.	*They are* in Paris.

The forms of the present indicative of **être** are:

AFFIRMATIVE		NEGATIVE
je suis	*I am*	je ne suis pas (*I am not*)
tu es*	*you are*	tu n'es pas
il est	*he is*	il n'est pas
elle est	*she is*	elle n'est pas

---

* The **tu** form, the second person singular, is used only within families, in addressing children, and between very intimate friends. It is not used in the oral practice exercises but you will often find it in reading French books.

nous sommes	*we are*	nous ne sommes pas
vous êtes	*you are*	vous n'êtes pas
ils sont	*they are (m.)*	ils ne sont pas
elles sont	*they are (f.)*	elles ne sont pas

INTERROGATIVE

est-ce que je suis? (*am I?*)
es-tu?
est-il?
est-elle?
sommes-nous?
êtes-vous?
sont-ils?
sont-elles?

Note that the form given for the first person singular of the interrogative is **Est-ce que je suis?** This form is given because the inverted form **suis-je?** is hardly ever used except in literary style. **Est-ce que?** may of course be used with the other forms.

13. PRESENT INDICATIVE OF avoir, *to have:* IRREGULAR.

— **Avez-vous** des frères?   *Have you any brothers?*
— Non, **je n'ai pas** de frères.   *No, I have no brothers.*
— Qu'est-ce que **vous avez** com-   *What do you have for dessert?*
  me dessert?
— **Nous avons** des pommes et   *We have apples and pears.*
  des poires.

The forms of the present indicative of **avoir** are:

AFFIRMATIVE		NEGATIVE
j'ai	*I have*	je n'ai pas (*I have not*)
tu as	*you have*	tu n'as pas
il a	*he has*	il n'a pas
elle a	*she has*	elle n'a pas
nous avons	*we have*	nous n'avons pas
vous avez	*you have*	vous n'avez pas
ils ont	*they have (m.)*	ils n'ont pas
elles ont	*they have (f.)*	elles n'ont pas

est-ce que j'ai? (*have I?*)
as-tu?
a-t-il?
a-t-elle?
avons-nous
avez-vous?
ont-ils?
ont-elles?

Note that in the inverted form of the third person singular, the subject pronoun (**il, elle, on**) is always preceded by the sound *t*. For verbs whose third person singular ends in a *t* (or **d**), it is simply a matter of linking the final consonant. Ex.: **Est-il?** For verbs whose third person does not end in a *t* (or **d**), a *t* is inserted between the verb and pronoun subject anyway.

14. PRESENT INDICATIVE OF **déjeuner,** *to lunch*: FIRST CONJUGATION, REGULAR.

— A quelle heure **déjeunez-vous?**	At what time *do you have lunch?*
— **Je déjeune** à midi et quart.	*I have lunch* at a quarter past twelve.
— A quelle heure Roger **déjeune-t-il?**	At what time *does* Roger *have lunch?*
— **Il déjeune** à midi et demi.	*He lunches* at half past twelve.
— A quelle heure **déjeunent** vos parents?	At what time *do* your parents *have lunch?*
— **Ils déjeunent** à une heure.	*They lunch* at one o'clock.

The forms of the present indicative of **déjeuner** are:

AFFIRMATIVE	NEGATIVE	INTERROGATIVE
je déjeune	je ne déjeune pas	est-ce que je déjeune?
I have lunch	*I do not have lunch*	*Am I having lunch?*
I am having lunch	*I am not having lunch*	*Do I have lunch?*
tu déjeunes	tu ne déjeunes pas	déjeunes-tu?

il (elle) déjeune	il (elle) ne déjeune pas	déjeune-t-il (elle)?
nous déjeunons	nous ne déjeunons pas	déjeunons-nous?
vous déjeunez	vous ne déjeunez pas	déjeunez-vous?
ils (elles) déjeu-	ils (elles) ne déjeunent	déjeunent-ils (elles)?
nent	pas	

1. Note that the endings of the first, second, and third person singular and of the third person plural are all silent, and that the verb forms in **je déjeune, tu déjeunes, il déjeune,** and **ils déjeunent** are all pronounced alike.

2. The present indicative of regular verbs of the first conjugation consists of a stem and endings: the stem may be found* by dropping the **-er** of the infinitive; the endings are **-e, -es, -e, -ons, -ez, -ent.**

3. The first conjugation has by far the largest number of verbs. You have already met the following verbs of this conjugation: **parler, apporter, donner, dîner, entrer, demeurer, habiter, arriver, fermer, s'appeler,** as well as **demander,** and **compter.**

A. (1) *Répondez affirmativement, en français, à chacune des questions suivantes:*

1. Êtes-vous M. Hughes? (Êtes-vous Mlle Hughes?)   2. Êtes-vous étudiant? (Êtes-vous étudiante?)   3. Êtes-vous libre dimanche?   4. Est-ce que le déjeuner est prêt?   5. Le bureau de poste est-il ouvert cet après-midi?   6. Marie est-elle étudiante?   7. Êtes-vous étudiants? (Réponse au pluriel)

---

*For a few verbs in which the final vowel of the stem is an **e** (e.g. acheter), it is necessary to note that this **e** is silent in forms in which the ending is pronounced **(nous achetons, vous achetez),** and that it is pronounced like the **è** in **père** in the persons whose endings are silent **(j'achète, tu achètes, il achète,** and **ils achètent).** In **acheter,** this difference in pronunciation is indicated by writing **è** instead of **e.**

In **appeler,** however, this difference in pronunciation of the final vowel of the stem is indicated by writing **ll** instead of **l** in the singular and in the third person plural: **appelle, appelles, appelle, appelons, appelez, appellent.**

(2) Répondez négativement à chacune des questions suivantes:

1. Êtes-vous monsieur (mademoiselle) Martin?   **2.** Êtes-vous Français (Française)?   **3.** Êtes-vous libre dimanche?   **4.** Est-ce que le déjeuner est prêt?   **5.** Le bureau de poste est-il ouvert cet après-midi?   **6.** Marie est-elle étudiante?   **7.** Êtes-vous Français? (Réponse au pluriel) **8.** Est-ce que John et Roger sont à Paris?

B. *Demandez en français à un autre étudiant (à une autre étudiante):*

1. s'il est M. Martin (si elle est Mlle Martin).   **2.** s'il est étudiant (si elle est étudiante).   **3.** où il est né (où elle est née).   **4.** s'il (si elle) est libre dimanche.   **5.** si le bureau de poste est ouvert.   **6.** si Marie est étudiante.   **7.** si John et Roger sont en France.   **8.** s'ils sont à Paris. **9.** quels sont les jours de la semaine.

C. *Répondez affirmativement, en français, à chacune des questions suivantes:*

1. Avez-vous faim?   **2.** Avez-vous des frères?   **3.** Avez-vous des bananes? (Réponse au pluriel)   **4.** Roger a-t-il faim?   **5.** Roger a-t-il des sœurs?   **6.** Marie a-t-elle des frères?   **7.** John et Roger ont-ils faim? **8.** Ont-ils des frères?   **9.** Ont-ils d'autres parents?

D. *Demandez en français à une autre personne:*

1. si elle a faim.   **2.** quel âge elle a.   **3.** si elle a des frères.   **4.** si Roger a faim.   **5.** si Marie a faim.   **6.** si Roger a des sœurs.   **7.** si Marie a des frères.   **8.** si John et Roger ont faim.   **9.** quel âge a Marie.

E. *Répondez en français à chacune des questions suivantes:*

1. A quelle heure dînez-vous?   **2.** A quelle heure déjeunez-vous?   **3.** Où demeurez-vous?   **4.** Parlez-vous français?   **5.** Comment vous appelez-vous?   **6.** A quelle heure Roger déjeune-t-il?   **7.** A quelle heure dîne-t-il?   **8.** Où demeure-t-il?   **9.** Parle-t-il français?   **10.** A quelle heure déjeunez-vous? (Réponse au pluriel)   **11.** A quelle heure dînez-vous? (Réponse au pluriel)   **12.** Parlez-vous français? (Réponse au pluriel) **13.** Où demeurez-vous? (Réponse au pluriel)   **14.** Où John et Roger

demeurent-ils? **15.** Où dînent-ils? **16.** Est-ce qu'ils parlent français?
17. Le garçon apporte-t-il des hors-d'œuvre? **18.** Apporte-t-il du rosbif
et des pommes de terre frites?

F. *Demandez en français à quelqu'un:*

1. à quelle heure il déjeune. **2.** à quelle heure il dîne. **3.** où il demeure.
4. s'il parle français. **5.** où demeure Roger. **6.** si Roger parle français. **7.** à quelle heure déjeune Roger. **8.** à quelle heure dîne Marie.
9. où demeure Marie. **10.** où déjeunent John et Roger. **11.** si le garçon apporte des hors-d'œuvre. **12.** si le garçon apporte du café noir.

G. *Dites en français:*

1. I am. **2.** I have. **3.** We have. **4.** We are. **5.** They are. **6.** They
have. **7.** She has. **8.** She is. **9.** He is. **10.** He has. **11.** He has not.
12. She has not. **13.** She is not. **14.** He is not. **15.** We are not.
16. We have not. **17.** They have not. **18.** Are they? **19.** Have
they? **20.** Has he? **21.** Is he? **22.** Are we? **23.** Have we? **24.** Have
you? **25.** Do you speak? **26.** Do you enter? **27.** Do you bring?
28. I bring. **29.** I enter. **30.** I have lunch. **31.** I speak. **32.** He
speaks. **33.** He enters. **34.** We enter. **35.** We live. **36.** We give.
37. We have lunch. **38.** We dine. **39.** We speak. **40.** We arrive.
41. They arrive. **42.** They give. **43.** They (*f.*) speak. **44.** They live
here. **45.** They (*f.*) enter. **46.** They bring. **47.** Do they bring?
48. Do they speak? **49.** Do they live here? **50.** Do they enter?

CONVERSATION 8

Buying a Paper

Dans la rue

ROGER—[1]Où allez-vous?

JOHN—[2]Je vais acheter un journal. [3]Où vend-on des journaux? *

ROGER—[4]On vend des journaux au bureau de tabac.

Au bureau de tabac

JOHN—[5]Avez-vous des journaux, madame?

MME COCHET—[6]Oui, monsieur. Les voilà.†

JOHN—[7]Donnez-moi Le Figaro, s'il vous plaît.

MME COCHET—[8]Le voici, monsieur.

JOHN—[9]Combien est-ce?

MME COCHET—[10]Quinze francs.

JOHN—[11]Voilà un billet de cent francs.

MME COCHET—[12]Voilà la monnaie: quatre-vingt-cinq francs.

JOHN—[13]Avez-vous des cigarettes américaines?

MME COCHET—[14]Je regrette, monsieur. [15]Nous n'avons pas de cigarettes américaines.

On the Street

ROGER—[1]Where are you going?

JOHN—[2]I am going to buy a paper. [3]Where do they sell papers?

ROGER—[4]They sell papers at the tobacco shop.

At the tobacco shop

JOHN—[5]Have you any newspapers, madam?

MRS. COCHET—[6]Yes, sir. Here they are.

JOHN—[7]Give me Le Figaro, please.

MRS. COCHET—[8]Here it is, sir.

JOHN—[9]How much is it?

MRS. COCHET—[10]Fifteen francs.

JOHN—[11]Here is a hundred franc bill.

MRS. COCHET—[12]Here is the change: 85 francs.

JOHN—[13]Have you any American cigarettes?

MRS. COCHET—[14]I am sorry, sir. [15]We have no American cigarettes.

---

*Although the plural of French nouns (and adjectives) is usually found by adding an s to the singular, most nouns ending in -al have the plural ending -aux: journal — journaux, cheval — chevaux.

† In spoken French, voici and voilà are practically interchangeable. Voilà is more usual.

JOHN—[16]Je n'aime pas les cigarettes françaises.

MME COCHET—[17]Nous avons du tabac américain.

JOHN—[18]Combien coûte-t-il?

MME COCHET—[19]Il coûte cent cinquante francs le paquet.

JOHN—[20]Avez-vous la monnaie de mille francs?

MME COCHET—[21]Je crois que oui. La voilà. [22]Est-ce tout, monsieur?

JOHN—[23]Oui, c'est tout pour aujourd'hui.

JOHN—[16]I don't like French cigarettes.

MRS. COCHET—[17]We have some American tobacco.

JOHN—[18]How much does it cost?

MRS. COCHET—[19]It costs 150 francs per package.

JOHN—[20]Have you change for 1000 francs?

MRS. COCHET—[21]I think so. Here it is. [22]Is that all, sir?

JOHN—[23]Yes, that's all for today.

A. *Dites en français:*

1. Where are you going?   2. I am going to buy a paper.   3. Where do they sell papers?   4. They sell papers at the tobacco shop.   5. Have you any papers, madam?   6. Yes, sir. Here they are.   7. Please give me *Le Figaro*.   8. Here it is, sir.   9. How much is it?   10. Fifteen francs. 11. Here is a hundred franc bill.   12. Here is the change: 85 francs. 13. Have you any American cigarettes?   14. I am sorry, sir.   15. We have no American cigarettes.   16. I don't like French cigarettes.   17. We have some American tobacco.   18. How much does it cost?   19. It costs 150 francs per package.   20. Have you change for 1000 francs?   21. I think so. Here it is.   22. Is that all, sir?   23. Yes, that's all for today.

B. *Répondez en français à chacune des questions suivantes:*

1. Où allez-vous?   2. Où vend-on des journaux?   3. Avez-vous des journaux?   4. Avez-vous *Le Figaro?*   5. Combien est-ce?   6. Avez-vous des cigarettes américaines?   7. Avez-vous du tabac américain? 8. Combien coûte-t-il?   9. Avez-vous la monnaie de mille francs? 10. Où John achète-t-il un journal?   11. Quel journal achète-t-il? 12. Où achète-t-on des cigarettes en France?

C. *Demandez à un autre étudiant (à une autre étudiante):*

1. où il (elle) va.   **2.** pourquoi (*why*) il va au bureau de tabac.   **3.** si l'on* vend des journaux au bureau de tabac.   **4.** si l'on vend des ciga-rettes au bureau de tabac.   **5.** quel journal il (elle) va acheter.   **6.** com-bien coûte *Le Figaro*.   **7.** s'il (si elle) a des cigarettes américaines. **8.** s'il (si elle) aime les cigarettes américaines.   **9.** s'il (si elle) a du tabac américain.   **10.** s'il (si elle) a la monnaie de cent francs.   **11.** si c'est tout.   **12.** où John achète le journal.   **13.** quel journal il achète. **14.** où l'on achète des cigarettes en France.

D. (1) *Répondez affirmativement à chacune des questions suivantes:*

1. Avez-vous des cigarettes américaines?   **2.** Aimez-vous les cigarettes américaines?   **3.** Aimez-vous le café?   **4.** Avez-vous du café?   **5.** Aimez-vous le vin rouge?   **6.** Avez-vous du vin rouge?   **7.** Avez-vous des frères?   **8.** Avez-vous de la monnaie?

(2) *Répondez négativement à chacune des questions pré-cédentes.*

E. *Dictée d'après la quatrième conversation.*

F. *Conversations:*

(1) "Do you have any pears?" "I am sorry, sir. We have no pears. We have bananas and grapes." "I don't like bananas. Bring me some grapes."

(2) "Waiter, bring me the bill, please." "Here it is, sir." "How much is it?" "Three hundred francs, sir." "Have you the change for a thou-sand francs?" "I think so. Here it is."

(3) "What day of the week is today?" "It's Tuesday." "Is it the first Tuesday of the month?" "No, it is the second." "Today is November 8th."

---

* The form **l'on** is often used instead of **on** when the word immediately preceding is **où** or **si.**

IV

GRAMMAR UNIT

Numbers

15. CARDINAL NUMBERS *(one, two, three, etc.)*.

1	un, une	6	six	11	onze	16	seize
2	deux	7	sept	12	douze	17	dix-sept
3	trois	8	huit	13	treize	18	dix-huit
4	quatre	9	neuf	14	quatorze	19	dix-neuf
5	cinq	10	dix	15	quinze	20	vingt

21	vingt et un	73	soixante-treize
22	vingt-deux	80	quatre-vingts
23	vingt-trois	81	quatre-vingt-un
30	trente	82	quatre-vingt-deux
31	trente et un	83	quatre-vingt-trois
32	trente-deux	90	quatre-vingt-dix
33	trente-trois	91	quatre-vingt-onze
40	quarante	92	quatre-vingt-douze
41	quarante et un	100	cent
42	quarante-deux	101	cent un
43	quarante-trois	102	cent deux
50	cinquante	103	cent trois
51	cinquante et un	200	deux cents
52	cinquante-deux	300	trois cents
53	cinquante-trois	1000	mille*
60	soixante	1100	onze cents
61	soixante et un	1200	douze cents
62	soixante-deux	1300	treize cents
63	soixante-trois	1400	quatorze cents
70	soixante-dix	1900	dix-neuf cents
71	soixante et onze	2000	deux mille**
72	soixante-douze	2100	deux mille cent

---

*From 1100 to 1900 you may also say: mille cent, mille deux cents, etc., though onze cents, douze cents, etc., are more commonly used.

**Beginning with 2.000, you always count in thousands in French. In English you may say: twenty-one hundred, twenty-two hundred, etc., but in French you may say only: deux mille cent, deux mille deux cents, etc.

| 2110 | deux mille cent dix | 100.000 | cent mille |
| 20.000 | vingt mille* | 1.000.000 | un million |

NOTES ON NUMBERS:

1. The French count by tens from 1 to 60 but by twenties from 61 to 100. The Celts, whose language was spoken in Gaul before the Roman conquests, counted by twenties. The Romans counted by tens. The French system of numbers is a combination of the two.

2. **Et** is used only in the numbers 21, 31, 41, 51, 61, and 71.

3. Pronunciation of final consonant of numbers:

(a) The final consonant of numbers is ordinarily silent when the word immediately following the number begins with a consonant. Ex.: cinq francs; six pommes; huit lettres; dix poires; vingt francs; etc.

(b) The final consonant of numbers is pronounced when the word immediately following the number begins with a vowel or a mute **h**. Ex.: trois ans; cinq ans; six étudiants; sept heures; huit étudiants; etc.

(c) The final consonant of **cinq, six, sept, huit, neuf** and **dix** is pronounced when the numbers are used alone, in counting, or at the end of a phrase or sentence. Ex.: Combien de frères avez-vous? — Cinq.

(d) See also the phonetic transcription of numbers, p. 356.

16. ORDINAL NUMBERS *(first, second, third, etc.).*

—Lundi est **le premier** jour de la semaine. / Monday is *the first* day of the week.

—Quel est **le troisième** mois de l'année? / What is *the third* month of the year?

—C'est un étudiant de **deuxième** année. / He is a *second* year student.

---

* In French numbers, a period is used where we use a comma, and vice versa: English: 12,000.85; French: 12.000,85.

premier, première	*first*	huitième	*eighth*
second, seconde; deuxième	*second*	neuvième	*ninth*
troisième	*third*	dixième	*tenth*
quatrième	*fourth*	onzième	*eleventh*
cinquième	*fifth*	douzième	*twelfth*
sixième	*sixth*	vingtième	*twentieth*
septième	*seventh*	vingt-et-unième	*twenty-first*

Note that the word **an** is used with cardinal numbers but that **année** is used with ordinals. Ex.: trois ans *(three years);* la troisième année *(the third year).*

17. DATES.

C'est aujourd'hui **le sept juin.**	Today is *the seventh of June.*
Je vais à Marseille **le huit octo-bre.**	I am going to Marseilles *on October 8th.*
Louis XIV est mort **en 1715** (dix-sept cent quinze).	Louis XIV died *in 1715.*

NOTES ON DATES:

1. You always use the cardinal numbers for the days of the month except for the first of the month. Ex.: le deux mai, le trois mai, etc., but **le premier mai.**

2. In English, we say: seventeen fifteen, seventeen hundred fifteen, or seventeen hundred and fifteen. In French, 1715 can be read in only two ways: **dix-sept cent quinze** or **mille sept cent quinze.** Do not omit the word **cent.**

18. TIME OF DAY.

(1) In conversation:

— Quelle heure est-il?	What time is it?
— Il est onze heures et quart.	It is quarter past eleven.
— Il est onze heures et demie.	It is half past eleven.
— Il est midi moins le quart.	It is a quarter to twelve.
— Il est midi. Il est minuit.	It is noon. It is midnight.

— Il est trois heures vingt-cinq.   It is twenty-five minutes past three.

— Il est quatre heures moins dix.   It is ten minutes to four.

1. To express the quarter-hours, you say **et quart** (quarter past), **et demie** (half past), **moins le quart** (quarter to).

2. To express minutes between the hour and the half hour following (e.g. 4:00-4:30), you say **quatre heures cinq** (4:05); **quatre heures dix** (4:10); **quatre heures vingt-cinq** (4:25).

But to express minutes between the half hour and the following hour (e.g. 4:30-5:00), you measure back from the next hour. Thus 4:35 is **cinq heures moins vingt-cinq;** 4:50 is **cinq heures moins dix.**

3. To express A.M., you say **du matin;** for P.M., you say **de l'après-midi (in the afternoon)** or **du soir (in the evening).** Ex.: Neuf heures du matin *(9:00 A.M.)*; trois heures de l'après-midi *(3:00 P.M.)*; onze heures du soir *(11:00 P.M.)*.

(2) Official time (twenty-four hour system):

une heure trente (1 h. 30)	1:30 A.M.
treize heures trente (13 h. 30)	1:30 P.M.
six heures cinquante (6 h. 50)	6:50 A.M.
dix-huit heures cinquante (18 h. 50)	6:50 P.M.
zéro heure vingt (0 h. 20)	12:20 A.M.
douze heures vingt (12 h. 20)	12:20 P.M.

1. The twenty-four hour system is used in all official announcements: railroads, banks, theatres, offices, army, navy, etc.

2. In this system, fractions of an hour are always expressed in terms of minutes after the hour.

A. *Exercice sur les nombres:*

1. *Comptez par dix de dix à cent.*

2. *Comptez par cinq de cinquante à cent.*

3. *Dites en français:* 21, 31, 41, 51, 61, 71, 81, 91, 101.

EN FRANCE

I. Arrivée à Paris

Conversations 1–5

[For explanation of photographs and their source,
please see pages 383-385.]

2

John Hughes, jeune ingénieur-chimiste américain, arrive à Paris. Il va en taxi au numéro[1] quinze, avenue de l'Observatoire, se présente[2] à la concierge et prend possession[3] de sa chambre. Il passe ses premiers jours à Paris à se familiariser[4] un
5 peu avec la ville, sa nouvelle résidence. Il visite les monuments les plus fameux[5] de la capitale. Il profite de toutes les occasions possibles de parler français, car il désire s'exprimer[6] sans difficulté avant de commencer son travail au laboratoire de chimie.

Quelques jours après son arrivée, John va à la préfecture
10 de police se procurer[7] la carte d'identité obligatoire[8] pour les étrangers[9] qui résident en France. Le commissaire lui pose beaucoup de questions. Il lui demande son âge, sa profession, son adresse à Paris, le nom et l'adresse de ses parents. Le commissaire lui explique que ces renseignements sont nécessaires en
15 cas de maladie ou d'accident.

1. le numéro, *number.*
2. se présente, *introduces himself.*
3. prend possession, *takes possession.*
4. se familiariser, *to become familiar.*
5. les plus fameux, *the best known, the most famous.*
6. s'exprimer, *to express himself.*
7. se procurer, *to get.*
8. obligatoire, *required.*
9. un étranger, *a foreigner.*

3

Au cours de sa première visite au laboratoire, John fait la connaissance d'un jeune chimiste français, Roger Duplessis. Roger s'intéresse[10] beaucoup à l'Amérique, et il donne à John beaucoup de renseignements sur la France et sur les Français. Les deux jeunes chimistes sont bientôt de bons amis. Un jour, Roger invite John à aller avec lui à Chantilly voir les fameuses courses de chevaux.[11] John accepte l'aimable invitation de Roger. Chantilly n'est pas loin de Paris. Une heure après leur départ de la Gare du Nord, nos deux amis arrivent à Chantilly. Le matin, ils visitent le musée et le château. L'après-midi, ils vont aux courses. John ne s'intéresse pas particulièrement aux chevaux, mais il s'intéresse beaucoup aux femmes très chics[12] qui assistent[13] aux courses. Roger lui explique que certaines de ces jeunes femmes sont des mannequins[14] des grandes maisons de couture[15] parisiennes. John rentre à Paris très satisfait[16] de sa journée.

10. s'intéresse, *is interested.*
11. une course de chevaux, *horse race.*
12. chic, *stylishly turned out.*
13. assistent, *are present.*
14. le mannequin, *model.*
15. la maison de couture, *fashion designer.*
16. satisfait, *pleased (satisfied).*

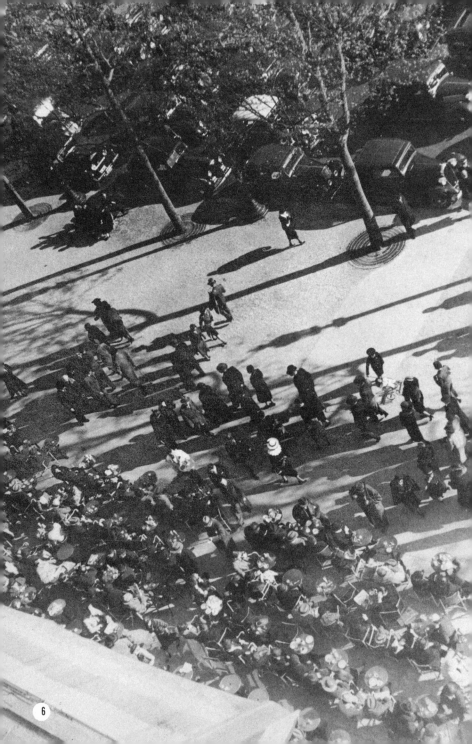

4. *Dites en français:* 1, 11; 2, 12, 22; 3, 13, 30; 4, 14, 40, 44; 5, 15, 50, 55; 6, 16, 60, 66, 76; 7, 17, 70, 77; 8, 18, 80, 88, 98; 9, 19, 90, 99; 20, 24, 80, 84, 40, 24.

B. *Dites en français:*

1. (*a*) 10, 10 apples, 10 o'clock, 10 students; (*b*) 9, 9 apples, 9 o'clock, 9 students; (*c*) 8, 8 apples, 8 o'clock, 8 students.   **2.** (*a*) He is ten years old. (*b*) She is nine years old. (*c*) She is nineteen. (*d*) He is twenty. (*e*) He is twenty-one. (*f*) She is twenty-one.   **3.** (*a*) There are six pears on the table (sur la table). (*b*) There are five trains per day. (*c*) There are five trains today.

C. *Répondez en français par une phrase complète à chacune des questions suivantes:*

1. Combien de jours y a-t-il en mars?   **2.** Combien de jours y a-t-il en février?   **3.** Combien de jours y a-t-il en décembre?   **4.** Combien de jours y a-t-il dans une année?   **5.** Quel âge avez-vous?   **6.** Quel âge a votre père?   **7.** Quel âge a votre mère?   **8.** Quel est le premier jour de la semaine?   **9.** Quel est le troisième jour de la semaine?   **10.** Quel est le troisième mois de l'année?   **11.** Quel est le deuxième mois de l'année?   **12.** Êtes-vous un étudiant de troisième année (une étudiante de troisième année)?

D. *Dites en français:*

1. It is eight o'clock.   **2.** It is eleven o'clock.   **3.** At eight A.M.   **4.** At three P.M.   **5.** At ten P.M.   **6.** It's quarter past four.   **7.** At quarter past four.   **8.** At a quarter of five.   **9.** At 10:20.   **10.** At twenty minutes to six.   **11.** At ten after nine.

E. *Lisez (Read) en français les heures suivantes d'après le système officiel et donnez l'équivalent anglais de chaque heure indiquée:*

1. 1 h. 10, 2 h. 27, 4 h. 55.   **2.** 5 h. 33, 6 h. 05, 8 h. 31.   **3.** 9 h. 37, 10 h. 45, 12 h. 10.   **4.** 13 h. 08, 14 h. 22, 16 h. 50.   **5.** 17 h. 50, 18 h. 55, 20 h. 39.   **6.** 21 h. 39, 22 h. 13, 23 h. 14, 0 h. 45.

F. *Dites en français:*

1. May 10th, May 13th, May 21. 2. June 5, Aug. 5, July 5. 3. Dec. 31, March 31, Jan. 31. 4. April 1, March 1, Aug. 1. 5. Feb. 1, Feb. 11, Feb. 21.

G. *Exercice sur les nombres:*

1. *Comptez en français:* onze cents, douze cents, etc. jusqu'à dix-neuf cents. 2. *Lisez les dates suivantes en français:* (*a*) 1900, 1940, 1945, 1845, 1745. (*b*) 1645, 1545, 1515, 1615, 1715. (*c*) 1815, 1915, 1920, 1940, 1950, 1960.

CONVERSATION 9

Taking a History Quiz

Roger's fiancée, Marie Bonnier, is checking up on John's knowledge of French history.

MARIE—[1]Connaissez - vous* l'histoire de France?

MARIE—[1]Do you know the history of France?

JOHN—[2]Certainement. Je connais Jeanne d'Arc et Napoléon.

JOHN—[2]Certainly. I know about Joan of Arc and Napoleon.

MARIE—[3]Qu'est-ce que vous savez† de Jeanne d'Arc?

MARIE—[3]What do you know about Joan of Arc?

JOHN—[4]Je sais qu'elle est née à Domremy.

JOHN—[4]I know she was born in Domremy.

MARIE—[5]Savez-vous où est né Napoléon?

MARIE—[5]Do you know where Napoleon was born?

JOHN—[6]Il est né en Corse, au dix-huitième siècle.

JOHN—[6]He was born in Corsica in the 18th century.

MARIE—[7]Quelle est la date de la bataille de Waterloo?

MARIE—[7]What is the date of the battle of Waterloo?

JOHN—[8]Dix-huit cent quinze est la date de la bataille de Waterloo. [9]Napoléon est mort un peu plus tard.

JOHN—[8]1815 is the date of the battle of Waterloo. [9]Napoleon died a little later.

MARIE—[10]En quelle année Louis XIV (quatorze) est-il mort?

MARIE—[10]In what year did Louis XIV die?

JOHN—[11]Il est mort en dix-sept cent quinze.

JOHN—[11]He died in 1715.

MARIE—[12]Vous connaissez le quatorze juillet, n'est-ce pas?

MARIE—[12]You know about July 14, don't you?

*Connaître means to know in the sense of to be acquainted with and is used of persons, places, books, fields of learning, works of art, etc.

†Savoir means to know in the sense of having a specific knowledge and is used particularly of facts, dates, etc. It means also to know how and is frequently used with an infinitive.

JOHN—[13]Bien entendu. C'est le jour de la fête nationale en France.

JOHN—[13]Certainly. It is the day of the French National Holiday.

MARIE—[14]Savez-vous pourquoi?

MARIE—[14]Do you know why?

JOHN—[15]Parce que c'est le jour de la prise de la Bastille, [16]le quatorze juillet dix-sept cent quatre-vingt-neuf.

JOHN—[15]Because it is the day of the fall (taking) of the Bastille, [16]July 14th, 1789.

MARIE—[17]Je ne vais plus vous poser de questions. [18]Vous savez tout!

MARIE—[17]I am not going to ask you any more questions. [18]You know everything!

A. Dites en français:

1. Do you know the history of France? 2. Certainly. I know Joan of Arc and Napoleon. 3. What do you know about Joan of Arc? 4. I know she was born in Domremy. 5. Do you know where Napoleon was born? 6. He was born in Corsica in the 18th century. 7. What is the date of the battle of Waterloo? 8. 1815 is the date of the battle of Waterloo. 9. Napoleon died a little later. 10. In what year did Louis XIV die? 11. He died in 1715. 12. You know about July 14th, don't you? 13. Certainly. It is the day of the French National Holiday. 14. Do you know why? 15. Because it is the day of the fall of the Bastille. 16. July 14th, 1789. 17. I am not going to ask you any more questions. 18. You know everything!

B. Répondez en français à chacune des questions suivantes:

1. Connaissez-vous l'histoire de France? 2. Où Jeanne d'Arc est-elle née? 3. Savez-vous où elle est morte? 4. Savez-vous où est né Napoléon? 5. Quelle est la date de la bataille de Waterloo? 6. Quand Napoléon est-il mort? 7. Savez-vous quand Louis XIV est mort? 8. Connaissez-vous le 14 juillet? 9. Pourquoi est-ce la fête nationale? 10. Quelle est la date de la prise de la Bastille?

C. Demandez à un autre étudiant (à une autre étudiante):

1. s'il (si elle) connaît l'histoire de France. 2. s'il (si elle) connaît Jeanne d'Arc. 3. s'il (si elle) sait où Jeanne d'Arc est morte. 4. s'il

(si elle) sait quand Napoléon est mort. **5.** la date de la prise de la Bastille. **6.** la date de la bataille de Waterloo.

D. *Expliquez (explain) en anglais ce que vous suggère chacune des dates suivantes:*

1. dix-sept cent soixante-seize. **2.** dix-huit cent douze. **3.** quatorze cent quatre-vingt douze. **4.** dix-huit cent soixante et un. **5.** dix-huit cent soixante-cinq. **6.** seize cent vingt. **7.** dix-neuf cent quarante et un. **8.** dix-neuf cent cinquante.

E. *Répondez en français à chacune des questions suivantes:*

1. En quelle année êtes-vous né (née)? **2.** Quelle est la date aujourd'hui? **3.** Quel jour de la semaine est-ce aujourd'hui? **4.** Quel âge a votre père? **5.** En quelle année est-il né? **6.** En quel mois êtes-vous né (née)? **7.** Quelle est la date de votre anniversaire (birthday)?

F. *Comment dit-on en français:*

1. a thousand **2.** 1500 **3.** 1900 **4.** 1600 **5.** 1650 **6.** 1850 **7.** 1875 **8.** 1775 **9.** 1790 **10.** 1793 **11.** 1893 **12.** 1895 **13.** 1695 **14.** 1680 **15.** 1780 **16.** 1724 **17.** 1924 **18.** 1980 **19.** 1940

G. *Dictée d'après la cinquième conversation.*

H. *Conversations:*

(1) "Do you know when George Washington was born?" "Yes, he was born in 1732." "Where was he born?" "He was born in (at) Fredericksburg." "When did he die?" "He died in 1799."

(2) "Do you know (the significance of) the 4th of July?" "Yes, certainly. It is the day of the American National Holiday." "Do you know why?" "It is Independence Day (le jour de la Déclaration de l'Indépendance américaine)." "What is the date of the Declaration of Independence?" "July 4th, 1776."

A Friend is Getting Married

ROGER—[1]Connaissez-vous Louise Bedel?

JOHN—[2]Non, je ne la connais pas.

ROGER—[3]Mais si.* Vous avez fait sa connaissance chez Marie samedi dernier.

JOHN—[4]Est-ce† une petite jeune fille brune?

ROGER—[5]Mais non. C'est† une grande jeune fille blonde.

JOHN—[6]De quelle couleur sont ses yeux?

ROGER—[7]Elle a les yeux bleus, comme toutes les blondes.

JOHN—[8]Oh! vous parlez de la jeune fille habillée en bleu? [9]Elle a les cheveux blonds, les joues roses et les lèvres rouges, n'est-ce pas?

ROGER—[10]Oui, c'est ça.

JOHN—[11]Eh bien?

ROGER—[12]Elle va se marier jeudi prochain.

JOHN—[13]Avec qui?

ROGER—[14]Avec Charles Dupont.

JOHN—[15]Je connais très bien Charles.

ROGER—[1]Do you know Louise Bedel?

JOHN—[2]No, I don't know her.

ROGER—[3]Yes, you do. You met her (made her acquaintance) at Marie's last Saturday.

JOHN—[4]Is she a small brunette girl?

ROGER—[5]Oh, no. She's a tall blonde.

JOHN—[6]What color are her eyes?

ROGER—[7]She has blue eyes, like all blondes.

JOHN—[8]Oh! You are speaking of the girl dressed in blue? [9]She has blond hair, rosy cheeks, and red lips, hasn't she?

ROGER—[10]Yes, that's right.

JOHN—[11]Well?

ROGER—[12]She is going to be married next Thursday.

JOHN—[13]To whom?

ROGER—[14]To Charles Dupont.

JOHN—[15]I know Charles very well.

* Si meaning *yes* is used only to contradict a negative statement.

† Observe that *HE IS* or *SHE IS* is expressed in French by **C'EST** when **EST** is directly followed by the articles **LE, LA, UN,** or **UNE.**

Roger—[16]Qu'est-ce qu'il fait?

John—[17]Il est ingénieur.*

Roger—[18]Que pensez-vous de Charles?

John—[19]Je pense qu'il a de la chance. [20]Sa fiancée est jolie et elle est très gentille.

Roger—[16]What does he do?

John—[17]He is an engineer.

Roger—[18]What do you think of Charles?

John—[19]I think he is lucky. [20]His fiancée is pretty and she is very nice.

A. Dites en français:

1. Do you know Louise Bedel? 2. No, I don't know her. 3. Yes, you do (But yes). 4. You met her at Marie's house last Saturday. 5. Is she a small brunette (girl)? 6. Oh, no. She's a tall blonde (girl). 7. What color are her eyes? 8. She has blue eyes, like all blonde girls. 9. Oh! You are speaking of the girl dressed in blue? 10. She has blond hair, rosy cheeks and red lips, hasn't she? 11. Yes, that's it. 12. Well? 13. She is going to be married next Thursday. 14. To whom? 15. To Charles Dupont. 16. I know Charles very well. 17. What does he do? 18. He is (an) engineer. 19. What do you think of Charles? 20. I think that he is lucky. 21. His fiancée is pretty and she is very nice.

B. (1) Répondez en français à chacune des questions suivantes, d'après le texte:

1. Connaissez-vous Louise Bedel? 2. Où avez-vous fait sa connaissance? 3. Quand avez-vous fait sa connaissance? 4. Est-ce une grande jeune fille blonde? 5. A-t-elle les yeux bleus? 6. A-t-elle les joues roses? 7. A-t-elle les lèvres rouges? 8. Quand va-t-elle se marier? 9. Avec qui va-t-elle se marier? 10. Connaissez-vous Charles Dupont? 11. Qu'est-ce qu'il fait? 12. Que pensez-vous de Charles? 13. Est-ce que sa fiancée est jolie? 14. Est-elle gentille?

(2) Répondez en français à chacune des questions suivantes:

1. Avez-vous les cheveux blonds? 2. Avez-vous les yeux bleus? 3. De quelle couleur sont vos yeux? 4. Comment êtes-vous habillé(e)?

---

*Note that HE IS, SHE IS is usually expressed in French by IL EST, ELLE EST when EST is directly followed by an adjective standing alone or by an unmodified noun.

5. Est-ce que votre voisine (*neighbor*) a les cheveux blonds?   **6.** A-t-elle les yeux bleus?

C. (1) *Exercice sur l'emploi de:* c'est un, c'est une:

1. She is a tall blonde.   **2.** She's a small blonde.   **3.** It's a good hotel. **4.** It's a good restaurant.   **5.** It's a good lunch.   **6.** She is a small brunette.   **7.** It is a good newspaper.   **8.** It's a good apple.   **9.** It's a good pear.

(2) *Exercice sur l'emploi de:* il est, elle est:

1. He is an engineer.   **2.** He is a hotelkeeper.   **3.** He is a policeman. **4.** He is tall.   **5.** She is tall.   **6.** She is nice.   **7.** She is a concierge. **8.** She is beautiful.   **9.** He is French.   **10.** She is French.   **11.** She is an American.   **12.** He is an American.   **13.** She is blonde.   **14.** She is brunette.   **15.** She is very nice.

(3) *Exercice sur l'emploi de* c'est un, c'est une, il est, elle est:

1. She is a small brunette.   **2.** She is very nice.   **3.** He is an engineer. **4.** He is a good engineer.   **5.** It is a good paper.   **6.** She is young.   **7.** He is young.   **8.** He's a student.   **9.** He's a young student.   **10.** He's a good student.   **11.** She is an American.   **12.** She's a young American.

(4) *Couleurs:*

1. She has blue eyes.   **2.** He has blue eyes.   **3.** She has blond hair. **4.** He has blond hair.   **5.** She has rosy cheeks.   **6.** She has red lips. **7.** She is dressed in blue.   **8.** She is dressed in red.   **9.** He is dressed in blue.   **10.** She is dressed in white.   **11.** She is dressed in black.

D. *Dictée d'après la sixième conversation.*

E. *Conversations:*

(1) "Do you know Louise Bedel?" "Yes, why?" "She is going to get married next Wednesday." "To whom?" "To Charles Dupont." "He is lucky."

(2) "Do you know when Napoleon was born?" "No, but I know the date of the battle of Waterloo." "Well?" "1815."

V   GRAMMAR UNIT

Word Order in Asking Questions

19. QUESTIONS BY INVERSION AND WITH **Est-ce que?**

(1) When the subject of the verb is a personal pronoun:

— **Êtes-vous** libre dimanche?
— **Est-ce que vous êtes** libre dimanche? } *Are you* free Sunday?

— **Connaissez-vous** Louise Bedel?
— **Est-ce que vous connaissez** Louise Bedel? } *Do you know* Louise Bedel?

When the subject of the verb is a personal pronoun, you ask a question *either* by inverting the order of subject and verb *or* by using the expression **est-ce que** and normal order of subject and verb. Both patterns are commonly used in French.

If you use an interrogative word or expression such as **où?** (*where*), **quand?** (*when*), **combien?** (*how much*), **à quelle heure?** (*at what time*), etc., the interrogative word comes first and is followed *either* by inverted order of subject and verb *or* by the expression **est-ce que?** and normal order. Ex.:

—- Où **allez-vous?**
— Où **est-ce que vous allez?** } Where are you going?

— A quelle heure **voulez-vous** déjeuner?
— A quelle heure **est-ce que vous voulez** déjeuner? } At what time *do you want* to have lunch?

(2) When the subject of the verb is a noun:

— Le déjeuner **est-il** prêt?
— **Est-ce que** le déjeuner **est** prêt? } *Is lunch ready?*

— Le train **arrive-t-il** à cinq heures?
— **Est-ce que** le train **arrive** à cinq heures? } Does the train *arrive* at five o'clock?

When the subject of the verb is a noun, you *either* express the noun-subject, the corresponding pronoun-subject and the verb in the following order: noun-subject, verb, pronoun-subject, *or* use **est-ce que?** and normal word order.

If you use an interrogative word or expression, such as **où?, quand?, combien?, à quelle heure?,** the interrogative word or expression comes first and is followed by either of the patterns described above. Ex.:

— **Où** vos parents **demeurent-ils?** } *Where do* your parents *live?*
— **Où est-ce que** vos parents **demeurent?** }

— **A quelle heure** le train **arrive-t-il?** }
— **A quelle heure est-ce que** le train } *At what time does* the train *arrive?*
  arrive?

Note also that in questions introduced by an interrogative word or expression, it is very common to ask a question simply by inverting the order of the noun-subject and the verb, *if the noun subject would be final in the question.* Ex.:

— **Où demeurent vos parents?**   Where *do your parents live?*
— **A quelle heure arrive le train?**   At what time *does the train arrive?*

If the noun subject would not be final, only the two patterns described above are possible. Ex.:

— **Où votre père achète-t-il** son journal?
— **Où est-ce que votre père achète** son journal?

— **Quand votre père va-t-il** en France?
— **Quand est-ce que votre père va** en France?

20. QUESTIONS WITH **n'est-ce pas?**

— Vous connaissez Louise Bedel, **n'est-ce pas?**   You know Louise Bedel, *don't you?*
— Oui, je la connais.   Yes, I know her.
— Vous ne connaissez pas sa sœur, **n'est-ce pas?**   You don't know her sister, *do you?*
— Non, je ne la connais pas.   No, I don't know her.

You often ask a question by simply adding **n'est-ce pas?** to a declarative statement — especially if you expect an answer which agrees with what you have said. **N'est-ce pas?** corresponds to a number of expressions in English, such as: *don't you think so?, don't I?, don't you?, will you not?, wouldn't you?, didn't you?,* etc.

21. NEGATIVE QUESTIONS.

— **N'avez-vous pas faim?**
— **Est-ce que vous n'avez pas faim?** } *Aren't you* hungry?

— **Ne voulez-vous pas de café?**
-— **Est-ce que vous ne voulez pas de cafe?** } *Don't you want* any coffee?

You ask a negative question by putting **ne** before the inverted form and **pas** after it. Ex.: Avez-vous? —N'avez-vous **pas?** A-t-il? —N'a-t-il **pas?**

A. *Mettez chacune des phrases suivantes à la forme interrogative, par inversion, puis en employant* est-ce que? *Ex.: Vous êtes étudiant. Êtes-vous étudiant? Est-ce que vous êtes étudiant?*

1. Vous êtes Français.   **2.** Vous allez à la gare.   **3.** Ils vont (*go*) à l'hôtel.   **4.** Il va au théâtre.   **5.** C'est un bon hôtel.   **6.** Ils sont à Paris.   **7.** Elles sont à Paris.   **8.** Il est dix heures.   **9.** Vous avez faim.   **10.** Il a des frères.   **11.** Il y a un restaurant près d'ici.   **12.** Vous déjeunez à midi.   **13.** Vous demeurez à Chicago.   **14.** C'est une grande jeune fille blonde.   **15.** Elle va à l'église.   **16.** Elle va se marier.   **17.** Le train arrive à cinq heures.   **18.** Votre père est ici.   **19.** Jeanne d'Arc est née au quinzième siècle.   **20.** Le théâtre est près d'ici.   **21.** Le bureau de poste est sur la place.   **22.** L'hôtel Continental est près de la gare.   **23.** La cuisine est bonne.   **24.** Vos parents demeurent à Paris.

B. *Posez en français la question à laquelle répond chacune des phrases suivantes en commençant par* où?, quand?, combien?, quel?, comment?, *etc. (Ask in French the question to which each of the following sentences is the answer.) Ex.: Je demeure à Paris. Où demeurez-vous?*

1. Mes parents demeurent à Paris.   **2.** Napoléon est mort en 1821.   **3.** Les cigarettes coûtent cent francs le paquet.   **4.** Il est trois heures.

5. Le train arrive à six heures.   **6.** C'est aujourd'hui jeudi.   **7.** Mercredi est le troisième jour de la semaine.   **8.** Je vais très bien.

C. *Dites en français:*

1. Is there a tobacco shop near here?   **2.** Yes, there is a tobacco shop near the station.   **3.** Is there another hotel here?   **4.** Yes, there is another hotel here.   **5.** Are there hotels on the square?   **6.** Yes, there are good hotels on the square.   **7.** Is there a free table?   **8.** Yes, there is a free table over there.   **9.** Are there free tables?   **10.** No, there are no free tables.

D. *Mettez les questions suivantes à la forme négative: Ex.:*

Êtes-vous M. Hughes? N'êtes-vous pas M. Hughes?

1. Avez-vous faim?   **2.** Voulez-vous du café?   **3.** Aimez-vous les pommes?   **4.** Avez-vous des bananes?   **5.** Y a-t-il un hôtel ici?   **6.** Y a-t-il un bon hôtel ici?   **7.** Y a-t-il de bons hôtels ici?   **8.** Demeurez-vous à Paris?   **9.** Roger demeure-t-il à Paris?   **10.** Allez-vous à la gare à midi?   **11.** Avez-vous des cigarettes américaines?   **12.** Savez-vous quand Jeanne d'Arc est morte?

CONVERSATION 11

Taking a Walk

Roger—[1]Voulez-vous faire* une promenade?

Marie—[2]Je veux bien. Quel temps fait-il?

Roger—[3]Il fait beau. [4]Mais il fait du vent.

Marie—[5]Est-ce qu'il fait froid?

Roger—[6]Non, pas du tout. [7]Il ne fait ni trop chaud ni trop froid. [8]C'est un beau temps pour une promenade.

Marie—[9]Faut-il prendre un imperméable?

Roger—[10]Ce n'est pas la peine. [11]Il ne va pas pleuvoir.

Marie—[12]Êtes-vous sûr qu'il ne va pas pleuvoir?

Roger—[13]Oui. Le ciel est bleu et il fait du soleil.

Marie—[14]Je vous crois. [15]J'ai confiance en vous.

(Une heure plus tard)

Marie—[16]Il pleut; il pleut à verse. [17]Je suis mouillée jusqu'aux os. [18]C'est votre faute.

Roger—[1]Do you want to take a walk?

Marie—[2]Yes (I am quite willing). How is the weather?

Roger—[3]The weather is fine. [4]But it is windy.

[5]Marie—[5]Is it cold?

Roger—[6]No, not at all. [7]It is neither too hot nor too cold. [8]It is fine weather for a walk.

Marie—[9]Must one (is it necessary to) take a raincoat?

Roger—[10]It is not worth the trouble. [11]It is not going to rain.

Marie—[12]Are you sure it is not going to rain?

Roger—[13]Yes. The sky is blue and the sun is shining.

Marie—[14]I believe you. [15]I have confidence in you.

(One hour later)

Marie—[16]It is raining; it is pouring. [17]I am wet to the skin (right to the bones). [18]It is your fault.

---

*Faire (to do, to make) is used in a number of idiomatic expressions, such as faire une promenade (to take a walk) and in impersonal expressions describing the weather.

Roger—[19]Ma faute? Comment cela?

Roger—[19]My fault? How (can you say) that?

Marie—[20]Vous savez bien. Je n'ai plus confiance en vous.

Marie—[20]You know (very) well. I no longer have confidence in you.

A. (1) *Répondez en français à chacune des questions suivantes, d'après le texte:*

1. Voulez-vous faire une promenade? 2. Quel temps fait-il? 3. Est-ce qu'il fait froid? 4. Fait-il chaud? 5. Est-ce un beau temps pour une promenade? 6. Faut-il prendre un imperméable? 7. Est-ce la peine de prendre un imperméable? 8. Ne va-t-il pas pleuvoir? 9. De quelle couleur est le ciel? 10. Fait-il du soleil? 11. Êtes-vous sûr qu'il ne va pas pleuvoir? 12. Avez-vous confiance en moi? **(Une heure plus tard)** 13. Est-ce qu'il pleut aujourd'hui? 14. Êtes-vous mouillé(e)? 15. Est-ce ma faute?

(2) *Répondez en français à chacune des questions suivantes:*

1. Quel temps fait-il aujourd'hui? 2. Est-ce qu'il fait du vent? 3. Fait-il du soleil? 4. Est-ce qu'il va pleuvoir? 5. Quel temps fait-il au mois de juillet? 6. Quel temps fait-il au mois de décembre? 7. Fait-il du vent au mois de mars? 8. Fait-il très froid ici au mois de janvier?

B. *Demandez à un autre étudiant (à une autre étudiante):*

1. s'il (si elle) veut faire une promenade. 2. quel temps il fait. 3. s'il fait froid. 4. s'il fait trop froid. 5. s'il fait trop chaud. 6. s'il fait du soleil. 7. si c'est un beau temps pour une promenade. 8. s'il faut prendre un imperméable. 9. si c'est la peine de prendre un imperméable. 10. s'il (si elle) est sûr (sûre) qu'il ne va pas pleuvoir. 11. si le ciel est bleu. 12. s'il (si elle) a confiance en vous. 13. s'il pleut à verse. 14. s'il (si elle) est mouillé(e). 15. si c'est votre faute.

C. *Dites en français:*

(*a*) 1. I have confidence in you. 2. I don't trust you. 3. I no longer trust you.

(*b*) 1. I am hungry. 2. I am not hungry. 3. I am no longer hungry.

(c) **1.** We have cigarettes.   **2.** We have no cigarettes.   **3.** We no longer have cigarettes.

(d) **1.** It's raining.   **2.** It's not raining.   **3.** It's no longer raining.

(e) **1.** It's windy.   **2.** It's not windy.   **3.** It's no longer windy.

(f) **1.** It is not too hot.   **2.** It is not too cold.   **3.** It is neither too hot nor too cold.

(g) **1.** She has no brothers.   **2.** She has no sisters.   **3.** She has neither* brothers nor sisters.

(h) **1.** We have no red wine.   **2.** We have no white wine.   **3.** We have neither* red wine nor white wine.*

(i) **1.** There is no restaurant here.   **2.** There is no hotel here. **3.** There is neither* hotel nor restaurant* here.

D. *Dictée d'après la septième conversation.*

E. *Conversations:*

(1) "Do you want to take a walk this afternoon?" "Yes, I am willing, if it is not raining." "At what time?" "At half-past four." "All right. See you this afternoon."

(2) "Do you want to go to the movies **(au cinéma)?**" "Yes, I am willing." "Must one take a raincoat?" "No. It isn't worth while. It isn't going to rain."

---

* With **ne ... ni ... ni ...** nouns are used without a definite article and without the preposition **de.** Ex.: Elle n'a ni frères ni sœurs.

Which Season do You Prefer?

Roger—[1]Regardez la neige!

John—[2]Tiens! C'est la première fois qu'il neige* cette année.

Roger—[3]Je n'aime pas du tout l'hiver. [4]On ne peut même pas sortir.

John—[5]Mais si. [6]En hiver on peut sortir. [7]Et puis, on peut patiner, faire du ski, aller au théâtre, au bal, etc.

Roger—[8]Oui, mais l'hiver dure trop longtemps.

John—[9]Quelle saison préférez-vous, alors?

Roger—[10]Je crois que je préfère l'été. [11]J'aime voir des feuilles sur les arbres, [12]et des fleurs dans les jardins.

John—[13]Mais la campagne est aussi belle en automne qu'en été, [14]et il fait moins chaud.

Roger—[15]Oui. L'automne commence bien, [16]mais il finit mal. [17]J'aime mieux le printemps.

John—[18]Vous avez raison. [19]Tout le monde est content de voir venir le printemps.

Roger—[1]Look at the snow!

John—[2]Well! It is the first time it has snowed this year.

Roger—[3]I don't like winter at all. [4]You can't even go out.

John—[5]Yes, you can. [6]You can go out in winter. [7]And besides, you can skate, ski, go to the theatre, to dances, etc.

Roger—[8]Yes, but winter lasts too long.

John—[9]What season do you prefer, then?

Roger—[10]I think I prefer summer. [11]I like to see leaves on the trees, [12]and flowers in the gardens.

John—[13]But the country is as beautiful in the fall as in the summer, [14]and it is not so hot.

Roger—[15]Yes. The fall begins well, [16]but it ends badly. [17]I like the spring better.

John—[18]You are right. [19]Everyone is glad to see the spring come.

---

*Note that in French, the present tense is used in this phrase although in English we normally use the present perfect to express the same idea.

A. *Répondez en français à chacune des questions suivantes:*

1. Quel temps fait-il? **2.** Est-ce la première fois qu'il neige cette année? **3.** Est-ce que Roger aime l'hiver? **4.** Pourquoi n'aime-t-il pas l'hiver? **5.** Est-ce qu'on peut sortir en hiver? **6.** Qu'est-ce qu'on peut faire en hiver? **7.** Est-ce que l'hiver dure longtemps ici? **8.** Quelle saison préférez-vous? **9.** Pourquoi Roger préfère-t-il l'été? **10.** En quelle saison y a-t-il des fleurs dans les jardins? **11.** En quelle saison y a-t-il des feuilles sur les arbres? **12.** Y a-t-il des feuilles sur les arbres en hiver? **13.** Aimez-vous la campagne en automne? **14.** Est-ce que la campagne est belle en automne? **15.** Est-ce que la campagne est aussi belle en automne qu'en été? **16.** Est-ce qu'il fait moins chaud en automne qu'en été? **17.** Est-ce que l'automne commence bien? **18.** Est-ce que l'automne finit bien?

B. *Demandez à quelqu'un:*

1. quel temps il fait. **2.** s'il pleut. **3.** s'il neige. **4.** si c'est la première fois qu'il neige cette année. **5.** si Roger aime l'hiver. **6.** si on peut sortir en hiver. **7.** ce qu'on peut faire en hiver (*what one can do in winter*). **8.** si l'hiver dure trop longtemps ici. **9.** quelle saison il préfère. **10.** pourquoi Roger préfère l'été. **11.** si la campagne est belle en automne. **12.** s'il fait moins chaud en automne qu'en été. **13.** si tout le monde est content de voir venir le printemps. **14.** quand commence le printemps. **15.** quand finit le printemps.

C. *Dictée d'après les huitième et neuvième conversations.*

D. *Conversation:*

"I don't like winter at all." "Why not **(Pourquoi pas)?**" "Because it is too cold. And besides, winter lasts too long. I like spring better." "You are right. I prefer spring too. It begins badly, but it ends well."

VI

Interrogative, Demonstrative and
Possessive Adjectives

22. INTERROGATIVE ADJECTIVES.

— **Quel** âge avez-vous?	How old are (*what* age have) you?
— **Quelle** heure est-il?	*What* time is it?
— **Quelle** est votre adresse?	*What* is your address?
— A **quelle** heure arrive le train?	At *what* time does the train come?
— **Quels** sont les mois de l'année?	*What* are the months of the year?

1. The forms of the interrogative adjective are:

	SINGULAR	PLURAL
MASCULINE:	quel?	quels?
FEMININE:	quelle?	quelles?

2. Like all adjectives, they agree in gender and number with the noun which they modify.

3. Do not confuse **Quel? Quelle?** etc., with **Que? Qu'est-ce que?**. As **quel? quelle?** etc., are forms of the interrogative *adjective,* they are used only to modify nouns. The noun modified may stand next to the adjective (**Quel âge . . . ? Quelle heure . . . ?**) or it may be separated from it by a form of the verb **être** (**Quelle est votre adresse?**). But **Que?** (**Qu'est-ce que?**) is a pronoun and can not of course modify a noun. Ex.: **Que** pensez-vous de Charles? or **Qu'est-ce que** vous pensez de Charles?

23. DEMONSTRATIVE ADJECTIVES.

— Quel temps fait-il **ce** matin?	How is the weather *this* morning?
— Êtes-vous libre **cet** après-midi?	Are you free *this* afternoon?

[64]

— C'est la première fois qu'il neige   It is the first time it has snowed
    cette année.   *this* year.
— Je n'aime pas **ces** cigarettes.   I don't like *these* cigarettes.

    1. The forms of the demonstrative adjective are:

	SINGULAR	PLURAL
MASCULINE:	ce, (cet)	ces
FEMININE:	cette	ces

    2. **Ce** is used before masculine singular nouns beginning with a consonant. **Cet** is used before those beginning with a vowel or mute *h*. Ex.: Ce matin. Ce soir. But: Cet après-midi. Cet hôtel.

24. POSSESSIVE ADJECTIVES.

— Où habitent **vos** parents?   Where do *your* parents live?
— **Mes** parents habitent à Paris.   *My* parents live in Paris.
— Voulez-vous **mon** imperméable?   Do you want *my* raincoat?

    1. The forms of the possessive adjectives are:

SINGULAR		PLURAL	
MASCULINE	FEMININE	MASCULINE AND FEMININE	
mon	ma (mon)	mes	*my*
ton	ta (ton)	tes	*your*
son	sa (son)	ses	*his, her, its*
notre	notre	nos	*our*
votre	votre	vos	*your*
leur	leur	leurs	*their*

    2. Possessive adjectives agree in gender and number with the noun they modify. Ex.:

— Roger parle de **son** père et de   Roger speaks of *his* father and
    sa mère.   mother.
— Marie parle de **son** père et de   Mary speaks of *her* father and
    sa mère.   mother.

Note especially the difference between the possessive adjective of the third person singular (**son, sa, ses**) and that of the third person plural (**leur, leurs**):

(*a*) In speaking of one person, you would use the third person singular forms:

— Où demeure **son** père?	Where does *his* (*her*) father live?
— Où demeure **sa** mère?	Where does *his* (*her*) mother live?
— Où demeurent **ses** parents?	Where do *his* (*her*) parents live?

(*b*) In speaking of two or more persons, you would use the third person plural forms:

— Où demeure **leur** père?	Where does *their* father live?
— Où demeure **leur** mère?	Where does *their* mother live?
— Où demeurent **leurs** parents?	Where do *their* parents live?

3. The forms **ma, ta, sa,** are used before feminine singular nouns beginning with a consonant, the **mon, ton, son** forms before those beginning with a vowel or mute **h.**

ma sœur, **ma** petite sœur	BUT: **mon** autre sœur
ma petite auto	BUT: **mon** auto
ma nouvelle adresse	BUT: **mon** adresse

A. *Dites en français:*

(*a*) 1. What time is it? 2. What is the fourth day of the week?
3. What do you want? 4. What is your address? 5. What does he do? 6. What do you think of Charles? 7. What are the days of the week? 8. What do you have? 9. What time does the train arrive?
10. What does your father do? 11. What time do you have lunch?
12. How old are you?

(*b*) 1. This morning. This afternoon. This evening. 2. This girl.
3. Which girl? 4. These girls. 5. Which girls? 6. This year. 7. This hotel. 8. These papers. 9. These apples. 10. This little boy (**garçon**) is six years old. 11. How much do these cigarettes cost? 12. This week. 13. This summer. 14. This winter. 15. Give me this newspaper.

(*c*) 1. My father. My mother. 2. My sister. My brother. 3. His father. Her father. 4. His mother. Her mother. 5. His sister. Her sister. 6. His brother. Her brother. 7. Have you his address? Have you her address? 8. Our brother. Our brothers. 9. Our sister. Our

sisters. **10.** Your brother. Your brothers. **11.** Your sister. Your sisters.
12. Your fault. His fault. **13.** Their mother. Their father. **14.** Their
uncle. Their uncles. **15.** My cousin is getting married this winter.

B. *Répondez en français à chacune des questions suivantes,
en employant l'adjectif possessif convenable:*

1. Où demeurent vos parents? **2.** Où habitent les parents de John?
3. Où habite le père de John? **4.** Est-ce que la mère de John est
morte? **5.** Est-ce que les frères de John sont en Amérique? **6.** Est-ce
que ses sœurs sont aussi en Amérique? **7.** Comment s'appelle la fiancée
de Charles Dupont? **8.** Connaissez-vous l'emploi du temps de John?
9. Savez-vous l'adresse de Charles Dupont? **10.** Savez-vous l'adresse
de Louise Bedel?

C. *Dites à quelqu'un:*

1. de vous donner son adresse. **2.** de vous donner l'adresse de ses parents. **3.** d'apporter son imperméable. **4.** de vous donner son emploi
du temps.

D. *Demandez à quelqu'un:*

1. où il achète son journal. **2.** où demeurent ses parents. **3.** quelle est
sa nationalité. **4.** quel est son emploi du temps. **5.** s'il a votre adresse.

E. *Demandez à une autre personne:*

1. son âge. **2.** son adresse. **3.** sa nationalité. **4.** sa profession. **5.** la
date. **6.** la date de son anniversaire. **7.** la saison qu'elle préfère.
8. ce qu'on peut faire en hiver. **9.** si le bureau de poste est ouvert ce
matin. **10.** si le bureau de poste est ouvert cet après-midi. **11.** si le
bureau de poste est ouvert ce soir. **12.** en quelle saison il y a des fleurs
dans les jardins. **13.** en quelle saison il y a des feuilles sur les arbres.
14. ce qu'on peut faire quand il neige. **15.** quel temps il fait ce matin.
16. si c'est la première fois qu'il neige cette année. **17.** si c'est la première fois qu'il pleut cette semaine.

F. *Dites en français:*

1. You are right. **2.** He is lucky. **3.** As usual. **4.** Not yet. **5.** Not at
all. **6.** When is your cousin going to be married? **7.** What do you

think of Charles?   8. Winter lasts too long.   9. Have you the change for five hundred francs?   10. American tobacco costs seventy-five francs per package.   11. What color are her eyes?   12. In the nineteenth century.   13. In 1793.   14. In the month of December.   15. In the month of August.   16. What is the date of the French national holiday?   17. Do you want some coffee?   18. Don't you want some coffee?   19. It is the first time it has snowed this year.   20. The last time.

CONVERSATION 13

Errands

JOHN—[1]J'ai des courses à faire. [2]Je veux d'abord acheter du pain. [3]On vend du pain à l'épicerie, n'est-ce pas?

MARIE—[4]Non. Il faut aller à la boulangerie.

JOHN—[5]Ensuite, je veux acheter de la viande.

MARIE—[6]Quelle espèce de viande?

JOHN—[7]Du bœuf et du porc.

MARIE—[8]Pour le bœuf, allez à la boucherie. [9]Pour le porc, allez à la charcuterie.

JOHN—[10]Faut-il aller à deux magasins différents?

MARIE—[11]Oui. En France, les charcutiers vendent du porc. [12]Les bouchers vendent les autres espèces de viande.

JOHN—[13]Je veux acheter aussi du papier à lettres. [14]On vend du papier à lettres à la pharmacie, n'est-ce pas?

MARIE—[15]Non. Les pharmaciens ne vendent que des médicaments.

JOHN—[16]Où faut-il aller, alors?

MARIE—[17]Allez à la librairie ou au bureau de tabac.

JOHN—[1]I have some errands to do. [2]First I want to buy some bread. [3]They sell bread at the grocery store, don't they?

MARIE—[4]No. You have to go to the bakery.

JOHN—[5]Then, I want to buy some meat.

MARIE—[6]What sort of meat?

JOHN—[7]Some beef and pork.

MARIE—[8]For beef, go to the butcher's. [9]For pork, go to the pork butcher's.

JOHN—[10]Must one go to two different stores?

MARIE—[11]Yes. In France, pork butchers sell pork. [12]Butchers sell the other kinds of meat.

JOHN—[13]I want also to buy some stationery. [14]They sell stationery at the drug store, don't they?

MARIE—[15]No. The pharmacists sell only medicines.

JOHN—[16]Where must one go, then?

MARIE—[17]Go to the bookstore or the tobacco shop.

JOHN—[18]Ainsi, les bouchers ne vendent pas de porc, les pharmaciens ne vendent que des médicaments, et on vend du papier à lettres dans les bureaux de tabac!

MARIE—[19]C'est effrayant, n'est-ce pas?

JOHN—[20]C'est formidable!

JOHN—[18]Thus, the butchers don't sell pork, the pharmacists sell only medicines, and they sell stationery in the tobacco shops!

MARIE—[19]It's frightful, isn't it?

JOHN—[20]It's terrific!

A. *Répondez en français à chacune des questions suivantes:*

(*a*) 1. Avez-vous des courses à faire? 2. Que voulez-vous acheter d'abord? 3. Est-ce qu'on vend du pain à l'épicerie? 4. Où faut-il aller pour acheter du pain? 5. Qu'est-ce que vous voulez acheter ensuite? 6. Quelle espèce de viande voulez-vous acheter? 7. Où faut-il aller pour acheter du bœuf? 8. Où est-ce qu'il faut aller pour acheter du porc? 9. Est-ce que les charcutiers vendent du bœuf? 10. Est-ce que les bouchers vendent du porc? 11. Où est-ce qu'on vend du papier à lettres? 12. Qu'est-ce que les pharmaciens vendent? 13. Où faut-il aller pour acheter des sandwichs? (Au restaurant.)

(*b*) 1. Qu'est-ce qu'on vend à la boulangerie? 2. à la boucherie? 3. à la charcuterie? 4. à la pharmacie? 5. au bureau de tabac?

B. *Demandez à quelqu'un:*

1. s'il a des courses à faire. 2. où l'on vend du pain. 3. si l'on vend du pain à l'épicerie. 4. quelle espèce de viande il veut acheter. 5. où il faut aller pour acheter du bœuf. 6. où il faut aller pour acheter du porc. 7. si le charcutier vend du bœuf. 8. si le boucher vend du porc. 9. s'il faut aller à deux magasins différents. 10. si l'on vend du papier à lettres à la pharmacie. 11. où il faut aller pour acheter du papier à lettres. 12. si les pharmaciens vendent des sandwichs. 13. ce qu'on vend à la boulangerie. 14. ce qu'on vend à la boucherie. 15. ce qu'on vend à la charcuterie. 16. ce qu'on vend à la pharmacie en France. 17. ce qu'on vend au bureau de tabac.

C. *Dites en français:*

1. First I want to buy some bread.   **2.** Then, I want to buy some meat.
3. First you have to go to the bakery.   **4.** Then, you have to go to the butcher's.   **5.** Pork butchers sell only pork.   **6.** Pharmacists sell only medicines.   **7.** We have only French cigarettes.   **8.** He has only 200 francs.   **9.** He no longer has any American cigarettes (He has no more American cigarettes).   **10.** She has no more newspapers.   **11.** It's frightful!   **12.** It's terrific!

D. *Dictée d'après la dixième conversation.*

E. *Dialogues:*

(1) Vous voulez acheter un journal, du papier à lettres et de l'aspirine. Vous demandez à quelqu'un où l'on vend ces différents articles.

(2) Vous voulez faire un pique-nique. Vous demandez à quelqu'un où l'on vend les provisions que vous voulez acheter.

VII GRAMMAR UNIT

Descriptive Adjectives

25. FORMS AND AGREEMENT OF ADJECTIVES.

Un **petit** garçon	A *little* boy
Une **petite** fille	A *little* girl
Deux **petits** garçons	Two *little* boys
Deux **petites** filles	Two *little* girls

1. Adjectives agree in gender and number with the noun modified.

2. When the masculine singular form of an adjective ends in a consonant, you can often find the feminine by adding an **e** to the masculine singular. In these adjectives, the final consonant, which is normally silent in the masculine form, is pronounced in the feminine forms. Ex.: content-contente, grand-grande, français-française.

Many adjectives do not follow this pattern. The forms of the commonest ones will be taken up in the following paragraph.

If the masculine singular of an adjective ends in **-e**, the masculine and feminine forms are identical. Ex.: un jeune homme, une jeune fille.

You usually obtain the plural form of adjectives by adding an **-s** to the singular forms. Ex.: petit-petits (*m.*), petite-petites (*f.*).

26. POSITION OF ADJECTIVES.

Contrary to English usage, the great majority of adjectives follow the noun modified. However, some of the commonest ones normally precede.

(1) Adjectives which precede the noun modified:

— Est-ce que c'est un **bon** restaurant?	Is it a *good* restaurant?
— C'est un **grand jeune** homme.	He is a *tall young* man.
— C'est une **petite jeune** fille.	She is a *small* girl.
— C'est un **vieux** monsieur.	He is an *old* gentleman.
— C'est un **bel** enfant.	He is a *good looking* child.

The following descriptive adjectives normally precede the noun they modify:

SINGULAR		PLURAL	
MASCULINE	FEMININE	MASCULINE	FEMININE
beau (bel)	belle	beaux	belles (*beautiful*)
bon	bonne	bons	bonnes (*good*)
mauvais	mauvaise	mauvais	mauvaises (*bad*)
joli	jolie	jolis	jolies (*pretty*)
grand	grande	grands	grandes (*large, tall*)
long	longue	longs	longues (*long*)
petit	petite	petits	petites (*small*)
jeune	jeune	jeunes	jeunes (*young*)
vieux (vieil)	vieille	vieux	vieilles (*old*)
nouveau (nouvel)	nouvelle	nouveaux	nouvelles (*new*)

The masculine forms **bel, vieil,** and **nouvel** are used only before masculine words beginning with a vowel or mute **h.**

(2) Adjectives which follow the noun modified:

— Elle a les yeux **bleus.**	She has *blue* eyes.
— L'hôtel du Cheval **blanc.**	The *White* Horse Inn.
— Elle a les cheveux **blonds.**	She has *blond* hair.
— C'est un ingénieur **français.**	He is a *French* engineer.

Forms of a few adjectives which follow the noun modified:

A. ADJECTIVES OF COLOR

blanc, blanche, blancs, blanches (*white*)
bleu, bleue, bleus, bleues (*blue*)
jaune, jaune, jaunes, jaunes (*yellow*)
noir, noire, noirs, noires (*black*)

rouge, rouge, rouges, rouges (*red*)
vert, verte, verts, vertes (*green*)

B. ADJECTIVES OF NATIONALITY

américain, américaine, américains, américaines (*American*)
français, française, français, françaises (*French*)
italien, italienne, italiens, italiennes (*Italians*)
russe, russe, russes, russes (*Russian*) etc.

27. COMPARATIVE OF ADJECTIVES: REGULAR.

(1) Superiority is expressed by **plus . . . que***

John est **plus grand que** sa sœur.	John is *taller than* his sister
Il fait **plus froid** aujourd'hui qu'hier.	It is *colder* today *than* yesterday.

(2) Equality is expressed by **aussi . . . que**

Roger est **aussi intelligent que** John.	Roger is *as intelligent as* John.
La campagne est **aussi belle** en automne **qu'**au printemps.	The country is *as beautiful* in fall *as* in spring.

(3) Inferiority is expressed by **moins . . . que**

Marie est **moins grande que** son frère.	Marie is *less tall than* her brother.
En automne, il fait **moins chaud** qu'en été.	In fall, it is cooler (*less hot*) *than* in summer.

28. SUPERLATIVE OF ADJECTIVES: REGULAR.

(1) le plus (la plus, les plus)

Marie est **la plus jolie** jeune fille de la classe.	Mary is the *prettiest* girl in the class.
Henri est l'étudiant **le plus intelligent.**	Henry is *the most intelligent* student.
Ce sont les étudiants **les plus gentils.**	They are *the nicest* students.

---

* It is necessary to distinguish between **plus . . . que,** which is used in comparisons, and **plus de** which is an expression of quantity. Ex.: Marie a **plus de dix** cousins. Marie has *more than ten* cousins.

(2) le moins (la moins, les moins)

L'hiver est **la moins belle** saison de l'année.	Winter is *the least beautiful* season of the year.
C'est aussi **la moins agréable.**	It is also *the least agreeable.*

1. To express the superlative degree of adjectives, you insert the appropriate definite article before the comparative form. The comparative and superlative of the adjective **grand** (*tall*) have the following forms:

COMPARATIVE		SUPERLATIVE	
plus grand	*taller*	le plus grand	*the tallest*
plus grande		la plus grande	
plus grands		les plus grands	
plus grandes		les plus grandes	
moins grand	*less tall*	le moins grand	*the least tall*
moins grande		la moins grande	
moins grands		les moins grands	
moins grandes		les moins grandes	

2. Superlative forms of adjectives normally stand in the same position in relation to the noun modified as their positive forms.

(*a*) ADJECTIVES WHICH PRECEDE:

Le **petit** garçon	**Le plus petit** garçon
La **jolie** jeune fille	**La plus jolie** jeune fille

(*b*) ADJECTIVES WHICH FOLLOW:

L'étudiant **intelligent**	L'étudiant **le plus intelligent**
La chambre **agréable**	La chambre **la plus agréable**

Note that when the superlative form of an adjective which follows the noun modified is used, the definite article is used twice — once before the noun, and once as a part of the superlative form of the adjective.

29. IRREGULAR COMPARATIVE AND SUPERLATIVE OF ADJECTIVE **bon** AND ADVERB **bien.**

A. Adjective **bon:**

— L'hôtel Continental est un **bon** hôtel.

The Continental is a *good* hotel,

— L'hôtel du Cheval blanc est **meilleur.**

The White Horse Inn is *better*.

— C'est **le meilleur** hôtel de la ville.

It is *the best* hotel in town.

The forms are:

bon (*good*)	meilleur (*better*)	le meilleur (*best*)
bonne	meilleure	la meilleure
bons	meilleurs	les meilleurs
bonnes	meilleures	les meilleures

B. Adverb **bien:**

On mange **bien** à l'hôtel Continental.

The food is good at the Continental. (You eat *well* at the Continental.)

On mange **mieux** à l'hôtel du Cheval blanc.

The food is better at the White Horse Inn. (You eat *better* at the White Horse Inn.)

C'est là qu'on mange **le mieux.**

That's where they have the best food. (It's there that you eat *the best*.)

The forms are: **bien** (*well*)   **mieux** (*better*)   **le mieux** (*best*).

Note that in English the comparative and superlative of the adjective *good* and the adverb *well* are identical. We say *good, better, best,* and *well, better, best;* consequently we do not have to know whether *best* is an adjective or an adverb in such sentences as: *Spring is the best season,* and *It is the season I like best.* But in French you have to know whether the adjective or the adverb is called for and to choose the correct form.

> Le printemps est la meilleure saison (*adj.*).
> C'est la saison que j'aime le mieux (*adv.*).

A. *Dites en français:*

(1) **La fleur** 1. The blue flower.   2. The red flower.   3. The blue flowers.   4. I like blue flowers.   5. I have some yellow flowers.   6. I am going to buy some white flowers.

(2) **La rose** 1. The pretty rose.   2. A beautiful rose.   3. Do you like yellow roses?   4. Yes, but I like red roses better.   5. Do you want some white roses?   6. Have you any little white roses?

(3) **La cuisine** 1. Do you like French food?   2. At the White Horse Inn, the food is better than at the Hotel Continental.   3. At the hotel across from the station, the food is bad.

(4) **Le journal** 1. Have you an American newspaper?   2. No sir, I am sorry. I have English, French, and Italian papers, but I have no American papers.

(5) 1. How old is the concierge?   2. She is seventy-three.   3. She is dressed in black.   4. She has white hair.   5. She is not pretty, but she is very nice.

(6) 1. Do you like *Le Figaro?*   2. Yes, it is one of the best French newspapers.   3. I like *Le Figaro* better than *Le Monde.*   4. French papers are smaller than American papers, aren't they?   5. Are they as good as the American papers?

(7) 1. Look at the beautiful tree!   2. Look at the beautiful hotel!
3. Do you know my uncle?   4. Look at the beautiful child!

(8) 1. It's fine weather.   2. It's bad weather.   3. It is very bad weather.   4. You can't even go out; the weather is too bad.

(9) 1. How are you?   2. I am well.   3. I am not well (I go badly).
4. I am very sick (I go very badly).   5. I am better.   6. I am much better.

(10) 1. My father. Her father. Their father.   2. My address. Our address. Their address.   3. His fault. Their fault.   4. His parents. Her parents. Their parents.   5. His change. Her change. Their change.

(11) 1. Give me that newspaper, please.   2. Give me that apple.
3. Give me those grapes (*sing.*).   4. This coffee is bad.   5. These apples are better than these pears.   6. This child is ten years old.   7. It is too hot this summer.

B. *Répondez en français à chacune des questions suivantes:*
1. De quelle couleur sont les feuilles (*f.*) en été?   2. De quelle couleur sont-elles en automne?   3. De quelle couleur est le ciel quand il fait beau?   4. Est-ce que la campagne est blanche en hiver?   5. Est-ce que la campagne est aussi belle au printemps qu'en automne?   6. Est-ce qu'il fait plus froid aujourd'hui qu'hier (*yesterday*)?   7. Est-ce qu'il fait plus chaud aujourd'hui qu'hier?   8. Quel est le mois le plus chaud de l'année?   9. Quelle est la plus belle saison de l'année?   10. Quelle est la plus mauvaise saison?   11. Quelle est la meilleure saison pour faire du ski?   12. Est-ce qu'il fait moins chaud au mois d'octobre qu'au mois de juin?   13. Aimez-vous mieux le printemps que l'été?   14. Aimez-vous mieux les blondes que les brunes?   15. Déjeunez-vous mieux le dimanche que les autres jours de la semaine?   16. Quel est le meilleur hôtel de la ville?   17. Quels sont les meilleurs étudiants de la classe?   18. Est-ce que John est aussi grand que sa sœur?   19. Marie est-elle aussi intelligente que son frère?

EN FRANCE

II. La Cuisine française

Conversations 6–10

9

John et Roger déjeunent dans un restaurant près de l'Université. Ce n'est pas un restaurant de luxe, mais la cuisine est bonne et les prix ne sont pas excessifs. Le garçon apporte la carte. Les plats ont des noms qui ne sont pas toujours très descriptifs et John a de la difficulté à lire les prix indiqués.
5 Heureusement, Roger vient à son aide. Il lui explique qu'en France le chiffre[1] 1 ressemble au chiffre 7 en Amérique, que le chiffre 7 a une barre au milieu,[2] et que le 5 de beaucoup de

1. le chiffre, *number.*

Français ne ressemble pas du tout à un 5. John commande le
10 déjeuner suivant:

Hors-d'œuvre variés[3]
Châteaubriant aux pommes[4]
Asperges sauce hollandaise[5]
Salade
15 *Camembert*[6]
Eclair au chocolat

Il choisit un vin rouge de Bordeaux[7] et il finit son déjeuner par
du café noir.

2. une barre au milieu, *a line
 through it.*

3. hors-d'œuvre variés, *assorted ap-
 petizers.*

4. châteaubriant aux pommes, *a
 very choice steak with French
 fried potatoes.*

5. asperges sauce hollandaise, *asparagus with hollandaise sauce.*

6. camembert, *Camembert cheese.*

7. Bordeaux, *city in south-western
 France, center of a great wine-
 growing region.*

A la fin[8] du déjeuner, Roger appelle le garçon. «Garçon,
20 l'addition, s'il vous plaît,» lui dit-il. Nouvelle perplexité de John.
«L'addition?» demande-t-il à Roger. «Êtes-vous dans une classe
d'arithmétique?» Roger lui explique que les Français emploient
le mot *addition* pour désigner[9] le prix d'un repas dans un restaurant. «Ici, le mot est tout à fait descriptif,» remarque John.
25 «*It adds up*, comme on dit en anglais.»

8. à la fin, *at the end.*   9. désigner, *to indicate.*

John et Roger sortent du restaurant et s'arrêtent un instant devant un kiosque à journaux.[10] Il y a là des journaux et des revues de tous les grands pays d'Europe et même d'autres parties du monde, journaux américains, anglais, allemands,[11]
30 italiens, russes, espagnols, etc. John achète *Le Figaro* et Roger achète le *New York Herald*.

—Donnez-moi des nouvelles de France, suggère Roger. Je vais vous donner des nouvelles des Etats-Unis. Il est toujours bon d'avoir des nouvelles d'autres pays et de connaître d'autres
35 points de vue. Savez-vous, par exemple, que Sonia X . . . , l'étoile d'Hollywood, va se marier pour la cinquième fois?

—Pourquoi pas? répond Roger. Après tout, comme vous dites, c'est un point de vue.

10. le kiosque à journaux, *newspaper*   11. allemand, *German*.
    stand.

CONVERSATION 14

An Invitation

John—[1]Je suis invité chez les Brown. [2]Les connaissez-vous?

Roger—[3]Non, je ne les connais pas. [4]Est-ce que ce M. Brown est Américain?

John—[5]Oui, il est Américain, mais sa femme est Française.

Roger—[6]Quand M. Brown est-il venu en France?

John—[7]Il est venu en France il y a cinq ou six ans.

Roger—[8]Est-il venu directement* des États-Unis?

John—[9]Non, je crois qu'il a passé deux ou trois ans en Angleterre.

Roger—[10]Où demeure M. Brown?

John—[11]Il demeure près du Bois de Boulogne.†

Roger—[12]Qu'est-ce qu'il fait?

John—[13]Il est banquier. [14]Sa banque se trouve près de l'Opéra.††

Roger—[15]Comment avez-vous fait sa connaissance?

John—[1]I am invited to the Browns'. [2]Do you know them?

Roger—[3]No, I do not know them. [4]Is this Mr. Brown American?

John—[5]Yes, he is American, but his wife is French.

Roger—[6]When did Mr. Brown come to France?

John—[7]He came to France five or six years ago.

Roger—[8]Did he come directly from the United States?

John—[9]No, I think he spent two or three years in England.

Roger—[10]Where does Mr. Brown live?

John—[11]He lives near the Bois de Boulogne.

Roger—[12]What does he do?

John—[13]He is a banker. [14]His bank is near the Opera.

Roger—[15]How did you meet him?

---

*Adverbs are often formed by adding **-ment** to the feminine of an adjective.

† The Bois de Boulogne is a large and beautiful park west of Paris.

†† The Great Opera House, which dominates the Place de l'Opéra, the Grands Boulevards, and the Avenue de l'Opéra, is in the heart of the shopping district.

JOHN—[16]C'est un vieil ami de mon père. [17]Il est venu souvent chez nous à Philadelphie.

ROGER—[18]Êtes-vous déjà allé chez les Brown?

JOHN—[19]Oui, je suis allé chez eux plusieurs fois. [20]Sa femme et lui ont été très aimables pour moi.

JOHN—[16]He's an old friend of my father. [17]He often came to our house in Philadelphia.

ROGER—[18]Have you been (gone) to the Browns' before?

JOHN—[19]Yes, I have gone to their house several times. [20]His wife and he have been very nice to me.

A. *Répondez en français à chacune des questions suivantes:*

1. Chez qui John est-il invité? 2. Est-ce que Roger connaît les Brown? 3. Est-ce que ce M. Brown est Américain? 4. Est-ce que sa femme est Américaine? 5. Quand M. Brown est-il venu en France? 6. Est-il venu directement des États-Unis? 7. Où les Brown demeurent-ils? 8. Que fait M. Brown? 9. Où se trouve sa banque? 10. Comment John a-t-il fait sa connaissance? 11. Où habite John? 12. Est-ce que John est déjà allé chez les Brown? 13. Est-ce que M. et Mme Brown ont été aimables pour John?

B. *Demandez à un autre étudiant (à une autre étudiante):*

1. chez qui John est invité. 2. si Roger connaît les Brown. 3. si ce M. Brown est Américain. 4. quand M. Brown est venu en France. 5. s'il est venu directement des États-Unis. 6. où demeurent les Brown. 7. ce que fait M. Brown. 8. où se trouve sa banque. 9. comment John a fait sa connaissance. 10. où habite John. 11. si John est allé chez les Brown. 12. si M. et Mme Brown ont été aimables pour John.

C. *Dites en français:*

(a) 1. He came to France five or six years ago. 2. I went to their house five or six years ago. 3. He came to our house ten years ago. 4. He came to the (aux) United States last year. 5. He came from the United States two or three years ago. 6. He was born in Philadelphia forty years ago.

(b) 1. He spent two or three years in England. 2. He spent three years in France. 3. He spent ten years in Paris. 4. I spent several months in Paris. 5. I spent several weeks in Rouen.

(c) 1. He often came to our house. 2. I went to the Browns' several times. 3. I went to their house several times.

(d) 1. His bank is near the Opera. 2. Where is the White Horse Inn? 3. Where is the Opéra-Comique? 4. Where is the Bois de Boulogne? 5. Where is the rue de la Paix?

(e) 1. How did you meet him? 2. Where did you meet him? 3. When did you meet him? 4. When did you meet her? 5. When did you meet them? 6. When did you meet the Browns?

D. *Dictée d'après la onzième conversation.*

The Passé Composé

30. MEANING AND FORMATION OF THE *passé composé.*

The *passé composé* (compound past) tense is used to indicate that the action described by the verb took place in the past. It corresponds both to the English present perfect (*I have eaten lunch*) and the simple past (*I ate lunch*) .

This tense is a combination of the past participle of a verb and the present indicative of an auxiliary verb. While in English the compound tenses of all verbs use the auxiliary verb *to have,* in French some verbs are conjugated with **avoir** and some with **être.** The first group is much more numerous than the second.

31. *Passé composé* OF VERBS CONJUGATED WITH AUXILIARY **avoir.**

(1) *Passé composé* of **être,** *to be:* Irregular.

—**Avez-vous été** malade la semaine dernière? *Were you* sick last week?
—Oui, **j'ai été** malade.   Yes, *I was* sick.

1. The forms of the *passé composé* of **être** are:

J'ai été, *I was, I have been,* tu as été, il (elle) a été, nous avons été, vous avez été, ils (elles) ont été.

2. This tense is composed of the present indicative of **avoir** and the past participle of **être,** i.e., **été.**

3. For the negative of the *passé composé* of **être,** you use the negative form of the present indicative of **avoir** with the past participle **été.** Ex.: Je n'ai pas été.

4. For the interrogative of this tense, you use the interrogative of the auxiliary with the past participle **été.** Ex.: Avez-vous été?

(2) *Passé composé* of **avoir,** *to have:* Irregular.

—**Avez-vous eu** le temps de dé-jeuner à midi?	*Did you have* time to lunch at noon?
—Non, **je n'ai pas eu** le temps de déjeuner.	No, *I didn't have* time to lunch.

1. The forms of the *passé composé* of **avoir** are:
J'ai eu, *I had, I have had,* tu as eu, il (elle) a eu, nous avons eu, vous avez eu, ils (elles) ont eu.

2. This tense is composed of the present indicative of **avoir** and the past participle of **avoir,** i.e. **eu.**

3. For the negative and interrogative forms, you use the negative and interrogative forms of the auxiliary verb. Ex.: Je n'ai pas eu. Avez-vous eu?

(3) *Passé composé of* **déjeuner,** *to lunch:* First Conjugation:

—**Avez-vous déjeuné** à midi?	*Did you lunch* at noon?
—Non, **j'ai déjeuné** à midi et demi.	No, *I lunched* at half past twelve.
—A quelle heure Roger **a-t-il dîné?**	What time *did* Roger *have dinner?*
—**Il a dîné** à six heures et quart.	*He had dinner* at a quarter past six.
—**Avez-vous acheté** un journal?	*Did you buy* a paper?
—Oui, **j'ai acheté** le *Figaro.*	Yes, *I bought Le Figaro.*

1. The forms of the *passé composé* of **déjeuner** are: J'ai déjeuné, *I had lunch, I have had lunch, I ate lunch, I have eaten lunch,* tu as déjeuné, il (elle) a déjeuné, nous avons déjeuné, vous avez déjeuné, ils (elles) ont déjeuné.

2. This tense is composed of the present tense of the verb **avoir** and the past participle of **déjeuner,** i.e. **déjeuné.**

3. You can always find the past participle of regular verbs of the first conjugation by substituting **-é** for the **-er** ending of the infinitive.

4. For the negative and interrogative forms, you use the negative and interrogative of the auxiliary. Ex.: Je n'ai pas déjeuné. Avez-vous déjeuné?

The following regular verbs with which you are familiar will be used in the oral practice exercises: **dîner**, *to dine;* **acheter**, *to buy;* **parler**, *to speak;* **habiter**, **demeurer**, *to live in;* **apporter**, *to bring;* **commencer**, *to begin;* **donner**, *to give;* etc.

32. *Passé composé* OF VERBS CONJUGATED WITH AUXILIARY **être.**

— Quand **êtes-vous arrivé** à Paris?	When *did you get* to Paris?
— **Je suis arrivé** hier.	*I arrived* yesterday.
— Quand **M. Brown est-il venu** en France?	When *did Mr. Brown* come to France?
— **Il est venu** en France il y a deux ou trois ans.	*He came* to France two or three years ago.
— **Êtes-vous** déjà **allé** chez les Brown?	*Have you* already *been* to the Browns'?
— Oui, **je suis allé** chez eux plusieurs fois.	Yes, *I have been* to their house several times.

Aside from all reflexive verbs (which will be studied later), the following verbs are the only common ones which are conjugated with **être**:

INFINITIVE	PAST PARTICIPLE
aller (*to go*)	allé
venir (*to come*)	venu
entrer (*to go in*)	entré
sortir (*to go out*)	sorti
partir (*to leave*)	parti
arriver (*to arrive*)	arrivé
monter (*to go up*)	monté
descendre (*to go down*)	descendu
naître (*to be born*)	né
mourir (*to die*)	mort

tomber (*to fall*)   tombé
rester (*to stay*)   resté
retourner (*to return*)   retourné

Note also that **revenir,** *to come back;* **devenir,** *to become;* **rentrer,** *to go back in, to go back home,* and other compounds of the verbs listed above are normally conjugated with **être.**

1. The forms of the passé composé of **aller,** if the subject is masculine, are: Je suis allé, *I went, I have gone,* tu es allé, il est allé, **nous sommes allés, vous êtes allé(s), ils sont allés.**

2. In compound tenses of the verbs listed above, the past participle agrees in gender and number with the subject of the verb. The feminine and plural forms of the participle follow the pattern of adjectives. Ex.: Il est allé. — Elle est allée. — Ils sont allés. — Elles sont allées.

A. *Dites en français:*

(*a*) 1. Have you had lunch?   2. Yes, I have had lunch.   3. No, I have not had lunch.   4. Have you had dinner?   5. Yes, I have had dinner. 6. No, I have not had dinner.   7. Did you buy a paper?   8. Yes, I bought a paper.   9. No, I did not buy a paper.   10. Were you sick last week?   11. Yes, I was sick last week.   12. No, I was not sick last week. 13. Did you have time to lunch at noon?   14. Yes, I had time to lunch. 15. No, I didn't have time to lunch.

(*b*) 1. He dined.   2. They dined.   3. They talked.   4. They lived in Paris.   5. We lived in Chicago.   6. We did not live in Paris.   7. John lived in Paris.   8. The waiter brought the menu.   9. Did he bring the change?   10. He began to speak French.   11. They began to speak French.   12. They have not yet begun to speak French.

(*c*) 1. Did you go to the station?   2. Yes, I went to the station.   3. No, I didn't go to the station.   4. Did you arrive yesterday?   5. Yes, I arrived yesterday.   6. No, I didn't arrive yesterday.   7. When did he come to France?   8. He came to France last year.   9. When was he born?   10. He was born in 1940.   11. Was Roger born in Paris?

12. No, he was not born in Paris.   13. He was born in Lyons.   14. Where
did Napoleon die?

B. *Répondez en français à chacune des questions suivantes:*
1. A quelle heure avez-vous déjeuné?   2. A quelle heure êtes-vous
venu(e) à l'université?   3. A quelle heure avez-vous dîné hier?   4. A
quelle heure êtes-vous entré(e) dans la classe de français?   5. A quelle
heure les autres étudiants sont-ils entrés dans la classe de français?
6. Est-ce qu'il a neigé aujourd'hui?

C. *Répondez affirmativement aux questions suivantes:*
1. Avez-vous acheté un journal aujourd'hui?   2. Avez-vous commencé
à parler français?   3. Avez-vous donné votre adresse à la concierge?
4. Êtes-vous allé à New-York l'été dernier?   5. Êtes-vous venu à l'université hier?   6. Avez-vous eu le temps de déjeuner ce matin?   7. Avez-
vous été malade hier?   8. Votre mère est-elle allée à la boulangerie?
9. Votre frère est-il né en 1940?   10. Votre père a-t-il passé plusieurs
semaines à Québec?   11. Votre sœur est-elle venue ici cette année?
12. Vos parents ont-ils demeuré à Chicago?   13. Les étudiants ont-ils
commencé à parler français?   14. Avez-vous patiné l'hiver dernier?
15. A-t-il beaucoup neigé au mois de novembre?   16. Avez-vous fait
une promenade hier?

D. *Répondez négativement à chacune des questions pré-
cédentes.*

E. *Demandez à un autre étudiant (à une autre étudiante):*
1. s'il (si elle) a acheté un journal aujourd'hui.   2. s'il (si elle) est né(e)
à Chicago.   3. s'il (si elle) a donné son adresse à la concierge.   4. s'il
(si elle) a eu le temps de déjeuner à midi.   5. si son père est allé à Paris.
6. si ses parents ont passé plusieurs semaines à Québec.   7. à quelle
heure il (elle) a dîné hier soir.   8. à quelle heure il (elle) a déjeuné
aujourd'hui.   9. s'il (si elle) a fait une promenade hier.   10. ce qu'il
(ce qu'elle) a fait hier soir *(last night)*.

Shopping

JOHN—[1]Où êtes-vous allée cet après-midi?

MARIE—[2]Je suis allée en ville.

JOHN—[3]Qu'est-ce que vous avez fait?

MARIE—[4]J'ai fait des courses.

JOHN—[5]Qu'est-ce que vous avez acheté?

MARIE—[6]Beaucoup de choses. [7]Je suis d'abord allée au bazar.

JOHN—[8]Qu'est-ce que c'est qu'un bazar?

MARIE—[9]C'est un magasin où l'on vend de tout, [10]à bon marché. [11]Ensuite, je suis allée chez la modiste.*

JOHN—[12]Quoi faire?

MARIE—[13]Acheter un chapeau.

JOHN—[14]Le chapeau que vous avez sur la tête?

MARIE—[15]Oui. Est-ce qu'il vous plaît?

JOHN—[16]Certainement. [17]Il est un peu drôle, [18]mais il vous va très bien.

MARIE—[19]J'ai marché tout l'après-midi. [20]Je suis un peu fatiguée.

JOHN—[1]Where have you been this afternoon?

MARIE—[2]I went down town.

JOHN—[3]What did you do?

MARIE—[4]I did some errands.

JOHN—[5]What did you buy?

MARIE—[6]Many things. [7]I went to the "bazar" first.

JOHN—[8]What is a "bazar"?

MARIE—[9]It is a store where they sell all sorts of things, [10]cheap. [11]Then I went to the milliner's.

JOHN—[12]What for?

MARIE—[13]To buy a hat.

JOHN—[14]The hat which you have on your head?

MARIE—[15]Yes. Do you like it (does it please you)?

JOHN—[16]Certainly. [17]It is a little funny, [18]but it is very becoming.

MARIE—[19]I walked all the afternoon. [20]I am a little tired.

---

* **Chez** means "at (or to) the house of, at (or to) the shop of" and is used only of persons. One says: **à la pharmacie,** but: **chez le pharmacien.**

JOHN—[2][1]Êtes-vous allée en ville à pied?

MARIE—[2][2]Oui, j'ai voulu profiter du beau temps. [2][3]En tout cas, cette promenade m'a fait beaucoup de bien.

JOHN—[2][1]Did you walk down town?

MARIE—[2][2]Yes, I wanted to take advantage of the fine weather. [2][3]In any case, that walk did me a lot of good.

A. *Répondez en français à chacune des questions suivantes:*
1. Où Marie est-elle allée cet après-midi? 2. Qu'est-ce qu'elle a fait?
3. Qu'est-ce qu'elle a acheté? 4. Qu'est-ce que c'est qu'un bazar?
5. Où est-elle allée ensuite? 6. Quoi faire? 7. Qu'est-ce que John pense du chapeau de Marie? 8. Pourquoi Marie est-elle fatiguée?
9. Comment est-elle allée en ville? 10. Pourquoi est-elle allée en ville à pied? 11. Est-ce que cette promenade lui a fait du bien?

B. *Demandez à un autre étudiant (à une autre étudiante):*
1. où il (elle) est allé(e) cet après-midi. 2. ce qu'il (ce qu'elle) a fait en ville. 3. ce qu'il (ce qu'elle) a acheté. 4. ce que c'est qu'un bazar.
5. où il (elle) est allé(e) ensuite. 6. pourquoi elle est allée chez la modiste. 7. s'il (si elle) a marché tout l'après-midi. 8. s'il (si elle) est allé(e) en ville à pied. 9. s'il (si elle) a voulu profiter du beau temps.

C. *Répondez en français à chacune des questions suivantes:*
1. Qu'est-ce que c'est qu'une boucherie? 2. Qu'est-ce que c'est qu'une charcuterie? 3. Une boulangerie? 4. Une pharmacie? 5. Un bureau de tabac? 6. Qu'est-ce qu'on vend dans une boucherie? 7. Qu'est-ce qu'on vend dans un bazar? 8. Qu'est-ce qu'on achète chez la modiste?
9. Où est-ce qu'on achète de la viande? 10. Des médicaments? 11. Du papier à lettres? 12. Des journaux?

D. *Dites en français:*
(*a*) 1. What is a bazar? 2. What is a bakery? 3. What is a bank?
4. What is a banker? 5. What is an engineer? 6. What are hors d'oeuvres? 7. What is a bureau de tabac?

(*b*) 1. Do you like it? 2. Do you like my hat? 3. Do you like this color?

(*c*) 1. It is very becoming. 2. That hat is very becoming. 3. This color is very becoming (to you). 4. Red is very becoming (to you). 5. It's terrific!

E. *Dictée d'après les douzième et treizième conversations.*

F. *Conversation:*

"What did you do yesterday afternoon?" "I went downtown." "What for?" "To do some errands." "To what stores did you go?" "To the milliner's. Do you like my hat?" "Yes, it is very becoming."

IX GRAMMAR UNIT

Present Indicative and Passé Composé
Second and third Conjugations,
and Reflexive Verbs

33. PRESENT INDICATIVE OF **finir** *(to finish):* SECOND CONJUGATION, REGULAR.

— A quelle heure **finissez-vous** votre travail?

At what time *do you finish* your work?

— **Je finis** vers cinq heures, mais les autres **finissent** d'habitude avant moi.

I finish around five 'clock, but the others usually *finish* before I do.

1. The affirmative forms of the present indicative of **finir** are: Je finis, *I finish, I am finishing,* tu finis, il (elle) finit, nous finissons, vous finissez, ils (elles) finissent.

2. The negative and interrogative forms follow the usual pattern. Ex.: Il ne finit pas. Finit-il?

3. There are relatively few common verbs which belong to the second conjugation. **Choisir,** *to choose,* and **obéir à,** *to obey,* which are conjugated like **finir,** will be used in the oral practice exercises.

34. *Passé composé* OF **finir.**

— A quelle heure **avez-vous fini** votre travail hier soir?

At what time *did you finish* your work last night?

— **J'ai fini** mon travail vers onze heures.

I finished my work at about eleven o'clock.

1. The forms of the *passé composé* of **finir** are: J'ai fini, *I finished, I have finished,* tu as fini, il a fini, nous avons fini, vous avez fini, ils ont fini.

2. For the negative and interrogative forms, you use the negative and interrogative of the auxiliary verb. Ex.: Avez-vous fini? — Non, je n'ai pas fini.

3. The past participle of **finir** and other regular verbs of the second conjugation is found by substituting the ending **-i** for the infinitive ending **-ir**.

35. PRESENT INDICATIVE OF **répondre** *(to answer):* THIRD CONJUGATION, REGULAR.

— **Répondez-vous** toujours aux lettres de vos amis?	*Do you* always *reply* to the letters of your friends?
— Oui, **je réponds** toujours à leurs lettres.	Yes, *I* always *answer* their letters.

1. The affirmative forms of the present indicative of **répondre** are: je réponds, *I answer, I am answering,* tu réponds, il répond, nous répondons, vous répondez, ils répondent.

2. The negative and interrogative forms follow the usual pattern. Note, however, that in **répond-il?** the **d** is linked and pronounced **t.**

3. There are relatively few very common verbs which belong to the third conjugation. **Vendre,** *to sell,* and **entendre,** *to hear,* which are conjugated like **répondre,** will be used in the oral practice exercises.

36. *Passé composé* OF **répondre.**

— **Avez-vous répondu** à la demande de M. Duval?	*Have you answered* Mr. Duval's request?
— Oui, **j'ai répondu** à sa demande.	Yes, *I answered* his request.

1. The forms of the *passé composé* of **répondre** are: J'ai répondu, *I answered, I have answered,* tu as répondu, il a répondu, nous avons répondu, vous avez répondu, ils ont répondu.

2. The past participle of regular verbs of the third conjugation is found by substituting the ending **-u** for the infinitive ending **-re.**

37. PRESENT INDICATIVE OF **se dépêcher** *(to hurry)*: REFLEX-IVE, FIRST CONJUGATION, REGULAR.

—**Vous dépêchez-vous** pour arriver à l'heure à l'université?	*Do you hurry to get to the University on time?*
—Beaucoup d'étudiants **se dépêchent,** mais **je ne me dépêche pas.**	Many students *hurry,* but *I do not hurry.*

1. A reflexive verb always has a pronoun object which refers to the subject of the verb. We rarely use reflexive verbs in English (I hurt myself, you hurt yourself, etc.), but in French they are very common.

2. The forms of the present indicative of se dépêcher are:

AFFIRMATIVE	NEGATIVE
Je me dépêche, *I hurry*	Je ne me dépêche pas
Tu te dépêches	Tu ne te dépêches pas
Il se dépêche	Il ne se dépêche pas
Nous nous dépêchons	Nous ne nous dépêchons pas
Vous vous dépêchez	Vous ne vous dépêchez pas
Ils se dépêchent	Ils ne se dépêchent pas

INTERROGATIVE

Est-ce que je me dépêche?
Te dépêches-tu?
Se dépêche-t-il?
Nous dépêchons-nous?
Vous dépêchez-vous?
Se dépêchent-ils?

Note that in the affirmative forms both the pronoun subject **(il)** and the pronoun object **(se)** precede the verb. In the negative forms, **ne** follows the subject **(il)** and **pas** follows the verb —as you would expect. In the interrogative forms, the pronoun object **(se)** remains before the verb and the pronoun subject **(il)** follows the verbs according to the usual pattern.

3. When the subject of a reflexive verb is a noun, it of course takes the place of the pronoun subject (**il, elle, on**); but the pronoun object (**se**) must always be expressed. Ex.: Charles ne se dépêche pas. Charles se dépêche-t-il?

4. There are reflexive verbs in all conjugations, but in the oral practice exercises only the following ones will be used: **se coucher,** *to lie down, to go to bed;* **se lever,** *to get up, to rise;* **se réveiller,** *to wake up;* and **s'appeler,** *to be named.*

38. *Passé composé* OF **se dépêcher.**

—**Vous êtes-vous dépêché** pour finir votre travail?	*Did you hurry* to finish your work?
— Oui, **je me suis dépêché.**	Yes, *I hurried.*

All reflexive verbs are conjugated with **être.** The easiest way to get the forms of the *passé composé* clearly in mind is to think of the auxiliary verb **être** as a reflexive verb (**je me suis**) and place the past participle (**dépêché**) after it.

1. The forms of the *passé composé* of **se dépêcher** for masculine subject* are:

AFFIRMATIVE	INTERROGATIVE
Je me suis dépêché, *I hurried*	Est-ce que je me suis dépêché?
Tu t'es dépêché	T'es-tu dépêché?
Il s'est dépêché	S'est-il dépêché?
Nous nous sommes dépêchés	Nous sommes-nous dépêchés?
Vous vous êtes dépêché(s)	Vous êtes-vous dépêché(s)?
Ils se sont dépêchés	Se sont-ils dépêchés?

NEGATIVE

Je ne me suis pas dépêché
Tu ne t'es pas dépêché
etc.

---

*As the rule for agreement of the past participle in compound tenses of reflexive verbs is complicated (and of comparatively little importance for practical purposes), there is no point in trying to master it at this time.

2. If the subject is a noun, you follow the same pattern as for the present tense (see par. 37) but of course the past participle comes at the end. Ex.: Charles s'est dépêché. Charles ne s'est pas dépêché. Charles s'est-il dépêché?

A. *Dites en français:*

(*a*) 1. Do you finish? 2. I finish. 3. He finishes. 4. We finish. 5. You finish. 6. They finish. 7. They choose. 8. We choose. 9. You choose. 10. You obey. 11. They obey. 12. He obeys. 13. I obey. 14. I do not obey. 15. I do not finish. 16. I don't choose. 17. Do you choose? 18. Do you obey? 19. Do you not obey? 20. Do you not finish?

(*b*) 1. Do you answer? 2. I answer. 3. He answers. 4. We answer. 5. You answer. 6. They answer. 7. They hear. 8. He hears. 9. I hear. 10. Do you hear? 11. We hear. 12. We sell. 13. They sell. 14. One sells. 15. I sell. 16. I do not sell. 17. I do not answer. 18. I do not hear. 19. He does not hear. 20. He does not answer.

(*c*) 1. Do you hurry? 2. I hurry. 3. He hurries. 4. We hurry. 5. We do not hurry. 6. He does not hurry. 7. Does he hurry? 8. Does he wake up? 9. Does he get up? 10. Do we get up? 11. Do you get up? 12. Do you wake up? 13. Do you go to bed? 14. I go to bed. 15. He goes to bed. 16. He does not go to bed. 17. What's your name? 18. What's his name? 19. I don't know what his name is.

(*d*) 1. Did you finish? 2. I finished. 3. He finished. 4. We finished. 5. We did not finish. (We have not finished.) 6. He has not finished. 7. He has not chosen. 8. I did not choose. 9. Did you choose? 10. Did you obey? 11. Did he obey? 12. He did not obey. 13. We did not obey. 14. They did not obey.

(*e*) 1. Did you answer? 2. I answered. 3. I sold. 4. He sold. 5. He heard. 6. They heard. 7. They sold. 8. We sold. 9. We answered. 10. We did not answer. 11. You did not hear. 12. You did not sell.

(*f*) 1. Did you hurry? 2. I hurried. 3. He hurried. 4. We hurried. 5. We did not hurry. 6. We did not wake up. 7. We did not go to bed. 8. We did not get up. 9. He did not get up. 10. They did not get up. 11. They did not wake up. 12. They did not hurry. 13. They did not go to bed. 14. They went to bed.

B. *Répondez en français à chacune des questions suivantes:*

(*a*) **1.** A quelle heure vous êtes-vous couché hier soir? **2.** A quelle heure vous êtes-vous levé ce matin? **3.** A quelle heure vous êtes-vous réveillé ce matin? **4.** A quelle heure avez-vous fini votre travail hier soir? **5.** A quelle heure êtes-vous venu à l'université? **6.** Vous êtes-vous dépêché pour arriver à l'heure à l'université?

(*b*) **1.** A quelle heure vous réveillez-vous le* dimanche? **2.** A quelle heure vous couchez-vous d'habitude? **3.** A quelle heure finissez-vous votre travail? **4.** Est-ce que vous obéissez à vos parents? **5.** Répondez-vous aux lettres de vos amis? **6.** Est-ce qu'on vend du pain à l'épicerie? **7.** Est-ce qu'en France les pharmaciens vendent des journaux?

C. *Demandez à un autre étudiant (à une autre étudiante):*

(*a*) **1.** comment il (elle) s'appelle. **2.** à quelle heure il (elle) se couche d'habitude. **3.** à quelle heure il (elle) se réveille le dimanche. **4.** à quelle heure il (elle) se lève le dimanche. **5.** à quelle heure il (elle) se lève les autres jours de la semaine.

(*b*) **1.** comment s'appelle sa sœur. **2.** s'il (si elle) se dépêche pour arriver à l'heure à l'université. **3.** si les autres étudiants se dépêchent pour arriver à l'heure à l'université. **4.** à quelle heure il (elle) s'est couché(e) hier soir. **5.** à quelle heure il (elle) s'est réveillé(e) ce matin. **6.** à quelle heure il (elle) s'est levé(e) ce matin. **7.** ce qu'on vend dans un bazar. **8.** si en France les pharmaciens vendent des cigarettes. **9.** à quelle heure il finit d'habitude son travail.

---

*Le dimanche here means *on* Sunday or *on* Sundays. This use of the definite article is explained on p. 266.

Renting a Room

JOHN—[1]Bonjour, madame. Avez-vous une chambre meublée à louer?

MME DUVAL—[2]Oui, monsieur. J'en ai une au premier.

JOHN—[3]Est-ce que je peux la voir?

MME DUVAL—[4]Mais oui, monsieur. Par ici. [5]C'est la première porte à droite, en *haut de l'escalier. [6]Voulez-vous bien monter?

JOHN—[7]Volontiers.

MME DUVAL—[8]Voici la chambre. Comment la trouvez-vous?

JOHN—[9]Je la trouve vraiment très agréable.

MME DUVAL—[10]Et elle est très tranquille. [11]Il n'y a jamais de bruit dans le quartier.

JOHN—[12]Tant mieux, [13]car j'ai besoin de travailler le soir.

MME DUVAL—[14]Voici la salle de bain, avec eau chaude toute la journée.

JOHN—[15]Quel est le loyer, s'il vous plaît?

JOHN—[1]Good morning, Madam. Have you a furnished room for rent?

MRS. DUVAL—[2]Yes, sir. I have one (of them) on the second floor.

JOHN—[3]May I see it?

MRS. DUVAL—[4]Why of course, sir. This way. [5]It is the first door on the right at the top of the stairs. [6]Would you like to go up?

JOHN—[7]Yes, I'll be glad to.

MRS. DUVAL—[8]Here is the room. How do you like it?

JOHN—[9]I think it is really very nice.

MRS. DUVAL—[10]And it is very quiet. [11]There is never any noise in this part of town.

JOHN—[12]So much the better, [13]for I have to (I need to) work in the evening.

MRS. DUVAL—[14]Here is the bathroom, with hot water all day.

JOHN—[15]What is the rent, please?

* The *h* of the word **haut** is aspirate, therefore the *n* is not linked.

MME DUVAL—[16]Huit mille francs par mois, monsieur.

JOHN—[17]Je crois que cette chambre me convient tout à fait. [18]Quand sera-t-elle prête?

MME DUVAL—[19]Est-ce que demain matin vous convient?

JOHN—[20]Oui, parfaitement.

MME DUVAL—[21]C'est entendu.

JOHN—[22]A demain, madame.

MRS. DUVAL—[16]Eight thousand francs a month, sir.

JOHN—[17]I think that that room suits me perfectly. [18]When will it be ready?

MRS. DUVAL—[19]Does tomorrow morning suit you?

JOHN—[20]Yes, perfectly.

MRS. DUVAL—[21]All right.

JOHN—[22]See you tomorrow, Madam.

A. *Répondez, d'après le texte, à chacune des questions suivantes:*

1. Avez-vous une chambre meublée à louer? 2. Est-ce que je peux la voir? 3. Comment trouvez-vous la chambre? 4. Est-ce que la chambre est tranquille? 5. Y a-t-il du bruit dans le quartier? 6. Est-ce que John a besoin de travailler le soir? 7. Y a-t-il une salle de bain? 8. Y a-t-il de l'eau chaude toute la journée? 9. Quel est le loyer? 10. Quand la chambre sera-t-elle prête?

B. *Demandez à un autre étudiant (à une autre étudiante):*

1. s'il (si elle) a une chambre meublée à louer. 2. si vous pouvez voir la chambre. 3. si la chambre est au premier. 4. où se trouve la porte de la chambre. 5. comment il (elle) trouve la chambre. 6. si la chambre est tranquille. 7. s'il y a du bruit dans le quartier. 8. si John a besoin de travailler le soir. 9. quel est le loyer de la chambre. 10. quand la chambre sera prête.

C. *Dites en français:*

(*a*) 1. The bathroom is on the second floor. 2. It is the second door on the left at the top of the stairs. 3. It is the third door on the right. (*b*) 1. There is never any noise in this part of town. 2. I have only a room on the second floor. 3. I have no more rooms to rent. 4. The room is neither too warm nor too cold. 5. It is neither too warm in summer nor too cold in winter.

(*c*) 1. I need to work in the evening.   2. I need a quiet room.   3. I don't need a large room.   4. Do you need a quiet room?

(*d*) 1. This room suits me perfectly.   2. This little room suits me. 3. Does the room on the second floor suit you?   4. Is tomorrow morning all right? (Does tomorrow morning suit you?)   5. Tomorrow suits me perfectly.

D. *Dictée d'après la quatorzième conversation.*

E. *Conversation:*

"Have you a room for rent?" "Yes. I have two: one on the second floor and one on the third." "What is the rent of the room?" "The rent of the room on the second floor is 6000 francs per month. The rent of the other is 5000 francs per month." "I prefer the room on the second floor."

X GRAMMAR UNIT

Unstressed Forms of Personal Pronouns

39. REMARKS ABOUT THE FORMS OF PERSONAL PRONOUNS.

The French personal pronouns have two sets of forms: the unstressed forms, which are used only in conjunction with verbs (i. e., as subject or object of verbs), and the stressed forms, which will be studied later. The unstressed forms are sometimes called "conjunctive" pronouns and the stressed forms "disjunctive" pronouns.

40. UNSTRESSED FORMS OF PERSONAL PRONOUNS USED AS SUBJECTS OF A VERB.

— **Je** vais à l'hôtel.	*I* am going to the hotel.
— **Il** est Américain.	*He* is an American.
— Qu'est-ce que **vous** voulez?	What do *you* want?

The subject forms are: **je, tu, il (elle, on), nous, vous, ils (elles).**

41. PERSONAL PRONOUNS USED AS DIRECT OBJECTS OF A VERB.

— Allez-vous venir **me** voir?	Are you going to come to see *me?*
— Oui, je vais venir **vous** voir.	Yes, I am going to come to see *you.*
— Voici la chambre. Comment **la** trouvez-vous?	Here is the room. How do you like *it?*
— Je **la** trouve très agréable.	I think *it* is very nice.
— Aimez-vous les pommes?	Do you like apples?
— Oui, je **les** aime beaucoup.	Yes, I like *them* very much.

1. The direct object forms are: **me, te, le (la), nous, vous, les.**

2. **Le, la,** and **les** refer either to persons or things. Ex.: Comment trouvez-vous la chambre? — Je la trouve très agréable. Comment trouvez-vous Marie? — Je la trouve très gentille.

3. The direct object pronoun precedes the verb.* In compound tenses it precedes the auxiliary verb.

42. Personal pronouns used as indirect objects of a verb — referring only to persons.

— Avez-vous donné votre adresse à la concierge?	Did you give your address to the concierge?
— Oui, je **lui** ai donné mon adresse.	Yes, I have given *her* my address.
— Avez-vous parlé aux étudiants?	Did you speak to the students?
— Oui, je **leur** ai parlé.	Yes, I spoke *to them.*

Note that in «Je lui ai donné mon adresse», **lui** is the indirect object of **J'ai donné,** *I gave to her;* in «Je leur ai parlé», **leur** is the indirect object of **J'ai parlé,** *I spoke to them.*

1. The indirect object forms used to refer to persons are: **me, te, lui, nous, vous, leur.**

Note that **lui, leur,** replace either a masculine or feminine noun. Thus: «**Je lui ai donné mon adresse**» answers the question «**Avez-vous donné votre adresse à Charles?**» or the question «**Avez-vous donné votre adresse à Marie?**»

2. The pronoun indirect object precedes the verb.† When the verb is in a compound tense, the pronoun object precedes the auxiliary verb. Ex.: Je lui ai donné mon adresse.

3. When you have both a direct and indirect object pronoun,

(*a*) **me, te, nous, vous,** the indirect object forms, precede **le, la, les,** the direct object forms. Ex.: — Est-ce qu'il vous a donné

---

* The only exception, that of affirmative imperative, will be studied in paragraph 52.

† Except affirmative imperatives.

son adresse? — Oui, il **me** l'a donnée. — Est-ce que vous m'avez donné votre adresse? — Oui, je **vous** l'ai donnée. — Est-ce que vous m'avez donné les livres (*the books*)? — Oui, je **vous les** ai donnés.

(*b*) **le, la, les,** the direct object forms, precede **lui, leur,** the indirect object forms. Ex.: — Est-ce que vous avez donné votre adresse à Marie? — Oui, je **la lui** ai donnée. — Est-ce que vous avez donné les livres à Roger? — Oui, je **les lui** ai donnés. — Est-ce que vous avez donné les livres à Marie et à Roger? — Oui, je **les leur** ai donnés.

43. PERSONAL PRONOUN Y USED AS INDIRECT OBJECT OF A VERB — REFERRING ONLY TO THINGS.

— Avez-vous répondu à la lettre?	Did you answer the letter?
— Oui, **j'y** ai répondu.	Yes, I answered (replied to) *it*.
— Avez-vous répondu aux lettres?	Did you answer the letters?
— Oui, **j'y** ai répondu.	Yes, I answered (replied to) *them*.

44. USE OF en AS A PARTITIVE PRONOUN.

En is used here* as a pronoun object to replace nouns which are taken in a partitive sense (**du pain, de la viande, des pommes**):

— Avez-vous du pain?	Have you any bread?
— Oui, **j'en** ai.	Yes, I have *some* (of it).
— Avez-vous acheté de la viande?	Have you bought any meat?
— Oui, **j'en** ai acheté.	Yes, I bought *some* (of it).
— Voici des pommes. **En** voulez-vous?	Here are some apples. Do you want *any* (of them)?

2. If you use expressions of quantity (**beaucoup, un peu, pas,** etc.) or numbers in such phrases, **en** must still be expressed:

— Avez-vous une chambre à louer?	Have you a room for rent?
— Oui, **j'en** ai une.	Yes, I have *one* (of them).

---

* **En** used to replace a noun object of the preposition **de** will be studied in par. 52.

— Avez-vous des cousins?	Have you any cousins?
— Oui, j'en ai beaucoup.	Yes, I have *a lot* (of them).
— Voici des pommes.	Here are some apples.
— En voulez-vous une?	Do you want *one* (of them)?

3. When there is another personal pronoun before the verb, the pronoun **en** always comes last. Ex.: Est-ce qu'il vous a donné des poires? — Oui, il **m'en** a donné. — Est-ce que vous avez donné des pommes à Charles? — Oui, je **lui en** ai donné.

A. *Répondez en français à chacune des questions suivantes, en remplaçant les substantifs par les pronoms convenables (replacing nouns by the proper pronouns):*

(*a*) **(Direct object)** 1. Comment trouvez-vous la chambre? 2. Comment John trouve-t-il la chambre? 3. Comment trouve-t-il le chapeau de Marie? 4. Aimez-vous les pommes? 5. Est-ce que John aime les cigarettes françaises? 6. Les Américains aiment-ils le tabac français? 7. Connaissez-vous Charles Dupont? 8. Connaissez-vous Louise Bedel? 9. Connaissez-vous les Brown? 10. Est-ce que Roger connaît Charles Dupont? 11. Est-ce qu'il connaît les Brown? 12. Est-ce qu'il connaît Louise Bedel? 13. Avez-vous trouvé la chambre agréable? 14. Comment Roger a-t-il trouvé la chambre? 15. Comment Roger et John ont-ils trouvé la chambre? 16. Comment trouvez-vous la cuisine de l'hôtel du Cheval blanc? 17. Comment John et Roger ont-ils trouvé les repas de cet hôtel? 18. Est-ce que le garçon a apporté la carte? 19. Avez-vous apporté votre imperméable? 20. Où avez-vous acheté les journaux? 21. Où avez-vous acheté des journaux? 22. Avez-vous les pommes? 23. Avez-vous des pommes? 24. Avez-vous une chambre à louer? 25. Combien de frères avez-vous? 26. Avez-vous beaucoup de cousins? 27. Y a-t-il beaucoup d'étudiants dans la classe? 28. Est-ce qu'on vend du papier à lettres dans une pharmacie? 29. Vend-on des sandwichs dans les pharmacies en France?

(*b*) **(Indirect object)** 1. Avez-vous parlé à la concierge? 2. Avez-vous parlé au pharmacien? 3. Avez-vous parlé aux autres étudiants? 4. Est-ce que vous m'avez parlé? 5. Avez-vous répondu au professeur? 6. Avez-vous répondu à la concierge? 7. Avez-vous répondu à vos parents?   **8.** Est-ce que vous obéissez à vos parents?   **9.** Les enfants obéissent-ils toujours à leurs parents?   **10.** Est-ce que John a dit bonjour à la concierge?   **11.** Avez-vous dit au revoir à votre mère? **12.** Avez-vous répondu à sa lettre?   **13.** Avez-vous répondu aux questions?

(*c*)   **(Direct and indirect objects)** **1.** Avez-vous donné votre adresse à la concierge?   **2.** Roger a-t-il donné son adresse à la concierge?   **3.** A-t-il donné son adresse à ses amis?   **4.** Avez-vous donné le livre à votre mère? **5.** Roger a-t-il donné le livre à sa mère?   **6.** A-t-il donné les livres à son frère?   **7.** A-t-il donné les livres à ses amis?   **8.** Est-ce que le marchand (*merchant*) vous a donné votre monnaie?   **9.** Est-ce que John vous a donné votre livre?   **10.** Avez-vous donné le livre à John?   **11.** Est-ce que vous m'avez donné votre adresse?   **12.** Avez-vous donné la lettre à Marie?   **13.** Avez-vous donné des fleurs à Marie?

B. *(Révision) Demandez à un autre étudiant (à une autre étudiante):*

1. comment il (elle) s'appelle.   **2.** comment il (elle) va.   **3.** ce qu'il (elle) a fait hier soir.   **4.** s'il (si elle) est allé(e) au cinéma.   **5.** à quelle heure il (elle) s'est couché(e).   **6.** à quelle heure il (elle) s'est réveillé(e).   **7.** à quelle heure il (elle) s'est levé(e) ce matin.   **8.** à quelle heure il (elle) est venu(e) à l'Université.   **9.** s'il (si elle) s'est dépêché(e) pour arriver à l'heure.   **10.** s'il (si elle) est arrivé(e) à l'heure à sa classe.

C. *Conversation:*

"I want to buy a sandwich. Is there a drug store near by (near here)?" "There is a drug store over there on the square. But druggists do not sell sandwiches . . ." "What do they sell, then?" "Medicines." "Where do they sell sandwiches?" "At the restaurant near the station."

Plans for the Afternoon

Roger—[1]Où irez-vous cet après-midi?

Marie—[2]J'irai en ville.

Roger—[3]Qu'est-ce que vous ferez?

Marie—[4]Je ferai des courses.

Roger—[5]Qu'est-ce que vous achèterez?

Marie—[6]J'achèterai un manteau et une robe.

Roger—[7]Comment irez-vous en ville?

Marie—[8]J'irai à pied, s'il fait beau.

Roger—[9]Vous serez bientôt fatiguée. [10]Pourquoi ne prenez-vous pas l'autobus?

Marie—[11]Je n'aime pas prendre l'autobus. [12]Il y a trop de monde.

Roger—[13]Qu'est-ce que vous ferez s'il pleut?

Marie—[14]S'il pleut, je prendrai un taxi.

Roger—[15]A quelle heure rentrerez-vous?

Marie—[16]Je rentrerai de bonne heure.

Roger—[17]N'oubliez pas notre rendez-vous pour ce soir.

Roger—[1]Where are you going this afternoon?

Marie—[2]I am going down town.

Roger—[3]What are you going to do?

Marie—[4]I shall do some errands.

Roger—[5]What are you going to buy?

Marie—[6]I shall buy a coat (lady's coat) and a dress.

Roger—[7]How will you go down town?

Marie—[8]I shall walk, if the weather is fine.

Roger—[9]You will soon be tired. [10]Why don't you take the bus?

Marie—[11]I don't like to take the bus. [12]There are too many people.

Roger—[13]What will you do if it rains?

Marie—[14]If it rains, I'll take a taxi.

Roger—[15]What time will you get home?

Marie—[16]I'll get back early.

Roger—[17]Don't forget our date for this evening.

MARIE—[18]Je n'oublierai pas. [19]A quelle heure finirez-vous votre travail?

MARIE—[18]I won't forget. [19]What time will you finish your work?

ROGER—[20]Je finirai vers six heures.

ROGER—[20]I'll finish at about six o'clock.

MARIE—[21]A ce soir.

MARIE—[21]I'll see you this evening.

ROGER—[22]Entendu. Je viendrai vous chercher à huit heures précises.

ROGER—[22]All right. I'll come for you (to get you) at eight o'clock on the dot.

A. *Répondez en français, d'après le texte, à chacune des questions suivantes:*

1. Où irez-vous cet après-midi? 2. Qu'est-ce que vous ferez? 3. Qu'est-ce que vous achèterez? 4. Comment irez-vous en ville? 5. Pourquoi ne prenez-vous pas l'autobus? 6. Qu'est-ce que vous ferez s'il pleut? 7. A quelle heure rentrerez-vous? 8. A quelle heure finirez-vous votre travail? 9. Est-ce que vous oublierez notre rendez-vous pour ce soir? 10. A quelle heure viendrez-vous me chercher?

B. *Demandez à un autre étudiant (à une autre étudiante):*

1. où il (elle) ira cet après-midi. 2. ce qu'il (elle) fera en ville. 3. ce qu'il (elle) achètera. 4. comment il (elle) ira en ville. 5. ce qu'il (elle) fera s'il pleut. 6. à quelle heure il (elle) rentrera. 7. à quelle heure il (elle) finira son travail. 8. s'il (si elle) oubliera son rendez-vous pour ce soir.

C. *Dites en français:*

1. I'll come for you at 8 o'clock. 2. I'll come for you Thursday morning. 3. I'll come for you Friday evening. 4. I'll come for you Saturday afternoon. 5. I'll come for you Sunday at 5 o'clock. 6. Around 5 o'clock. 7. At 8 o'clock. 8. At exactly 8 o'clock. 9. Around 8 o'clock. 10. At noon. 11. Around noon. 12. I'll come for you Saturday evening around 8 o'clock. 13. I'll come for you Saturday evening at 8 o'clock on the dot.

D. *(Révision des pronoms personnels) Dites en français:*

(*a*) **(Le journal, les journaux)** 1. I bought it at the bureau de tabac.

2. I gave it to John.   **3.** I gave it to him.   **4.** I bought them.   **5.** I gave them to my parents.   **6.** The merchant **(le marchand)** gave it to me. **7.** I gave it to you.

(*b*) **(La lettre, les lettres) 1.** The concierge gave it to me.   **2.** She gave it to you.   **3.** She gave them to you.   **4.** I gave them to you.   **5.** She gave them to me.   **6.** I gave them to her.

(*c*) **1.** I answered him.   **2.** He answered me.   **3.** He answered you. **4.** Did he answer you?   **5.** He answered us.

E. *Dictée d'après les quinzième et seizième conversations.*

F. *Conversation:*

"What are you going to do Saturday afternoon?" "I am going to the movies." "What time are you going?" "At about two-thirty." "I'll go with you if you wish." "All right. I'll see you Saturday."

XI GRAMMAR UNIT

Future Tense and Imperative

45. FUTURE OF REGULAR VERBS.

— **Déjeunerez-vous** en ville?   *Will you have lunch* in town?

— Oui, **je déjeunerai** à l'hôtel du Cheval blanc.   Yes, *I shall have lunch* at the White Horse Inn.

— Quand **finirez-vous** votre travail?   When *shall you finish* your work?

— **Je finirai** de bonne heure.   *I shall finish* early.

— **Je finirai** tard.   *I shall finish* late.

— **Répondrez-vous** à sa lettre?   *Shall you answer* his (her) letter?

— Oui, **je répondrai** bientôt à sa lettre.   Yes, *I shall answer* his (her) letter soon.

— **Vous dépêcherez-vous** de finir votre travail?   *Will you hurry* to finish your work?

— Oui, **je me dépêcherai.**   Yes, *I shall hurry.*

1. The forms of the future tense of regular verbs are:

FIRST CONJUGATION	SECOND CONJUGATION	THIRD CONJUGATION
je déjeunerai	je finirai	je répondrai
I shall have lunch	*I shall finish*	*I shall answer*
tu déjeuneras	tu finiras	tu répondras
il déjeunera	il finira	il répondra
nous déjeunerons	nous finirons	nous répondrons
vous déjeunerez	vous finirez	vous répondrez
ils déjeuneront	ils finiront	ils répondront

2. The future tense of regular verbs may be found by adding the future endings **-ai, -as, -a, -ons, -ez, -ont** to the infinitive, except that in the case of verbs of the third conjugation (ending in ‑**re**) the final **e** is omitted.

3. Reflexive verbs follow the usual pattern. Ex.: Je me dépêcherai, tu te dépêcheras, il se dépêchera, etc.

46. Future tense of être and avoir.

— Vos parents **seront** contents de vous voir.	Your parents *will be* glad to see you.
— **Je serai** content aussi de les voir.	*I'll be* glad to see them too.
— Est-ce que **j'aurai** le temps de déjeuner?	*Will I have* time to have lunch?

The forms of the future of **être** and **avoir** are:

être		**avoir**	
je serai, *I shall be*		j'aurai, *I shall have*	
tu seras		tu auras	
il sera		il aura	
nous serons		nous aurons	
vous serez		vous aurez	
ils seront		ils auront	

47. Use of future tense.

— **Je ferai** des courses demain.	*I shall do* some errands tomorrow.
— S'il pleut, **je prendrai** un taxi.	If it rains, *I'll take* a taxi.

1. Generally speaking, the future tense is used as in English. Note particularly that it is used in the result clause of conditional sentences which express what will happen if a given condition is fulfilled. Ex.: Je prendrai un taxi *(the result),* s'il pleut *(the condition).*

2. Contrary to English usage, however, the future tense is always used in temporal clauses introduced by **quand,** *when;* **lorsque,** *when,* etc., if the future time is implied. Ex.: Je déjeunerai **quand je rentrerai.** I shall have lunch, *when I get home.* **Lorsqu'il neigera,** je ferai du ski. *When it snows,* I shall go skiing.

3. As in English, the present tense is frequently used for the immediate future. Ex.: Je vais à la gare à midi.

48. Formation and use of the imperative.

(1) Regular verbs:

— **Regardez** la neige!	*Look at* the snow!
— **Finissez** votre travail.	*Finish* your work.

— **Répondez** tout de suite à sa lettre.	*Reply* to his letter at once.
— J'ai faim. **Allons** déjeuner.	I'm hungry. *Let's go* to lunch.
— Voici un restaurant. **Entrons.**	Here's a restaurant. *Let's go in.*
— Garçon, **donnez-moi** la carte, s'il vous plaît.	Waiter, *give me* the menu, please.

1. Forms of the imperative of regular verbs:

FIRST CONJUGATION		SECOND CONJUGATION	
regarde(s) *	*look* (**tu** form)	finis	*finish* (**tu** form)
regardons	*let's look*	finissons	*let's finish*
regardez	*look* (**vous** form)	finissez	*finish* (**vous** form)

THIRD CONJUGATION	
réponds	*answer* (**tu** form)
répondons	*let's answer*
répondez	*answer* (**vous** form)

2. The imperative of regular verbs is the same as the second person singular* and the first and second person plural of the present indicative without the subject pronoun.

(2) Reflexive verbs.

— Dépêchez-vous!	*Hurry!*
— Asseyez-vous.	*Sit down.*

1. Forms of the imperative of reflexive verbs:

dépêche-toi	*hurry* (**tu** form)
dépêchons-nous	*let's hurry*
dépêchez-vous	*hurry* (**vous** form)

2. The reflexive object must always be expressed. With affirmative imperative, the object follows (dépêchez-**vous**); with negative imperative, the object precedes the verb (ne **vous** dépêchez pas).

(3) **Être** and **avoir.**

---

* The **tu** form of the imperative of the first conjugation has an **s** only when it is followed by **y** or **en.**

1. Forms of the imperative of **être** and **avoir:**

sois	*be* **(tu** form)		aie	*have* **(tu** form)
soyons	*let's be*		ayons	*let's have*
soyez	*be* **(vous** form)		ayez	*have* **(vous** form)

2. The imperative of **être** and **avoir** is used primarily in set expressions such as:

— Soyez le bienvenu!   *Welcome!*
— Ayez la bonté de ...   *Please* (i.e., *Have the kindness to* ...)

A. *Dites en français:*

1. I shall have lunch.   **2.** I shall go.   **3.** I shall do errands.   **4.** I shall be.   **5.** I shall have.   **6.** He will have.   **7.** He will finish.   **8.** He will answer.   **9.** He will hurry.   **10.** We shall hurry.   **11.** We shall be.   **12.** We shall do errands.   **13.** Will you do errands?   **14.** Will you have lunch down town?   **15.** Will you get home at noon?   **16.** They will get home at six o'clock.   **17.** They will not get home this evening.   **18.** He will not get home.   **19.** He will go down town.   **20.** He will take a taxi.   **21.** He will not take a taxi.   **22.** He will not forget.   **23.** Will he forget?   **24.** Will you forget?   **25.** Will you have time to go to the post office?   **26.** Let's go to lunch.   **27.** Let's finish.   **28.** Look!   **29.** Look at the snow!   **30.** Sit down.   **31.** Hurry.   **32.** Don't hurry.   **33.** Don't forget.   **34.** Let's go in.   **35.** Come in **(Entrez)!**

B. *Répondez en français à chacune des questions suivantes:*

(*a*) **1.** A quelle heure rentrerez-vous chez vous?   **2.** Est-ce que vous dînerez en ville?   **3.** Serez-vous libre dimanche après-midi?   **4.** Aurez-vous le temps de faire une promenade cet après-midi?   **5.** A quelle heure vous coucherez-vous ce soir?   **6.** A quelle heure vous réveillerez-vous demain?   **7.** A quelle heure viendrez-vous me chercher?

(*b*) **1.** Qu'est-ce que Marie fera cet après-midi?   **2.** Où ira-t-elle?   **3.** Qu'est-ce qu'elle achètera?   **4.** Comment ira-t-elle en ville?   **5.** Qu'est-ce qu'elle fera s'il pleut?   **6.** A quelle heure rentrera-t-elle?   **7.** Qu'est-ce que Roger fera cet après-midi?   **8.** A quelle heure finira-t-il son travail?

(*c*) **1.** Qu'est-ce que Marie fera s'il pleut?   **2.** Qu'est-ce qu'elle fera si elle ne trouve pas de taxi?   **3.** Qu'est-ce qu'elle fera quand elle ren-

EN FRANCE

III. Scènes parisiennes

Conversations 11–15

John et Marie marchent ensemble dans le Jardin du Luxembourg. C'est un beau jardin près de l'Université, qui est très fréquenté[1] par les étudiants.

1. fréquenté, *popular* (*frequently visited*).

    Nous sommes à la fin de septembre. C'est le moment de
5 l'année où l'été finit et où l'automne commence. Dans le parc,
les feuilles des arbres sont déjà jaunes et la terre est couverte de
feuilles mortes. L'air est un peu humide. A Paris, il pleut assez
souvent en automne. Cependant l'automne à Paris est d'habitude
une saison très agréable, juste assez triste pour être poétique.

10   John demande à Marie s'il fait froid à Paris pendant[2] l'hiver.

—Pas particulièrement, répond Marie. La température ne descend pas souvent au-dessous[3] de zéro degré centigrade et il neige rarement.[4] Mais le ciel est souvent couvert[5] et les pluies[6]

2. pendant, *during*.
3. au-dessous, *below*.
4. rarement, *seldom*.

5. couvert, *cloudy (covered)*.
6. la pluie, *rain*.

15 sont fréquentes, de sorte que[7] l'hiver à Paris paraît[8] plus froid
qu'il ne l'est véritablement.[9] Par contre,[10] le printemps est une
saison charmante.[11] Vous savez que beaucoup des avenues parisiennes sont plantées de marronniers.[12] Lorsqu'au printemps ces

7. de sorte que, *so that.*
8. paraît, *seems.*
9. qu'il ne l'est véritablement, *than it
   really is* (*it,* that is, "cold").

10. par contre, *on the other hand.*
11. charmant, *charming.*
12. le marronnier, *horse-chestnut tree.*

marronniers sont couverts de fleurs blanches ou roses, c'est un
20 spectacle magnifique.

Leur promenade terminée, John et Marie sortent du Jardin
du Luxembourg par la grille[13] en face du Panthéon. Il y a
beaucoup de librairies[14] dans le voisinage[15] de l'Université et John
s'arrête un instant devant la devanture d'un libraire.

13. la grille, *iron gate.*   15. le voisinage, *neighborhood.*
14. la librairie, bookstore; le libraire,
     bookseller.

25   —Tiens, dit-il à Marie, voici des traductions[16] françaises
de romans américains, de Faulkner, d'Hemingway et d'autres.
Regardez ce titre: *Autant en emporte le vent*.[17] Je suppose que c'est
une traduction française de *Gone with the wind*. Est-ce qu'on lit
toujours ce roman en France?

30   —Evidemment. Les romans américains sont extrêmement
populaires en France, vous savez.

Après avoir reconduit[18] Marie chez elle, John s'arrête un
moment dans une pharmacie. Il demande au pharmacien son
meilleur remède contre le rhume, car il a l'impression d'avoir

35 les premiers symptômes d'un rhume. Le pharmacien lui vend
de petites pilules[19] roses. John prend une de ces pilules et il
espère qu'elle va lui faire beaucoup de bien. Mais il n'a pas
trop confiance: il sait bien que le rhume est une maladie in-
curable par de petites pilules roses.

---

16. la traduction, *translation.*
17. autant en emporte le vent, *pro-*
    verbial expression meaning: gone
    forever without leaving a trace.

18. après avoir reconduit. *after taking*
    (having taken).
19. la pilule, *pill.*

trera? 4. Qu'est-ce que vous ferez quand vous rentrerez ce soir?
5. Où irez-vous cet après-midi s'il fait beau? 6. Qu'est-ce que vous
ferez cet hiver quand il neigera?

C. (Révision) Dites en français:

(a) 1. I have to (need to) work in the evening. 2. Do you have to
work in the morning? 3. We have to work all day long (toute la journée). 4. I walked all the afternoon.

(b) 1. Board and room costs 1000 francs per day. 2. I have been to
their house several times. 3. Do you go to the movies several times a
(par) month? 4. I go to the movies once a week. 5. I shall go to see
your parents soon.

(c) 1. It's the first time it has snowed this year. 2. It's the first time
it has rained this week. 3. It's the first time I have been to the movies
this fall. 4. It's the first time I have talked to you this year.

(d) 1. First Marie went to the "bazar." 2. Then she went to the milliner's. 3. Then she went to the bank. 4. She got home late. 5. She
did not have time to go to the movies.

(e) 1. Winter lasts too long. 2. Summer does not last too long.
3. Spring does not last so long as winter. 4. I like fall better than
winter. 5. The country is as beautiful in fall as in summer, and it is
not so hot (it is less hot).

D. Thème d'imitation:

John Hughes is a young American chemical engineer. He lives in Paris.
He has rented a room near the Observatory, in the Latin Quarter, in
the house of an old lady, Mrs. Duval. She is seventy years old, she has
white hair, and she is very nice to John, because she likes Americans.
John is happy. He likes his room, and autumn in Paris is one of the
most beautiful seasons of the year. The trees of the Avenue of the Observatory are very beautiful in the month of October. The month of
November is usually less pleasant, because it is cold and it rains a good
deal. But John forgets the bad weather and he thinks he is lucky to be
(d'être) in Paris.

Note on the Thèmes d'imitation:

The *Thèmes d'imitation* which will be found in each Grammar Unit from now on, are little themes which are based upon one or more Conversations which you have already studied. Their purpose is to give you additional practice in using authentic French word patterns. They are scarcely more difficult than the dialogues you have been doing orally; but they call for more conscious effort because they call into play a greater variety of expressions and make use of longer sentences.

The best way to turn out a good, correct, and idiomatic French version of a *Thème* is to work through it orally, sentence by sentence, before putting pen to paper. When you can not recall how an idea is expressed in French, it is much better to refer to the Conversation where the right turn of phrase is to be found in a context than to try to find it in the vocabulary; for if an expression is used in a Conversation you know precisely what it means and how it is used. When you DO refer to the vocabulary, look for ways to express what you are trying to say. And use discretion in taking items from the vocabulary. You can not possibly produce a good Thème by merely "looking up" all the words. YOU HAVE TO THINK THE THING THROUGH IN FRENCH.

When you have worked on a sentence orally UNTIL IT SOUNDS RIGHT TO YOU, write it down, taking care to spell words correctly, to use the proper forms, etc. Then after you have written each sentence, reread it to be sure it expresses the idea you set out to express.

CONVERSATION 18

A Trip

Au guichet, à la Gare de l'Est

ROGER—[1]Je voudrais un billet aller et retour pour Reims.

L'EMPLOYÉ—[2]Quelle classe, monsieur?

ROGER—[3]Seconde, s'il vous plaît. [4]Combien de temps ce billet est-il bon?

L'EMPLOYÉ—[5]Quinze jours,* monsieur.

ROGER—[6]Est-ce que je dois changer de train en route?

L'EMPLOYÉ—[7]Oui, vous devez changer à Épernay.

ROGER—[8]Combien de temps faut-il attendre la correspondance?

L'EMPLOYÉ—[9]Vous aurez à peu près vingt minutes à Épernay.

Sur le quai, à Épernay

ROGER—[10]Pardon, sur quelle voie le train de Reims arrive-t-il?

L'EMPLOYÉ—[11]Ici, monsieur, sur la première voie.

ROGER—[12]Le train est-il à l'heure?

At the Ticket Window of the Eastern Railway Station

ROGER—[1]I should like a round-trip ticket to Rheims.

THE EMPLOYEE—[2]Which class, sir?

ROGER—[3]Second, please. [4]How long is this ticket good?

THE EMPLOYEE—[5]Two weeks, sir.

ROGER—[6]Do I have to change trains on the way?

THE EMPLOYEE—[7]Yes, you have to change trains at Epernay.

ROGER—[8]How long do you have to wait for the connection?

THE EMPLOYEE—[9]You will have about twenty minutes at Epernay.

On the Platform at Epernay

ROGER—[10]Pardon me. On which track does the Rheims train come in?

THE EMPLOYEE—[11]Here, sir. On the first track.

ROGER—[12]Is the train on time?

---

* The French say **quinze jours** (15 days) for "two weeks" and **huit jours** for "a week."

[113]

L'EMPLOYÉ—[13]Non, monsieur. Il est en retard de dix minutes.

ROGER—[14]Est-ce que j'aurai le temps d'aller au buffet?

L'EMPLOYÉ—[15]Vous pouvez essayer, mais dépêchez-vous. [16]Le train s'arrête seulement trois minutes. [17]Si vous manquez ce train, vous serez obligé de passer la nuit à Épernay.

THE EMPLOYEE—[13]No, sir. It is ten minutes late (late by ten minutes).

ROGER—[14]Will I have time to go to the lunchroom?

THE EMPLOYEE—[15]You can try it, but hurry. [16]The train stops just three minutes. [17]If you miss this train, you will have to spend the night at Epernay.

A. *Répondez en français, d'après le texte, à chacune des questions suivantes:*

1. Où va Roger? 2. Quelle espèce de billet veut-il? 3. Quelle classe? 4. Combien de temps son billet est-il bon? 5. Est-ce qu'il doit changer de train en route? 6. Combien de temps faut-il attendre la correspondance? 7. De combien de minutes le train est-il en retard? 8. Est-ce que Roger aura le temps d'aller au buffet? 9. Qu'est-ce qu'il sera obligé de faire s'il manque la correspondance? 10. Combien de temps le train s'arrête-t-il?

B. *Demandez à un autre étudiant (à une autre étudiante):*

1. un billet aller et retour pour Reims. 2. combien de temps votre billet est bon. 3. si vous devez changer de train en route. 4. où vous devez changer de train. 5. combien de temps il faut attendre la correspondance. 6. sur quelle voie arrive le train de Reims. 7. si le train est à l'heure. 8. si le train est en retard. 9. si le train est en retard d'une demi-heure. 10. s'il s'arrête 10 minutes. 11. si vous aurez le temps d'aller au buffet. 12. ce que c'est que le buffet d'une gare.

C. *Dites à un autre étudiant (à une autre étudiante):*

1. que vous voulez un billet aller et retour pour Reims. 2. que vous voulez un billet de seconde classe. 3. que vous devez changer de train à Épernay. 4. qu'il (elle) aura vingt minutes à Épernay. 5. que le train arrive sur la première voie. 6. que s'il (si elle) manque ce train,

il (elle) sera obligé(e) de passer la nuit à Épernay.   **7.** que vous allez vous dépêcher.   **8.** que vous devez vous dépêcher.   **9.** qu'il (qu'elle) doit se dépêcher.   **10.** de se dépêcher.   **11.** que le train est en retard d'un quart d'heure.

D. *Dites en français:*

1. How long is this ticket good?   **2.** How long do you have to wait for the connection?   **3.** How long did Mr. Brown stay in England?   **4.** How long will you stay in Epernay?   **5.** I shall have to spend the night in Epernay.   **6.** I shall spend a week in Rheims.   **7.** How long does winter last?   **8.** How long did you work yesterday?   **9.** How late is the train?   **(De combien de minutes le train est-il en retard?)**

E. *Dictée d'après la dix-septième conversation.*

F. *Conversation:*

"What time does the train to Rheims arrive here?" "At 21:37." "At what time will it get to Rheims?" "At 22:59." "Is there a good hotel near the station?" "Yes, you can spend the night in the *Hôtel des Voyageurs.*"

CONVERSATION 19

At the Haberdasher's

ROGER—[1]Combien coûtent ces mouchoirs?

LE VENDEUR—[2]Trois mille francs la douzaine, monsieur.

ROGER—[3]Donnez-m'en une douzaine, s'il vous plaît. [4]Combien coûte cette paire de gants?

LE VENDEUR—[5]Deux mille cinq cents francs, monsieur; mais je vous la laisserai à deux mille francs.

ROGER—[6]Ces gants sont-ils de bonne qualité?

LE VENDEUR—[7]Certainement, monsieur. [8]Vous ne trouverez rien de meilleur.

ROGER—[9]En avez-vous d'autres?

LE VENDEUR—[10]Oui, monsieur. En voici des gris.

ROGER—[11]Bon. Donnez-les-moi. [12]Quel est le prix de ce chapeau?

LE VENDEUR—[13]Trois mille cinq cents francs, monsieur. [14]Voulez-vous l'essayer?

ROGER—[15]Volontiers.

LE VENDEUR—[16]Il vous va très bien. [17]Le voulez-vous?

ROGER—[18]Oui. Mettez-le dans un carton, s'il vous plaît.

ROGER—[1]How much do these handkerchiefs cost?

THE SALESMAN—[2]3000 francs a dozen, sir.

ROGER—[3]Give me a dozen, please. [4]How much is this pair of gloves?

THE SALESMAN—[5]2500 francs, sir; but I'll let you have it for 2000 francs.

ROGER—[7]Are these gloves of good quality?

THE SALESMAN—[7]Certainly, sir. [8]You won't find anything better.

ROGERS—[9]Have you any others?

THE SALESMAN—[10]Yes sir. Here are some gray ones.

ROGER—[11]All right. Give them to me. [12]What is the price of this hat?

THE SALESMAN—[13]3500 francs, sir. [14]Do you want to try it on?

ROGER—[15]Yes. I'll be glad to.

THE SALESMAN—[16]It looks very well on you. [17]Do you want it?

ROGER—[18]Yes, put it in a box (pasteboard), please.

LE VENDEUR—[19]Voulez-vous l'emporter tout de suite?

ROGER—[20]Non, je ne rentre pas chez moi maintenant.

LE VENDEUR—[21]Eh bien, je pourrai vous le faire envoyer cet après-midi.

ROGER—[22]Je n'ai pas d'argent sur moi...

LE VENDEUR—[23]Cela ne fait rien, monsieur. [24]Nous vous enverrons la facture.

THE SALESMAN—[19]Do you want to take it with you?

ROGER—[20]No, I am not going home now.

THE SALESMAN—[21]Well, I can have it sent to you this afternoon.

ROGER—[22]I haven't any money on me...

THE SALESMAN—[23]That doesn't make any difference, sir. [24]We will send you the bill.

A. *Répondez à chacune des questions suivantes, d'après le texte:*

1. Combien coûtent ces mouchoirs? 2. Combien de mouchoirs Roger achète-t-il? 3. Combien coûte cette paire de gants? 4. Ces gants sont-ils de bonne qualité? 5. Est-ce que le vendeur en a d'autres? 6. De quelle couleur sont-ils? 7. Quel est le prix de ce chapeau? 8. Est-ce que ce chapeau va bien à Roger? 9. Où Roger dit-il de mettre (*put*) le chapeau? 10. Pourquoi ne l'emporte-t-il pas tout de suite? 11. Quand le vendeur pourra-t-il envoyer le chapeau?

B. (1) *Demandez à un autre étudiant (à une autre étudiante):*

1. le prix des mouchoirs. 2. combien coûte cette paire de gants. 3. si ces gants sont de bonne qualité. 4. s'il (si elle) en a d'autres. 5. le prix de ce chapeau. 6. s'il (si elle) veut essayer ce chapeau. 7. s'il (si elle) veut l'emporter tout de suite.

(2) *Dites au vendeur:*

1. de vous donner une douzaine de mouchoirs. 2. de vous en donner deux douzaines. 3. de vous donner des gants. 4. de vous les donner. 5. de mettre le chapeau dans un carton. 6. de le mettre dans un carton. 7. de vous envoyer la facture.

C. *(Révision des pronoms personnels) Dites en anglais:*

1. Voici des pommes. Je vais les donner à Mme Bedel.   2. Je vais lui en donner.   3. Donnez-m'en.   4. Donnez-leur-en.   5. Donnez-en à Louise.   6. Elle m'en a donné.   7. Je lui en ai donné.   8. Leur en avez-vous donné?   9. Est-ce qu'ils nous en ont donné?   10. Donnez-les-moi.   11. Donnez-les-leur.

D. *Répondez en français à chacune des questions suivantes:*

1. Irez-vous en ville cet après-midi?   2. A quelle heure rentrerez-vous?
3. Dînerez-vous en ville?   4. Dînerez-vous quand vous rentrerez?
5. Pourrez-vous m'acheter un journal?   6. Irez-vous au cinéma si vous avez le temps?   7. Pourrez-vous venir me chercher?

E. *Dictée d'après la dix-huitième conversation.*

F. *Conversation:*

"How much are these oranges (**oranges,** *f.*)?" "A hundred and fifty francs a dozen." "These oranges are too small and they are green. Have you others?" "Here are some very beautiful ones at two hundred and fifty francs." "Good. Give me a dozen."

XII

Stressed Forms of Personal Pronouns

49. DISTINCTION BETWEEN STRESSED FORMS AND UN-
STRESSED FORMS OF PERSONAL PRONOUNS.

The stressed forms of personal pronouns differ from the unstressed forms in both form and usage. You have learned that
the unstressed forms are ordinarily used as subject, direct object,
and indirect object of verbs. The stressed forms are commonly
used after prepositions and, in certain circumstances, with verbs.

50. STRESSED FORMS OF PERSONAL PRONOUNS.

— Où allez-vous?	Where are you going?
— Je vais **chez moi.**	I am going *home.*
— Allez-vous chez M. Brown?	Are you going to Mr. Brown's?
— Oui, je vais **chez lui.**	Yes, I am going *to his house.*
— Êtes-vous déjà allé chez les Brown?	Have you already been to the Browns'?
— Oui, je suis déjà allé **chez eux.**	Yes, I have already been *to their house.*
— Êtes-vous allé au bal avec Marie?	Did you go to the dance with Mary?
— Oui, j'y suis allé **avec elle.**	Yes, I went *with her.*

The stressed forms of personal pronouns are: **moi, toi, lui
(elle), nous, vous, eux (elles).**

Note carefully that the third person of stressed forms has
different forms for masculine and feminine (**lui** and **elle, eux**
and **elles**), whereas the third person of unstressed forms has
only one form (**lui**) for the singular and one form (**leur**) for
the plural.

51. Use of the stressed forms of personal pronouns.

(1) As object of a preposition (**de, avec, sans, chez, pour,** etc.) :

— Voulez-vous venir **avec moi?**	Do you want to go along *with me?*
— Si Marie ne rentre pas, je déjeunerai **sans elle.**	If Mary does not come back, I will have lunch *without her.*
— Connaissez-vous ses cousines?	Do you know his (*or* her) cousins?
— Oui, je suis allé **chez elles** plusieurs fois.	Yes, I have gone *to their house* several times.
— Avez-vous peur de votre père?	Are you afraid of your father?
— Non, je n'ai pas peur **de lui.**	No, I am not afraid *of him.*

The stressed forms are generally used only to refer to persons:

— Parlez-vous de Charles? — Oui, nous parlons de **lui.**

— Parlez-vous de Marie? — Oui, nous parlons d'**elle.**

— Avez-vous besoin de **moi?** — Non, je n'ai pas besoin de **vous.**

When speaking of things, instead of the prepositions **de** with a stressed form of the personal pronoun, you use the pronoun **en** (*of it, of them*).

— Parlez-vous de votre voyage? — Oui, nous **en** parlons.

— Avez-vous besoin de gants? — Oui, j'**en** ai besoin.

— Avez-vous peur des examens? — Non, je n'**en** ai pas peur.

(2) After **c'est, ce sont** (whether expressed or understood) :

— Qui est là? — C'est **moi** (or **Moi).**	Who is there? It's *I* (or *I*).
— Qui a écrit cette lettre?	Who wrote that letter?
— C'est **elle** (or **Elle).**	It was *she* (or *She did*).
— Qui sont ces jeunes filles? Est-ce que ce sont vos cousines? — Oui, ce sont **elles.**	Who are those girls? Are they your cousins? — Yes, it is *they.*

(3) To specify the persons indicated by a plural form of a personal pronoun:

—**Elle et moi,** nous sommes allés au cinéma ensemble.   *She and I* (we) went to the movies together.

—**Lui et elle** sont allés en ville.   *He* and *she* went down town.

(4) In addition to, or instead of, an unstressed form of personal pronouns, for emphasis:

—**Moi,** je ne sais pas.   *I* don't know.

—**Moi,** je suis Américain.   *I* am an American.

—**Lui** aussi est Américain.   *He too* is an American.

52. USE OF PERSONAL PRONOUNS WITH IMPERATIVE.

(1) Personal pronoun objects follow the affirmative imperative:

> —Mettez-**le** dans un carton. (*dir. obj.*)
> —Donnez-**en** aussi à Roger. (*dir. obj. partitive*)
> —Garçon, donnez-**moi** des hors-d'œuvre. (*indir. obj.*)

1. For direct object you use **le, la, les; en.** For indirect object you use **moi (m'), toi (t'), lui, nous, vous, leur.**

2. When you have both a direct and an indirect object pronoun, the indirect object comes last except when **en** is used. Ex.: Montrez-moi votre carte d'identité. Montrez-**la-moi.** Montrez-**la-lui.** Apportez-nous les fruits. Apportez-**les-nous.** Apportez-**les-leur.** Achetez-moi des cigarettes. Achetez-**m'en.** Achetez-**lui-en.**

(2) With negative imperatives, the unstressed forms of personal pronouns are used and stand in order of pronoun objects which is normal in declarative sentences (Par. 42.). Ex.: Vous me donnez votre adresse. Vous me la donnez. **Ne me la donnez pas.** (*neg. imper.*) Vous lui donnez la carte. Vous la lui donnez. **Ne la lui donnez pas.** (*neg. imper.*) Vous m'apportez du café. Vous m'en apportez. **Ne m'en apportez pas.** (*neg. imper.*)

A. *Répondez affirmativement en français à chacune des questions suivantes, en remplaçant le nom par le pronom convenable:*

1. Êtes-vous déjà allé(e) chez M. Brown? 2. Êtes-vous allé(e) au cinéma avec Marie? 3. Êtes-vous allé(e) chez les Brown? 4. Êtes-vous déjà allé(e) chez Marie et chez Alice? 5. Est-ce que vous avez déjeuné avec Roger? 6. Avez-vous dîné avec votre ami? 7. Êtes-vous allé(e) au bal samedi soir avec Marie? 8. Êtes-vous parti(e) sans Marie? 9. Avez-vous fait des courses pour votre mère? 10. Avez-vous acheté des gants pour votre mère? 11. Avez-vous confiance en votre père? 12. Est-ce que John a loué une chambre chez Mme Duval?

B. *Répondez négativement en français à chacune des questions suivantes, en employant le pronom convenable:*

1. Avez-vous besoin de moi? 2. Avez-vous besoin de mon frère? 3. Avez-vous besoin de mon auto? 4. Est-ce que vous avez parlé de l'examen? 5. Avez-vous parlé de votre travail? 6. Avez-vous parlé de John et de Roger? 7. Avez-vous parlé de Marie et d'Alice? 8. Avez-vous peur de votre père? 9. Avez-vous peur de vos parents? 10. Avez-vous peur des trains (*trains*)? 11. Avez-vous peur des agents de police? 12. Avez-vous peur des taxis?

C. *Dites en français:*

1. Who is there? It's I. 2. Who wrote this letter? She. 3. He and I went to the movies. 4. She and I went to the dance. 5. You and I will do some errands. 6. He and she were born in Nice. 7. He and she went down town. 8. I think they are very nice, he and she. 9. *I* don't like them very much. 10. You will go to the butcher's, and *I* will go to the bakery. 11. You will buy some meat, and *I* will buy some bread.

D. *Dites à un autre étudiant (à une autre étudiante):*

1. de vous apporter la carte. 2. de vous l'apporter. 3. de vous donner des hors-d'œuvre. 4. de vous en donner. 5. de vous apporter du vin rouge. 6. de vous en apporter. 7. de donner du biftek et des pommes de terre frites à Roger. 8. de lui en donner. 9. de donner son adresse à la concierge. 10. de la lui donner. 11. de vous donner une dou-

zaine de mouchoirs.   12. de vous en donner deux douzaines.   13. de vous montrer des gants.   14. de vous les donner.   15. de vous en donner deux paires.   16. d'en donner à Roger.   17. de lui en donner deux paires.   18. d'en donner à Marie.   19. de lui en donner deux paires.   20. de vous envoyer la facture.   21. de vous l'envoyer.   22. de ne pas l'envoyer à votre père.*   23. de ne pas la lui envoyer.   24. de s'asseoir.   25. de se dépêcher.   26. de ne pas se dépêcher.   27. de ne pas s'asseoir.

E. (Révision) Dites en français:

(a) 1. There are too many people in buses.   2. When will the room be ready?   3. Will I have time to go to the lunchroom?   4. You will not have time to eat lunch.   5. Six thousand francs per month. 6. Several times a day.   7. He went to France five or six years ago. 8. How long did he stay in France?

(b) (venir chercher) 1. What time must I come for you?   2. I am going to come for you at a quarter to one.   3. What time did he come for you?   4. He came for me at half past one.

(c) (aller chercher) 1. We went for them yesterday.   2. He went for her in a taxi.   3. Have you your tickets? — Yes, we went for them yesterday.

F. Thème d'imitation:

Friday afternoon, John and Roger did some errands. They went into several stores. Then John told Roger that he wanted[1] to go to a drugstore to buy some writing paper and some post cards. They went into a drugstore and John said to the druggist: "I would like some writing paper and some post cards." The pharmacist said to him: "We sell neither[2] writing paper nor post cards, sir. If you need those things, go to the bookstore or the tobacco shop. They do not sell medicines in tobacco shops, and *I* have neither writing paper nor post cards." Roger thought[3] the incident[4] very funny, but John thought it was less amusing[5].

---

* When an infinitive is negative, the word **ne** and **pas** stand together and precede the infinitive.

[1] voulait (imperfect).   [2] See Conversation 11, No. 7 and footnote on p. 61.   [3] See Conv. 16, No. 9.   [4] l'incident (m.).   [5] amusant.

Going down Town

A l'arrêt de l'autobus	*At the Bus Stop*
ROGER—[1]Bonjour, John. Qu'est-ce que vous faites ici?	ROGER—[1]Good morning, John. What are you doing here?
JOHN—[2]Vous voyez, j'attends l'autobus.	JOHN—[2]You see, I am waiting for the bus.
ROGER—[3]Est-ce que vous l'attendez* depuis longtemps?	ROGER—[3]Have you been waiting for it long?
JOHN—[4]Je l'attends depuis un quart d'heure.	JOHN—[4]I have been waiting for it for a quarter of an hour.
ROGER—[5]Vraiment? Vous n'avez pas vu d'autobus depuis† un quart d'heure?	ROGER—[5]Really? You haven't seen a bus for a quarter of an hour?
JOHN—[6]Si. Un autobus est venu.	JOHN—[6]Yes, I have. A bus came.
ROGER—[7]Pourquoi ne l'avez-vous pas pris?	ROGER—[7]Why didn't you take it?
JOHN—[8]Je n'ai pas pu monter. [9]Il était complet.	JOHN—[8]I couldn't get on. [9]It was full.
ROGER—[10]Voici un autre autobus qui arrive.	ROGER—[10]Here comes another bus.
JOHN—[11]Je vois des gens debout.	JOHN—[11]I see people standing.
ROGER—[12]Cela ne fait rien. [13]Montons tout de même.	ROGER—[12]That makes no difference. [13]Let's get on anyway.

---

* When the present indicative of the verb is used with **depuis**, it indicates that the action began in the past and is still going on at the time the statement is made.

† When the **passé composé** is used with **depuis**, it indicates a simple past action.

Dans l'autobus	*On the Bus*
JOHN—[14]Il n'y a pas beaucoup de place...	JOHN—[14]There is not much room...
ROGER—[15]Il y aura de la place plus loin, quand les gens commenceront à descendre.	ROGER—[15]There will be room further on, when people begin to get off.
JOHN—[16]Je l'espère. [17]Où descendez-vous?	JOHN—[16]I hope so. [17]Where are you getting off?
ROGER—[18]Je descends à l'arrêt de la rue de la Paix. [19]Je vais chez le coiffeur.	ROGER—[18]I am getting off at the Rue de la Paix. [19]I am going to the barber's.
JOHN—[20]Moi aussi. Si vous voulez, j'irai avec vous.	JOHN—[20]So am I. I'll go with you, if you don't mind.
ROGER—[21]Entendu. Nous pourrons y aller ensemble.	ROGER—[21]O.K. We can go there together.

A. *Répondez en français à chacune des questions suivantes, d'après le texte:*

(*a*) 1. Bonjour. Qu'est-ce que vous faites ici? 2. Est-ce que vous attendez l'autobus depuis longtemps? 3. N'avez-vous pas vu d'autobus depuis un quart d'heure? 4. Pourquoi n'avez-vous pas pris l'autobus? 5. Y a-t-il des gens debout dans l'autobus? 6. Quand y aura-t-il de la place dans l'autobus? 7. Où descendez-vous? 8. Où allez-vous?

(*b*) 1. Où John attend-il l'autobus? 2. L'attend-il depuis longtemps? 3. Est-ce qu'un autobus est venu? 4. Pourquoi John n'a-t-il pas pu monter? 5. Y a-t-il beaucoup de gens dans l'autobus qui arrive? 6. Où Roger va-t-il descendre? 7. Où va-t-il?

B. *Demandez à un autre étudiant (à une autre étudiante):*

1. ce qu'il (elle) fait ici. 2. s'il (si elle) attend l'autobus depuis longtemps. 3. s'il (si elle) n'a pas vu d'autobus depuis un quart d'heure. 4. pourquoi il (elle) n'a pas pris l'autobus. 5. s'il y a des gens debout dans l'autobus. 6. quand il y aura de la place dans l'autobus. 7. où il (elle) descend. 8. où il (elle) va.

C. *Dites en français:*

*Depuis combien de temps?**

1. "How long have you been waiting for the bus?" "I have been waiting for a quarter of an hour." 2. "How long have you been here?" "I have been here for three months." 3. "How long have you been working?" "I have been working for two hours." 4. "How long have you been talking French?" "I have been talking French for several weeks." 5. "How long have you been living here?" "I have been living here for a long time." 6. "How long have you been at the University?" "I have been at the University for six weeks."

Depuis quand?†

1. "How long have you been waiting for the bus?" "I have been waiting since ten o'clock." 2. "How long have you been here?" "I have been here since the twentieth of September." 3. "How long have you been talking French?" "I have been talking French since the twentieth of September."

De la place

1. There is room on the bus. 2. There is no room on the bus. 3. There is no more room on the bus. 4. There is no more room.

Temps — fois

1. How many times do you go to the movies per month? 2. How long does winter last? 3. How long do you have to work tonight? 4. How long does the train stop? 5. This is the first time it has snowed this year. 6. This is the first time I have been skiing this year. 7. This is the second time I have gone to the movies this week.

D. *Répondez en français à chacune des questions suivantes, en remplaçant les mots en italiques par l'adverbe y (there). Ex.: Allez-vous à la gare? Oui, j'y vais.*

---

* In answering a question beginning **Depuis combien de temps...?** you normally state the amount of time an action has been going on (an hour, a month, etc.).

† In answering a question beginning **Depuis quand...?** you normally state the time when the action began (10 o'clock, the 20th of September, etc.).

1. Allez-vous *chez le coiffeur?* **2.** Allez-vous *au bureau de tabac?*
3. Allez-vous *à la banque* ce matin?   **4.** Allez-vous *au cinéma* demain
soir?   **5.** Roger va-t-il *chez le coiffeur?*   **6.** Marie va-t-elle *chez la
modiste?*   **7.** Avez-vous besoin d'aller *chez le coiffeur?*   **8.** Avez-vous
besoin d'aller *à la banque?*   **9.** John et Roger sont-ils montés *dans
l'autobus?*   **10.** John et Roger sont-ils allés *en ville* ensemble?   **11.** Irez-
vous *au cinéma* ce soir? Answer: Oui, j'irai. (**Y** is omitted before the
future of **aller.**)

E. *Dictée d'après la dix-neuvième conversation.*

F. *Conversation:*

"Did you go down town yesterday?" "Yes, I went (there)." "How
did you go?" "I went on the bus **(en autobus).**" "Were there many
people when you got on?" "Yes, there were people standing." "Where
did you get off?" "I got off at the bus stop of the Rue de la Paix."

Talking over School Days

JOHN—[1]A quelle école alliez-vous, quand vous aviez douze ans?

ROGER—[2]J'allais au collège,* c'est-à-dire à l'école secondaire.

JOHN—[3]Où habitiez-vous à ce moment-là?

ROGER—[4]J'habitais une petite ville des Alpes.

JOHN—[5]C'est une région très pittoresque, n'est-ce pas?

ROGER—[6]Oui, mais cette ville a bien changé depuis. [7]On y a construit des usines de produits chimiques. [8]Le progrès, vous savez ...

JOHN—[9]Qu'est-ce que vous faisiez à l'école?

ROGER—[10]Je travaillais neuf heures par jour.

JOHN—[11]Quoi?

ROGER—[12]J'y allais tous les matins à sept heures, et j'en sortais à quatre heures de l'après-midi.

JOHN—[1]To what school did you go, when you were twelve years old?

ROGER—[2]I went to the "collège," that is to say, to the secondary school.

JOHN—[3]Where did you live at that time?

ROGER—[4]I was living in a little city in the Alps.

JOHN—[5]That's a very picturesque region, isn't it?

ROGER—[6]Yes, but that city has changed a great deal since. [7]They have built chemical factories there. [8]Progress, you know ...

JOHN—[9]What did you do at school?

ROGER—[10]I worked nine hours per day.

JOHN—[11]What?

ROGER—[12]I went (there) every morning at seven o'clock, and I got out at four o'clock in the afternoon.

---

* The secondary schools in France are called **Lycées** if they are entirely supported by the State, and **Collèges** if they are supported by a municipality, a church, etc.

JOHN—[13]Est-ce qu'il y avait beaucoup d'élèves dans cette école?
ROGER—[14]Non. Il n'y avait guère
plus de cent élèves.
JOHN—[15]Je crois qu'on travaillait
trop dans cette école.
ROGER—[16]Je ne suis pas tout à
fait de votre avis, John. [17]Je
crois que cette école m'a fait
beaucoup de bien.

JOHN—[13]Were there many pupils
in that school?
ROGER—[14]No. There were hardly
more than a hundred pupils.
JOHN—[15]I think that they worked
too hard in that school.
ROGER—[16]I don't quite agree with
you, John. [17]I think that school
did me a great deal of good.

A. *Répondez en français à chacune des questions suivantes, d'après le texte:*

1. A quelle école alliez-vous quand vous aviez douze ans? 2. Où
habitiez-vous à ce moment-là? 3. Est-ce que la région des Alpes est
très pittoresque? 4. Pourquoi la ville a-t-elle changé depuis ce moment-
là? 5. Qu'est-ce que vous faisiez à l'école? 6. A quelle heure y
alliez-vous? 7. A quelle heure en sortiez-vous? 8. Alliez-vous à
l'école à pied? 9. Alliez-vous à l'école tous les matins? 10. Est-ce
que l'école était loin de la maison? 11. Y avait-il beaucoup d'élèves
dans cette école? 12. Est-ce que John croit qu'on travaillait trop dans
cette école? 13. Est-ce que Roger est de son avis?

B. *Demandez à un autre étudiant (à une autre étudiante):*

1. à quelle école il (elle) allait quand il (elle) avait douze ans. 2. où
il (elle) habitait à ce moment-là. 3. à quelle heure il (elle) allait
à l'école. 4. combien d'heures par jour il (elle) passait à l'école.
5. à quelle heure il (elle) en sortait. 6. s'il (si elle) allait à l'école à pied.
7. si l'école était près de la maison. 8. s'il (si elle) allait à l'école tous
les jours. 9. s'il y avait beaucoup d'élèves dans cette école. 10. si John
croit qu'on travaillait trop dans cette école. 11. s'il (si elle) est de
l'avis de John.

C. *Répondez en français à chacune des questions person-nelles suivantes:*

1. Où êtes-vous allé(e) à l'école? 2. A quelle école alliez-vous quand
vous aviez quatorze ans? 3. Comment s'appelait cette école? 4. Com-

bien d'élèves y avait-il dans cette école?   **5.** Est-ce que vous aimiez bien
cette école?   **6.** Est-ce que vous aviez beaucoup de travail dans cette
école?   **7.** A quelle heure alliez-vous à l'école?   **8.** Est-ce que l'école
était loin de chez vous?   **9.** Croyez-vous que cette école vous a fait
beaucoup de bien?   **10.** Croyez-vous qu'on travaillait trop dans cette
école?

D. *Dites en français:*

1. Five or six years ago, Roger lived in Chambéry.   **2.** He lives in
Paris now.   **3.** He has been living in Paris for several years.   **4.** He came
to Paris five or six years ago.   **5.** He spent two years in England.   **6.** He
thinks the little school in Chambéry did him a lot of good.   **7.** I used to
go to school every morning at seven.   **8.** I used to go school every day.
9. I used to go to work every evening.   **10.** I used to go to Paris every
year.

E. *Révision (Reflexive verbs):*

(*a*) **1.** A quelle heure vous couchez-vous d'habitude?   **2.** A quelle
heure vous levez-vous le dimanche?   **3.** A quelle heure vous réveillez-
vous en été?   **4.** Vous dépêchez-vous de finir votre travail le soir?

(*b*) **1.** A quelle heure vous êtes-vous couché(e) hier soir?   **2.** A quelle
heure vous êtes-vous réveillé(e) ce matin?   **3.** A quelle heure vous
êtes-vous levé(e) ce matin?   **4.** Vous êtes-vous dépêché(e) ce matin
pour prendre l'autobus?

(*c*) **1.** A quelle heure vous coucherez-vous ce soir?   **2.** A quelle heure
vous lèverez-vous demain matin?   **3.** Est-ce que vous vous dépêcherez
de finir votre travail cet après-midi?

(*d*) **1.** A quelle heure vous couchiez-vous quand vous aviez douze ans?
2. A quelle heure vous leviez-vous à ce moment-là?   **3.** Vous dépêchiez-
vous pour arriver à l'heure à l'école?

F. *Dictée d'après la vingtième conversation.*

XIII

The Imperfect Tense

53. REMARK ABOUT THE IMPERFECT TENSE.

Generally speaking, the French imperfect tense expresses habitual actions in the past (**A quelle école alliez-vous...**) or a state of affairs in the past (**quand vous aviez douze ans?**).

In order to distinguish clearly between the imperfect and the *passé composé*, you could say that the *passé composé* expresses WHAT HAPPENED and that the imperfect describes the CIRCUMSTANCES or STATE OF AFFAIRS at the time. Examples:

Dimanche dernier, j'ai fait une promenade (*what happened*). Il faisait beau (*state of the weather*) et j'avais l'intention (*state of mind*) de faire le tour du lac. Mais j'ai rencontré Marie (*what happened*) qui m'a dit (*what happened*) qu'il y avait un excellent film (*state of affairs at the local movie house*) au Rivoli... Nous y sommes allés ensemble (*what happened*). Le film était en effet très amusant (*state of affairs as to the particular film*). Nous avons passé une excellente après-midi (*what happened*).

54. IMPERFECT OF REGULAR VERBS.

—Où **déjeuniez-vous** quand **vous étiez** à Paris?

Where *did you use to have lunch* when *you were* in Paris?

—A quelle heure **finissiez-vous** d'habitude votre travail?

What time *did you* usually *finish* your work?

—**Je finissais** vers six heures.

I used to finish around six.

—John est entré pendant que **je répondais** à sa lettre.

John came in as *I was answering* his letter.

—**Nous nous dépêchions** tous les matins pour prendre l'autobus de sept heures.

We used to hurry every morning in order to get the seven-o'clock bus.

[131]

1. The forms of the imperfect tense are:

FIRST CONJUGATION	SECOND CONJUGATION	THIRD CONJUGATION
je déjeunais	je finissais	je répondais
I was having lunch,	*I was finishing,*	*I was answering,*
I used to have lunch,	*I used to finish,*	*I used to answer,*
etc.	*etc.*	*etc.*
tu déjeunais	tu finissais	tu répondais
il déjeunait	il finissait	il répondait
nous déjeunions	nous finissions	nous répondions
vous déjeuniez	vous finissiez	vous répondiez
ils déjeunaient	ils finissaient	ils répondaient

2. The imperfect tense is formed as follows:

(*a*) The imperfect stem is the same as that of the first person plural of the present indicative. Ex.: déjeunons, déjeun-; finissons, finiss-; répondons, répond-.

(*b*) The endings are: **-ais, -ais, -ait, -ions, -iez, -aient.** Thus, if you know the present indicative, you can always figure out the imperfect. For example: PRESENT: Nous déjeunons, nous finissons, nous répondons. IMPERFECT: Nous déjeunions, nous finissions, nous répondions.

Note that the three persons of the singular and the third person plural of the imperfect are pronounced alike, except in linking.

3. Reflexive verbs follow the usual pattern. Ex.: Je me dépêchais, tu te dépêchais, etc.

55. IMPERFECT OF **être** AND **avoir.**

The forms of the imperfect of **être** and **avoir** are:

être		avoir	
j'étais	nous étions	j'avais	nous avions
I was	vous étiez	*I had, I used to have, etc.*	vous aviez
tu étais	ils étaient	tu avais	ils avaient
il était		il avait	

56. THE COMMONEST USES OF THE IMPERFECT.

(1) To describe a habitual action in the past (English *used to*) :

— J'allais à l'école à sept heures du matin. — *I used to go to school at seven o'clock in the morning.*

— Je me levais à six heures. — *I used to get up at six o'clock.*

(2) To describe what was going on when an action took place (English progressive past) :

— J'allais en ville quand je l'ai rencontré. — *I was going down town when I met him.*

— Il pleuvait quand j'ai quitté la maison. — *It was raining when I left home.*

— Il faisait beau quand je suis rentré(e). — *It was fine weather when I got home.*

Note that in these examples, **Je l'ai rencontré** and **j'ai quitté la maison** are simple past actions, which are expressed by the passé composé. **J'allais en ville** and **il pleuvait** describe what was going on when the specific action took place.

(3) To describe a situation which existed in the past:

— L'école **n'était pas** loin de la maison. — The school *was not* far from my house.

— Il **n'y avait pas** beaucoup d'élèves dans cette école. — *There were not* many pupils in that school.

— Franklin **vivait** au dix-huitième siècle. — Franklin *lived* in the eighteenth century.

(4) To describe the way a person felt, looked, etc., in the past, especially with the verbs **croire,** *to believe, to think;* **penser,** *to think;* **espérer,** *to hope,* and with many expressions containing **être** or **avoir** (**être content, avoir froid,** etc.) :

— Je **croyais** que **vous étiez** malade. — *I thought* that *you were* sick.

— J'**espérais** vous voir au bal samedi soir. — *I was hoping* to see you at the dance Saturday evening.

— J'**étais** content de voir venir le printemps. — *I was* glad to see spring come.

A. *Dites en français:*

1. Where did you live at that time? 2. I lived at Rouen at that time.
3. I used to get up at six o'clock. 4. I used to lunch. 5. We used to
lunch. 6. We used to finish. 7. We were. 8. We had. 9. We used
to hurry. 10. You used to hurry. 11. You were hurrying. 12. You
were going. 13. He was going. 14. He was answering. 15. They were
answering. 16. They were going. 17. We were going. 18. We were
finishing. 19. We were working. 20. They were working. 21. They
were talking. 22. He was talking. 23. He was getting up. 24. He
was sending. 25. He was buying. 26. We were buying. 27. We
weren't buying. 28. We were selling. 29. You were selling. 30. You
were doing. 31. I was doing. 32. I thought (I used to think).
33. I was waiting. 34. They were waiting. 35. They were hurrying.
36. They were not hurrying. 37. We were not hurrying. 38. The
school was near my house. 39. I was twelve years old. 40. My parents
lived in Rouen at that time. 41. There were about (**à peu près**)* a
hundred students in the school. 42. There were not many professors.
43. My father used to work in a bank. 44. My brother was an engineer.

B. *Répondez en français à chacune des questions suivantes:*

1. Où habitiez-vous quand vous aviez douze ans? 2. A quelle école
alliez-vous? 3. Y avait-il beaucoup d'élèves dans cette école? 4. A
quelle heure alliez-vous à l'école? 5. Est-ce que vous rentriez chez
vous à midi? 6. Où déjeuniez-vous? 7. A quelle heure vous couchiez-
vous? 8. Est-ce que vous alliez à l'école à pied? 9. Combien d'heures
par jour passiez-vous à l'école? 10. A quelle heure avez-vous quitté la
maison ce matin? 11. Est-ce qu'il pleuvait quand vous avez quitté
la maison? 12. Est-ce qu'il faisait beau quand vous vous êtes levé(e)?
13. Quel temps faisait-il quand vous êtes arrivé(e) à l'université?
14. Est-ce qu'il a neigé hier? 15. Est-ce qu'il neigeait quand vous
êtes rentré(e) hier soir? 16. Êtes-vous allé(e) au cinéma hier?
17. Est-ce que le film était bon? 18. Y avait-il beaucoup de monde au
cinéma? 19. Aviez-vous faim quand vous êtes rentré(e)? 20. A quelle
heure vous êtes-vous couché(e) hier soir? 21. Étiez-vous fatigué(e)
quand vous vous êtes couché(e)?

---

* Compare **vers** (*about*) which is used in speaking of the time of day.

C. *Demandez à un autre étudiant (à une autre étudiante):*

1. s'il (si elle) connaît l'histoire des États-Unis.   2. s'il (si elle) sait quand vivait Franklin.   3. où demeurait Franklin.   4. ce que faisait Franklin.   5. si Franklin est allé en France.   6. si Franklin parlait français.   7. combien de temps Franklin est resté en France.   8. où Franklin est allé quand il était en France.   9. si La Fayette vivait à ce moment-là.   10. si Louis XVI était roi (*king*) de France à ce moment-là.   11. si Marie-Antoinette était reine (*queen*) de France.

D. *Dites en français:*

1. I went down town yesterday afternoon.   2. When I left home the weather was fine.   3. I had several errands to do.   4. I took a bus as far as the square.   5. I went first to the bank.   6. And as **(pendant que)** I was waiting at the window **(au guichet)**, Roger Simon came (arrived).   7. He and I went shopping together.   8. We were tired and we came home in a taxi.

E. *Thème d'imitation:*

Last week, John and Roger took a trip[1] to Rheims. They took the train at the Eastern Railroad Station, and arrived at Epernay two hours later. John was hungry, and he went to the lunch room of the station. Roger told him that the train stopped only three minutes and that they were going to miss the connection. That is[2] what they did, and as there were no more trains for Rheims that day, they had to spend the night in the hotel... When they arrived in Rheims, they went through[3] the cathedral[4]. John thought it was admirable[5]. Then they saw the cellars[6] where champagne is made[7]. There were many bottles[8], kilometers of bottles, and John thought that was terrific! They returned to Paris, very happy about[9] their trip.

---

[1] the trip, **le voyage.**   [2] that is, **c'est.**   [3] to go through, **visiter.**   [4] the cathedral, **la cathédrale.**   [5] Cf. Conv. 16, No. 9.   [6] the cellar, **la cave.**   [7] *Lit.* one makes the wine of Champagne.   [8] the bottle, **la bouteille.**   [9] happy about, **content de.**

A Long Walk in the Snow

JOHN—[1]Bonjour, Marie. [2]Je ne vous ai pas vue au bal samedi dernier. [3]J'espérais pourtant vous y voir.

MARIE—[4]Je suis restée à la maison ce soir-là. [5]Je ne me sentais pas très bien, [6]et je me suis couchée de bonne heure.

JOHN—[7]J'espère que cela n'était rien.

MARIE—[8]Je l'espérais aussi. [9]Mais le lendemain, [10]j'avais mal à la gorge.

JOHN—[11]Avez-vous fait venir le médecin?

MARIE—[12]Non. C'était tout simplement un rhume.

JOHN—[13]J'espère que ce n'était pas grave.

MARIE—[14]Non. Je suis restée au lit deux jours. [15]Maintenant, je vais beaucoup mieux.

JOHN—[16]Mais comment avez-vous attrapé cela?

MARIE—[17]Vendredi, Roger et moi avons fait une longue promenade. [18]Il faisait beau, mais assez froid. [19]Nous avons marché dans la neige jusqu'à la nuit. [20]J'avais froid quand je suis rentrée.

JOHN—[1]Hello, Marie. [2]I did not see you at the dance last Saturday. [3]I was hoping (however) to see you there.

MARIE—[4]I stayed at home that evening. [5]I didn't feel very well, so I went to bed early.

JOHN—[7]I hope it was not anything serious.

MARIE—[8]I hoped so too. [9]But the next day [10]I had a sore throat.

JOHN—[11]Did you send for the doctor?

MARIE—[12]No. It was just a cold.

JOHN—[13]I hope that it was not serious.

MARIE—[14]No. I stayed in bed for two days. [15]Now I am much better.

JOHN—[16]But how did you catch it (that)?

MARIE—[17]Friday, Roger and I took a long walk. [18]It was fine weather, but pretty cold. [19]We walked in the snow until nightfall. [20]I was cold when I got home.

JOHN—²¹Vous ferez bien de vous reposer.

MARIE—²²Oh! Je n'en mourrai pas!

JOHN—²¹You'd better get a good rest (You will do well to rest).

MARIE—²²Oh! I won't die of it!

A. *Répondez en français à chacune des questions suivantes:*

1. Est-ce que John a vu Marie au bal samedi soir? 2. Est-ce qu'il espérait l'y voir? 3. Pourquoi Marie est-elle restée à la maison ce soir-là? 4. Est-ce qu'elle se sentait bien? 5. Est-ce qu'elle s'est couchée tard ce soir-là? 6. Pourquoi s'est-elle couchée de bonne heure? 7. Est-ce qu'elle allait mieux le lendemain? 8. Qu'est-ce qu'elle avait le lendemain? 9. A-t-elle fait venir le médecin? 10. Est-ce qu'elle était très malade? 11. Combien de temps est-elle restée au lit? 12. Est-ce qu'elle va mieux maintenant? 13. Avec qui a-t-elle fait une promenade vendredi? 14. Quel temps faisait-il ce jour-là? 15. Qu'est-ce que Marie et Roger ont fait jusqu'à la nuit? 16. Est-ce que Marie avait chaud quand elle est rentrée? 17. Est-ce que Marie fera bien de se reposer? 18. Qu'est-ce qu'il faut faire quand on est fatigué?

B. *Demandez à un autre étudiant (à une autre étudiante):*

1. si Marie était au bal samedi soir. 2. pourquoi Marie n'y était pas. 3. si John espérait l'y voir. 4. pourquoi Marie s'est couchée de bonne heure ce soir-là. 5. si Marie avait mal à la gorge quand elle s'est couchée. 6. pourquoi Marie n'a pas fait venir le médecin. 7. si Marie est restée longtemps au lit. 8. comment Marie a attrapé un rhume. 9. si Marie va mieux maintenant. 10. si Marie fera bien de se reposer. 11. ce qu'il faut faire quand on est fatigué.

C. *Dites en français:*

(*a*) 1. I stayed at home yesterday. 2. I stayed in bed. 3. I spent two days in bed. 4. I had a good rest (I rested well). 5. Did you have good rest? 6. Did you stay at home? 7. Did you spend several days in bed? 8. Did you stay in bed until ten o'clock? 9. I shall stay in bed until ten o'clock. 10. I shall spend two days in the country.

avoir froid, avoir chaud, etc.

(*b*) 1. She was cold. 2. I am cold. 3. Are you cold? 4. Are you warm? 5. I was warm. 6. I was hungry. 7. Were you hungry? 8. Was he hungry? 9. He had a sore throat. 10. Did you have a sore throat? 11. No, I had a headache. 12. I haven't a headache. 13. I have a cold. 14. She has a cold. 15. She had a cold yesterday.

aller, faire venir

(*c*) 1. How are you? 2. I am well. 3. I am better. 4. I was better. 5. I wasn't better. 6. I hope you'll be better soon. 7. Did you send for the doctor? 8. Yes, I sent for the doctor. 9. I sent for him. 10. I didn't send for him.

jusqu'à

(*d*) 1. We walked in the snow until nightfall. 2. I am wet to the bones. 3. I worked until midnight. 4. I will go with you as far as the square. 5. I will go with you that far (**jusque là**). 6. I will stay at home until five o'clock. 7. I will rest until noon.

D. *Dites en français:*

1. I went to a dance Saturday night. 2. I was hoping to see Mary there. 3. She didn't come because she didn't feel very well. 4. She stayed at home and went to bed early. 5. It wasn't serious. 6. It was simply a cold. 7. The next day she had a sore throat, but she didn't call the doctor. 8. She stayed in bed and got a good rest (rested well). 9. She won't die of it.

E. *Dictée d'après la vingt et unième conversation.*

F. *Dialogue:*

You make alternate plans for a walk depending upon the weather.

Où est ma cravate?

ROGER—[1]Serez-vous bientôt prêt, John?

JOHN—[2]Oui, tout à l'heure. [3]Mais je ne sais pas où j'ai mis ma cravate rouge.

ROGER—[4]Je peux vous prêter une des miennes.

JOHN—[5]Non, merci. Je n'aime pas les vôtres.

ROGER—[6]Vous êtes bien aimable. [7]Vous voulez dire que je n'ai pas de goût, n'est-ce pas?

JOHN—[8]Je veux dire seulement que j'aime mieux mes cravates que les vôtres.

ROGER—[9]Eh bien, cherchez-les, puisque vous les aimez tant!

JOHN—[10]Est-ce que je peux porter une cravate verte avec un complet bleu?

ROGER—[11]Cela m'est égal . . . [12]Mais avez-vous regardé dans votre tiroir?

JOHN—[13]Oui, j'ai cherché partout.

ROGER—[14]Je vais regarder dans le mien. [15]Tiens! Cette cravate rouge n'est pas à moi. [16]Est-ce qu'elle est à vous, par hasard?

ROGER—[1]Will you soon be ready, John?

JOHN—[2]Yes, in a moment. [3]But I don't know where I put my red tie.

ROGER—[4]I can lend you one of mine.

JOHN—[5]No, thank you. I don't like yours.

ROGER—[6]I like that! [7]You mean that I have poor taste, I suppose!

JOHN—[8]I just mean that I like my ties better than yours.

ROGER—[9]Well, look for them, since you like them so much!

JOHN—[10]Can I wear a green tie with a blue suit?

ROGER—[11]It's all right with me . . . [12]But have you looked in your drawer?

JOHN—[13]Yes, I have looked everywhere.

ROGER—[14]I am going to look in mine. [15]Well! This red tie is not mine. [16]Is it yours, by chance?

JOHN—[17]Mais oui, elle est à moi. [18]C'est la cravate que je cherchais. [19]Pourquoi était-elle avec les vôtres?

ROGER—[20]Je crois que la bonne admire tant vos cravates, qu'elle a essayé de m'en donner une!

JOHN—[17]Why yes, it's mine. [18]It's the tie I was looking for. [19]Why was it with yours?

ROGER—[20]I think the maid admires your ties so much that she tried to give me one of them!

A. *Répondez en français à chacune des questions suivantes:*

1. Quand John sera-t-il prêt? 2. Où a-t-il mis sa cravate rouge? 3. Est-ce que Roger veut bien lui prêter une cravate? 4. Est-ce que John veut les cravates de Roger? 5. Pourquoi pas? 6. Est-ce qu'on peut porter une cravate verte avec un complet bleu? 7. Est-ce qu'on peut porter une cravate jaune avec un complet brun? 8. Peut-on porter un chapeau rouge avec une robe rose? 9. Est-ce que John a cherché partout? 10. A-t-il regardé dans son tiroir? 11. Est-ce que sa cravate rouge y est? 12. Où Roger va-t-il regarder? 13. Qu'est-ce qu'il trouve dans son tiroir? 14. Est-ce que la cravate qu'il trouve est à lui? 15. Est-ce que John sait pourquoi sa cravate est dans le tiroir de Roger? 16. Pourquoi la bonne a-t-elle essayé de donner à Roger une des cravates de John?

B. *Demandez à un autre étudiant (à une autre étudiante):*

1. s'il (si elle) sera bientôt prêt(e). 2. s'il (si elle) sait où il (elle) a mis sa cravate rouge. 3. s'il (si elle) veut une des vôtres. 4. s'il (si elle) veut bien vous prêter des gants. 5. ce que cherche John. 6. si l'on peut porter une cravate jaune avec un complet noir. 7. si John a regardé dans son tiroir. 8. si John a cherché partout. 9. ce que Roger trouve dans son tiroir. 10. si c'est la cravate que cherchait John. 11. de quelle couleur est cette cravate. 12. qui a mis cette cravate dans ce tiroir. 13. pourquoi la bonne a mis cette cravate dans le tiroir de Roger.

C. *Dites en français:*

Beaucoup, tant, trop

(*a*) 1. John has many ties. 2. He has too many of them. 3. Have you many (of them)? 4. No, I haven't many. 5. I am very fond of ties. 6. John likes ties so much that he buys too many. 7. The maid likes John's ties so much that she tried to give Roger one of them.

Chercher, regarder

(*b*) 1. I am looking for my gloves. 2. Have you looked in your drawer? 3. Yes, they are not there. 4. Have you looked in mine? 5. Yes, I have looked in yours too. 6. I have looked everywhere.

Vouloir dire, aimer mieux

(*c*) 1. Do you mean I have poor taste? 2. Do you mean she has no taste? 3. What do you mean? 4. I mean I do not like her hats. 5. I mean I like my ties better than yours. 6. I mean I like my hats better than yours. 7. Do you like your hats better than mine? 8. I like red ties better than green ties.

D. *Dictée d'après la vingt-deuxième conversation.*

E. *Dialogue:*

Borrowing a raincoat.

XIV

Possessive Pronouns

57. REMARK ON POSSESSIVE ADJECTIVES AND POSSESSIVE PRONOUNS.

Possessive adjectives and possessive pronouns differ both in form and use. You have learned that possessive adjectives (**mon, ton, son,** etc.) are used TO MODIFY NOUNS. These words correspond to English forms *my, your, her,* etc.

Possessive pronouns are used AS EQUIVALENT OF NOUNS MODIFIED BY A POSSESSIVE ADJECTIVE. They correspond to the English forms *mine, yours, his, hers,* etc. Ex.: **My** father is a doctor *(adj.)*. **Mine** is an engineer *(pron.)*.

58. FORMS AND USE OF POSSESSIVE PRONOUNS.

— Voici mon adresse.	Here is my address.
— Donnez-moi **la vôtre.**	Give me *yours.*
— J'ai mes gants. Où sont **les vôtres?**	I have my gloves. Where are *yours?*
— **Les miens** sont dans ma poche.	*Mine* are in my pocket.
— Est-ce que Marie a **les siens?**	Does Marie have *hers?*
— Roger a apporté son imperméable.	Roger brought his raincoat.
— Marie a laissé **le sien** à la maison.	Marie left *hers* at home.

1. The forms of the possessive pronouns are:

SINGULIER		PLURIEL		
MASCULIN	FÉMININ	MASCULIN	FÉMININ	
le mien	la mienne	les miens	les miennes	(*mine*)
le tien	la tienne	les tiens	les tiennes	(*yours*)
le sien	la sienne	les siens	les siennes	(*his, hers, its*)
le nôtre	la nôtre	les nôtres	les nôtres	(*ours*)
le vôtre	la vôtre	les vôtres	les vôtres	(*yours*)
le leur	la leur	les leurs	les leurs	(*theirs*)

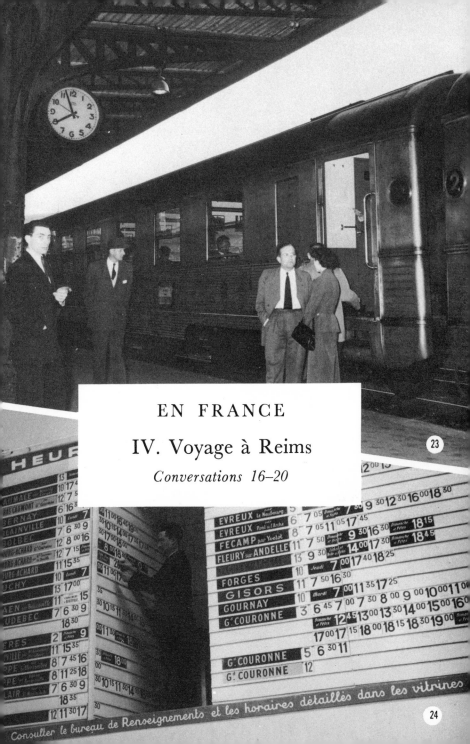

EN FRANCE

IV. Voyage à Reims

Conversations 16–20

John et Roger ont décidé de profiter des derniers beaux jours de l'automne pour faire un petit voyage en province.[1] Ils n'ont pas l'intention d'aller très loin, car ils ne disposent[2] que de deux ou trois jours. Finalement, leur choix s'arrête sur Reims.
5 John n'a jamais vu la célèbre cathédrale, et Reims est juste à la distance convenable—à quelques heures de Paris par le train. Ils passeront la nuit à Reims et seront de retour à Paris le lendemain soir.

A neuf heures du matin, ils montent dans un taxi qui les
10 dépose[3] à la Gare de l'Est. Leur train quittera Paris à 9 h 54. Ils seront à Epernay à 11 h 50. Là, ils prendront la correspondance pour Reims à 12 h 30 et arriveront à leur destination à 13 h 25. John, qui n'a pas encore l'habitude des horaires[4] des chemins de fer[5] français, est embarrassé par toutes ces treize
15 heures, seize heures, vingt-et-une heures, etc. Il est toujours obligé de faire un petit exercice d'arithmétique pour savoir exactement l'heure en question.

Il y a beaucoup de monde dans le train pour Epernay, car cette petite ville se trouve sur la ligne Paris-Strasbourg, qui est
20 une des grandes lignes françaises. Heureusement, Roger et John trouvent un compartiment qui n'est occupé que par deux voyageurs.[6] Ils s'installent[7] confortablement de chaque côté de la portière.[8]

---

1. en province, *out of Paris (in the provinces)*.
2. ils . . . disposent . . . de, *they have at their disposal*.
3. les dépose, *drops them*.
4. un horaire, *time-table*.
5. le chemin de fer, *railroad*.
6. le voyageur, *traveler*.
7. ils s'installent, *they get settled*.
8. la portière, *door (of a vehicle)*.

Le train part juste à l'heure. Au delà[9] des maisons grises
25 de la capitale, il traverse la banlieue[10] parisienne, avec ses
jardins potagers[11] et ses jolies petites maisons de pierre[12] blanche.
Puis il entre dans la vallée[13] de la Marne. C'est une large[14] vallée,
très verte. De chaque côté, les villages se succèdent. Le train
s'arrête deux ou trois fois avant d'arriver à Epernay. Depuis
30 quelque temps déjà, il est entré dans la zone des vignes[15] de
Champagne, qui au loin couvrent les côtes.[16]

9. au delà de, *beyond.*
10. la banlieue, *the outskirts.*
11. le jardin potager, *vegetable garden.*
12. la pierre, *stone.*

13. la vallée, *valley.*
14. large, *wide.*
15. la vigne, *vineyard.*
16. la côte, *hillside.*

Il est presque midi lorsque John et Roger arrivent à
Epernay. Ils ont juste le temps de déjeuner au buffet de la gare
avant de prendre la correspondance, qui à l'heure indiquée les
35 dépose sur le quai de la gare de Reims.

Ils laissent leurs bagages à l'hôtel, puis l'après-midi ils vont
visiter la cathédrale. John est très impressionné par ce fameux
édifice, qui a vu tant de grandes scènes historiques. Presque
détruite au cours de la première guerre mondiale,[17] la cathédrale
40 a été réparée, et elle paraît toujours solide et toujours jeune.

17. la guerre mondiale, *world-war*.

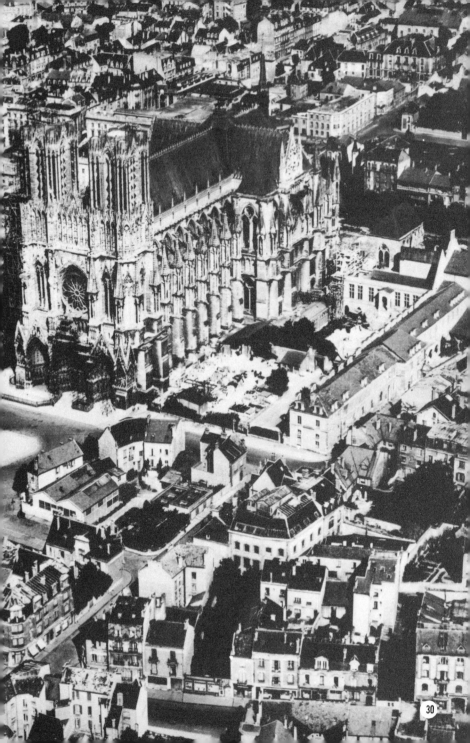

Le lendemain matin, les deux jeunes gens visitent les caves d'une des maisons de champagne. Ce sont de longues galeries souterraines, où sont rangées[18] des dizaines[19] de milliers[20] de bouteilles. Un guide explique comment on prépare le vin de
45 champagne, comment les bouteilles sont laissées un certain temps dans une certaine position, puis placées dans une autre.

Tout cela intéresse beaucoup John, qui ne savait pas que la préparation du champagne était une opération si longue et si compliquée.
50   Leur visite terminée, John et Roger retournent à l'hôtel chercher leurs bagages. De là ils vont à la gare prendre le train qui les ramène[21] à Paris.

18. rangées, *placed* (*in rows*).
19. une dizaine, *ten* (cf. une douzaine, *twelve*).
20. un millier, *a thousand.*
21. les ramène, *brings them back.*

2. They agree in gender and number with the things possessed. Ex.: In answer to the question: — Avez-vous vos gants?, either John or Mary could answer: — Oui, j'ai **les miens.**

59. POSSESSIVE PRONOUNS WITH PREPOSITION à OR de.

— J'ai écrit à mes parents.	I have written to my parents.
— Avez-vous écrit **aux vôtres?**	Have you written to *yours?*
— J'ai besoin de mon imperméable, et Marie a besoin **du sien.**	I need my raincoat and Mary needs *hers.*

When used with the preposition **à** or **de** the forms are:

> du mien, de la mienne, des miens, des miennes, etc.
> au mien, à la mienne, aux miens, aux miennes, etc.

60. USE OF PREPOSITION à TO EXPRESS POSSESSION.

— Ces gants **ne sont pas à moi.**	These gloves *are not mine* (lit. to me).
— **Sont-ils à vous?**	*Are they yours* (lit. to you)?
— Non. Je crois **qu'ils sont à Charles.**	No. I think *they are Charles'* (lit. to Charles).

In phrases in which the verb **être** is used, possession is normally expressed by preposition **à** with the name of a person **(Ces gants sont à Charles)** or **à** with a personal pronoun **(Ces gants sont à lui).** After the preposition you use the stressed forms **moi, toi, lui, elle,** etc.

A. *Dites en français:*

(*a*) 1. My lunch.   2. My friend.   3. His friend.   4. Her friend.
5. Her mother.   6. My mother.   7. My parents.   8. Their parents.
9. Our parents.   10. Our mother.   11. Your mother.   12. Your cousins (*m.*).   13. Your cousins (*f.*).   14. Your address.   15. His address.
16. Her address.

(*b*) 1. Here are my gloves   2. Where are yours?   3. Where are his?
4. Where are hers?   5. I like mine.   6. I do not like yours.   7. I do not like his.   8. I do not like hers.   9. Mine are in my pocket.

10. Yours are in your pocket, aren't they?   **11.** His are in his pocket.
12. These gloves are Marie's, aren't they?   **13.** No, hers are in her pocket.
(*c*) **(une auto) 1.** Is this automobile yours?   **2.** No, it belongs to
Charles.   **3.** Where is yours?   **4.** Mine is over there.   **5.** What color is
yours?   **6.** Mine is black.   **7.** His is yellow.   **8.** Hers is white.   **9.** Ours
is blue.   **10.** Theirs is red.   **11.** Yours is blue, isn't it?
(*d*) **1.** He is a friend of mine.   **2.** It's one of my books.   **3.** It's one
of my ties.   **4.** He's one of my professors.   **5.** He's one of my cousins.
6. She's one of my cousins.

B. *Répondez en français à chacune des questions suivantes:*
1. Est-ce que ce livre est à vous?   **2.** Ces gants sont-ils à vous?   **3.** Sont-
ils à Henri?   **4.** Sont-ils à Marie?   **5.** A qui sont-ils?   **6.** Ce livre
(*book*) est à moi. Où est le vôtre?   **7.** Mon père est ici. Où est le vôtre?
8. Mon père a cinquante ans. Quel âge a le vôtre?   **9.** A qui est ce
livre?   **10.** J'ai étudié ma leçon (*lesson*). Avez-vous étudié la vôtre?
11. Est-ce que Marie a étudié la sienne?   **12.** Est-ce que les autres
étudiants ont étudié la leur?

C. *Exercice sur l'emploi des pronoms possessifs:*
1. Dites à un autre étudiant que vous avez votre livre.   **2.** Demandez-
lui s'il a le sien.   **3.** Dites à un autre étudiant que vous avez vos gants.
4. Demandez-lui s'il a les siens.   **5.** Dites à un autre étudiant que vous
avez votre imperméable.   **6.** Demandez-lui s'il a apporté le sien.
7. Dites à un autre étudiant que vous avez acheté votre auto à New-
York.   **8.** Demandez-lui où il a acheté la sienne.   **9.** Dites à un autre
étudiant que Roger a acheté des cigarettes au bureau de tabac.
10. Demandez-lui où John a acheté les siennes.   **11.** Dites à un autre
étudiant que vous avez acheté votre chapeau à Paris.   **12.** Demandez
où Marie a acheté le sien.   **13.** Dites à un autre étudiant que vous
aimez mieux vos cravates que les siennes.   **14.** Dites à un autre étudiant
que vous ne pouvez pas trouver vos gants.   **15.** Demandez-lui s'il a
besoin des siens.   **16.** Dites à un autre étudiant que vous avez écrit à vos
parents.   **17.** Demandez-lui s'il a écrit aux siens.   **18.** Demandez-lui
si Marie a écrit aux siens.   **19.** Demandez-lui si John et Roger ont
écrit aux leurs.   **20.** Dites à un autre étudiant que votre chambre vous
plaît.

D. *Narration (Use of imperfect and passé composé):*

1. Yesterday afternoon I went down town. **2.** I had some errands to do. **3.** I wanted to buy some handkerchiefs and gloves. **4.** I went first to the store which is on the square. **5.** There were many people in the store. **6.** I did not find what I wanted. **7.** Later, I met (**j'ai rencontré**) Henri who was taking a walk. **8.** As it was hot, and as we were tired, we went to the Café du Commerce, where we spent a half hour (**une demi-heure**). **9.** It was raining when we left the Café du Commerce and we came home in a taxi.

E. *Révision des dix-huitième et dix-neuvième conversations:*

1. Quelle espèce de billet John demande-t-il pour aller à Reims? **2.** En quelle classe voyage-t-il? **3.** Combien de temps son billet est-il bon? **4.** Est-ce que le train qu'il prend va directement à Reims? **5.** A quelle ville doit-il changer de train? **6.** Combien de temps doit-il attendre la correspondance? **7.** Est-ce que son train est à l'heure? **8.** Qu'est-ce qu'il veut faire avant l'arrivée du train? **9.** Qu'est-ce qui arrivera s'il manque son train? **10.** De combien de mouchoirs Roger a-t-il besoin? **11.** Quel est le prix de la paire de gants qu'il veut acheter? **12.** A quel prix le vendeur la lui laissera-t-il? **13.** De quelle couleur sont les gants qu'il achète? **14.** Est-ce que le chapeau qu'il essaie lui va bien? **15.** Pourquoi n'emporte-t-il pas ses achats? **16.** Pourquoi ne paye-t-il pas tout de suite ses achats? **17.** Quand les payera-t-il?

F. *Thème d'imitation:*

Yesterday John did not feel very well. Winter in Paris is often[1] cold and damp[2]. John took a long walk, and he was cold and (he was) wet when he got home. Roger said to him: "Go to bed, pal[3]. I am going to send for the doctor. It is probably[4] not very serious, but you never can tell...[5]" The doctor came a half-hour later. He was an elderly[6] gentleman, dressed in black and very friendly. He took John's temperature[7], looked at his throat and said to him: "You have a little fever[8], but it is nothing serious. Stay in bed until tomorrow and rest. You will not die of it." Today, John is much better. He is going to get up tomorrow morning and go to his laboratory as usual.

---

[1] often, **souvent**.   [2] damp, **humide**.   [3] pal, old man, etc., **mon vieux**.
[4] probably, **sans doute**.   [5] you never can tell, **on ne sait jamais**.   [6] elderly, **d'un certain âge**.   [7] **la température**.   [8] **la fièvre**.

Retour des vacances

JOHN—[1]Tiens, bonsoir, Marie! Vous êtes de retour? [2]Je suis content de vous revoir. [3]Avez-vous passé de bonnes vacances de Noël en Bretagne?

MARIE—[4]Oui, excellentes, merci; mais trop courtes, comme toutes les vacances.

JOHN—[5]Quand êtes-vous revenue?

MARIE—[6]Je suis revenue hier soir à onze heures.

JOHN—[7]Avez-vous fait bon voyage?

MARIE—[8]Oh! ne m'en parlez pas! [9]A Rennes, l'express de Paris était bondé, [10]et j'ai à peine pu trouver une place. [11]Et puis, il faisait horriblement chaud dans le compartiment.

JOHN—[12]Vous n'avez pas de chance!

MARIE—[13]J'ai dîné au wagon-restaurant. [14]C'est la seule partie du voyage qui était supportable.

JOHN—[15]Aimez-vous dîner au wagon-restaurant?

MARIE—[16]Assez. C'est une façon de passer une demi-heure.

JOHN—[1]Well, good evening, Marie! Are you back? [2]I am glad to see you again. [3]Did you have a good Christmas vacation in Britanny?

MARIE—[4]Yes, excellent, thank you; but too short, like all vacations.

JOHN—[5]When did you get back?

MARIE—[6]I got back last night at 11 o'clock.

JOHN—[7]Did you have a good trip?

MARIE—[8]Oh! Perish the thought! [9]At Rennes the Paris express was crowded, [10]and I scarcely could find a seat. [11]And then, it was terrifically hot in the compartment.

JOHN—[12]Tough luck!

MARIE—[13]I had dinner in the diner. [14]That's the only part of the trip which was endurable.

JOHN—[15]Do you like to dine in the diner?

MARIE—[16]Pretty well. It's a way of spending half an hour.

JOHN—[17]Qu'est-ce que vous avez fait le jour de Noël?

MARIE—[18]Ce qu'on fait partout ce jour-là. [19]Nous sommes allés à la messe de minuit. [20]Nous avons fait le réveillon* chez les Kerguélen. [21]Je me suis bien amusée.

JOHN—[17]What did you do on Christmas day?

MARIE—[18]What one does everywhere on that day. [19]We went to midnight mass. [20]We had a réveillon at the Kerguélens'. [21]I had a good time.

A. *Répondez en français à chacune des questions suivantes:*
1. Où Marie a-t-elle passé les vacances de Noël? 2. A-t-elle passé de bonnes vacances? 3. Est-ce qu'elle a trouvé les vacances trop courtes? 4. Quand est-elle revenue? 5. A-t-elle fait bon voyage? 6. Y avait-il beaucoup de monde dans l'express de Paris? 7. A-t-elle pu facilement (*easily*) trouver une place? 8. Est-ce qu'il faisait chaud dans le compartiment? 9. Où Marie a-t-elle dîné? 10. Pourquoi Marie aime-t-elle dîner au wagon-restaurant? 11. Qu'est-ce qu'elle a fait le jour de Noël? 12. A quelle heure est-elle allée à la messe? 13. Chez qui est-elle allée faire le réveillon? 14. Est-ce que Marie s'est bien amusée le jour de Noël?

B. *Demandez à un autre étudiant (à une autre étudiante):*
1. si Marie a passé de bonnes vacances. 2. où Marie a passé les vacances de Noël. 3. quand Marie est revenue. 4. si elle a trouvé les vacances trop courtes. 5. si elle a fait bon voyage. 6. s'il y avait beaucoup de monde dans l'express de Paris. 7. si elle a pu facilement trouver une place. 8. s'il faisait chaud dans le compartiment. 9. où Marie a dîné. 10. pourquoi elle aime dîner au wagon-restaurant. 11. ce qu'elle a fait le jour de Noël. 12. si elle est allée à la messe de minuit. 13. chez qui elle est allée faire le réveillon. 14. si elle s'est bien amusée le jour de Noël.

C. *Demandez à un autre étudiant (à une autre étudiante):*
(*a*) 1. comment il (elle) s'appelle. 2. s'il (si elle) se lève tard pendant les vacances. 3. à quelle heure il (elle) se lève pendant les

---

*Repas fait au milieu de la nuit, surtout dans la nuit de Noël. La pièce de résistance est d'ordinaire une oie (*goose*), une dinde (*turkey*), ou un jambon (*ham*).

vacances.   **4.** à quelle heure il (elle) s'est levé(e) ce matin.   **5.** à quelle heure il (elle) s'est couché(e) hier soir.   **6.** s'il (si elle) s'est bien reposé(e) dimanche dernier.   **7.** comment s'appelle son professeur de français.   **8.** s'il (si elle) s'est bien amusé(e) samedi soir.

(*b*) **1.** ce que c'est qu'un wagon-restaurant.   **2.** ce que c'est qu'un express.   **3.** ce que c'est que la messe de minuit.   **4.** ce que c'est que le réveillon.   **5.** ce que c'est qu'un bureau de tabac.

D. *Répondez affirmativement à chacune des questions suivantes, en remplaçant les noms par les pronoms convenables:*

1. Avez-vous écrit à vos parents hier?   **2.** Êtes-vous allé(e) au cinéma samedi dernier?   **3.** Avez-vous parlé du film à votre frère?   **4.** Est-ce que Roger vous a parlé du film?   **5.** Est-ce que Marie vous a parlé de ses vacances?   **6.** Est-ce qu'elle a pu trouver une place dans le train?   **7.** Êtes-vous allé(e) au cinéma avec Roger?   **8.** Êtes-vous allé(e) au cinéma avec Roger et John?   **9.** Êtes-vous allé(e) au cinéma avec Marie?   **10.** Avez-vous parlé de Charles?   **11.** Avez-vous parlé de Marie?

E. *Dictée d'après la vingt-troisième conversation.*

F. *Dialogue:*

Two friends talk over their vacation.

CONVERSATION 25

Si j'étais riche

JOHN—[1]Qu'est-ce que vous feriez si vous étiez riche, Roger?

ROGER—[2]Je ne sais pas.

JOHN—[3]Ne voudriez-vous pas voyager?

ROGER—[4]Si. Je voudrais visiter plusieurs pays étrangers.

JOHN—[5]Où iriez-vous?

ROGER—[6]J'irais en Italie, visiter Florence et Rome, [7]aux États-Unis, voir les gratte-ciel, [8]et en Russie, voir ce qui se passe là-bas.

JOHN—[9]Est-ce que c'est tout?

ROGER—[10]Non. J'achèterais une grosse automobile, [11]et j'irais m'amuser au bord de la mer.

JOHN—[12]J'espère que vous ne serez jamais riche, Roger.

ROGER—[13]Pourquoi dites-vous cela?

JOHN—[14]Parce que vous seriez malheureux. [15]Vous ne sauriez pas dépenser votre argent.

ROGER—[16]Vous avez peut-être raison. [17]Je voudrais seulement être riche de temps en temps.

JOHN—[18]J'ai une idée, Roger!

ROGER—[19]Laquelle?

JOHN—[1]What would you do if you were rich, Roger?

ROGER—[2]I don't know.

JOHN—[3]Wouldn't you like to travel?

ROGER—[4]Yes. I'd like to visit several foreign countries.

JOHN—[5]Where would you go?

ROGER—[6]I'd go to Italy, to visit Florence and Rome, [7]to the United States, to see the skyscrapers, [8]and to Russia, to see what's happening there.

JOHN—[9]Is that all?

ROGER—[10]No. I would buy a big car, [11]and I would go to the seashore to have a good time.

JOHN—[12]I hope you will never be rich, Roger.

ROGER—[13]Why do you say that?

JOHN—[14]Because you would be unhappy. [15]You would not know how to spend your money.

ROGER—[16]You are perhaps right. [17]I'd like to be rich only from time to time.

JOHN—[18]I have an idea, Roger!

ROGER—[19]What is it?

JOHN—[20]Cherchez un millionnaire qui pense comme vous. [21]Vous pourriez changer de rôle [22]tous les six mois, par exemple!

JOHN—[20]Look for a millionaire who thinks as you do. [21]You could change places [22]every six months, for example!

A. *Demandez à un autre étudiant (à une autre étudiante):*

1. ce qu'il (elle) ferait s'il (si elle) était riche. **2.** s'il (si elle) ne voudrait pas voyager. **3.** s'il (si elle) voudrait visiter des pays étrangers. **4.** où il (elle) irait. **5.** s'il (si elle) voudrait aller en Italie. **6.** pourquoi il (elle) voudrait aller en Italie. **7.** pourquoi il (elle) voudrait aller en Russie. **8.** ce que Roger voudrait voir aux États-Unis. **9.** si c'est tout ce qu'il ferait. **10.** s'il (si elle) achèterait une automobile. **11.** où il (elle) irait s'amuser. **12.** s'il (si elle) voudrait être riche. **13.** s'il (si elle) saurait dépenser son argent. **14.** s'il (si elle) voudrait passer quelques semaines à Paris. **15.** ce qu'il (elle) ferait s'il (si elle) était millionnaire. **16.** s'il (si elle) serait heureux (heureuse) s'il (si elle) était riche.

B. *Dites à un autre étudiant (à une autre étudiante):*

1. que vous espérez qu'il (qu'elle) ne sera jamais riche. **2.** qu'il (qu'elle) serait malheureux (malheureuse). **3.** qu'il (qu'elle) ne saurait pas dépenser son argent. **4.** que vous voudriez être riche de temps en temps. **5.** de chercher un millionnaire qui pense comme lui (elle). **6.** que lui (elle) et le millionnaire pourraient changer de rôle tous les six mois.

C. *Répondez en français à chacune des questions suivantes:*

1. Êtes-vous allé(e) au bord de la mer l'été dernier? **2.** Est-ce que vous voudriez voyager en Europe? **3.** Avez-vous déjà visité des pays étrangers? **4.** Êtes-vous allé(e) en France? **5.** Êtes-vous déjà allé(e) en Angleterre? **6.** Voudriez-vous aller en Russie? **7.** Voudriez-vous aller en Italie? **8.** Voudriez-vous aller en Espagne? **9.** Voudriez-vous aller en Belgique? **10.** Quelle est la capitale de la France? **11.** Quelle est la capitale de l'Italie? **12.** Est-ce que Léningrad est la capitale de la Russie? **13.** Quelles villes européennes voudriez-vous visiter? **14.** Est-ce que vous voudriez passer quelques semaines à Paris?

15. Qu'est-ce que vous feriez si vous étiez riche?   16. Où iriez-vous si vous étiez riche?   17. Iriez-vous à Versailles si vous étiez en France?   18. Seriez-vous malheureux (malheureuse) si vous étiez riche?   19. Voudriez-vous changer de rôle avec un millionnaire tous les six mois?   20. Aimez-vous dépenser de l'argent?

D. *Dites en français:*

Révision des pronoms possessifs

1. These gloves are not mine.   2. Are they yours?   3. Where are yours?   4. Mine are at home.   5. Ours are at home.   6. His are at home.   7. Roger likes his hat better than mine.   8. Henry studied his lessons but Alice didn't study hers.   9. I study mine every day.   10. Alice is going to study hers right away.

chercher

1. What are you looking for?   2. I am looking for my tie.   3. I have looked everywhere.   4. I cannot find it.   5. Did you look in the drawer?   6. Yes. It is not there.

se passer

1. I would like to go to Russia to see what is going on there.   2. I don't know what is going on here.   3. Do you know what is going on in Paris?   4. I don't know what happened last Saturday.

E. *Dictée d'après la vingt-quatrième conversation.*

F. *Conversation:*

"How are you?" "So so **(comme ci comme ça).**" "What did you say? (i.e. What do you say?)" "I am not very well today." "Why do you say that?" "If I didn't have an examination, I would be better."

The Conditional

61. CONDITIONAL OF REGULAR VERBS.

— **Je déjeunerais** à la maison, si
j'avais le temps de rentrer.

I would lunch at home, if I had
time to go home.

— **Je finirais** plus tôt, si je commençais plus tôt.

I would finish sooner, if I began
sooner.

— **Je répondrais** à sa lettre, si j'a-
vais son adresse.

I would answer his letter, if I
had his address.

— **Je me dépêcherais,** si j'étais à
votre place.

I would hurry, if I were in your
place.

1. The forms of the conditional of regular verbs are:

FIRST CONJUGATION	SECOND CONJUGATION	THIRD CONJUGATION
je déjeunerais	je finirais	je répondrais
I would (should*) lunch	*I would (should*) finish*	*I would (should*) answer*
tu déjeunerais	tu finirais	tu répondrais
il déjeunerait	il finirait	il répondrait
nous déjeunerions	nous finirions	nous répondrions
vous déjeuneriez	vous finiriez	vous répondriez
ils déjeuneraient	ils finiraient	ils répondraient

2. The forms of the conditional of regular verbs may be
found by adding the endings **-ais, -ais-, -ait, -ions, -iez, -aient** to
the infinitive, except that in the case of verbs of the third conjugation (ending in **-re**) the final **e** of the infinitive is omitted.
As the endings are the same as those of the imperfect indicative,

---

* Very careful speakers are likely to say *I should, you would,* etc., although
most people say *I would, you would,* etc. Whatever pattern you happen to
follow in English, you say **je finirais, tu finirais,** etc., in French. There is no
alternative.

you should be able to learn the forms of the conditional at a glance.

Note that the three forms of the singular and the third person plural are all pronounced alike except for linking.

3. The conditional of reflexive verbs follows the usual pattern: **Je me dépêcherais, tu te dépêcherais,** etc.

62. CONDITIONAL OF **être** AND **avoir.**

— **Vous seriez** malheureux, si vous étiez riche.

You would be unhappy, if you were rich.

— **J'aurais** le temps, si je me levais de bonne heure.

I would have time, if I got up early.

The forms of the conditional of **être** and **avoir** are:

être	avoir
je serais	j'aurais
I would (should) be	*I would (should) have*
tu serais	tu aurais
il serait	il aurait
nous serions ·	nous aurions
vous seriez	vous auriez
ils seraient	ils auraient

63. COMMONEST USES OF THE CONDITIONAL.

(1) In the result clause of certain conditional sentences:

— **Je répondrais** à sa lettre, si j'avais son adresse.

I would answer his letter, if I had his address.

— **Je travaillerais** davantage, si j'étais à votre place.

I would work more, if I were in your place.

1. In conditional sentences which describe *what would happen* if a certain condition were fulfilled, the conditional is used in the result clause (**Je répondrais à sa lettre**) and the imperfect is used in the if-clause (**si j'avais son adresse**).

Note the difference between this conditional sentence and those you have seen (see par. 47) which describe *what will happen* if a certain condition is fulfilled. Ex.: Je prendrai un taxi (*fut.*) s'il pleut (*present*).

2. The conditional is often used even though the if-clause is omitted. Ex.: **Vous ne sauriez pas** dépenser votre argent. *You would not know* how to spend your money (i. e., if you were rich).

— A votre place, **je travaillerais**   (If I were) in your place, *I*
   davantage.   *would work* harder.

(2) To express future action in indirect discourse which depends upon a verb in a past tense:

— Il a dit qu'**il irait** en Italie.   He said *he would go* to Italy.
— Elle a dit qu'**elle ferait** des   She said *she would do* some er-
   courses.   rands.

Note that this use of the conditional is parallel to English usage. If someone said: *I shall go to Italy,* you could report it by a direct quotation (direct discourse), or by an indirect quotation (indirect discourse). For example:

DIRECT: He said, *"I shall go to Italy."* Il a dit — **J'irai** en Italie.
INDIRECT: He said *he would go* to Italy. Il a dit qu'**il irait** en Italie.

64. REMARK ABOUT ENGLISH *should* AND *would*.

While it is generally bad practice to think of French words and phrases in terms of their supposed English equivalents, it is particularly dangerous in the case of *should* and *would*. While these words are indeed used to form a conditional in English, they have other very common meanings which have nothing whatever to do with the conditional.

(1) *Should* denoting obligation (meaning "ought to"): To express in French "I should go to the library" (i. e. I ought to go to the library), you use a form of the verb **devoir**. This

verb will be studied later. Meanwhile, remember that the conditional forms themselves carry no suggestion of obligation.

(2) *Would* denoting habitual action (meaning "used to") : You have seen in paragraph 56 that habitual action in the past is expressed in French by the imperfect indicative. Ex.:

— Il **allait** au cinéma tous les soirs   *He would go* (used to go) to the
       après le dîner.   movies every evening after
                                              dinner.

A. *Dites en français:*

1. I would (or should) lunch.   2. He would lunch.   3. They would lunch.   4. They would finish.   5. We would finish.   6. We would answer.   7. He would answer.   8. He would hurry.   9. You would hurry. 10. He would be.   11. I would (or should) be.   12. I would (or should) have.   13. He would have.   14. They would have.   15. They would hurry.

B. *(Exercice sur le conditionnel et sur l'imparfait) Dites en français:*

1. (*a*) I would (or should) be. (*b*) I was. (*c*) If I were...   2. (*a*) He would have. (*b*) He had. (*c*) If he had...   3. (*a*) We would have lunch. (*b*) We were having lunch. (*c*) If we were having lunch... 4. (*a*) You would finish. (*b*) You were finishing. (*c*) If you finished (If you were to finish) (If you should finish).   5. (*a*) They would answer. (*b*) They were answering. (*c*) If they answered (If they were to answer) (If they should answer).   6. (*a*) I would go. (*b*) I was going. (*c*) If I were going (If I were to go) (If I should go) (If I went).

C. *Répondez en français à chacune des questions suivantes:*

1. Si vous aviez le temps de rentrer, est-ce que vous déjeuneriez à la maison?   2. Si vous étiez riche, achèteriez-vous une grosse automobile? 3. Si vous étiez millionnaire, sauriez-vous dépenser votre argent? 4. Feriez-vous une promenade s'il faisait beau?   5. Si votre père vous envoyait un chèque de cinquante dollars, qu'est-ce que vous achèteriez? 6. Que feriez-vous si vous étiez malade?   7. Que feriez-vous demain,

si vous n'aviez pas de classe?   **8.** Voudriez-vous aller en France l'année prochaine?   **9.** Seriez-vous heureux (heureuse) de passer quelques semaines à Paris?

D. *Demandez à quelqu'un:*

1. s'il déjeunerait à la maison, s'il avait le temps de rentrer.   **2.** s'il achèterait une grosse auto, s'il était riche.   **3.** s'il saurait dépenser son argent, s'il était millionnaire.   **4.** s'il ferait une promenade, s'il faisait beau.   **5.** ce qu'il achèterait, si son père lui envoyait un chèque de cinquante dollars.   **6.** ce qu'il ferait demain, s'il n'avait pas de classe. **7.** ce qu'il ferait, s'il avait faim.   **8.** ce qu'il ferait, s'il était fatigué. **9.** ce qu'il ferait, s'il était malade.   **10.** s'il voudrait aller en France l'été prochain.   **11.** s'il serait heureux de passer quelques semaines à Paris.

E. *Dites en français:*

1. You are right.   **2.** I hope it will snow.   **3.** I hoped it would snow. **4.** Will you go skiing if it snows?   **5.** Will you go skiing when it snows? **6.** Would you go skiing if it snowed?   **7.** He said he would go skiing if it snowed.   **8.** He always goes skiing when there is enough snow **(assez de neige).**   **9.** He aways went skiing when there was enough snow.

F. *Révision des vingtième et vingt et unième conversations:*

1. Qu'est-ce que John fait à l'arrêt de l'autobus?   **2.** Depuis combien de temps attend-il l'autobus?   **3.** Est-ce qu'il y avait beaucoup de monde dans l'autobus qui est arrivé?   **4.** Y a-t-il des gens debout dans l'autobus qui est arrivé?   **5.** Est-ce qu'il y a de la place dans l'autobus? **6.** Est-ce que John et Roger sont montés tout de même?   **7.** Quand est-ce qu'il y aura de la place?   **8.** Pourquoi Roger descend-il à l'arrêt de la rue de la Paix?   **9.** Où John et Roger iront-ils ensemble?   **10.** Où Roger habitait-il quand il avait douze ans?   **11.** A quelle école allait-il? **12.** Dans quelle région se trouve la ville où il habitait?   **13.** A quelle heure partait-il pour l'école?   **14.** A quelle heure en sortait-il?   **15.** Y avait-il beaucoup d'élèves dans cette école?   **16.** Croyez-vous que les élèves de cette école travaillaient trop?

G. *Thème d'imitation:*

Today is[1] Christmas Day. After Midnight Mass, John and Roger went to the Christmas-Eve Midnight Party[2] at the Browns'. The party[3] was very pleasant. The supper[4] was excellent. On the table there was a beautiful turkey, and John, who had not seen turkey since his last Thanksgiving[5] in America, thought that turkey was delicious[6]. I won't mention[7] the wines of all sorts, red and white.

John and Roger got home at five o'clock in the morning! When John woke up several hours later, he said to Roger: "Santa Claus[8] brought me a sure enough headache[9], but that's all right[10] because I had a very good time. The Browns are very nice and their food is excellent, isn't it?"

---

[1] Cf. Conv. 7, No. 2.   [2] to go to the Christmas-Eve Party, **aller faire le réveillon.**   [3] the party (i.e. the "evening"), **la soirée.**   [4] the supper, **le repas.**   [5] **n'avait pas vu de dinde depuis son dernier Thanksgiving.**   [6] delicious, **délicieux** *m.*, **délicieuse** *f.*   [7] *lit.* I do not speak of.   [8] Santa Claus, **le Père Noël.**   [9] a real headache, **un bon mal de tête.**   [10] Cf. Conv. 19, No. 23.

A Versailles

JOHN—[1]Je ne croyais pas Versailles si grand. [2]Tout est majestueux: les vastes salles du château, les longues allées du parc, les pièces d'eau, les jardins, les fontaines...

ROGER—[3]Louis XIV aimait la splendeur. [4]Maintenant, comprenez-vous pourquoi on l'appelait le Grand Roi?

JOHN—[5]Oui, je comprends.

ROGER—[6]«Noblesse oblige,» vous savez.

JOHN—[7]Je sais que Louis XIV a fait construire Versailles. [8]Mais qui est-ce qui l'a construit pour lui?

ROGER—[9]Un des architectes était Mansard.

JOHN—[10]J'ai entendu parler de lui. [11]Nous avons en anglais le mot «mansard.»

ROGER—[12]Tiens! Qu'est-ce que cela veut dire?

JOHN—[13]Je crois que c'est une espèce de toit.

ROGER—[14]Le mot «mansarde» existe aussi en français.

JOHN—[1]I did not think Versailles was so large. [2]Everything is majestic: the enormous rooms of the château, the long walks of the park, the ornamental pools, the gardens, the fountains...

ROGER—[3]Louis XIV went in for magnificence. [4]Now do you understand why they called him the Great King?

JOHN—[5]Yes, I understand.

ROGER—[6]"Noblesse oblige" *, you know.

JOHN—[7]I know that Louis XIV had Versailles built. [8]But who built it for him?

ROGER—[9]Mansard was one of the architects.

JOHN—[10]I have heard of him. [11]We have the word "mansard" in English.

ROGER—[12]Really! What does that mean?

JOHN—[13]I think it is a sort of roof.

ROGER—[14]We also have the word "mansarde" in French.

---

* Nobility imposes obligations (i.e. it is up to persons of high birth, rank, or position to live up to their position in every way).

JOHN—[15]Qu'est-ce que c'est qu'une «mansarde?»

ROGER—[16]C'est d'ordinaire une chambre sous le toit. [17]C'est là qu'on met les vieux meubles, les chaises cassées, les tapis usés, et cætera. [18]Le sort est parfois ironique.

JOHN—[19]Qu'est-ce qui vous fait dire cela?

ROGER—[20]Mansard a passé sa vie à construire des palais, [21]et il a laissé son nom à une humble chambre.

JOHN—[15]What is a "mansarde"?

ROGER—[16]It is usually a room under the roof (i.e. a garret room). [17]That's where we put pieces of old furniture, broken chairs, worn-out carpets, etc. [18]Fate is sometimes ironical.

JOHN—[19]What makes you say that?

ROGER—[20]Mansard spent his life building palaces, [21]and (yet) he left his name to a humble room.

A. *Répondez en français à chacune des questions suivantes:*

1. De quel château parlent John et Roger? 2. Est-ce que John croyait que Versailles était si grand? 3. Qu'est-ce qu'on trouve dans le château? 4. Qu'est-ce qu'il y a dans le parc? 5. Comment appelait-on Louis XIV? 6. Est-ce qu'il aimait la splendeur? 7. Comprenez-vous la phrase «Noblesse oblige»? 8. Qui a fait construire Versailles? 9. Qui est-ce qui a construit le château pour Louis XIV? 10. Avez-vous entendu parler de Mansard? 11. Avez-vous entendu parler des pièces d'eau du parc? 12. Avez-vous entendu parler des longues allées? 13. Avez-vous entendu parler des fontaines de Versailles? 14. Connaissez-vous le mot anglais «mansard»? 15. Qu'est-ce que cela veut dire? 16. Est-ce que le mot «mansarde» existe aussi en français? 17. Qu'est-ce qu'une mansarde? 18. Qu'est-ce qu'on met dans les mansardes? 19. Est-ce que le sort est parfois ironique? 20. Qu'est-ce que Mansard a fait pendant sa vie? 21. A quoi a-t-il laissé son nom?

B. *Demandez à un autre étudiant (à une autre étudiante):*

1. si le château de Versailles est grand. 2. s'il y a des pièces d'eau dans le parc. 3. ce que c'est qu'un parc. 4. s'il y a beaucoup de fontaines à Versailles. 5. comment on appelait Louis XIV. 6. ce que veut dire «noblesse oblige». 7. qui a fait construire le château de Versailles. 8. qui a construit le château. 9. s'il a entendu parler

de Mansard.   10. s'il connaît le mot anglais «mansard».   11. si le mot «mansarde» existe en français.   12. ce que veut dire le mot anglais «mansard».   13. ce que veut dire le mot français «mansarde».   14. où l'on met les vieux meubles.   15. ce qu'on met dans les mansardes.   16. si le sort est parfois ironique.   17. ce qui lui fait dire cela.   18. comment Mansard a passé sa vie.   19. à quoi il a laissé son nom.

C. *Dites en français:*

1. "Who had the château de Versailles built?" "Louis XIV had it built."   2. "Who built the château of Versailles?" "Mansard built it." 3. "Who had the château of Fontainebleau built?" "François Premier had it built."   4. "Who built that château?" "Several architects built it."   5. "Have you heard of the château of Versailles?" "Yes. I have heard of it."   6. "Have you heard of Mansard?" "No. I have not heard of him."   7. "Have you heard of the ornamental pools and fountains of Versailles?" "Yes, I have heard of them."   8. What does that mean? 9. What does the French word "mansarde" mean?   10. What do you mean?   11. I mean that I did not think Versailles (was) so big.   12. He spent his life building castles.   13. He spent the afternoon doing errands. 14. He spent the night working.   15. He spent Saturday afternoon skiing.   16. He spent two hours in the station waiting for his train.

D. *Dictée d'après la vingt-cinquième conversation.*

E. *Conversation:*

"Do you know who planned **(dessiner)** the Versailles gardens?" "No, I don't know. Who was it?" "It was Le Nôtre." "Oh yes. I think that I have heard of him. His gardens are majestic, aren't they?"

Qu'est-ce que vous avez?

ROGER—[1]Qu'est-ce que vous avez, Marie?

MARIE—[2]Je n'ai rien du tout, je vous assure.

ROGER—[3]Mais si, vous avez quelque chose. [4]Vous avez l'air triste. [5]A quoi pensez-vous?

MARIE—[6]Je pense à Jeanne. La connaissez-vous?

ROGER—[7]Non, je ne crois pas. Qui est-ce?

MARIE—[8]C'est une de mes cousines.

ROGER—[9]Vous avez tant de cousines! [10]Laquelle de vos cousines est-ce?

MARIE—[11]C'est ma cousine qui demeure à Reims.

ROGER—[12]Oh oui! vous m'avez déjà parlé d'elle. [13]Qu'est-ce qui lui est arrivé?

MARIE—[14]J'ai reçu hier une lettre de ma tante Ernestine. [15]Elle m'écrit que Jeanne va se marier jeudi prochain.

ROGER—[16]Quoi? Est-ce que cette nouvelle vous rend triste?

MARIE—[17]Non, au contraire.

ROGER—[18]Qu'est-ce qui vous ennuie, alors?

ROGER—[1]What is the matter with you, Marie?

MARIE—[2]Nothing is the matter, really.

ROGER—[3]Yes there is. Something is wrong. [4]You look very sad. [5]What are you thinking about?

MARIE—[6]I am thinking of Jane. Do you know her?

ROGER—[7]No, I don't think so. Who is she?

MARIE—[8]She's a cousin of mine.

ROGER—[9]You have so many cousins! [10]Which of your cousins is she?

MARIE—[11]She's my cousin who lives in Rheims.

ROGER—[12]Oh yes! You have already spoken to me about her. [13]What has happened to her?

MARIE—[14]I had a letter from my aunt Ernestine yesterday. [15]She writes me that Jane is going to get married next Thursday.

ROGER—[16]What? Does that news make you sad?

MARIE—[17]No. On the contrary.

ROGER—[18]What is bothering you then?

MARIE—[19]Je ne pourrai pas aller à son mariage.

ROGER—[20]C'est dommage, en effet. [21]Avec qui votre cousine se marie-t-elle?

MARIE—[22]Avec un jeune homme que je connaissais quand il avait dix ans. [23]Comme le temps passe!

MARIE—[19]I cannot go to her marriage.

ROGER—[20]It's indeed too bad. [21]To whom is your cousin getting married?

MARIE—[22]To a young man I knew when he was ten years old. [23]How time flies!

A. *Répondez en français à chacune des questions suivantes:*

1. Qu'est-ce qu'a Marie?   2. A-t-elle l'air heureux?   3. A quoi pense-t-elle?   4. Est-ce que Roger connaît Jeanne?   5. Qui est Jeanne?   6. Est-ce que Marie a beaucoup de cousines?   7. Où Jeanne demeure-t-elle?   8. Est-ce que Marie a déjà parlé d'elle à Roger?   9. De qui Marie a-t-elle reçu une lettre hier?   10. Qu'est-ce que sa tante Ernestine lui a dit dans sa lettre?   11. Est-ce que cette nouvelle la rend triste?   12. Qu'est-ce qui ennuie Marie?   13. Avec qui sa cousine se marie-t-elle?   14. Quel âge avait le fiancé de Jeanne quand Marie le connaissait?

B. *Demandez à un autre étudiant (à une autre étudiante):*

1. ce qu'il (elle) a.   2. s'il (si elle) a quelque chose.   3. pourquoi il (elle) a l'air triste.   4. à quoi il (elle) pense.   5. s'il (si elle) connaît Jeanne.   6. si Marie a beaucoup de cousines.   7. laquelle de ses cousines va se marier.   8. si Marie a déjà parlé d'elle à Roger.   9. ce qui lui est arrivé.   10. de qui Marie a reçu une lettre hier.   11. ce que dit la tante Ernestine.   12. quand Jeanne va se marier.   13. si cette nouvelle la rend triste.   14. ce qui ennuie Marie.   15. avec qui se marie sa cousine.   16. pourquoi Marie ne peut pas aller au mariage de sa cousine.

C. *Dites en français:*

qu'est-ce que? (object form)

1. What's the matter with you?   2. What's the matter with him?   3. What's the matter with her?   4. What's the matter with Mary?

5. What's the matter with your father? 6. What's the matter with them? 7. What was the matter with them? 8. What was the matter with him?

qu'est-ce qui? (subject form)

9. What happened to her? 10. What happened to him? 11. What happened to them? 12. What happened to you? 13. What happened to Marie? 14. What happened? 15. What's bothering you? 16. What's bothering her? 17. What's bothering them?

avoir l'air

18. You look sad. 19. You look tired. 20. He looks intelligent. 21. This book looks interesting. 22. This room looks pleasant.

avoir l'air d'avoir

23. You look cold. 24. You look hot. 25. You look hungry.

penser à*

26. I am thinking of Jane. 27. I am thinking of her. 28. I am thinking of him. 29. I am thinking of them (m.). 30. I am thinking of them (f.). 31. I shall think of her. 32. I shall think of him. 33. I shall think about it. 34. I am thinking of my examinations. 35. I am thinking of them.

penser de

36. What do you think of Jeanne? 37. What do you think of this film? 38. What do you think of her? 39. What do you think of it?

---

* It is important to distinguish between **penser** à and **penser de.** While both are translated "to think of" in English, **penser** à means *to think of* a person or a thing, and **penser de** means *to think something* about a person or a thing, i.e. to hold an opinion.

Penser à. When the object of **penser** à is a personal pronoun which refers to a person or persons, the stressed form of the personal pronoun is used: Pensez-vous à Marie? Oui, je pense à elle. When the object of **penser** à is a pronoun referring to things, the form y is used: Pensez-vous à vos examens? Oui, j'y pense.

Penser de. When the object of **penser de** is a personal pronoun which refers to a person or persons, the stressed form of the personal pronoun is used: Qu'est-ce que vous pensez **d'elle?** Je pense beaucoup de bien **d'elle.** When the object of **penser de** is a personal pronoun referring to things, the form **en** is used: Qu'est-ce que vous pensez de ce livre? Qu'est-ce que vous **en** pensez?

40. What do you think of them (girls)? **41.** What do you think of them (books)?

D. *Dictée d'après la vingt-sixième conversation.*

E. *Conversation:*

"Did you get a letter this morning?" "Yes. My cousin writes me she is getting married." "Are you going (fut.) to her wedding?" "No. I can't go there." "It's too bad."

J'en ai besoin

I have need of it

XVI

Interrogative Pronouns

65. INTERROGATIVE PRONOUNS REFERRING TO PERSONS.

(1) Subject form: **qui?** or **qui est-ce qui?** *who?*

— **Qui** a dit cela?   *Who* said that?

OR

— **Qui est-ce qui** a dit cela?

(2) Object forms: **qui?** and **qui est-ce que?** *whom?*

— **Qui** avez-vous vu?   *Whom* did you see?

OR

— **Qui est-ce que** vous avez vu?

— **A qui** avez-vous parlé?   *To whom* did you speak?

OR

— **A qui est-ce que** vous avez
parlé?

— **Avec qui** votre cousine se ma-   *To whom* is your cousin getting
rie-t-elle?   married?

OR

— **Avec qui est-ce que** votre cousine se marie?

— **De qui** parlez-vous?   *About whom* are you talking?

OR

— **De qui est-ce que** vous parlez?

Note that when **Qui?** is used as object of a verb or preposition, you invert the order of subject and verb. With the **Qui est-ce qui?** form you use normal word order.

(3) **à qui?** *whose?*

— **A qui** sont ces gants?   *Whose* gloves are these?
— **A qui** est ce chapeau?   *Whose* hat is this?

Note that **à qui?** is the interrogative form corresponding to **à moi, à vous,** etc., which you have seen in paragraph 60.

[165]

66. INTERROGATIVE PRONOUNS REFERRING TO THINGS, ETC. (i.e., NOT PERSONS).

(1) Subject form: **qu'est-ce qui?** *What?*

— **Qu'est-ce qui** se passe?   *What* is happening?
— **Qu'est-ce qui** lui est arrivé?   *What* happened to him (*or* to her)?

The alternate subject form **que?** can be used in some cases but not always, whereas **qu'est-ce qui?** is always safe as a subject form.

(2) Direct object form: **que?** and **qu'est-ce que?**, *what?*

— **Que** vous a-t-il dit?   *What* did he say to you?
      OR
— **Qu'est-ce qu'il** vous a dit?
— **Que** lui avez-vous répondu?   *What* did you reply to him?
      OR
— **Qu'est-ce que** vous lui avez répondu?
— **Qu'**avez-vous?   *What* is the matter with you?
      OR
— **Qu'est-ce que** vous avez?

The only difference between **que?** and **qu'est-ce que?** is that with **que?** you use inverted word order.

(3) Object of preposition: **quoi?**, *what?*

— **A quoi** pensez-vous?   *What* are you thinking *of?*
      OR
— **A quoi est-ce que** vous pensez?
— **De quoi** parlez-vous?   *What* are you talking *about?*
      OR
— **De quoi est-ce que** vous parlez?
— **De quoi** avez-vous besoin?   *What* do you need?
      OR
— **De quoi est-ce que** vous avez besoin?

Since the verb **penser** à means to *think of,* you naturally say:
A quoi pensez-vous. (Cf. note on p. 163.)

67. Qu'est-ce que c'est que . . . ? *What is . . . ?*

— Qu'est-ce que c'est qu'un bazar?   *What is* a "bazar"?
— Qu'est-ce que c'est que cela?   *What is* that?

You use **qu'est-ce que c'est que. . .?** to ask for a description or a definition.

68. INTERROGATIVE PRONOUN lequel? laquelle? lesquels? lesquelles? *which? which one? which ones?* (PERSONS OR THINGS).

(1) Subject or object:

— **Laquelle** de vos cousines va se   *Which one* of your cousins is get-
   marier?   ting married?
— Voici des livres. **Lesquels** vou-   Here are some books. *Which*
   lez-vous?   *ones* do you want?

1. **Lequel? laquelle?**, etc. are used to distinguish between two or more persons or things within a group. Ex.: *Who* are those people? **Qui** sont ces gens? *Which one* is Mr. Duval? **Lequel** est M. Duval?

2. These forms agree in gender and number with the nouns to which they refer.

(2) With prepositions à or de:

— Voici deux livres. **Duquel** avez-   Here are two books. *Which one*
   vous besoin?   do you need?
— **A laquelle** de vos cousines   *To which one* of your cousins did
   avez-vous écrit?   you write?

In combination with prepositions **à** and **de** the forms of **lequel?** etc. are:

auquel? à laquelle? auxquels? auxquelles?
duquel? de laquelle? desquels? desquelles?

A. *Dites en français:*

qui? qui est-ce qui?

1. Who told you that?   2. Who went to the dance?   3. Who has my tie?   4. Who bought this paper?   5. Who came to your house? 6. Who went to the station?   7. Who wants coffee?   8. Who knows Louise Bedel?   9. Who knows the date of the fall of the Bastille? 10. Who built this château?

qui? qui est-ce que?

11. Whom did you see?   12. To whom did you speak?   13. To whom did you write?   14. Of whom are you talking?   15. To whom did you lend your tie?   16. To whom did you send the letter?   17. With whom did you go to the movies?   18. For whom did you buy these handkerchiefs?   19. Whom did you meet?   20. For whom are you waiting?   21. For whom did you send?

à qui?

22. Whose gloves are these?   23. Whose hat is this?   24. Whose raincoat is that?   25. Whose cigarettes are these?

qu'est-ce qui?

26. What's going on?   27. What happened to her?   28. What is going to happen?   29. What is making that noise?   30. What makes you say that?   31. What is bothering you?

que? qu'est-ce que?

32. What did you do this afternoon?   33. What did you buy?   34. What will you do if it rains?   35. What does she think of it?   36. What does he do?   37. What do you want for dessert?   38. What did he say? 39. What's the matter with you?   40. What did the waiter bring?

qu'est-ce que c'est que?

41. What's a bureau de tabac?   42. What is a wagon-restaurant? 43. What is the Bois de Boulogne?

quoi?

44. What are you thinking about?   45. What are you talking about? 46. What do you need?

lequel? etc.

47. Here are several girls. Which one is the tallest?   48. Which is the prettiest?   49. Which ones are blond?   50. Which do you like best?
51. Which one did you tell me about?   52. Which one are you thinking about?

B. *Demandez à un autre étudiant (à une autre étudiante):*

1. qui a construit le château de Versailles.   2. pour qui le château a été construit.   3. ce que c'est que ce château.   4. laquelle des villes de France est la plus grande.   5. laquelle des cousines de Marie va se marier.   6. de qui Marie a reçu une lettre hier.   7. à qui pense Marie.
8. ce qui ennuie Marie.   9. ce que la tante de Marie a dit dans sa lettre.   10. ce que ferait Roger s'il était riche.   11. lesquelles des villes d'Italie Roger aimerait visiter.   12. ce que Roger voudrait voir aux États-Unis.

C. *Posez en français la question à laquelle répondrait chacune des phrases suivantes, en employant le pronom interrogatif convenable:*

1. C'est mon père qui a dit cela.   2. J'ai vu Alice au bal.   3. Nous avons parlé de Louise.   4. J'ai besoin de mon livre.   5. Je pense à ma cousine.
6. Je pense à son mariage.   7. Je lui ai demandé de venir me voir.
8. Je lui ai répondu de venir me voir.   9. C'est la plus jeune de mes cousines qui se marie.   10. Ce chapeau est à Charles.   11. Un bazar est un magasin à bon marché.   12. Je ferai des courses cet après-midi.
13. C'est ma sœur qui m'a donné cette lettre.   14. Je ne sais pas ce qui se passe.   15. Elle va se marier avec Charles Dupont.

D. *Révision des vingt-deuxième et vingt-troisième conversations:*

1. Pourquoi Marie n'est-elle pas allée au bal samedi dernier?   2. Comment se sentait-elle ce soir-là?   3. Est-ce qu'elle était très malade?
4. A-t-elle fait venir le médecin?   5. Comment va-t-elle maintenant?
6. Est-ce qu'il faisait très froid le jour où elle a fait une longue promenade?   7. Avait-elle froid en rentrant?   8. Est-ce qu'elle fera bien de se reposer?   9. Pourquoi John n'est-il pas prêt à sortir?   10. Pour-

quoi John n'accepte-t-il pas la cravate de Roger?   11. Est-ce qu'on pourrait porter une cravate verte avec un complet bleu?   12. Est-ce que John a cherché dans son tiroir?   13. Où Roger trouve-t-il la cravate de John?   14. Pourquoi la bonne a-t-elle mis la cravate de John avec celles de Roger?

E. *Thème d'imitation:*

Louis XIV was[1] not the best king of France, but he is certainly the most famous[2]. He was king for seventy-two years, from 1643 to 1715. The first part[3] of his reign[4] was probably the greatest period[5] of the history of France. He had an enormous château built at Versailles. The work took[6] more than[7] forty years, and the best artists[8] of the seventeenth century worked at Versailles. The long buildings[9], the beautiful walks in the park, the gardens, everything gives an impression[10] of splendor and harmony[11]. Louis XIV had the sun as an emblem[12]. It is at Versailles that you[13] understand why he is often called[13] the Sun-King[14].

---

[1] present tense.   [2] famous, **célèbre.**   [3] part, **la partie.**   [4] reign, **le règne.**
[5] period, **la période.**   [6] *i.e.* lasted.   [7] See footnote to paragraph 27.   [8] artist, **artiste** (*m.*).   [9] building, **le bâtiment.**   [10] **une impression.**   [11] **harmonie** (*f.*).
[12] as an emblem, **comme emblème.**   [13] Use pronoun **on** with both verbs.
[14] **le Roi-Soleil.**

CONVERSATION 28

Un accident

Au commissariat de police	At the Police Station

LE COMMISSAIRE DE POLICE— [1]Vous êtes bien M. John Hughes, ingénieur-chimiste, [2]demeurant 15, avenue de l'Observatoire?

THE COMMISSAIRE DE POLICE— [1]You are indeed Mr. John Hughes, a chemical engineer, [2]who lives at 15 Avenue de l'Observatoire?

JOHN—[3]Oui, monsieur le commissaire.

JOHN—[3]Yes, sir.

LE COMMISSAIRE DE POLICE— [4]Hier après-midi vous avez été témoin de l'accident au cours duquel le docteur Lambert a été blessé?

THE COMMISSAIRE DE POLICE— [4]Yesterday afternoon you were a witness of the accident [5]in the course of which Dr. Lambert was hurt?

JOHN—[6]Oui, monsieur le commissaire.

JOHN—[6]Yes, sir.

LE COMMISSAIRE DE POLICE—[7]Où étiez-vous au moment où l'auto du docteur, [8]qui suivait la rue de Vaugirard, [9]est entrée en collision avec un camion [10]venant de l'avenue Pasteur?

THE COMMISSAIRE DE POLICE— [7]Where were you at the moment when the doctor's car, [8]which was going along Vaugirard Street, [9]collided with a truck [10]coming from the Pasteur Avenue?

JOHN—[11]J'étais devant l'Institut Pasteur.*

JOHN—[11]I was in front of the Pasteur Institute.

LE COMMISSAIRE DE POLICE— [12]Comment l'accident a-t-il eu lieu?

THE COMMISSAIRE DE POLICE— [12]How did the accident take place?

---

* The Institut Pasteur, founded by the great Pasteur, consists of a hospital, a museum, and a research institute for biological chemistry.

John—[13]La chaussée était très glissante, [14]car il avait plu. [15]Le docteur Lambert, dont l'auto allait très vite, [16]n'a pas pu s'arrêter à temps.

Le commissaire de police—[17]A quelle vitesse le camion allait-il [18]quand l'accident a eu lieu?

John—[19]A environ 30 kilomètres à l'heure.

Le commissaire de police—[20]Je vous remercie, monsieur. [21]Ce que vous venez de dire [22]est d'accord avec les renseignements que nous avons déjà.

John—[13]The street was very slippery, [14]for it had been raining. [15]Dr. Lambert, whose auto was going very fast, [16]couldn't stop in time.

The Commissaire de police— [17]How fast was the truck going [18]when the accident took place?

John—[19]About 30 kilometers per hour.

The Commissaire de police— [20]I thank you, sir. [21]What you have just said, [22]agrees with the information we already have.

A. *Répondez en français à chacune des questions suivantes:*

1. A qui John Hughes parle-t-il? 2. Où la conversation a-t-elle lieu? 3. Que fait John Hughes? 4. Où demeure-t-il? 5. De quoi a-t-il été témoin? 6. Quand l'accident a-t-il eu lieu? 7. Qui a été blessé au cours de l'accident? 8. Quelle rue suivait l'auto du docteur Lambert? 9. D'où venait le camion? 10. Où était M. Hughes au moment de l'accident? 11. Pourquoi la chaussée était-elle glissante? 12. Pourquoi le docteur Lambert n'a-t-il pas pu s'arrêter à temps? 13. A quelle vitesse le camion allait-il quand l'accident a eu lieu? 14. Est-ce que le commissaire a déjà parlé à des témoins de l'accident? 15. Qu'est-ce que le commissaire a dit à John en le remerciant?

B. *Demandez à un autre étudiant (à une autre étudiante):*

1. à qui parle John Hughes. 2. pourquoi le commissaire a fait venir John Hughes. 3. l'adresse de John Hughes. 4. sa profession. 5. de quoi il a été témoin hier. 6. qui a été blessé au cours de l'accident. 7. où se trouvait John Hughes au moment de l'accident. 8. quelle espèce d'accident a eu lieu. 9. où était John au moment où l'accident a eu lieu. 10. comment l'accident a eu lieu. 11. s'il avait plu avant l'accident. 12. pourquoi la chaussée était glissante. 13. si l'auto du

docteur allait vite. **14.** à quelle vitesse allait le camion au moment de l'accident. **15.** si le commissaire a déjà pris des renseignements sur l'accident.

C. *Dites en français:*

took place
a eu lieu

avoir lieu

1. An accident took place at three o'clock. **2.** Where were you when the accident took place? **3.** It was raining when the accident took place. **4.** It had been raining when the accident took place.

au moment où, au moment de

5. How fast was the car going when the accident took place? **6.** How fast was the car going at the time of the accident? **7.** At the time when I entered the room, Roger was talking with Marie. **8.** He always arrives at mealtime (at the hour of the meals).

s'arrêter

9. He could not stop in time. **10.** I could not stop in time. **11.** I succeeded in stopping in time (I could stop in time). **12.** I stopped in time. **13.** Did you stop in time? **14.** Stop!

à quelle vitesse?

15. How fast was he going? He was going 60 kilometers per hour. **16.** How fast were you going? We were going 45 kilometers per hour. **17.** How fast was she going? She was not going very fast.

ce que vous venez de

18. What you have just said is true. **19.** What you have just said is not true. **20.** What you have just said agrees with the information which we already have. **21.** What you have just said does not agree with the information which we already have.

je viens de, I have just

22. I have just had lunch. **23.** I have just bought the newspaper. **24.** I have just looked at the date. **25.** I have just witnessed an accident.

D. *Dictée d'après la vingt-septième conversation.*

E. *Conversation:*

"What's your name?" "My name is Henri Duval." "What do you do?"
"I am a student." "Did you see the accident?" "Yes. I was on the
corner of the Rue de la Paix." "How fast was Dr. Lambert's car going?"
"It wasn't going fast."

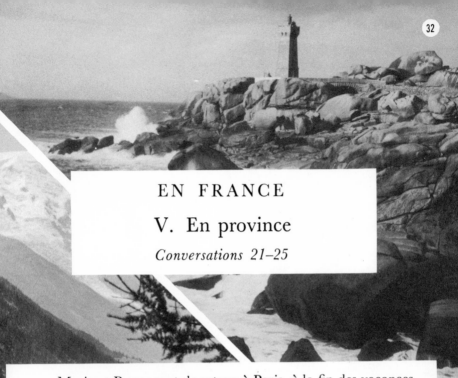

EN FRANCE

V. En province

Conversations 21–25

Marie et Roger sont de retour à Paris, à la fin des vacances de Noël. Marie est allée passer ses vacances en Bretagne, où elle a de la famille,[1] et Roger a passé les siennes dans une petite ville des Alpes. De retour à Paris, les deux jeunes gens échangent[2] leurs impressions.

1. où elle a de la famille, *where she has relatives.*

2. échanger, *to exchange.*

34

35

—La Bretagne n'est peut-être pas l'endroit idéal où passer les vacances de Noël, dit Marie. La petite ville de Saint-Malo, si charmante en été avec ses vieux remparts[3] et ses innombrables barques de pêche,[4] paraît en hiver un peu abandonnée, presque
10 morte; et la mer, si souvent mauvaise même en été, est encore pire[5] au mois de décembre. Pourtant, ces vacances m'ont beaucoup plu.[6] C'est peut-être avant tout une question d'atmosphère, à l'époque de Noël. Par exemple, nous avons fait le réveillon chez des amis, les Kerguélen, qui habitent dans un
15 vieux manoir,[7] à quelques kilomètres de Saint-Malo. Je vous assure qu'il est bien plus agréable de passer la soirée de Noël chez de vieux amis, dans un vieux château en pierre grise, devant une vieille cheminée[8] de campagne, que de la passer au milieu d'étrangers dans un restaurant parisien.

3. les remparts, *walls*.
4. la barque de pêche, *fishing boat*.
5. pire, *worse*.

6. plu, *pleased*.
7. le manoir, *manor-house*.
8. la cheminée, *fireplace*.

²⁰   —Mes vacances ont été un peu comme les vôtres, répond
Roger. Vous savez que je suis allé dans la petite ville des Alpes
où je suis né. Mes parents ont quitté cette ville lorsque j'étais
encore enfant. Je n'y étais jamais retourné depuis. J'ai été
heureux de revoir des endroits familiers, et en même temps un
²⁵ peu attristé[9] par les changements[10] que j'y ai vus. J'ai retrouvé

9. attristé, *saddened.*   10. le changement, *change.*

ma ville natale[11] industrialisée. Dans toute la région des Alpes, on a construit ou on est en train de construire des barrages[12] pour créer[13] l'énergie hydro-électrique nécessaire à l'industrie. C'est ainsi que ma petite ville possède maintenant deux usines de produits chimiques qui, tout en l'enrichissant, l'empestent[14] d'un bout à l'autre.

30

11. ma ville natale, *my native town.*
12. un barrage, *dam.*
13. créer, *to create.*

14. qui, tout en l'enrichissant, l'empestent . . ., *which, while making it prosperous, make it smell bad. . . .*

39

40

Roger raconte[15] ensuite la visite qu'il a faite à son ancien collège.

—J'avais une dizaine d'années quand j'allais à ce collège,
35 explique-t-il. On me faisait travailler neuf heures par jour; et cependant j'en ai conservé un bon souvenir,[16] car cette école m'a fait beaucoup de bien. Au cours de ma visite, j'ai revu les salles de classe où j'étudiais le latin, les mathématiques, l'anglais. Bien entendu, les écoliers[17] étaient en vacances. Toutes ces salles
40 vides,[18] ces corridors déserts ont augmenté[19] encore la tristesse[20] communiquée souvent par des endroits autrefois familiers. Comme le temps passe!

15. raconter, *to tell about.*
16. j'en ai conservé un bon souvenir, *I remember it with pleasure (I have kept a very pleasant recollection of it).*
17. un écolier, *schoolboy.*
18. vide, *empty.*
19. augmenter, *to increase.*
20. la tristesse, *sadness.*

XVII

The Passé Simple and the Pluperfect, Future Perfect and Conditional Perfect

69. MEANING AND USE OF THE *passé simple*.

The names *passé simple* (simple past) and *passé composé* (compound past) are used to distinguish two tenses which, generally speaking, have the same meaning: both tenses are used to express simple past actions.

You have seen that the *passé composé* is commonly used in conversation. The *passé simple* is used only in literary narrative style and in rather formal speech.

EXAMPLE OF THE USE OF THE PASSÉ SIMPLE

A cette époque, il y **eut** une épidémie dans le pays des Troglodytes. Un médecin habile **arriva** du pays voisin et **donna** ses remèdes. Quand il **demanda** à ses clients de lui payer ses services, il ne **trouva** que des refus.

At that time there *was* an epidemic in the land of the Troglodytes. A skillful doctor *arrived* from the neighboring country and *gave* his remedies. When he *asked* his patients to pay him for his services he *received* only refusals.

Le médecin **retourna** dans son pays et il y **arriva** très fatigué. Il **apprit** bientôt après que la même maladie ravageait de nouveau le pays des Troglodytes. Ils **allèrent** à lui tout de suite lui demander de revenir avec ses remèdes.

The doctor *returned* to his own country and he *arrived* there very tired. He *learned* soon afterwards that the same disease was again ravaging the land of the Troglodytes. They *went* to him immediately to ask him to come back with his remedies.

Le médecin **refusa.** Les Troglodytes **moururent** et **furent** victimes de leurs propres injustices.

The doctor *refused.* The Troglodytes *died* and they *were* victims of their own injustice.

[175]

70. FORMS OF THE *passé simple*.

(1) Regular verbs:

FIRST CONJUGATION	SECOND CONJUGATION	THIRD CONJUGATION
je déjeunai	je finis	je répondis
I lunched	*I finished*	*I answered*
tu déjeunas	tu finis	tu répondis
il déjeuna	il finit	il répondit
nous déjeunâmes	nous finîmes	nous répondîmes
vous déjeunâtes	vous finîtes	vous répondîtes
ils déjeunèrent	ils finirent	ils répondirent

(2) **Être** and **avoir**:

être	avoir
je fus	j'eus
I was	*I had*
tu fus	tu eus
il fut	il eut
nous fûmes	nous eûmes
vous fûtes	vous eûtes
ils furent	ils eurent

(As the passé simple is primarily used in writing, it will be used only for aural practice and will appear only in section A.)

71. PLUPERFECT OF REGULAR VERBS AND OF **avoir** AND **être**.

— **J'avais** déjà **accepté** l'invitation de Robert, quand j'ai reçu la vôtre.

I had already *accepted* Robert's invitation when I received yours.

— La chaussée était très glissante, car **il avait plu.**

The surface of the street was very slippery, for *it had been raining.*

— **Il était** déjà **parti,** quand je lui ai téléphoné.

He had already *left,* when I telephoned to him.

1. The forms of the pluperfect indicative are:

J'avais déjeuné, etc. *I had lunched, etc.*
J'avais fini, etc. *I had finished, etc.*
J'avais répondu, etc. *I had answered, etc.*

J'avais été, etc. *I had been, etc.*
J'avais eu, etc. *I had had, etc.*
J'étais arrivé (e) , etc. *I had arrived, etc.*
Je m'étais levé (e) , etc. *I had got up, etc.*

2. The pluperfect is formed like the *passé composé* except that the imperfect of the auxiliary is used.

3. As in English, the pluperfect tense expresses an action which has already taken place when another past action took place.

72. FUTURE PERFECT TENSE.

— **J'aurai fini** mon travail quand   *I shall have finished* my work
    il arrivera.   when he arrives.

The future perfect is formed like the other compound tenses except that the future of the auxiliary verb is used.

J'aurai déjeuné, etc. *I shall have lunched, etc.*
Je serai arrivé, etc. *I shall have arrived, etc.*

As in English, the future perfect tense is used to express an action which will take place in the future before another future action takes place. In sentences in which you use a future perfect in one clause, the verb in the other clause is always in the future tense (cf. paragraph 47). Ex.: **Je serai parti** quand elle recevra ma lettre. *I shall have left* when she gets my letter (will receive) .

73. THE CONDITIONAL PERFECT.

— Si nous avions eu le temps, **nous**   If we had had time, *we would*
    serions allés au bal.   *have gone* to the dance.

— **Je serais** volontiers **allé** avec lui,   *I would have* gladly *gone* with
    si je n'avais pas eu mal à   him if I hadn't had a head-
    la tête.   ache.

1. The conditional perfect is formed like the other compound tenses except that the conditional of the auxiliary verb is used:

J'aurais déjeuné, etc. *I would have lunched, etc.*
J'aurais répondu, etc. *I would have answered, etc.*
Je serais arrivé (e) , etc. *I would have arrived, etc.*
Je me serais levé (e) , etc. *I would have got up, etc.*

2. It is most commonly used in conditional sentences in which the verb in the if-clause is in the pluperfect. It expresses an action which would have taken place, if another action had taken place (cf. paragraph 63) .

74. AGREEMENT OF THE PAST PARTICIPLE* IN COMPOUND TENSES.

(1) Verbs conjugated with **avoir:**

— J'ai plant**é** des fleurs dans mon jardin.	I have planted flowers in my garden.
— **Les fleurs que** j'ai plant**ées** n'ont pas poussé.	The flowers I planted did not grow.

When a verb is conjugated with **avoir,** the participle agrees in gender and number with a preceding direct object. If the direct object follows the participle, or if the verb has no direct object, there is of course no agreement and the masculine singular form of the participle is used.

Thus in **J'ai planté des fleurs,** there is no agreement because the direct object follows the participle.

In **Les fleurs que j'ai plantées n'ont pas poussé,** the participle **plantées** is feminine plural because the direct object **que** which precedes the verb refers to **les fleurs,** which is feminine plural. In the same sentence, **poussé** has no direct object and therefore cannot agree.

(2) Verbs conjugated with **être** (not including reflexives) :

— **John** est all**é** en ville.	John went down town.
— **Marie** est all**ée** en ville.	Marie went down town.

---

* The agreement of the past participle is purely a matter of spelling in most cases and is therefore of comparatively little importance in spoken French.

—**Ils** sont arriv**és** à dix heures.   They (*masc.*) arrived at ten o'clock.

—**Elles** sont arriv**ées** à neuf heures.   They (*fem.*) arrived at nine o'clock.

Except for reflexive verbs, when a verb is conjugated with **être,** the past participle agrees in gender and number with the subject of the verb. **Vous** may of course be masculine or feminine, singular or plural. Ex.: Marie, **êtes-vous allée** au cinéma? Henri, **êtes-vous allé** au cinéma? **Êtes-vous allés** au cinéma ensemble?

(3) Reflexive verbs:

—Roger s'est lev**é** à sept heures.   Roger got up at seven o'clock.

—Marie s'est lev**ée** à neuf heures.   Marie got up at nine o'clock.

Although reflexive verbs are conjugated with **être,** their past participles agree as if they were conjugated with **avoir,** i.e. they agree with a preceding direct object. In the preceding examples, **se** is the preceding direct object in each case. In the first example, it refers to Roger and the agreement is masculine. In the second it refers to Marie and the agreement is feminine.

A. *Dites en anglais:*

1. Il arriva. Il déjeuna. Il entra. Il se leva. Il se dépêcha. Il alla. Ils allèrent. Ils entrèrent. Ils arrivèrent. Il finit. Ils finirent. Ils obéirent. Ils entendirent. Ils attendirent. Ils répondirent. Il répondit. Il choisit. Ils choisirent. Ils furent. Ils eurent.

2. Il arrive. Il arriva. Il arrivera. Il arrivait. Il arriverait. Il déjeune. Il déjeuna. Nous entrons. Nous entrâmes. Ils entrent. Ils entrèrent. Ils entreront. Ils finiront. Ils finirent. Ils finissent. Ils finissaient. Il répond. Il répondit. Il répondra. Ils répondront. Ils répondirent. Ils répondaient. Il répondait. Ils répondraient.

3. Il est. Il était. Il fut. Il sera. Il serait. Il aurait. Il aura. Il eut. Il avait. Il a. Ils eurent. Ils auront. Ils seront. Ils furent. Ils sont. Nous sommes. Nous fûmes. Nous eûmes. Vous êtes. Vous fûtes. Vous eûtes. Vous aurez. Vous serez. Vous seriez. Vous auriez. J'aurais.

B. *Dites en anglais ce que veut dire chacune des phrases suivantes:*

1. J'avais déjà accepté l'invitation de Jean quand j'ai reçu la vôtre.
2. Je n'avais pas fini mon travail quand Roger est venu me chercher.
3. J'aurai fini mon travail quand il viendra me chercher. 4. Il était déjà parti quand j'ai téléphoné. 5. Nous serions allés au cinéma, si nous avions eu le temps.

C. *Répondez en français à chacune des questions suivantes:*

1. Si vous aviez eu le temps, est-ce que vous seriez allé au cinéma hier soir? 2. Est-ce que la chaussée aurait été glissante, s'il n'avait pas plu? 3. Étiez-vous parti ce matin, quand il a commencé à pleuvoir? 4. Est-ce que vous aviez fini votre travail hier soir quand je vous ai téléphoné? 5. Est-ce que vous aurez fini votre travail à cinq heures et demie? 6. Est-ce que vous aurez fini votre travail quand votre frère arrivera?

D. *(Révision) Répondez en français à chacune des phrases suivantes:*

1. A quelle heure avez-vous déjeuné? 2. A quelle heure dînerez-vous ce soir? 3. A quelle heure dîneriez-vous si vous alliez en ville? 4. A quelle heure dînez-vous le dimanche? 5. A quelle heure dîniez-vous pendant les vacances? 6. Est-ce que vous vous couchez de bonne heure le dimanche? 7. Est-ce que vous vous couchez plus tard en été qu'en hiver? 8. Vous êtes-vous levé(e) de bonne heure ce matin? 9. Vous êtes-vous couché(e) tard hier soir? 10. Est-ce que vous vous couchiez tard pendant les vacances? 11. Est-ce que vous vous coucherez tard ce soir? 12. Est-ce que vous vous coucheriez tard si vous aviez un examen demain? 13. Êtes-vous allé(s) en ville hier? 14. Est-ce que John Hughes est allé en Russie? 15. A-t-il beaucoup voyagé? 16. Avez-vous beaucoup voyagé?

E. *(Révision) Mettez chacune des phrases suivantes au passé composé, puis au futur:*

1. Roger achète des mouchoirs. 2. Marie va-t-elle au restaurant? 3. Je reste à la maison aujourd'hui. 4. Je prends l'autobus. 5. Ils répondent

aux lettres. **6.** Il se repose aujourd'hui. **7.** Ils trouvent le film excellent.

F. *Révision des vingt-quatrième et vingt-cinquième conversations:*

1. Où Marie est-elle allée passer ses vacances de Noël? **2.** Comment est-elle revenue de Bretagne? **3.** Y avait-il beaucoup de monde dans l'express de Paris? **4.** Comment dit-on en français "You are lucky?" **5.** Comment dit-on en français "You are out of luck"? **6.** Qu'est-ce que c'est que le réveillon? **7.** Qu'est-ce qu'on mange pour le réveillon? **8.** Chez qui Marie a-t-elle fait le réveillon? **9.** Est-ce qu'elle s'est bien amusée pendant ses vacances? **10.** Qu'est-ce que vous feriez si vous étiez riche? **11.** Voudriez-vous aller en Italie? **12.** Quels pays voudriez-vous visiter? **13.** Iriez-vous dans l'Amérique du Sud? **14.** Iriez-vous en Afrique? **15.** Qu'est-ce que vous achèteriez si vous alliez en France? **16.** Voudriez-vous changer de rôle tous les six mois avec un millionnaire? **17.** Savez-vous ce qui se passe en Europe? **18.** Voudriez-vous aller en Russie voir ce qui s'y passe?

G. *Thème d'imitation:*

Two days ago, in front of the Pasteur Institute, John witnessed an accident in the course of which Dr. Lambert was hurt. The car in which Dr. Lambert was[1] collided with a truck. When the truck-driver[2] saw the doctor's car, he tried to stop, but it was too late... At the noise of the accident, the passers-by came to see what was happening[3] and to help[4] the victims[5] if there were any. When he tried[6] to get out of his car, Dr. Lambert couldn't walk. He had a[7] broken leg[8]. A policeman arrived and they took[9] Dr. Lambert to the hospital.

That afternoon, John went to the police station and the police commissioner asked him[10] all sorts of questions which[11] he answered the best he could[12]

---

[1] French word order: in which was Dr. Lambert.   [2] driver, **le chauffeur.**
[3] Cf. Conv. 27, No. 13.   [4] to help, **aider.**   [5] victim, **la victime.**   [6] Use preposition **de** after **essayer** and after **sortir.**   [7] Use definite article.   [8] leg, **la jambe.**   [9] take, in the sense of "carry off," **emmener.**   [10] Cf. Conv. 9, No. 17.   [11] which, **auxquelles.**   [12] the best he could, **de son mieux.**

Chez l'horloger

L'horloger*—¹Qu'est-ce qu'il y a, monsieur?

John—²Je voudrais faire réparer cette montre. ³Je l'ai laissée tomber hier, ⁴et elle ne marche plus.

L'horloger—⁵Où avez-vous acheté cette montre-là?

John—⁶Je l'ai achetée en Amérique.

L'horloger—⁷Je m'en doutais. ⁸Je n'ai jamais vu une montre comme ça.

John—⁹Est-ce que vous pourrez la réparer tout de même?

L'horloger—¹⁰Je crois. Il s'agit d'une réparation simple. ¹¹Mais je serai obligé de faire venir un ressort.

John—¹²Pouvez-vous me dire quand ma montre sera prête?

L'horloger—¹³Voyons ... Je vais commander aujourd'hui le ressort dont j'ai besoin. ¹⁴Je le recevrai sans doute vers le milieu de la semaine prochaine.

John—¹⁵Je voudrais bien avoir ma montre le plus tôt possible.

The Jeweler—¹What can I do for you, sir?

John—²I'd like to have this watch repaired. ³I dropped it yesterday, ⁴and now it won't run.

The Jeweler—⁵Where did you buy that watch?

John—⁶I bought it in America.

The Jeweler—⁷I rather thought so. ⁸I have never seen a watch like that.

John—⁹Can you repair it anyway?

The Jeweler—¹⁰I think so. It is a question of a simple repair job. ¹¹But I'll have to send for a spring.

John—¹²Can you tell me when my watch will be ready?

The Jeweler—¹³Let's see ... Today I'll order the spring I need. ¹⁴I'll doubtless get it toward the middle of next week.

John—¹⁵I'd certainly like to have my watch as soon as possible.

---

*Un horloger est une personne qui fait, répare, vend des horloges, des pendules et des montres.

L'HORLOGER—[16]Revenez d'au-   THE JEWELER—[16]Come back a
jourd'hui en huit.   week from today.
JOHN—[17]Bon. J'attendrai jusque-   JOHN—[17]Okay. I'll wait till then.
là.

A. *Répondez en français à chacune des questions suivantes:*

1. Pourquoi John va-t-il chez l'horloger?   **2.** Qu'est-ce que c'est qu'un
horloger?   **3.** Est-ce que la montre de John marche toujours (*still*)?
4. Pourquoi ne marche-t-elle plus?   **5.** Où John a-t-il acheté sa montre?
6. Est-ce que l'horloger a déjà vu une montre comme ça?   **7.** Est-ce
qu'il pourra la réparer tout de même?   **8.** Est-ce qu'il s'agit d'une
réparation simple?   **9.** Qu'est-ce que l'horloger sera obligé de faire
venir?   **10.** Pourquoi sera-t-il obligé de faire venir un ressort?   **11.** Est-
ce que l'horloger peut dire à John quand sa montre sera prête?
12. Quand va-t-il commander le ressort dont il a besoin?   **13.** Quand
pense-t-il le recevoir?   **14.** Quand dit-il à John de revenir?   **15.** Est-ce
que Jean sera obligé d'attendre longtemps?   **16.** Quand John reviendra-t-il chez l'horloger?   **17.** Quand voudrait-il avoir sa montre?

B. *Dites à un autre étudiant (à une autre étudiante):*

1. que vous voudriez faire réparer votre montre.   **2.** que vous l'avez
laissée tomber hier.   **3.** que votre montre ne marche plus.   **4.** que vous
avez acheté votre montre en Amérique.   **5.** que vous serez obligé de
faire venir un ressort.   **6.** qu'il s'agit d'une réparation simple.   **7.** de
revenir d'aujourd'hui en huit.   **8.** que vous attendrez jusque-là.
9. que vous avez besoin de votre montre.   **10.** que vous voudriez avoir
votre montre le plus tôt possible.

C. *Demandez à un autre étudiant (à une autre étudiante):*

1. s'il (si elle) a jamais laissé tomber sa montre.   **2.** si la montre s'est
arrêtée.   **3.** si une montre peut marcher sans ressort.   **4.** ce qui fait
marcher une montre.   **5.** ce qui se passe quand le ressort d'une montre
est cassé.   **6.** s'il (si elle) aime mieux les montres-bracelets (*wrist
watches*) ou les montres de poche (*pocket watches*).

D. *Dictée d'après la vingt-huitième conversation.*

E. *Dialogue:*

You have broken your glasses **(les lunettes,** *f.*)**.** You need new lenses **(les verres,** *m.*)**.** You want to get your glasses repaired as soon as possible. You can't see without glasses, etc. The oculist **(l'oculiste,** *m.*)** answers that he is very busy **(très occupé),** he has many customers **(les clients,** *m.*)**, but that you can come back Saturday afternoon at 5:00.

XVIII GRAMMAR UNIT

Relative Pronouns

75. SUBJECT FORM qui *who, which.*

The form **qui** is used as the subject of a verb and may refer to either persons or things:

— C'est ma cousine **qui** demeure à Reims.

She's my cousin *who* lives in Rheims.

— Voici un autre autobus **qui** arrive.

Here comes another bus.

76. DIRECT OBJECT FORM que *whom, which.*

The form **que** is used as the direct object of a verb and may refer to either persons or things:

— C'est un jeune homme **que** je connaissais quand j'avais dix ans.

He's a young man I used to know when I was ten.

— Voici la cravate **que** je cherchais.

Here is the tie I was looking for.

In English the object form of the relative pronoun is practically always omitted: we say "He's a boy I used to know" rather than "He's a boy *whom* I used to know"; but in French the relative pronoun must always be expressed in relative clauses.

77. RELATIVE PRONOUN dont *whose, of whom, of which.*

Dont is used in place of a relative pronoun preceded by the preposition **de.** It may refer to persons or things.

— Le docteur Lambert, **dont** l'auto allait très vite, n'a pas pu s'arrêter à temps.

Dr. Lambert, *whose* car was going very fast, could not stop in time.

— Je vais commander aujourd'hui le ressort **dont** j'ai besoin.

I am going to order today the spring *which* I need (*of which* I have need).

78. RELATIVE PRONOUNS USED WITH PREPOSITIONS OTHER THAN de.

(1) **qui** *whom:*

To refer to *persons,* **qui** is the form of the relative which is ordinarily used after prepositions other than **de** such as **à, avec, chez,** etc.

—Le docteur Lambert, **à qui** j'ai parlé, est un bon médecin.	Doctor Lambert, *to whom* I spoke, is a good doctor.
—La dame **chez qui** je demeure a des chambres à louer.	The lady *at whose house* I live has rooms to rent.

(2) **lequel, laquelle, lesquels, lesquelles** *which:*

To refer to *things,* **lequel,** etc. is the relative pronoun you use after prepositions other than **de,** such as: **à, avec, dans, pour, sans,** etc.

—L'auto **dans laquelle** il était est entrée en collision avec un camion.	The car *in which* he was collided with a truck.
—La lettre, **à laquelle** j'ai déjà répondu, est sur mon bureau.	The letter, *to which* I have already replied, is on my desk.

1. Note that in clauses indicating time or place, **où** is ordinarily used instead of **auquel, dans lequel,** etc. Thus it corresponds to English *when* as well as *where.* Ex.: La ville **où** je suis né. The city *in which* I was born.

2. With the prepositional expressions **à côté de, près de, autour de, au cours de, au-dessus de,** etc., the form **lequel,** etc. must be used. **Dont** cannot be used with these expressions. Ex.: l'accident au cours **duquel...** ; la maison près **de laquelle...**

79. USE OF ce qui, ce que *what (that which).*

(1) Subject form **ce qui:**

—J'irais en Russie voir **ce qui** se passe là-bas.	I'd go to Russia to see *what* is going on there.
—Savez-vous **ce qui** se passe en Russie?	Do you know *what* is going on in Russia?

Ce qui is the relative pronoun which corresponds to the interrogative pronoun **Qu'est-ce qui?** Ex.: **Qu'est-ce qui se passe en Russie?** (*interrogative*) — Je ne sais pas **ce qui se passe en Russie.** (*relative*)

(2) Direct object form **ce que.**

— **Ce que** vous venez de me dire est très vrai.	*What* you have just told me is quite true.
— **Ce qu'**il dit est absurde.	*What* he says is absurd.

Ce que is the relative pronoun which corresponds to the interrogative form **Qu'est-ce que?** Ex.: — **Qu'est-ce que** vous avez dit? (*interrog.*) Je n'ai pas entendu **ce que** vous avez dit. (*relative*)

Note that the entire clause **ce qui se passe en Russie** is the direct object of **voir** and **savez-vous. Ce qui** is of course the subject of **se passe.** Likewise the clause **Ce qu'il dit** is the subject of **est;** but **ce qu'** is the object of **dit.**

A. *Dites en français:*

1. She is my cousin who lives in France. 2. He's a friend of mine who is getting married. 3. Here comes a bus. 4. Here comes a taxi. 5. Here comes Roger. 6. Let's go to the tobacco shop which is across the street (**en face**). 7. He's a young man (whom) I used to know. 8. It's the tie I was looking for. 9. He's the jeweler I was looking for. 10. She's the girl I was waiting for. 11. The hat I bought is gray. 12. The bus I am waiting for is late. 13. She's the girl with whom I went to the movies. 14. Doctor Lambert, to whom I spoke, is a good doctor. 15. The woman at whose house I live has rooms for rent. 16. The girl for whom I bought the flowers is named Jeanne. 17. The auto in which he was collided with a truck. 18. My father gave me the money with which I bought my overcoat. 19. Doctor Lambert, whose car was going very fast, could not stop in time. 20. I'm going to order the spring which I need. 21. Let's go get the book which we need. 22. The film of which you spoke to me was very good. 23. I would go to Russia to see what's going on there. 24. I don't know

what's going on. **25.** I don't know what happened. **26.** What you have just said is very true. **27.** I did not find what I was looking for. **28.** I heard what you said.

B. *Répondez en français à chacune des questions suivantes:*

1. Comment s'appelle la dame chez qui John demeure? **2.** Est-ce que la chambre que John a louée est agréable? **3.** Est-ce que l'auto dans laquelle était le docteur Lambert a pu s'arrêter à temps? **4.** Où habitent les gens dont John vous a parlé? **5.** Savez-vous ce qui se passe en Europe? **6.** Croyez-vous tout ce que disent (*say*) les journaux? **7.** Savez-vous avec qui Charles ira en vacances? **8.** Avez-vous entendu ce que je vous ai dit? **9.** Savez-vous ce que vous ferez l'été prochain? **10.** Quel est le nom de la ville où vous habitez? **11.** Y avait-il beaucoup de monde à l'endroit où vous êtes monté dans l'autobus? **12.** Quel temps faisait-il le jour où l'accident a eu lieu? **13.** D'où venait le camion? **14.** Avez-vous été témoin de l'accident dont nous avons parlé?

C. *Dites en français:*

1. "Who told you that?" "It's my father who told me that." **2.** "Whom did you see at the dance?" "I saw a boy you know." **3.** "To whom did you talk?" "The person I talked to is named Charles." **4.** "To whom is your cousin getting married?" "The boy to whom she is getting married is a friend of yours." **5.** About whom are you talking?" "The person we are talking about is Dr. Lambert." **6.** "What did Henri tell your father?" "I don't know what he told him." **7.** "What's the matter with you?" "I don't know what's the matter with me." **8.** "Whose book is this?" "I don't know whose it is."

D. *Révision des vingt-sixième et vingt-septième conversations:*

1. Où se trouve Versailles? **2.** Qu'est-ce qu'il y a de célèbre à Versailles? **3.** Qui est-ce qui a fait construire le château de Versailles? **4.** Quand le château a-t-il été construit? **5.** Avez-vous entendu parler de la Galerie des Glaces (*Hall of Mirrors*)? **6.** Comprenez-vous la phrase «Noblesse oblige»? **7.** Qui était Mansard? **8.** Qu'est-ce que c'est qu'une mansarde? **9.** Qu'est-ce qu'on met dans les mansardes?

10. Qui est-ce qui a dessiné les jardins de Versailles? 11. Avez-vous entendu parler des pièces d'eau et des fontaines de Versailles? 12. Pourquoi Marie a-t-elle l'air triste? 13. Qu'est-ce qu'elle a? 14. A qui pense-t-elle? 15. Comment a-t-elle appris que sa cousine allait se marier? 16. Est-ce que sa cousine Jeanne va bientôt se marier? 17. Avec qui doit-elle se marier? 18. Est-ce que la nouvelle qu'elle vient d'apprendre la rend triste? 19. Qu'est-ce qui l'ennuie? 20. Est-ce qu'elle voudrait bien aller au mariage de Jeanne?

E. *Thème d'imitation:*

Yesterday, Roger told Marie and John that there was a good film at the Cinéma Marignan and he asked them if they wanted to go to see it. It was an American film which John had already seen in the United States; but as he had thought[1] the film excellent, he gladly accepted Roger's invitation. John thought[1] that the film was in English, and he was very much surprised[2] when he heard Hollywood actors and actresses, whom he had so often[3] seen in America, talking[4] French perfectly[5] and with the best accent. Very much interested[6], John looked attentively[7] at the actors' lips. They seemed[8] to be speaking French. John thinks now that the cinema is a fine invention[9].

---

[1] Note the difference between the meaning of "thought" in the two sentences. [2] surprised, **surpris** (*p. part. of* **surprendre**). [3] so often, **si souvent.** [4] Use infinitive. [5] perfectly, **parfaitement.** [6] interested, **intéressé.** [7] attentively, **attentivement.** [8] Use **avoir l'air de** with infinitive. [9] invention, **l'invention** (*f.*).

Au Bon Marché*

tively, **attentivement.** [8] Use **avoir l'air de** with infinitive. [9] invention, **l'inven-**

LA VENDEUSE—[1]Qu'est-ce que vous désirez, mademoiselle?

MARIE—[2]Je voudrais une écharpe.

LA VENDEUSE—[3]Choisissez, mademoiselle. Nous avons un excellent choix.

MARIE—[4]Une de mes amies en a une que j'aime beaucoup. [5]Elle l'a achetée ici, je crois.

LA VENDEUSE—[6]De quelle couleur est celle de votre amie?

MARIE—[7]C'est une écharpe de soie blanche.

LA VENDEUSE—[8]Que pensez-vous de cette écharpe-ci, mademoiselle?

MARIE—[9]Combien est-ce?

LA VENDEUSE—[10]Deux mille francs.

MARIE—[11]Et celle-là?

LA VENDEUSE—[12]Deux mille trois cents francs.

MARIE—[13]C'est un peu cher. [14]Avez-vous quelque chose de meilleur marché?

LA VENDEUSE—[15]Mais oui, mademoiselle. Celle-ci ne coûte que dix-huit cents francs.

THE SALESGIRL—[1]Something for you, Mademoiselle?

MARY—[2]I'd like a scarf.

THE SALESGIRL—[3]Choose, Mademoiselle. We have an excellent selection.

MARY—[4]A friend of mine has one which I like very much. [5]She bought it here, I think.

THE SALESGIRL—[6]What color is your friend's?

MARY—[7]It's a white silk scarf.

THE SALESGIRL—[8]What do you think of this scarf, Mademoiselle?

MARY—[9]How much is it?

THE SALESGIRL—[10]2000 francs.

MARY—[11]And that one?

THE SALESGIRL—[12]2300 francs.

MARY—[13]It's rather expensive. [14]Have you something cheaper?

THE SALESGIRL—[15]Oh yes, Mademoiselle. This one costs only 1800 francs.

---

* Well-known department store in Paris.

MARIE—[16]Je crois que j'aime mieux celle que vous m'avez montrée tout à l'heure.

LA VENDEUSE—[17]Laquelle, mademoiselle?

MARIE—[18]Celle-ci. Voulez-vous bien la mettre dans une boîte?

LA VENDEUSE—[19]Volontiers. Désirez-vous autre chose, mademoiselle?

MARIE—[20]Je voudrais aussi des mouchoirs.

LA VENDEUSE—[21]Aimez-vous ceux-ci?

MARIE—[22]Quel en est le prix?

LA VENDEUSE—[23]Cent soixante quinze francs la pièce.

MARIE—[24]J'en prendrai une demi-douzaine.

LA VENDEUSE—[25]Voulez-vous bien payer la caissière, mademoiselle? [26]Vous trouverez vos achats à la caisse.

MARY—[16]I think I prefer the one which you showed me a moment ago.

THE SALESGIRL—[17]Which one, Mademoiselle?

MARY—[18]This one. Will you please put it in a box?

THE SALESGIRL—[19]Certainly. Do you wish something else, Mademoiselle?

MARY—[20]I'd like also some handkerchiefs.

THE SALESGIRL—[21]Do you like these?

MARY—[22]What is the price of them?

THE SALESGIRL—[23]175 francs apiece.

MARY—[24]I'll take a half dozen of them.

THE SALESGIRL—[25]Will you please pay the cashier, Mademoiselle? [26]You will find your purchases at the cashier's window.

A. *Répondez en français à chacune des questions suivantes, d'après le texte:*

1. A qui parle Marie? 2. Qu'est-ce que c'est qu'une vendeuse? 3. Dans quel magasin la conversation a-t-elle lieu? 4. Qu'est-ce que Marie veut acheter? 5. Y a-t-il beaucoup d'écharpes dans ce magasin? 6. Où l'amie de Marie a-t-elle acheté la sienne? 7. De quelle couleur est cette écharpe? 8. Combien d'écharpes la vendeuse montre-t-elle à Marie? 9. Quel est le prix de l'écharpe que la vendeuse lui montre? 10. Est-ce que la vendeuse a quelque chose de meilleur marché? 11. Quelle écharpe Marie achète-t-elle? 12. Est-ce que Marie achète

autre chose?   **13.** Combien de mouchoirs prend-elle?   **14.** Où est-ce qu'elle trouvera ses achats?   **15.** Qui est-ce qu'elle payera?

B. *Dites en français:*

1. What color is your scarf?   **2.** What color is your friend's (that of your friend)?   **3.** What do you think of this scarf?   **4.** And this one? **5.** I think I prefer the one which you showed me a while ago.   **6.** This one costs only 1800 francs.   **7.** Which one?   **8.** This one.   **9.** Have you something cheaper?   **10.** Have you something cheap?   **11.** Have you something better?   **12.** You won't find anything better.   **13.** You won't find anything cheaper.   **14.** Have you something else?   **15.** Have you others?   **16.** I would like to see some gloves.   **17.** Here are some gray ones.   **18.** Do you want to try them on **(les essayer)?**   **19.** Can you have them sent this afternoon?   **20.** Please pay the cashier.

C. *Demandez à un autre étudiant (à une autre étudiante):*

1. la couleur de son écharpe.   **2.** la couleur d'une écharpe que vous lui montrez.   **3.** le prix d'une écharpe que vous lui montrez.   **4.** ce qu'il (elle) pense de l'écharpe que vous lui montrez.   **5.** laquelle il (elle) préfère de deux écharpes que vous lui montrez.

D. *Dites en français:*

il s'agit de ✓

1. It's a matter of a simple repair.   **2.** It's a question of a white silk scarf.   **3.** What's up? (Of what is it a question?).   **4.** It's just a question of giving your address to the postman **(au facteur).**

rendre

5. Does that make you sad?   **6.** That letter made me happy.   **7.** That long walk in the snow made me sick.   **8.** The postman brought me a letter which made me sad.

venir de ✓

9. What you have just said is very true.   **10.** Marie has just arrived from Brittany.   **11.** I have just finished my work.   **12.** The postman has just brought me a letter.

E. *Dictée d'après la vingt-neuvième conversation.*

F. *Conversations:*

(1) avec une vendeuse au sujet d'une écharpe — le prix, la couleur, si l'écharpe vous va bien, etc.

(2) avec un vendeur au sujet d'une paire de chaussures (*a pair of shoes*) — le prix, la pointure (*size*). Vous pouvez dire que les chaussures sont trop étroites (*narrow*), trop longues, trop courtes, qu'elles vous font mal aux pieds (*hurt your feet*), etc.

XIX

GRAMMAR UNIT

Demonstrative Pronouns

80. USE OF celui-ci* *this one,* **celui-là** *that one,* ETC.

— Je voudrais acheter une écharpe.	I'd like to buy a scarf.
— Que pensez-vous de **celle-ci?**	What do you think of *this one?*
— Combien est-ce?	How much is it?
— Douze cents francs.	Twelve hundred francs.
— Et **celle-là?**	And *that one?*

1. Forms:

SINGULAR		PLURAL	
celui-ci (*m.*)	*this one*	ceux-ci (*m.*)	*these*
celle-ci (*f.*)		celles-ci (*f.*)	
celui-là (*m.*)	*that one*	ceux-là (*m.*)	*those*
celle-là (*f.*)		celles-là (*f.*)	

2. Use: You use **celui-ci,*** **celui-là,** etc. to distinguish between persons or things within a group. They agree in gender and number with the word to which they refer.

81. USE OF celui, celle *the one;* **ceux, celles** *the ones.*

These forms, as opposed to the forms **celui-ci,** etc. are always modified by a relative clause or a prepositional phrase.

(1) modified by a relative clause:

— J'ai plusieurs cousins. **Celui qui** habite à Paris s'appelle Lambert.	I have several cousins. *The one* who lives in Paris is named Lambert.
— **Ceux qui** habitent à Tours s'appellent Dupuy.	*The ones* who live in Tours are named Dupuy.
— **Celui dont** je vous ai parlé hier va se marier.	*The one* I mentioned (of whom I spoke to you) yesterday is going to get married.

---

* The suffixes **-ci** and **-là,** which formerly meant *here* and *there,* are sometimes attached to nouns to sharpen the meaning of a preceding demonstrative adjective: cette année-**là,** *that* year; ce jour-**là,** *that* day; cet homme-**ci,** *this* man.

The commonest combinations of **celui,** etc. with relative pronouns are:

(*masculine singular*) celui qui, celui que, celui dont, celui auquel, etc.
(*feminine singular*) celle qui, celle que, celle dont, celle à laquelle, etc.
(*masculine plural*) ceux qui, ceux que, ceux dont, ceux auxquels, etc.
(*feminine plural*) celles qui, celles que, celles dont, celles auxquelles, etc.

(2) modified by a prepositional phrase beginning with **de:**

—Une de mes amies a une jolie écharpe.	One of my friends has a pretty scarf.
—De quelle couleur est **celle de votre amie?**	What color is *your friend's?*
—Je n'aime pas ce chapeau.	I don't like that hat.
—**Celui de Marie** est plus joli.	*Mary's* is prettier.

1. In English we say: *My book and my friend's.* In French you say: **Mon livre et celui de mon ami** (*that of my friend*).

2. Note that **l'un** (*the one*) is not a demonstrative pronoun and can not be used in place of **celui, celle,** etc.

82. Use of ceci *this* and cela, ça* *that.*

Unlike the other demonstrative pronouns, **ceci** and **cela** are used to refer to something which has not been specifically named. They never refer to persons. They are used:

(1) to refer to an idea, a statement, or a situation:

—**Cela** m'est égal.	*That* (or *It*) is all the same to me.
—Est-ce que **cela** vous rend triste?	Does *that* make you sad?
—Pourquoi dites-vous **cela (ça)?**	Why do you say *that?*
—**Ceci** est très important.	*This* is very important.

(2) to refer to things which have not been specifically named:

—Qu'est-ce que c'est que **cela (ça)?**	What is *that?*
—J'ai acheté **ceci** pour mon frère et **cela** pour ma sœur.	I bought *this* for my brother and *that* for my sister.

---

* **Cela** and **ça** have the same use and meaning, but **ça** is a bit less formal.

A. *Dites en français:*

celui-ci, celui-là, etc.

(*a*) **les mouchoirs:** 1. What do you think of these? 2. What do you think of this one? 3. I like this one better than that one. 4. I like these better than those. 5. This one is better than that one.

(*b*) **les photos** (*f.*), *pictures:* 1. I took this one in Paris and that one in Versailles. 2. That one is very pretty. 3. I took those in the country. 4. Will you give me this one?

celui, etc. (with relative clause)

(*c*) **la cousine:** 1. I have several cousins. 2. The ones who live in Rheims are named Duval. 3. The ones who live in Tours are named Dupuy. 4. The one we were talking about is coming to see me. 5. The one to whom I wrote yesterday is going to get married. 6. The one whom you knew got married last year.

celui de, etc.

(*d*) **une auto:** 1. Is this your car? 2. No, it's John's. 3. Mr. Duval's is better than mine. 4. What color is Mr. Duval's? 5. What color is John's?

ceci, cela (ça)

(*e*) 1. What's that? 2. It (that) makes no difference. (It's all the same to me). 3. That makes me sad. 4. Who told you that? 5. Why do you say that? 6. This is very important. 7. Where did you buy that? 8. I bought this for you. 9. I can have that sent to you this afternoon.

B. *Répétez chacune des phrases suivantes, en remplaçant le nom par le pronom démonstratif convenable:*

1. Pourriez-vous m'envoyer cette écharpe-ci ce soir? 2. Les photos que j'ai prises hier ne sont pas très bonnes. 3. J'ai acheté le livre dont je vous ai parlé. 4. Comment trouvez-vous l'auto de M. Duval? 5. Les gants que j'ai achetés hier sont très chauds. 6. Donnez-moi ce livre-ci et gardez (*keep*) ce livre-là.

C. *Répondez en français à chacune des questions suivantes:*

1. (*a*) Voici deux écharpes. Laquelle préférez-vous? (*b*) Voici deux

paires de gants. Laquelle préférez-vous? (c) Voici deux chapeaux.
Lequel préférez-vous? (d) Voilà des mouchoirs. Lesquels préférez-
vous? (e) Voilà des fruits. Lesquels préférez-vous? 2. (a) John et
Roger ont acheté des cravates. (b) De quelle couleur est celle de John?
(c) De quelle couleur est celle de Roger? (d) Préférez-vous celle de
John ou celle de Roger? 3. (a) Marie et Alice ont acheté des chapeaux.
De quelle couleur est celui d'Alice? (b) De quelle couleur est celui
de Marie? (c) Aimez-vous mieux celui d'Alice ou celui de Marie?
4. Aimez-vous mieux les romans (novels) de Dumas ou ceux de Balzac?
5. Aimez-vous mieux la musique de Debussy ou celle de Bizet? 6. Est-
ce que le château de Chantilly est aussi grand que celui de Versailles?
7. Est-ce que les pièces (plays) de Marlowe sont aussi belles que celles
de Shakespeare? 8. Est-ce que les poésies (poems) de Victor Hugo
sont aussi belles que celles de Ronsard? 9. Voici deux livres. Est-ce
que celui-ci est aussi gros que celui-là? 10. Est-ce que ce livre-ci est
aussi intéressant que celui que vous avez lu (read) pendant les vacances?

D. *Conversation:*

"What are you talking about?" "We are talking about Dumas' novels
(le roman, *m.*)." "Which one do you like best?" "The one which I
like best is *Le Comte de Monte Cristo.*"

E. *Révision des vingt-huitième et vingt-neuvième conver-*
sations:

1. Pourquoi le commissaire de police a-t-il fait venir John Hughes?
2. De quel accident a-t-il été témoin? 3. Pourquoi l'accident a-t-il
eu lieu? 4. Est-ce qu'il avait plu ce jour-là? 5. Où était John au
moment de l'accident? 6. Est-ce que le camion allait vite au moment
de l'accident? 7. A quelle vitesse allait-il? 8. Est-ce que le commissaire de police avait déjà parlé à d'autres témoins de l'accident?
9. Qu'est-ce que c'est qu'un horloger? 10. Pourquoi John porte-t-il
sa montre chez l'horloger? 11. Pourquoi sa montre ne marche-t-elle
plus? 12. Pourquoi l'horloger se doute-t-il que John a acheté sa montre en Amérique? 13. Quand l'horloger va-t-il commander le ressort
dont il a besoin? 14. Quand est-ce qu'il espère recevoir (to receive)

le ressort? **15.** Quand dit-il à John de revenir? **16.** Pourquoi John voudrait-il bien avoir sa montre le plus tôt possible?

F. *Thème d'imitation:*

John and Roger spent the afternoon in the Jardin du Luxembourg, near the University. There were many students there with their girl friends[1], many children with their nurses[2], and many Parisians who had come there to look at the people, the sky, the flowers, and the trees.

John was looking at an elderly gentleman dressed in black who was giving bread to the birds[3]. He had birds on his[4] head, on his shoulders[5], on his hands[6], everywhere. Suddenly[7] an old lady came and said to John: "Sir, will you please[8] pay me for your chair[9]? It's ten francs." Roger told John that in the public parks[10] in Paris, you rent a chair for the afternoon. "After all, you rent a room for a week or for a month", said John to himself[11]. "Why should one not rent[12] a chair for an afternoon?" And he gave the old lady the ten francs she was asking for.

---

[1] girl friend, **une amie.**   [2] nurse, **la bonne.**   [3] bird, **l'oiseau—les oiseaux** (*m.*). [4] Cf. Conv. 15, No. 14.   [5] shoulder, **une épaule.**   [6] hand, **la main.**   [7] suddenly, **tout à coup.**   [8] Cf. Conv. 16, No. 6.   [9] chair, **la chaise.**   [10] **dans les jardins publics.**   [11] **s'est dit John.** Note that in French, after a direct quotation the subject of the verb said, answered, asked, etc., always follows the verb. Ex.: **a dit Roger, a-t-il dit, a demandé Marie, a répondu Roger,** etc.   [12] Why should one not rent, **Pourquoi ne pas louer.**

CONVERSATION 31

Excursion à la campagne

ROGER—[1]Il y a presque deux heures que nous avons quitté Melun.

JOHN—[2]Je commence à avoir mal aux jambes. [3]Je n'ai pas l'habitude d'aller à bicyclette.

ROGER—[4]Je crois que nous avons pris la mauvaise route.

JOHN—[5]J'en ai peur.

ROGER—[6]Voilà un homme qui travaille dans son champ. [7]Il pourra nous donner des renseignements.

ROGER (à l'homme)—[8]Est-ce que nous sommes loin de Fontainebleau?*

L'HOMME—[9]Mais oui, mon pauvre monsieur. [10]Je suis fâché de vous apprendre [11]que vous n'êtes pas du tout sur la bonne route.

ROGER—[12]Quelle route faut-il prendre, alors?

ROGER—[1]We left Melun almost two hours ago.

JOHN—[2]My legs are beginning to hurt. [3]I am not used to bicycling.

ROGER—[4]I think we took the wrong road.

JOHN—[5]I'm afraid so.

ROGER—[6]There's a man working in his field. [7]He can give us information.

ROGER (to the man)—[8]Are we far from Fontainebleau?

THE MAN—[9]You certainly are, sir. [10]I am sorry to tell you [11]that you are not at all on the right road.

ROGER—[12]Which road must we take, then?

---

* Fontainebleau, célèbre pour son château de la Renaissance et sa belle forêt, est à une cinquantaine de kilomètres au sud-est de Paris.

[199]

L'HOMME—[13]Vous voyez ce village, là-bas? [14]C'est Barbizon.* Allez-y. [15]A la sortie, prenez le premier chemin à gauche. [16]Il vous mènera à Fontainebleau.

THE MAN—[13]You see that village over there? [14]It's Barbizon. Go to it. [15]As you leave the village, take the first road on the left. [16]It will take you to Fontainebleau.

ROGER—[17]A quelle distance est-ce d'ici?

ROGER—[17]How far is it from here?

L'HOMME—[18]C'est à sept ou huit kilomètres.

THE MAN—[18]It's seven or eight kilometers.

ROGER—[19]Zut alors! Par cette chaleur, ce n'est pas drôle!

ROGER—[19]Well confound it! In such hot weather, that's not funny!

L'HOMME—[20]Si vous avez chaud et si vous avez soif, [21]vous pourrez vous arrêter à Barbizon. [22]C'est ma femme qui tient l'auberge [23]juste en face de l'église.

THE MAN—[20]If you are hot and if you are thirsty, [21]you can stop at Barbizon. [22]My wife runs the inn [23]right across the street from the church.

A. *Répondez en français à chacune des questions suivantes:*

1. Où vont Roger et John? **2.** Comment voyagent-ils? **3.** Combien de temps y a-t-il qu'ils ont quitté Melun? **4.** Est-ce que John est fatigué? **5.** Pourquoi a-t-il mal aux jambes? **6.** Est-ce qu'ils sont sur la bonne route? **7.** A qui Roger demande-t-il des renseignements? **8.** Qu'est-ce qu'il demande à l'homme qui travaille dans son champ? **9.** Est-ce qu'ils sont près d'un village? **10.** Comment s'appelle ce village? **11.** Quelle route l'homme leur dit-il de prendre à la sortie du village? **12.** Où cette route les mènera-t-elle? **13.** A quelle distance de Barbizon est Fontainebleau? **14.** Pourquoi Roger dit-il que ce n'est pas drôle? **15.** Où pourront-ils s'arrêter s'ils ont chaud? **16.** Qui est-ce qui tient l'auberge à Barbizon?

---

* Barbizon est un village près de Fontainebleau. Au XIXème siècle, ce village a été la résidence favorite de plusieurs peintres célèbres, entre autres Corot et Millet.

B. *Demandez à un autre étudiant (à une autre étudiante):*

1. s'il y a longtemps que John et Roger ont quitté Melun. **2.** pourquoi John commence à avoir mal aux jambes. **3.** ce que fait l'homme à qui Roger demande des renseignements. **4.** pourquoi Roger demande des renseignements. **5.** ce que Roger demande. **6.** si John et Roger sont sur la mauvaise route. **7.** quel chemin il faut prendre à la sortie de Barbizon. **8.** à quelle distance est Fontainebleau de Barbizon. **9.** quel temps il fait ce jour-là. **10.** s'il y a une auberge à Barbizon. **11.** qui tient cette auberge-là. **12.** où se trouve cette auberge-là.

C. *Posez chacune des questions suivantes à un autre étudiant (à une autre étudiante) qui répondra à la question posée:*

1. Demandez où vont John et Roger. **2.** Demandez pourquoi Fontainebleau est célèbre. **3.** Demandez à quelle distance est Fontainebleau de Paris. **4.** Demandez si Fontainebleau est au sud-est de Paris. **5.** Demandez ce que c'est que Barbizon. **6.** Demandez s'il (si elle) connaît des peintres qui ont habité à Barbizon. **7.** Demandez s'il (si elle) sait quand vivait Corot. **8.** Demandez s'il (si elle) connaît d'autres peintres qui ont habité à Barbizon. **9.** Demandez s'il (si elle) voudrait voir la maison de Millet. **10.** Demandez à quelle distance est Barbizon de Fontainebleau.

D. *Répondez en français à chacune des questions suivantes:*

avoir faim, etc.

1. Avez-vous faim? **2.** Avez-vous froid? **3.** Avez-vous soif? **4.** Avez-vous mal à la tête? **5.** Avez-vous mal aux yeux? **6.** Avez-vous mal à la gorge (*throat*)? **7.** Avez-vous mal aux dents (*teeth*)? **8.** Avez-vous l'habitude d'aller à bicyclette? **9.** Avez-vous l'habitude d'aller au cinéma le samedi après-midi? **10.** Avez-vous peur des taxis? **11.** Avez-vous chaud?

quitter, partir de

12. A quelle heure avez-vous quitté la maison ce matin? **13.** A quelle heure êtes-vous parti de la maison ce matin? **14.** Êtes-vous parti sans déjeuner? **15.** Avez-vous quitté la maison sans déjeuner? **16.** Combien de temps y a-t-il que John et Roger ont quitté Melun? 17. Combien de temps y a-t-il qu'ils sont partis de Melun?

combien de temps y a-t-il que...? depuis quand?*

18. Combien de temps y a-t-il que vous attendez l'autobus? 19. Combien de temps y a-t-il que vous étudiez le français? 20. Combien de temps y a-t-il que vous êtes à l'Université? 21. Depuis quand êtes-vous à l'Université? 22. Depuis quand étudiez-vous le français? 23. Depuis quand attendez-vous l'autobus?

E. *Dictée d'après la trentième conversation.*

F. *Dialogue:*

Vous vous êtes égaré (*lost*) dans la forêt de Fontainebleau. Vous voyez un peintre qui travaille dans la forêt et vous lui demandez le chemin de Barbizon.

---

* IL Y A...QUE as an expression of time: When **il y a...que** is used with a passé composé, it means *ago*. Ex.: Il y a deux heures que nous avons quitté Melun.

When used with a present indicative, **il y a...que** indicates that the action began in the past and is still going on at the time the statement is made.

Compare the use of **depuis** in Conversation 20 and on page 126. Ex.:
— **Depuis** combien de temps attendez-vous l'autobus?

OR

— Combien de temps **y a-t-il que** vous attendez l'autobus?
— Je l'attends **depuis** un quart d'heure.

OR

— **Il y a** un quart d'heure **que** je l'attends.

XX

GRAMMAR UNIT

Irregular Verbs in -er and in -ir

83. REMARKS ABOUT IRREGULAR VERBS.

The easiest and quickest way to learn irregular verbs is to examine their forms carefully, note which forms are irregular, and practice using them in exercises such as those suggested below. It is perhaps useful to note:

1. The present indicative. The only tense of irregular verbs which is practically always irregular is the present indicative.

(*a*) Stem. Instead of having one stem throughout the tense like **parler** (PARL-), irregular verbs generally have two stems, one for the first and second person plural and another for the other persons. Sometimes this difference is very striking (**je vais, nous allons**) and sometimes it is scarcely noticeable (**je connais, nous connaissons**).

(*b*) Endings. Practically all irregular verbs have the present indicative endings **-s, -s, -t, -ons, -ez, -ent,** but a few have **-e, -es, -e** in the singular.

2. Future. Very few irregular verbs have an irregular future (and conditional). Those which are irregular are irregular only as to the stem: **faire— je ferai,** etc.

3. Imperfect. Except for **être,** the imperfect always follows the pattern of regular verbs (see paragraph 54).

4. Past Participle. The past participle of irregular verbs follows several different patterns. Those following the same pattern are grouped together in this book.

84. IRREGULAR VERBS ENDING IN -er.

There are only two irregular verbs in this group: **aller,** *to go,* and **envoyer,** *to send.* **Renvoyer,** *to send back, to send away,* is of course conjugated like **envoyer.**

[203]

85. Aller, *to go*.

—Où **allez-vous** ce soir?	Where *are you going* this evening?
—Je **vais** au cinéma.	*I am going* to the movies.
—Où **êtes-vous allé** l'été dernier?	Where *did you go* last summer?
—Je **suis allé** à la campagne.	*I went* to the country.
—Comment **irez-vous** en ville?	How *will you go* down town?
—**J'irai** à pied.	*I shall* walk.

Présent: Je vais, tu vas, il va, nous allons, vous allez, ils vont.
Imparfait: J'allais.
Passé Composé: Je suis allé (e).
Futur: J'irai.

86. Special uses of aller *to go*, and s'en aller *to leave, to go away*.

—Je **vais** chercher mon pardessus.	*I am going* to get my overcoat.
—A quelle heure **allez-vous** à la gare?	At what time are you going to the station?
—**J'y vais** à cinq heures.	*I am going* (*there*) at five o'clock.
—Quand **partez-vous**?	When are you leaving?
—Je **m'en vais** demain soir.	*I am leaving* tomorrow evening.

Note that **s'en aller** and **partir** have practically the same meaning and use except that **s'en aller** is rarely used in compound tenses. It is conjugated like **aller** except that it is reflexive: Je m'en vais, il s'en va, etc.

87. Envoyer, *to send*.

—**Envoyez-vous** des cartes-postales à vos amis quand vous voyagez?	*Do you send* post cards to your friends when you travel?
—Oui, j'en **envoie** quelquefois.	Yes, *I send* some occasionally.
—**J'ai envoyé** hier des fleurs à ma grand'mère.	*I sent* some flowers to my grandmother yesterday.
—**Nous** vous **enverrons** la facture.	*We shall send* you the bill.

| — J'ai envoyé chercher le journal. | I *sent* for the paper. |
| — Je pourrai vous le faire envoyer cet après-midi. | I can *have it sent* to you this afternoon. |

PRÉSENT: J'envoie, tu envoies, il envoie, nous envoyons, vous envoyez, ils envoient.

IMPARFAIT: J'envoyais, etc.

PASSÉ COMPOSÉ: J'ai envoyé, etc.

FUTUR: J'enverrai, etc.

88. FIRST GROUP OF IRREGULAR VERBS IN **-ir: Partir, sortir, sentir, servir, dormir,** etc.

The characteristics of this group are that they all have two stems in the present indicative; **par— part—, sor— sort—, sen— sent—,** etc., and a past participle ending in **-i.**

(1) **Partir,** *to leave:*

— Quand partez-vous?	When *are you leaving?*
— Mon train part à neuf heures.	My train *leaves* at nine o'clock.
— Je partirai de la maison à huit heures et demie.	I *shall leave* the house at 8:30.

PRÉSENT: Je pars, tu pars, il part, nous partons, vous partez, ils partent.

IMPARFAIT: Je partais. PASSÉ COMPOSÉ: Je suis parti (e).
FUTUR: Je partirai.

(2) **Sortir,** *to go out* (intrans.) , *to take out* (trans.) :

| — Est-ce que vous sortez souvent le soir? | *Do you go out* often in the evening? |
| — Oui, je sors assez souvent. | Yes, *I go out* rather often. |

PRÉSENT: Je sors, tu sors, il sort, nous sortons, vous sortez, ils sortent.

IMPARFAIT: Je sortais. PASSÉ COMPOSÉ: Je suis sorti (e) . FUTUR: Je sortirai.

(3) **Sentir,** *to smell;* **se sentir,** *to feel:*

—Sentez-vous ces roses?	*Do you smell those roses?*
—Oui, **elles sentent** très bon.	Yes, *they smell* very good.
—**Je ne me sens pas** très bien.	*I don't feel* very well.

PRÉSENT: Je sens, tu sens, il sent, nous sentons, vous sentez, ils sentent.

IMPARFAIT: Je sentais. PASSÉ COMPOSÉ: J'ai senti. FUTUR: Je sentirai.

(4) **Servir,** *to serve;* **se servir de,** *to use, to help oneself:*

—**Vous êtes-vous servi de** votre auto hier soir?	*Did you use* your car last night?
—Voici les hors-d'œuvre. **Servez-vous.**	Here are the hors d'oeuvres. *Help yourself.*

PRÉSENT: Je sers, tu sers, il sert, nous servons, vous servez, ils servent.

IMPARFAIT: Je servais. PASSÉ COMPOSÉ: J'ai servi. FUTUR: Je servirai.

(5) **dormir,** *to sleep;* **s'endormir,** *to fall asleep:*

—**Avez-vous** bien **dormi** cette nuit?	*Did you sleep* well last night?
—Oui, **je me suis endormi** à dix heures, et **j'ai dormi** toute la nuit.	Yes, *I went to sleep* at ten o'clock, and *I slept* all night.

PRÉSENT: Je dors, tu dors, il dort, nous dormons, vous dormez, ils dorment.

IMPARFAIT: Je dormais. PASSÉ COMPOSÉ: J'ai dormi. FUTUR: Je dormirai.

Compounds of these verbs follow the same pattern of conjugation. Ex.: **sentir - consentir** *(to consent)*.

89. SECOND GROUP OF IRREGULAR VERBS IN **-ir: venir, tenir.**

The characteristics of this group are that they have two stems for the present indicative (**viens-venons**), an irregular future (**viendrai**), and a past participle in **-u** (**venu**).

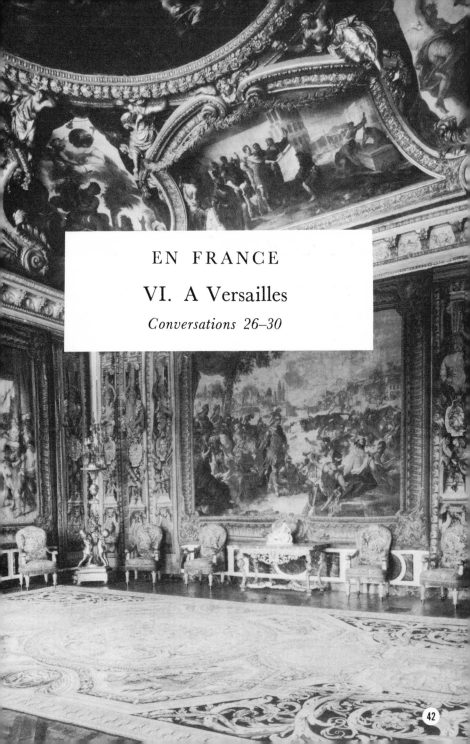

EN FRANCE

VI. A Versailles

Conversations 26–30

Roger et John ont décidé de profiter d'un bel après-midi
de mars pour visiter le château de Versailles. John connaissait
l'histoire de l'ancienne résidence royale, dont il avait vu des
photographies. Mais il n'y était jamais allé. Or,[1] il faut aller à
5 Versailles pour se rendre compte de ce qu'est vraiment le palais
de Louis XIV. L'ensemble[2] est si vaste que la photographie
ordinaire ne peut en donner qu'une vue fragmentaire—une
pièce d'eau, une allée dans le parc, un coin de jardin ou de
bâtiment. Si la photographie aérienne peut donner une vue de
10 l'ensemble, elle ne donne ni échelle[3] ni perspective ni détails.

1. or, *but; now.*
2. un ensemble, *whole (entire palace*
   and grounds).
3. une échelle, *scale.*

L'étonnement[4] de John fut grand quand il vit l'étendue du palais, des jardins et du parc. Il comprit alors pourquoi on appelait Louis XIV le Grand Roi.

4. l'étonnement, *surprise, astonishment.*

—Remarquez,[5] disait Roger, l'harmonie qui existe entre
15 les différentes parties de l'ensemble et aussi entre les différents
arts, architecture, sculpture, peinture, art du jardinier,[6] etc. Le

5. remarquer, *to notice*.　　　　6. l'art du jardinier, *landscaping*.

parc lui-même, avec ses longues allées rectilignes, a l'air de
continuer l'architecture des bâtiments. Cependant,[7] il y a assez
de variété, de fontaines, de statues, d'escaliers pour éviter[8] la
20 monotonie des lignes droites. On peut ne pas aimer Versailles,
le trouver trop majestueux; mais personne ne peut nier[9] que
c'est une étonnante oeuvre d'art.[10]

7. cependant, *however*.   9. nier, *to deny*.
8. éviter, *to avoid*.   10. une œuvre d'art, *a work of art*.

Le lendemain matin, de retour à Paris, John va chez un horloger faire réparer sa montre. Arrivé au coin d'une rue, il
25 entend tout à coup un grand bruit métallique. Une auto vient d'entrer en collision avec un camion. Le chauffeur descend de son camion sain et sauf.[11] L'automobiliste a eu moins de chance: il est sans connaissance[12] au volant[13] de son auto. Aussitôt les

11. sain et sauf, *safe and sound.*
12. sans connaissance, *unconscious.*
13. le volant, *steering wheel.*

passants s'assemblent à l'endroit où l'accident a eu lieu, et
30 plusieurs d'entre eux s'occupent de la victime. Deux agents-
cyclistes arrivent. L'un d'eux s'approche de John et sort un
petit carnet[14] de sa poche.

—C'est toujours à moi que ces choses arrivent, pense John.
Vingt personnes au moins ont été témoins de l'accident, et je
35 suis celui que l'agent choisit pour avoir des renseignements!

Néanmoins, John donne volontiers tous les détails qu'il
peut donner. Après avoir indiqué son nom et son adresse, il
donne sa version[15] de l'accident. Il lui a semblé que l'automobiliste allait trop vite, car il avait plu et la chaussée était
40 fort glissante.

—Je vous remercie, monsieur, dit l'agent de police en
remettant son petit carnet dans sa poche. Le commissaire de
police du XVe arrondissement[16] vous enverra une convocation
s'il a besoin de renseignements supplémentaires.

45 —Zut alors! pense John. Maintenant, je vais être obligé
d'aller au commissariat de police du XVe arrondissement!
Quelle barbe![17]

---

14. (il) sort un petit carnet, (he) takes
    out a small notebook
15. la version, account.

16. un arrondissement, (administra-
    tive) district.
17. quelle barbe! (slang), what a
    nuisance! (cf. la barbe, beard).

(1) **venir**, *to come:*

— D'où **venez-vous?** Where have you been?
(From where *do you come*)?

— Je **viens** de la gare. I've been to the station.
(*I come* from the station).

— Il **est venu** nous chercher en
auto. *He came* for us in his car.

— **Nous viendrons** vous voir à
cinq heures. *We shall come* to see you at 5:00.

(2) **venir de** + infinitive: *to have just* + past participle:

— Ce que **vous venez de dire** est
vrai. What *you have just said* is true.

— Le docteur **vient d'arriver.** The doctor *has just come.*

PRÉSENT: Je viens, tu viens, il vient, nous venons, vous venez,
ils viennent.

IMPARFAIT: Je venais. PASSÉ COMPOSÉ: Je suis venu. FUTUR:
Je viendrai.

(3) **tenir**, *to hold, to keep:*

— C'est ma femme qui **tient** l'auberge. My wife *runs* the inn.

— **Tenez** la porte ouverte, s'il vous
plaît. *Hold* the door open, please.

PRÉSENT: Je tiens, tu tiens, il tient, nous tenons, vous tenez, ils
tiennent.

IMPARFAIT: Je tenais. PASSÉ COMPOSÉ: J'ai tenu. FUTUR: Je
tiendrai.

Revenir, *to come back;* **devenir,** *to become;* **se souvenir**
(**de**), *to remember;* **appartenir** (**à**), *to belong to,* and other
compounds are conjugated like **venir.**

90. THIRD GROUP OF IRREGULAR VERBS IN **-ir: ouvrir,** *to open,*
etc.

The characteristics of this group are that the past participle ends in **-ert** and that the endings of the singular of the present indicative are **-e, -es, -e.**

—A quelle heure le bureau de poste **ouvre-t-il?**	What time *does* the post office *open?*
—**Il ouvre** à neuf heures du matin.	*It opens* at 9:00 A.M.
—Qui **a ouvert** la fenêtre?	Who *opened* the window?

Présent: J'ouvre, tu ouvres, il ouvre, nous ouvrons, vous ouvrez, ils ouvrent.

Imparfait: J'ouvrais. Passé Composé: J'ai ouvert. Futur: J'ouvrirai.

Offrir, *to offer;* **souffrir**, *to suffer;* **couvrir**, *to cover;* and compounds of **ouvrir** and **couvrir** are conjugated according to the same pattern.

A. *Dites en anglais ce que veut dire chacune des formes suivantes:*

1. J'envoyais. 2. J'enverrais. 3. Il enverrait. 4. Ils enverraient. 5. Ils enverront. 6. Ils iront. 7. Il ira. 8. Il est allé. 9. Partez-vous? 10. Je pars. 11. Il part. 12. Il est parti. 13. Il est sorti. 14. Nous sommes sortis. 15. Nous sortirons. 16. Il tiendra. 17. Il ouvrira. 18. Il a ouvert. 19. Il ouvre. 20. Ils ouvrent. 21. Ils dorment. 22. Il dort. 23. Elle s'endort. 24. Nous nous sommes endormis. 25. Dormez-vous? 26. Dormez. 27. Je me suis servi de ma bicyclette. 28. Comment vous sentez-vous aujourd'hui? 29. Je ne me sentais pas très bien hier.

B. *Répondez en français à chacune des questions suivantes:*

1. Où allez-vous déjeuner à midi? 2. Où Roger va-t-il déjeuner? 3. Où vont déjeuner les autres étudiants? 4. Si vous alliez en France, dans quelles villes iriez-vous? 5. Quand est-ce que vous irez chez vous? 6. Où est-ce que John et Roger sont allés à bicyclette? 7. Envoyez-vous des cartes-postales à vos amis quand vous voyagez? 8. Avez-vous envoyé des fleurs à vos parents pour leur anniversaire (*birthday(s)*)?

9. Est-ce que la vendeuse enverra la facture à Marie? 10. Quand partez-vous en vacances? 11. Êtes-vous sorti hier soir? 12. Est-ce que vous sortez souvent le soir? 13. Avez-vous bien dormi cette nuit? 14. A quelle heure vous êtes-vous endormi? 15. Comment vous sentez-vous ce matin? 16. Est-ce que vous vous servez de l'autobus pour aller en ville? 17. Venez-vous à l'université à pied? 18. Est-ce que vous venez d'arriver à l'université? 19. A quelle heure êtes-vous venu à votre classe? 20. Viendrez-vous me voir dimanche? 21. Qui est-ce qui tient l'auberge à Barbizon?

C. *Dites en français:*

aller, s'en aller, aller chercher, envoyer chercher

1. How are you? 2. I am well. 3. This hat looks well on you. 4. We are going to take a walk. 5. They went down town. 6. I am going to get my overcoat. 7. I am going to get it right away. 8. I shall send for the tickets. 9. He sent out for the paper (i.e. sent for). 10. I would send for some medicine if I were sick. 11. I am going away tomorrow evening. 12. I shall leave next Sunday. 13. He's leaving tomorrow. 14. He's leaving day after tomorrow (**après-demain**). 15. At what time is he going? 16. Let's go (there). 17. Let's go away. 18. Go away.

sortir, partir sentir, dormir, servir, etc.

1. The doctor is out. 2. He left five minutes ago. 3. He has just gone out. 4. He has just left. 5. The train left at five o'clock. 6. I was not feeling well yesterday. 7. I slept badly last night. 8. When will you come to our house? 9. I use my bicycle very often. 10. Do you use your car every day? 11. Hold the door, please. 12. Help yourself. 13. Do you open the window when it is hot?

D. *Révision de la trentième conversation:*

1. Pourquoi Marie va-t-elle au Bon Marché? 2. Est-ce qu'elle achète une écharpe comme celle de son amie? 3. De quelle couleur est l'écharpe de son amie? 4. Est-ce que les premières écharpes qu'on lui montre sont trop chères? 5. Est-ce que la vendeuse a quelque chose de meilleur marché? 6. Après avoir choisi une écharpe, est-ce

que Marie veut acheter autre chose?   7. Est-ce que Marie paye la
vendeuse?   8. Où trouvera-t-elle ses achats?

E. *Thème d'imitation:*

In the United States, children ride bicycles; then when they are seventeen or eighteen years old, they get into their car and stay in it[1]. But
nearly[2] all French people, young and old, ride bicycles. The distances
are not too great, the roads are excellent, and if you choose country
roads[3] where there are not too many cars, it is very pleasant to travel
by bicycle. You[4] see many interesting things in the villages, you can
stop where you wish and when you wish. If you take the train you
can even take along[5] your bicycle. Of course you[6] have to have good
legs! But with a little practice[7], you can do fifty or seventy-five kilometers without needing to send for the doctor...

---

[1] *lit.* descend from it no more.   [2] nearly, **presque.**   [3] country road, **le
chemin.**   [4] Use **vous** in this passage. To repeat **on** so many times would sound
awkward.   [5] take along, **emmener.**   [6] Use **il faut** + infinitive.   [7] pratice,
l'habitude (*f.*).

CONVERSATION 32

Arrivée à la ferme des Deschamps

ROGER—[1]Bonjour, ma cousine.

MME DESCHAMPS—[2]Tiens! bonjour, Roger. [3]Quelle bonne surprise!

ROGER—[4]Permettez-moi de vous présenter John Hughes. [5]C'est mon meilleur ami.

MME DESCHAMPS—[6]Je suis heureuse* de faire votre connaissance, monsieur. [7]Roger m'a souvent parlé de vous.

JOHN—[8]Nous avons décidé de profiter du beau temps pour venir vous voir.

MME DESCHAMPS—[9]C'est une excellente idée. [10]Avez-vous fait bon voyage?

ROGER—[11]Oui. Mais nous sommes assez fatigués.

MME DESCHAMPS—[12]Asseyez-vous et reposez-vous. [13]Voulez-vous prendre quelque chose?

ROGER—[14]Je prendrai de la bière, si vous en avez.

MME DESCHAMPS—[15]Et vous, monsieur?

JOHN—[16]Je prendrai un verre d'eau fraîche.

ROGER—[1]Hello, cousin!

MRS. DESCHAMPS—[2]Well! How do you do, Roger. [3]What a pleasant surprise!

ROGER—[4]May I introduce John Hughes? [5]He's my best friend.

MRS. DESCHAMPS—[6]I am happy to meet you, sir. [7]Roger has often spoken of you.

JOHN—[8]We decided to take advantage of the fine weather to come to see you.

MRS. DESCHAMPS—[9]It's an excellent idea. [10]Did you have a good trip?

ROGER—[11]Yes. But we are rather tired.

MRS. DESCHAMPS—[12]Sit down and rest. [13]Will you have something to eat or drink?

ROGER—[14]I'll have some beer, if you have some.

MRS. DESCHAMPS—[15]And what about you, sir?

JOHN—[16]I'll have a glass of cold water.

* On répond aussi couramment «Enchanté, monsieur», «Enchanté, madame.»

MME DESCHAMPS—[17]Ne préférez-vous pas autre chose?

ROGER—[18]Mais non, ma cousine. John est Américain. [19]Il ne boit que de l'eau.

MME DESCHAMPS—[20]J'espère bien que vous allez passer quelques jours avec nous.

JOHN—[21]Nous ne voulons pas vous déranger. [22]Nous avons l'intention de repartir ce soir.

MME DESCHAMPS—[23]Vous n'êtes pas pressés. [24]Restez quelques jours ici. [25]C'est le moment de la moisson. [26]Si vous voulez, vous pourrez nous aider.

MRS. DESCHAMPS—[17]Wouldn't you rather have something else?

ROGER—[18]Oh no. John is an American. [19]He drinks only water.

MRS. DESCHAMPS—[20]I certainly hope you are going to spend a few days with us.

JOHN—[21]We don't want to put you out (inconvenience you). [22]We are intending to go back this evening.

MRS. DESCHAMPS—[23]You are not in a hurry. [24]Stay here a few days. [25]It's harvest time. [26]If you will, you can help us.

A. *Répondez en français à chacune des questions suivantes:*

1. Où John et Roger viennent-ils d'arriver? 2. Qui est Madame Deschamps? 3. Est-ce qu'elle attendait l'arrivée de John et Roger? 4. Est-ce qu'elle a déjà fait la connaissance de John? 5. Est-ce que Roger a parlé de John à sa cousine? 6. Pourquoi John et Roger ont-ils décidé de venir voir les Deschamps? 7. Est-ce que leur voyage à bicyclette les a fatigués? 8. Que veut dire «prendre quelque chose»? 9. Que prend Roger? 10. Et John? 11. Quand John et Roger ont-ils l'intention de repartir? 12. Est-ce qu'ils ont peur de déranger les Deschamps? 13. Est-ce qu'ils sont pressés? 14. Qu'est-ce que leur dit Mme Deschamps pour les faire rester?

B. *Répondez en français à chacune des phrases impératives suivantes:*

1. Présentez un étudiant (une étudiante) à un autre (à une autre). 2. Dites à un autre étudiant qu'on vous a souvent parlé de lui. 3. Demandez à un autre étudiant s'il a fait bon voyage. 4. Dites-lui de s'asseoir. 5. Dites-lui de se reposer. 6. Demandez-lui s'il veut prendre quelque chose. 7. Demandez-lui ce qu'il veut prendre. 8. Demandez-

lui s'il ne préfère pas autre chose.   9. Dites-lui que vous prendrez un
verre d'eau fraîche.

C. *Dites en français:*

1. He drinks only water.   2. I drink nothing but milk **(du lait).**
3. I do not drink coffee.   4. Do you take sugar **(du sucre)?**   5. Do you
take cream **(de la crème)?**   6. I take only sugar.   7. What will you
have to drink (What will you take) ?   8. We decided to take advantage of the fine weather to come to see you.   9. We decided to take
advantage of the fine weather to go to the country.   10. I intend to
go back this evening.   11. I intend to spend a few days with my parents.
12. I intend to write a long letter to my cousin of whom we were
speaking.   13. Where were you at the time when the accident took
place?   14. It's harvest time.

D. *Dictée d'après la trente et unième conversation.*

E. *Dialogue:*

Vous faites une promenade à bicyclette et vous vous arrêtez dans une
ferme pour demander un verre d'eau.

CONVERSATION 33

Dans la forêt de Fontainebleau

ROGER—[1]Je vois des champignons au bord de la route. [2]Il doit y en avoir beaucoup dans le bois. [3]Si nous en rapportions quelques-uns à la maison?

JOHN—[4]Est-ce que vous connaissez les champignons?

ROGER—[5]Plus ou moins. [6]Ramassez seulement ceux-ci. [7]Ils sont très faciles à reconnaître. [8]Le dessus est brun et le dessous est jaune.

JOHN—[9]Bon. Mais je ne sais pas où les mettre.

ROGER—[10]Tenez, mettez-les dans ce sac.

JOHN—[11]Est-ce que celui-ci est bon?

ROGER—[12]Oui.

JOHN—[13]Et celui-là?

ROGER—[14]Excellent.

JOHN—[15]Oh! J'en vois beaucoup au pied de cet arbre. [16]Apportez votre sac, voulez-vous?

ROGER—[17]Faites attention! [18]Est-ce que vous voulez empoisonner toute la famille?

ROGER—[1]I see some mushrooms on the side of the road. [2]There must be lots of them in the woods. [3]Suppose we take a few of them back home (How about taking a few of them home)?

JOHN—[4]Do you know mushrooms?

ROGER—[5]More or less. [6]Just collect these. [7]They are very easy to recognize. [8]The upper surface is brown and the under side is yellow.

JOHN—[9]O.K. But I do not know where to put them.

ROGER—[10]Here, put them in this bag.

JOHN—[11]Is this one good?

ROGER—[12]Yes.

JOHN—[13]And that one?

ROGER—[14]Excellent.

JOHN—[15]Oh! I see lots of them at the foot of this tree. [16]Bring your bag over, will you?

ROGER—[17]Watch out! [18]Do you want to poison the entire family?

JOHN—[19]Mais ces champignons ressemblent à ceux que vous m'avez montrés.

JOHN—[19]Well, these mushrooms are like those you showed me.

ROGER—[20]Les mauvais champignons ressemblent beaucoup aux bons.

ROGER—[20]The poisonous mushrooms look very much like the good ones.

JOHN—[21]Vous auriez dû me dire ça plus tôt.

JOHN—[21]You should have told me so sooner.

ROGER—[22]J'ai eu tort de ne pas vous prévenir. [23]En tout cas, il vaut mieux laisser ceux dont vous n'êtes pas sûr...

ROGER—[22]I was wrong not to warn you. [23]In any case, it is better to leave those you are not sure of...

A. *Répondez en français à chacune des questions suivantes:*

1. Qu'est-ce que Roger voit au bord de la route?   2. Qu'est-ce qu'il propose de faire?   3. Est-ce que Roger connaît les champignons? 4. Est-ce que Roger dit à John de ramasser tous les champignons? 5. Pourquoi ces champignons-là sont-ils faciles à reconnaître?   6. De quelle couleur est le dessus des champignons dont il s'agit?   7. De quelle couleur est le dessous des champignons dont il s'agit?   8. Où Roger dit-il de les mettre?   9. Qu'est-ce que John trouve au pied d'un arbre? 10. Qu'est-ce qu'il demande à Roger de lui apporter?   11. Pourquoi Roger lui dit-il de faire attention?   12. Est-ce que John veut empoisonner toute la famille?   13. Alors, pourquoi a-t-il ramassé de mauvais champignons?   14. Qu'est-ce que Roger aurait dû lui dire plus tôt? 15. Est-ce qu'il a eu raison de ne pas lui dire cela plus tôt?   16. Est-ce qu'il vaut mieux laisser les champignons dont on n'est pas sûr?   17. Est-ce qu'il vaut mieux ramasser seulement les champignons dont on est sûr?

B. *Demandez à un autre étudiant (à une autre étudiante):*

1. s'il (si elle) connaît les champignons.   2. s'il (si elle) va quelquefois ramasser des champignons à la campagne.   3. ce que Roger voit au bord de la route.   4. si les bons champignons sont difficiles à recon-

naître. **5.** si on peut ramasser tous les champignons qu'on trouve.
6. de quelle couleur est le dessus des champignons dont parle Roger.
7. pourquoi il faut faire attention en ramassant des champignons. **8.** si
les mauvais champignons ressemblent beaucoup aux bons. **9.** s'il est
dangereux de manger des champignons qu'on ne connaît pas. **10.** ce
qu'il vaut mieux faire des champignons dont on n'est pas sûr.
11. de vous montrer l'endroit où il a vu des champignons. **12.** de vous
montrer ses photos du château de Fontainebleau.

C. *Dites en français, en employant «si» avec l'imparfait du
verbe convenable:*

1. Suppose we take a few of them home. **2.** Suppose we pick a few
wild strawberries **(fraises** (*f.*) **des bois). 3.** Suppose we go get some
mushrooms. **4.** Suppose we go look for some wild strawberries. **5.** How
about taking a few of them home? **6.** How about going to the movies?
7. How about sending a few post cards to our friends? **8.** What if we
sent a few post cards to our friends? **9.** What if we leave at two o'clock?
10. What about leaving the house at two o'clock?

il y a... il doit y avoir

11. There are mushrooms in the woods. **12.** There must be mushrooms
in the woods. **13.** There are some in the wood. **14.** There must be
some in the woods. **15.** There are strawberries in the woods.
16. There must be strawberries in the woods. **17.** There are some in
the woods. **18.** There must be some in the woods.

D. *Dites en français:*

1. I was perhaps wrong. **2.** You were perhaps right. **3.** He was wrong.
4. He was right. **5.** You were right. **6.** You are right. **7.** You are
wrong. **8.** What if we took back some wild flowers **(fleurs sauvages)?**
9. I see a few of them over there. **10.** Do you see any? **11.** No. I do
not see any. **12.** Did you find any? **13.** No. I did not find any.
14. You should have told me that sooner. **15.** You should have left
sooner. **16.** You should have come back sooner. **17.** You should

have gone to bed sooner. 18. You should have left the house sooner. 19. You should have warned me. 20. I warn you that poisonous mushrooms look very much like the good ones. 21. I warn you not to pick those mushrooms. 22. I warn you that good mushrooms are hard to recognize.

E. *Dictée d'après la trente-deuxième conversation.*

F. *Dialogue:*

You take a walk in the woods with a friend and discuss what you see.

XXI

Irregular Verbs in -re

91. FIRST GROUP: PAST PARTICIPLE IN **u.**

(1) **connaître,** *to know, to be acquainted with:*

—**Connaissez-vous** Roger Simon?	*Do you know* Roger Simon?
—Oui, je le **connais** un peu.	Yes, *I know* him fairly well.
—Où l'**avez-vous connu?**	*Where did you know* him?
—**Je l'ai connu** à Paris.	*I knew* him in Paris.

PRÉSENT: Je connais, tu connais, il connaît, nous connaissons, vous connaissez, ils connaissent.

IMPARFAIT: Je connaissais. PASSÉ COMPOSÉ: J'ai connu. FUTUR: Je connaîtrai.

(2) **croire,** *to believe:*

—**Croyez-vous** ce que disent les journaux?	*Do you believe* what the papers say?
—**Je ne crois pas** tout ce qu'ils disent.	*I do not believe* all they say.
—**Je n'ai pas cru** ce qu'il m'a dit.	*I did not believe* what he told me.

PRÉSENT: Je crois, tu crois, il croit, nous croyons, vous croyez, ils croient.

IMPARFAIT: Je croyais. PASSÉ COMPOSÉ: J'ai cru. FUTUR: Je croirai.

(3) **boire,** *to drink:*

—**Buvez-vous** du café?	*Do you drink* coffee?
—Non, je ne **bois** que du lait.	No, *I drink* only milk.
—Qu'est-ce que John **a bu?**	What *did* John *drink?*
—**Il a bu** de l'eau fraîche.	*He drank* some cold water.

PRÉSENT: Je bois, tu bois, il boit, nous buvons, vous buvez, ils
boivent.

IMPARFAIT: Je buvais. PASSÉ COMPOSÉ: J'ai bu. FUTUR: Je
boirai.

(4) **lire,** *to read:*

— **Lisez-vous** la Nouvelle Revue Française?	*Do you read* the NRF?
— Oui, **je** la **lis** quelquefois.	Yes, *I read* it sometimes.
— **Avez-vous lu** des romans de Balzac?	*Have you read* any novels of Balzac?
— Oui, j'en **ai lu** deux ou trois.	Yes, *I have read* two or three of them.

PRÉSENT: Je lis, tu lis, il lit, nous lisons, vous lisez, ils lisent.

IMPARFAIT: Je lisais. PASSÉ COMPOSÉ: J'ai lu. FUTUR: Je lirai.

92. SECOND GROUP: PAST PARTICIPLE IN -i, -is, OR -it.

(1) **dire,** *to say, to tell:*

— Qu'est-ce que **vous dites?**	What's that (What *do you say*)?
— **Je dis** que je ne crois pas ce que le marchand m'a **dit.**	*I say* I don't believe what the merchant *told me.*

PRÉSENT: Je dis, tu dis, il dit, nous disons, vous dites, ils disent.

IMPARFAIT: Je disais. PASSÉ COMPOSÉ: J'ai dit. FUTUR: Je dirai.

(2) **écrire,** *to write:*

— **Écrivez-vous** souvent à votre mère?	*Do you write* to your mother often?
— **Je** lui **écris** tous les huit jours.	*I write* her every week.
— **Je** lui **ai écrit** dimanche.	*I wrote* her Sunday.

PRÉSENT: J'écris, tu écris, il écrit, nous écrivons, vous écrivez,
ils écrivent.

IMPARFAIT: J'écrivais. PASSÉ COMPOSÉ: J'ai écrit. FUTUR:
J'écrirai.

(3) **suivre,** *to follow, to take* (a course) :

—**Suivez-vous** les conseils de vos
    parents?

Do you follow the advice of your
    parents?

—Oui, **je** les **suis** toujours.

Yes, *I* always *follow* it (them).

—**Avez-vous suivi** un cours d'his-
    toire?

Did you take a history course?

—Oui, j'**en ai suivi** plusieurs.

Yes, *I took* several of them.

PRÉSENT: Je suis, tu suis, il suit, nous suivons, vous suivez, ils
    suivent.

IMPARFAIT: Je suivais. PASSÉ COMPOSÉ: J'ai suivi. FUTUR: Je
    suivrai.

(4) **prendre,** *to take:*

—Est-ce que **vous prenez** l'auto-
    bus?

Are you taking the bus?

—Non, **je prends** le train.

No, *I am taking* the train.

—**J'ai** déjà **pris** mon billet.

I have already *gotten* (taken)
    my ticket.

PRÉSENT: Je prends, tu prends, il prend, nous prenons, vous
    prenez, ils prennent.

IMPARFAIT: Je prenais. PASSÉ COMPOSÉ: J'ai pris. FUTUR: Je
    prendrai.

(5) **mettre,** *to put, to put on;* **se mettre à,** *to begin:*

—Où **mettez-vous** votre argent?

Where *do you put* your money?

—**Je** le **mets** dans mon porte-mon-
    naie.

I put it in my pocketbook.

—Je ne sais pas où **j'ai mis** ma
    cravate.

I do not know where *I put* my
    tie.

—Marie **a mis** sa nouvelle robe.

Marie *put on* her new dress.

—**Nous nous sommes mis** à tra-
    vailler à une heure et demie.

We started to work at 1:30.

PRÉSENT: Je mets, tu mets, il met, nous mettons, vous mettez,
    ils mettent.

IMPARFAIT: Je mettais. PASSÉ COMPOSÉ: J'ai mis. FUTUR: Je
    mettrai.

93. Faire, *to do, to make,* etc.

(1) Normal uses:

— Qu'est-ce que **vous faites**(pres.) ce soir?	What *are you doing* tonight?
— Je ne sais pas ce que **je ferai** (fut.).	I don't know what *I shall do.*
— Je n'ai rien à **faire.**	I have nothing *to do.*
— Cela ne **fait** rien.	That *makes* no difference.

(2) Special uses of **faire:**

(*a*) Impersonal:

Il fait beau.	*It's* fine weather.
Il fait bon (jour, nuit, etc.)	*It's* pleasant (light, dark, etc.)

(*b*) **faire** + an infinitive = *to have* + past participle:

— Qui **a fait construire** ce château?	Who *had* this château *built?*
— **J'ai fait réparer** ma montre.	*I had* my watch *repaired.*

PRÉSENT: Je fais, tu fais, il fait, nous faisons, vous faites, ils font.
IMPARFAIT: Je faisais. PASSÉ COMPOSÉ: J'ai fait. FUTUR: Je ferai.

94. Plaindre, *to pity;* se plaindre, *to complain.*

—De quoi **vous plaignez-vous?**	What *are you complaining* about?
— **Je ne me plains pas.**	*I am not complaining.*

PRÉSENT: Je plains, tu plains, il plaint, nous plaignons, vous plaignez, ils plaignent.
IMPARFAIT: Je plaignais, etc. PASSÉ COMPOSÉ: J'ai plaint, etc.
FUTUR: Je plaindrai, etc.

Craindre, *to fear,* is conjugated like **plaindre.** Ex.: Qu'est-ce que **vous craignez?** Vous n'avez rien à craindre.

A few verbs ending in **-eindre** and **-oindre** are conjugated like **plaindre** except that the vowel **e** or **o** of the ending remains **e** and **o** respectively: **atteindre,** *to reach, to attain;* **éteindre,** *to* *extinguish;* **peindre,** *to paint;* **rejoindre,** *to meet, to catch up with;* etc.

A. *Dites en anglais ce que veut dire chacune des formes suivantes:*

1. Connaissez-vous? **2.** Ils connaissaient. **3.** Ils connaîtraient. **4.** Ils connaîtront. **5.** Je boirai. **6.** Nous avons bu. **7.** Vous buvez. **8.** Vous lirez. **9.** Ils lisent. **10.** Ils ont lu. **11.** Ils ont bu. **12.** Ils ont cru. **13.** Ils diraient. **14.** Nous dirions. **15.** Nous disions. **16.** Vous écriviez. **17.** Vous écririez. **18.** Suivez-vous? **19.** Je suis. **20.** Il suit. **21.** Il suivra. **22.** Il faisait. **23.** Ils font. **24.** Faites-le. **25.** Dites-le. **26.** Écrivez-le. **27.** Faisons-le. **28.** Ne vous plaignez pas. **29.** Qu'est-ce que vous craignez? **30.** Je vous rejoindrai tout à l'heure.

B. *Demandez à un autre étudiant (à une autre étudiante):*

1. s'il (si elle) connaît New-York. **2.** s'il (si elle) croit qu'il fera beau demain. **3.** s'il (si elle) croyait Versailles si grand. **4.** ce qu'il (elle) boit au petit déjeuner. **5.** ce qu'il (elle) buvait quand il (elle) était petit(e). **6.** s'il (si elle) a lu les *Trois Mousquetaires.* **7.** ce qu'il (elle) lit le matin. **8.** ce qu'il (elle) dit. **9.** s'il (si elle) écrit souvent à sa mère. **10.** s'il (si elle) lui a écrit dimanche dernier. **11.** s'il (si elle) vous écrira une lettre en français l'été prochain. **12.** s'il (si elle) suit un cours de chimie. **13.** s'il (si elle) a suivi un cours d'économie politique l'année dernière. **14.** s'il (si elle) suivra un cours de littérature anglaise l'année prochaine. **15.** s'il (si elle) prend du sucre dans son café. **16.** ce qu'il (elle) prendra comme dessert. **17.** ce qu'il (elle) met dans son porte-monnaie. **18.** où John a mis sa cravate. **19.** à quelle heure il (elle) se met à travailler le soir. **20.** ce qu'il (elle) fait le dimanche. **21.** ce qu'il (elle) fera au mois de juin. **22.** quel temps il faisait hier. **23.** à quelle heure il fait nuit en hiver. **24.** où Roger a fait réparer sa montre. **25.** ce qu'on fait réparer dans un garage. **26.** s'il (si elle) fait venir le médecin quand il (elle) est malade. **27.** s'il (si elle) ferait construire une grande maison s'il (si elle) était millionnaire.

C. *Dites en français:*

1. I took the train at Épernay. **2.** I got my ticket in Paris. **3.** I took a chemistry course last year. **4.** I took (followed) his advice. **5.** I had some coffee at noon. **6.** She put on her new dress. **7.** He put on his hat. **8.** They started to work early. **9.** They will start to work tomorrow. **10.** Have you read what they wrote? **11.** Do you believe what they said? **12.** What are you doing this evening? **13.** I have nothing to do. **14.** I have something to do. **15.** I have a great deal to do. **16.** I am not complaining.

D. *Demandez à un autre étudiant (à une autre étudiante):*

1. s'il (si elle) craint la chaleur. **2.** s'il (si elle) se plaint quand il fait chaud. **3.** s'il (si elle) se plaint quand il fait froid. **4.** s'il (si elle) sait peindre. **5.** ce qu'il (elle) peint. **6.** s'il (si elle) craint la pluie. **7.** si Cézanne a peint des paysages (landscapes).

E. *Révision de la trente et unième et trente-deuxième conversations:*

1. Comment John et Roger vont-ils à la campagne? **2.** Pourquoi craignent-ils d'avoir pris la mauvaise route? **3.** Qu'est-ce que demande Roger à l'homme qui travaille dans son champ? **4.** Où cet homme leur dit-il d'aller? **5.** Quel chemin doivent-ils prendre à la sortie de Barbizon? **6.** A quelle distance est Barbizon de Fontainebleau? **7.** Savez-vous ce que c'est qu'un kilomètre? **8.** Savez-vous combien il y a de mètres dans un kilomètre? **9.** Pourquoi Roger a-t-il chaud? **10.** Pourquoi John a-t-il mal aux jambes? **11.** A qui Roger présente-t-il John? **12.** Qu'est-ce que vous diriez pour présenter quelqu'un? **13.** Qu'est-ce que vous dites quand on vous présente quelqu'un? **14.** Qu'est-ce que Mme Deschamps demande à John et à Roger? **15.** Est-ce que John boit de la bière? **16.** Qu'est-ce qu'il prend? **17.** Pourquoi John et Roger ont-ils l'intention de repartir le même soir? **18.** Est-ce qu'ils sont pressés? **19.** Pourquoi les Deschamps avaient-ils besoin d'aide à ce moment-là? **20.** Avez-vous jamais travaillé dans une ferme au moment de la moisson?

F. *Thème d'imitation:*

As[1] they were bicycling in the Fontainebleau Forest, Roger saw some mushrooms on the side of the road. "What luck[2]", said he to John. "I'm crazy about[3] mushrooms. Let's pick some. I'll give them to my cousin, and we'll eat them this evening." "Pick all the mushrooms you wish", answered John, "and eat them. *I* shall not eat any." "Why?" asked Roger. "There is no danger[4] when you just pick the mushrooms you know." "Do you think (so)?" said John. "In America, my father knew a professor of botany[5] who had spent his life[6] studying mushrooms. Do you know how the poor man died? He died of mushroom poisoning[7]..."

Roger picked mushrooms all the same; but that evening he didn't have much appetite.

------

[1] as, **comme.**   [2] what luck, **quelle chance,** or **quelle veine.**   [3] to be crazy about, **adorer.**   [4] danger, **le danger.**   [5] botany, **la botanique.**   [6] Cf. Conv. 26, No. 20.   [7] *lit.* poisoned by mushrooms.

CONVERSATION 34

A l'église du village

ROGER—[1]Bonjour, monsieur le curé.

LE CURÉ—[2]Bonjour, mes amis. [3]Entrez donc. [4]J'étais en train de travailler dans mon jardin quand vous avez sonné.

JOHN—[5]Nous nous excusons de vous déranger quand vous êtes occupé.

LE CURÉ—[6]Vous ne me dérangez pas du tout. [7]Je viens de tailler mes rosiers, [8]et je suis à votre disposition.

ROGER—[9]Nous avons entendu dire que vous avez une très belle église, [10]et nous avons envie de la visiter.

LE CURÉ—[11]Je me ferai un plaisir de vous accompagner dans votre visite. [12]Mais je crains que vous ne* soyez un peu déçus. [13]Bien qu'elle soit classée «monument historique», [14] c'est une simple église de village.

JOHN—[15]J'ai lu quelque part que votre église date du douzième siècle.

ROGER—[1]Good morning, sir.

LE CURÉ—[2]Good morning, my friends. [3]Do come in. [4]I was busy working in my garden, when you rang.

JOHN—[5]We apologize for bothering you when you are busy.

LE CURÉ—[6]You aren't bothering me at all. [7]I have just trimmed my rosebushes, [8]and I am at your service.

ROGER—[9]We have heard that you have a very beautiful church, [10]and we are eager to go through it.

LE CURÉ—[11]I shall take pleasure in showing you through it. [12]But I'm afraid you'll be a little disappointed. [13]Although it is classified as a "historical monument," [14]it's a simple village church.

JOHN—[15]I have read somewhere that your church dates from the XIIth century.

---

* When a subordinate clause depends upon **craindre** used affirmatively (and a few other expressions), the subordinate clause is introduced by **que...ne** instead of **que** alone. This pleonastic **ne**, as it is called, is meaningless.

LE CURÉ—[16]Une partie seulement de l'édifice actuel date de l'époque romane.* [17]L'église a été brûlée en 1392 [18] et a été en partie reconstruite au siècle suivant.

ROGER—[19]J'ai entendu parler des vitraux de votre église. [20]On dit qu'ils sont très vieux.

LE CURÉ—[21]Je ne crois pas qu'il y ait plus de deux ou trois vitraux vraiment anciens. [22]La plupart d'entre eux sont relativement modernes . . . [23]Voulez-vous bien entrer par cette porte? [24]L'intérieur de l'église est un peu sombre, [25]mais vos yeux s'habitueront vite à l'obscurité.

LE CURÉ—[16]Just a part of the present building dates from the romanesque period. [17]The church was burned in 1392 [18]and was partly rebuilt in the following century.

ROGER—[19]I have heard of the stained-glass windows of your church. [20]They say they are very old.

LE CURÉ—[21]I don't believe there are more than two or three of the stained-glass windows which are really old. [22]Most of them are relatively modern . . . [23]Will you come in through this door? [24]The inside is a little dark, [25]but your eyes will quickly get used to the darkness.

A. *Répondez en français à chacune des questions suivantes:*

1. Qu'est-ce que Roger a dit quand le curé a ouvert la porte? 2. Que faisait le curé quand Roger a sonné? 3. De quoi Roger s'excuse-t-il? 4. Qu'est-ce que répond le curé? 5. Que vient-il de faire dans son jardin? 6. Qu'est-ce que Roger a entendu dire à propos de l'église? 7. Pourquoi John et Roger sont-ils venus voir le curé? 8. Qu'est-ce que le curé offre de faire? 9. Pourquoi le curé dit-il: «Je crains que vous ne soyez un peu déçus»? 10. Est-ce que cette église est classée «monument historique»? 11. Où Roger a-t-il lu que l'église date du douzième siècle? 12. Est-ce que tout l'édifice actuel date de l'époque romane? 13. En quelle année l'église a-t-elle été brûlée? 14. Quand a-t-elle été reconstruite? 15. Est-ce que Roger a entendu parler des

---

*Les plus vieilles églises françaises datent de l'époque romane, c'est-à-dire des onzième et douzième siècles. L'architecture de cette époque est caractérisée par l'emploi fréquent de l'arc en demi-cercle. Les murs très épais n'ont que de rares fenêtres, ce qui explique l'obscurité de l'intérieur de ces églises.

vitraux de l'église?   16. Qu'est-ce qu'il a entendu dire à leur sujet?
17. Est-ce que la plupart des vitraux de l'église sont anciens?   18. Est-ce
que la plupart d'entre eux sont modernes?   19. Est-ce que l'intérieur
de l'église est sombre?   20. Est-ce que les yeux de John et de Roger
s'habitueront vite à l'obscurité?

B. Dites à un autre étudiant:

1. que vous êtes en train de travailler dans votre jardin.   2. que vous
êtes en train de déjeuner.   3. que vous êtes en train d'écrire une lettre.
4. que vous êtes en train de regarder des photos.   5. que vous êtes en
train de tailler vos rosiers.   6. que vous êtes en train de faire des
courses.   7. que vous êtes en train de ramasser des champignons.
8. qu'il vient de pleuvoir.   9. que vous avez entendu dire que l'église
date du douzième siècle.   10. que vous avez entendu dire que Louis
XIV a fait construire le château de Versailles.   11. que vous avez
entendu parler de Mansard.   12. que vous avez entendu parler de
l'accident qui vient d'avoir lieu.   13. que vous avez entendu dire que
le docteur Lambert a été blessé.   14. que l'église dont il s'agit a été
construite à l'époque romane.   15. que l'église dont il s'agit a été
reconstruite au quinzième siècle.

C. Dites en français:

1. We are eager to visit your church.   2. I am eager to see the
stained-glass windows.   3. Are you eager to see Florence and Rome?
4. I shall take pleasure in accompanying you.   5. He will take pleasure
in accompanying you.   6. I am afraid you will be a little disappointed.
7. I am afraid you will be a little tired.   8. I am afraid you will be a
little late.   9. Although it is classified as a "historical monument", it's
a simple village church.   10. Although she is tired, she will go to the
dance tonight.   11. Although she is busy, she will be glad to see you.
12. Your eyes will quickly get used to the darkness.   13. Your eyes
will quickly get used to it.   14. I am not used to riding a bicycle, but
I shall get used to it.   15. I am not used to drinking coffee, but I shall
get used to it.

D. *Révision de l'impératif:*

Dites à quelqu'un

1. d'entrer.   **2.** de ne pas entrer.   **3.** de s'asseoir.   **4.** de ne pas s'asseoir.
5. de se dépêcher.   **6.** de ne pas se dépêcher.   **7.** de ne pas se déranger.
8. de vous excuser.   **9.** de prendre l'autobus.   **10.** de faire attention.   **11.** de faire venir le médecin.   **12.** de ne pas croire tout ce que disent les journaux.   **13.** de s'en aller.

E. *Dictée d'après la trente-troisième conversation.*

F. *Dialogue:*

Vous demandez des renseignements à un guide au sujet d'un château de la Renaissance que vous voulez visiter (date de construction, nom de l'architecte, jours et heures de visite, etc.).

CONVERSATION 35

Au jardin

MME DESCHAMPS—[1]Il faut que j'aille au jardin cueillir des fleurs.

ROGER—[2]Voulez-vous que nous vous aidions?

MME DESCHAMPS—[3]Mais oui. Faites attention de bien fermer la porte. [4]Je ne veux pas que les poules puissent entrer. [5]Elles mangent à peu près toute ma salade.

ROGER—[6]Quelles fleurs allez-vous cueillir?

MME DESCHAMPS—[7]Des roses et des œillets. [8]J'en ferai un bouquet pour la salle à manger.

ROGER—[9]Vous avez un très beau jardin.

MME DESCHAMPS—[10]Je devrais m'en occuper davantage, [11]mais je n'ai pas le temps.

ROGER—[12]Est-ce que vous avez du maïs?

MME DESCHAMPS—[13]Non, je n'en ai pas. [14]D'ailleurs, l'été est trop frais [15]pour que le maïs puisse mûrir ici.

JOHN—[16]Je m'en doutais un peu.

MME DESCHAMPS—[1]I must go to the garden to pick some flowers.

ROGER—[2]Do you want us to help you?

MME DESCHAMPS—[3]Why yes. Be careful to close the garden gate properly. [4]I don't want the hens to be able to get in. [5]They eat practically all my salad greens.

ROGER—[6]What flowers are you going to pick?

MME DESCHAMPS—[7]Roses and carnations. [8]I'll make a bouquet of them for the dining room.

ROGER—[9]You have a very fine garden.

MME DESCHAMPS—[10]I ought to take care of it better (more), [11]but I haven't the time.

ROGER—[12]Have you got any corn?

MME DESCHAMPS—[13]No, I haven't any. [14]Anyway, the summer is too cool [15]for corn to mature here.

JOHN—[16]I rather thought so.

ROGER—[17]Regardez ces pois, ces *haricots verts et ces choux. [18]Ils poussent à merveille.

MME DESCHAMPS—[19]Oui, mais il n'a guère plu cette année. [20]Une bonne pluie ferait du bien à mes légumes.

JOHN—[21]Voulez-vous que nous les arrosions?

MME DESCHAMPS—[22]Je crois qu'il vaut mieux attendre [23]jusqu'à ce qu'il fasse moins chaud...

ROGER—[17]Look at those peas, green beans, and cabbages. [18]They certainly are growing.

MME DESCHAMPS—[19]Yes; but it hasn't rained much this year. [20]A good rain would do a good deal for my vegetables.

JOHN—[21]Do you want us to water them?

MME DESCHAMPS—[22]I think it's better to wait [23]till it's cooler...

A. *Répondez en français à chacune des questions suivantes:*

1. Pourquoi faut-il que Mme Deschamps aille au jardin? 2. Est-ce qu'elle veut que John et Roger l'aident? 3. Pourquoi faut-il qu'ils fassent attention de bien fermer la porte du jardin? 4. Pourquoi Mme Deschamps ne veut-elle pas que les poules puissent entrer dans son jardin? 5. Quelles fleurs veut-elle cueillir? 6. Qu'est-ce qu'elle fera de ces fleurs? 7. Comment Roger trouve-t-il le jardin de Mme Deschamps? 8. Est-ce que Mme Deschamps devrait s'occuper davantage de son jardin? 9. Pourquoi ne peut-elle pas s'en occuper davantage? 10. Est-ce que Mme Deschamps a du maïs dans son jardin? 11. Pourquoi le maïs ne peut-il pas mûrir dans le Nord de la France? 12. Quels légumes y a-t-il dans le jardin? 13. Est-ce qu'ils poussent bien? 14. Est-ce qu'il a beaucoup plu cette année-là? 15. Pourquoi Mme Deschamps voudrait-elle une bonne pluie? 16. Qu'est-ce que John propose de faire? 17. Est-ce que Mme Deschamps croit qu'il faut arroser tout de suite? 18. Jusqu'à quand dit-elle d'attendre? 19. Savez-vous vous occuper d'un jardin? 20. Aimez-vous mieux vous occuper des fleurs ou des légumes? 21. Quelles fleurs voudriez-vous faire pousser? 22. Quels légumes voudriez-vous faire pousser? 23. Aimez-vous voir pousser les plantes? 24. Aimeriez-vous mieux avoir des légumes ou des fleurs dans votre jardin? 25. Qu'est-ce qu'il faut faire s'il ne pleut pas? 26. Est-ce qu'il vaut mieux arroser le matin ou le

---

*The *h* of **haricots** is aspirate.

soir?   27. Est-ce qu'on peut avoir un beau jardin si on ne s'en occupe
pas?

B. *Dites en français:*

1. I must go to the garden to pick some flowers.   2. I must go to the
station.   3. I must go to the restaurant.   4. I must go to the drug store.
5. I must go down town to do some errands.   6. I must go to the
library to get a book.   7. I must go home for the week end **(pour le
week-end)**.   8. I must go home to see my parents.   9. I must go to
the bank to cash a check **(toucher un chèque)**.   10. I must go to the
post office to mail a letter **(mettre une lettre à la poste)**.   11. I must go
to the cigar store to get a paper.   12. I should (ought to) take care of
it better.   13. I should water my garden.   14. I should trim my rosebushes.   15. I should pick some flowers.   16. I should do some errands
this morning.   17. I should be careful.   18. It has not rained much this
year.   19. It has not snowed much this year.   20. I have not had much
time to take care of my garden this year (I have scarcely had time
to...).   21. I am not very used to bicycling (I scarcely have the
habit of...).   22. It is better to wait until it is cooler.   23. It is better
to wait until six o'clock.   24. It is better to wait until tomorrow.

C. *Demandez à un autre étudiant:*

1. s'il doit aller au jardin cueillir des fleurs.   2. s'il veut bien fermer
la porte.   3. s'il veut bien vous aider.   4. quelles fleurs Mme Deschamps veut cueillir.   5. s'il sait s'occuper d'un jardin.   6. s'il aimerait
mieux faire pousser des fleurs ou des légumes.   7. s'il vaut mieux
arroser les légumes quand il fait chaud ou quand il fait frais.

D. *Dictée d'après la trente-quatrième conversation.*

E. *Dialogue:*

Un ami vient vous voir et vous l'invitez à voir votre jardin. Il y a dans
votre jardin des choux (*m.*), des tomates (*f.*), des asperges (*f.*), des
pommes de terre (*f.*), de la laitue (*lettuce*), des pivoines (*f.*) (*peonies*),
des marguerites (*f.*) (*daisies*), des violettes (*f.*) et des pensées (*f.*)
(*pansies*).

XXII

The Subjunctive

95. PRESENT SUBJUNCTIVE OF **être** AND **avoir** AND OF REGULAR VERBS.

(1) **être:** je sois, tu sois, il soit, nous soyons, vous soyez, ils soient.

(2) **avoir:** j'aie, tu aies, il ait, nous ayons, vous ayez, ils aient.

(3) **donner:** je donne, tu donnes, il donne, nous donnions, vous donniez, ils donnent.

(4) **finir:** je finisse, tu finisses, il finisse, nous finissions, vous finissiez, ils finissent.

(5) **répondre:** je réponde, tu répondes, il réponde, nous répondions, vous répondiez, ils répondent.

Formation of the present subjunctive of regular verbs:

(*a*) the endings of the present subjunctive of all verbs (except **être** and **avoir**) are: **-e, -es, -e, -ions, -iez, -ent;**

(*b*) the stem of the present subjunctive of regular verbs is the same as that of the first person plural of the present indicative Ex.: Pres. Ind. **Nous finissons,** Pres. Subj. **je finisse;** etc.

96. COMMONEST USES OF THE PRESENT SUBJUNCTIVE.

(1)

— Il faut que **je donne** mon adresse à la concierge.

I must *give* my address to the concierge.

— Il faut que *je* **finisse** mon travail.

I must *finish* my work.

— Il faut que *je* **réponde** à cette lettre.

I must *answer* this letter.

— Il vaut mieux que **vous finissiez** votre travail.

It's better *for you to finish* your work.

—Voulez-vous que **nous** vous **aidions?**   Do you want *us to help* you?

—J'aime mieux qu'**il attende** jusqu'à ce soir.   I prefer for *him to wait* until this evening.

—Je regrette que **vous ayez** mal à la tête.   I am sorry *you have* a headache.

—J'ai peur que **vous** ne **soyez** un peu déçu.   I am afraid *you will be* a little disappointed.

—Je suis content que **vous ayez** répondu à cette lettre.   I am glad *you have answered* that letter.

—Je suis content que **vous soyez arrivé.**   I am glad *you have come.*

1. For all practical purposes there is no difference between the meaning of the indicative and the subjunctive.

2. The subjunctive is used in subordinate clauses introduced by **que** and depending upon certain verbs which express wishing, wanting, desiring; joy, sorrow, happiness, regret, fear; approval or disapproval, etc. Among the verbs of this group which may take the subjunctive, the following are the most frequently used; **vouloir, désirer; aimer mieux; préférer; souhaiter,** *to wish;* **craindre,** *to fear;* **être content; être heureux; avoir peur,** etc., and a number of impersonal expressions such as **Il faut que...**, **Il vaut mieux que...**, etc.

But while the subjunctive is used in SUBORDINATE CLAUSES which depend upon these verbs, these verbs may also be followed by an infinitive if the verb and infinitive have the same subject. Ex.:—Do *you* want to water the garden *(yourself)*? **Voulez-vous arroser le jardin?** (infinitive) —Do *you* want *us* to water the garden? **Voulez-vous que nous arrosions le jardin?** (subjunctive)

3. If the verb depending upon **Il faut...** etc. has an expressed subject (whether noun or pronoun), the subjunctive is used in the subordinate clause; if the dependent verb has no expressed subject, the infinitive is used. Ex.:—**Il faut que**

vous travailliez davantage. *You must work harder.* BUT: **Il
faut travailler davantage.** *One must work harder.*

(2)

—Croyez-vous **qu'il y ait** de la | Do you think *there will be* room
place dans l'autobus? | on the bus?
—Pensez-vous **que je sois** en re- | Do you think *I'll be* late?
tard? |
—Non, je ne pense pas **que vous | No, I don't think *you'll be* late.
soyez** en retard. |

Croire and **penser** do not always take the subjunctive. For
these verbs and other expressions which express belief (**être
sûr, il me semble,** etc.), it is necessary to observe:

(*a*) the indicative is used in clauses depending upon
AFFIRMATIVE FORMS (Je crois **qu'il y aura** de la place) ;

(*b*) the indicative or subjunctive may be used in clauses
depending upon the interrogative or negative forms. Generally speaking, the subjunctive in such clauses is supposed to
express a greater degree of uncertainty than the indicative.
Je ne crois pas qu'il y aura de la place means *I rather doubt
that there will be any room.* However, the difference between
Croyez-vous qu'il y aura de la place? and **Croyez-vous qu'il y
ait de la place?** is scarcely perceptible.

(3)

—Bien qu'elle **soit classée** monu- | Although *it is classed* as a histori-
ment historique . . . | cal monument . . .
—Il vaut mieux attendre jusqu'à | It is better to wait until *he has
ce qu'**il ait répondu** à votre | answered* your letter.
lettre. |

The subjunctive must be used in clauses introduced by
certain conjunctive expressions of which the following are
the most frequently used: **à moins que,** *unless;* **avant que,** *before;* **bien que,** *although;* **jusqu'à ce que,** *until;* **pour que,** *so
that;* **de peur que,** *for fear that; etc.*

(4)

—C'est le meilleur roman que j'aie lu.	That's the best novel *I've read.*
—Henri est le seul étudiant qui soit absent.	Henry is the only student *who is* absent.

The subjunctive is used in relative clauses whose antecedent is modified by a superlative or by the word **seul**.

97. PRESENT SUBJUNCTIVE OF THE COMMONEST IRREGULAR VERBS.

—Il faut que **j'aille** à un de mes champs.	I must *go* to one of my fields.
—Je ne veux pas que les poules **puissent** entrer.	I don't want the hens *to be able* to get in.
—Il vaut mieux que nous attendions jusqu'à ce qu'il **fasse** moins chaud.	It's better for us to wait until *it is* cooler.
—Je ne crois pas qu'**il sache** mon adresse.	I don't think *he knows* my address.

(1) Commonest irregular verbs whose present subjunctive has two stems:

> **aller:** aille, ailles, aille, **allions, alliez,** aillent.
> **boire:** boive, boives, boive, **buvions, buviez,** boivent
> **croire:** croie, croies, croie, **croyions, croyiez,** croient
> **devoir:** doive, doives, doive, **devions, deviez,** doivent
> **envoyer:** envoie, envoies, envoie, **envoyions, envoyiez,** envoient
> **prendre:** prenne, prennes, prenne, **prenions, preniez,** prennent
> **recevoir:** reçoive, reçoives, reçoive, **recevions, receviez,** reçoivent
> **tenir:** tienne, tiennes, tienne, **tenions, teniez,** tiennent
> **venir:** vienne, viennes, vienne, **venions, veniez,** viennent
> **voir:** voie, voies, voie, **voyions, voyiez,** voient
> **vouloir:** veuille, veuilles, veuille, **voulions, vouliez,** veuillent

(2) Commonest irregular verbs whose present subjunctive has a single irregular stem:

faire: fasse, fasses, fasse, fassions, fassiez, fassent
pouvoir: puisse, etc.
savoir: sache, etc.

(3) Commonest irregular verbs whose present subjunctive follows the pattern of regular verbs and can be found from the first person plural of the present indicative (see paragraph 95) : **connaître, dire, dormir, écrire, lire, mettre, partir, plaindre, sentir, servir, sortir, suivre,** etc.

98. FORMATION AND USE OF THE PASSÉ COMPOSÉ* OF THE SUBJUNCTIVE.

1. The *passé composé* of the subjunctive is composed of the present subjunctive of the auxiliary verb and the past participle of the verb. Ex.:

être: j'aie été, tu aies été, il ait été, nous ayons été, vous ayez été, ils aient été.
avoir: j'aie eu, tu aies eu, etc.
donner: j'aie donné, tu aies donné, etc.
arriver: je sois arrivé, tu sois arrivé, etc.

2. Generally speaking, the *passé composé* of the subjunctive is used like the present subjunctive except that it expresses actions that have already taken place. Ex.:

Je regrette que l'accident **ait eu** lieu. I am sorry the accident *took* place.
Nous sommes contents qu'il **soit arrivé.** We are glad he *has arrived.*
Je ne crois pas que vous **ayez lu** ce roman. I don't think you *have read* this novel.

A. *Dites en français chacune des phrases suivantes, en employant* il faut que:

1. Je donne mon adresse à la concierge. 2. Vous donnez votre adresse à la concierge. 3. Je finis mon travail à onze heures. 4. Nous finissons

---

* As the imperfect and pluperfect subjunctive are purely literary tenses, they will appear only in the verb tables in the Appendix.

notre travail à minuit.   **5.** Je réponds à la lettre de mon cousin.
6. Vous répondez à la lettre de votre cousin.   **7.** Je suis toujours à
l'heure.   **8.** Il est toujours à l'heure.   **9.** Nous sommes toujours à l'heure.
10. Vous vous couchez de bonne heure.   **11.** Je vais à la bibliothèque.
12. Je vais chercher un journal.   **13.** Je fais mon travail.   **14.** Nous
faisons notre travail.   **15.** J'écris à ma mère.   **16.** Je prends le train
à quatre heures.   **17.** Il part aujourd'hui.   **18.** Je mets la lettre à la
poste.   **19.** Vous venez me voir.   **20.** Nous savons l'heure de son arrivée.
21. Vous dites ce que vous pensez.   **22.** Il ouvre la fenêtre.

B. *Dites en français chacune des phrases suivantes, en employant l'expression indiquée:*

(*a*) **Il vaut mieux que:** **1.** Nous parlons français.   **2.** Vous finissez votre
travail avant de vous coucher.   **3.** Nous attendons l'arrivée du train.
4. Vous buvez un verre d'eau fraîche.   **5.** Il prend une tasse de café.
6. Il se sert de mon auto.   **7.** Vous dormez jusqu'à huit heures.   **8.** Je
suis les conseils de mes parents.   **9.** Nous sommes toujours à l'heure.

(*b*) **Voulez-vous que?:** **1.** Nous arrosons le jardin.   **2.** Nous vous envoyons la facture.   **3.** Nous rentrons de bonne heure.   **4.** Nous prenons
nos billets aujourd'hui.   **5.** Je viendrai vous voir dimanche.   **6.** Je tiens
la porte ouverte.

(*c*) **J'aime mieux que:** **1.** Vous parlez français.   **2.** Nous ne parlons
pas anglais.   **3.** Vous choisissez votre écharpe.   **4.** Vous commencez
tout de suite.   **5.** Vous n'êtes pas en retard.

(*d*) **J'ai peur que . . . ne:** **1.** Vous serez un peu déçu.   **2.** Il n'y aura pas
de place dans l'autobus.   **3.** Il est malade.   **4.** Il fera froid demain.
5. Il boit trop de café.   **6.** Il ne croit pas ce que je lui dis.   **7.** Nous
avons suivi la mauvaise route.   **8.** Nous sommes en retard.

(*e*) **Je regrette que:** **1.** Vous avez mal à la tête.   **2.** Votre mère est
malade.   **3.** Vous n'êtes pas venu me voir.   **4.** Il ne m'a pas écrit.
5. L'accident a eu lieu.   **6.** Vous avez répondu à cette lettre.   **7.** Il n'a
pas pu s'arrêter à temps.

(*f*) **Je ne crois pas que:** **1.** Il peut aller en ville.   **2.** Il a lu tous les
romans de Balzac.   **3.** Il est allé voir le Panthéon.   **4.** Il sait le grec
(*Greek*).   **5.** Vous pouvez finir aujourd'hui.   **6.** Il recevra ma dépêche
avant six heures.

C. *Répondez en français à chacune des questions suivantes, en employant d'abord la forme affirmative, puis la forme négative:*

1. Croyez-vous qu'il y ait de la place dans le train? 2. Croyez-vous que la chambre sera prête demain? 3. Croyez-vous que j'aie raison? 4. Croyez-vous que nous serons à l'heure? 5. Pensez-vous qu'il y ait des cigarettes au bureau de tabac? 6. Croyez-vous qu'il fasse beau ce soir? 7. Croyez-vous qu'il puisse venir?

D. *Dites en français:*

1. Although it is classed as a historical monument, it is a simple village church. 2. Although it is very beautiful, it is a simple village church. 3. Although you are far away from here, I think of you often. 4. Although you are tired, you must finish your work. 5. I am going to stay here until he has answered my letter. 6. It is better to wait until it is cooler. 7. You must stay until you have finished your work. 8. You must stay in bed. 9. Let's wait until he arrives. 10. The most interesting novel I have read is *Les Trois Mousquetaires.* 11. It is the only French novel I have read.

E. *Révision de la trente-troisième conversation:*

1. Où John a-t-il vu des champignons? 2. Est-ce que Roger connaît les champignons? 3. Est-ce que les mauvais champignons ressemblent aux bons? 4. Est-ce qu'il vaut mieux qu'on laisse ceux dont on n'est pas sûr? 5. Est-ce qu'on risque de s'empoisonner si on mange des champignons des bois? 6. Que feriez-vous si vous trouviez des fraises des bois? 7. Est-ce que vous cueillez des fleurs sauvages quand vous en trouvez dans les bois? 8. En quelle saison trouve-t-on le plus de fleurs sauvages?

F. *Thème d'imitation:*

Mrs. Deschamps said to Roger and John "Do you want to come to the garden with me? I have to pick some green beans. It is already

EN FRANCE

VII. A la campagne

Conversations 31–35

Ce matin, John et Roger ont quitté Paris de bonne heure pour aller voir des cousins de Roger, les Deschamps, qui habitent dans un petit village près de Fontainebleau. Ils ont pris le train

jusqu'à Melun. Là, ils ont descendu[1] leurs bicyclettes du wagon
5 des bagages, pour faire à bicyclette le reste du voyage. A dix
heures du matin, ils sont en train de pédaler le long d'une jolie
route, heureux de l'ombre des arbres qui la bordent,[2] car le
journée est chaude et le soleil haut dans le ciel.

1. descendre, (used as a transitive   2. border, *to line.*
     verb, means) *to take down.*

—Voilà une auberge où il doit faire bon,[3] dit John à Roger
10 au moment où ils traversent la place d'un village. Si nous nous
arrêtions pour prendre quelque chose, un bon verre de bière
fraîche, par exemple? Je meurs de soif, et j'ai un peu mal aux
jambes, car je n'ai pas l'habitude d'aller à bicyclette.

3. où il doit faire bon, *where it must be (cool and) pleasant.*

—Ne voulez-vous pas attendre jusqu'à ce que nous soyons
15 arrivés chez mes cousins? répond Roger. Nous serons à leur ferme
dans un quart d'heure. Si vous buvez maintenant un verre de
bière, vos jambes vous abandonneront tout à fait.

—Eh bien, répond Roger avec résignation, j'attendrai
jusque-là.

20 Un quart d'heure plus tard, nos deux amis arrivent à la
grille de la ferme. Mme Deschamps, qui les voit arriver, vient à
leur rencontre.[4] Les présentations faites, elle conduit les visiteurs
dans la vaste cuisine, qui depuis les temps les plus anciens est
la salle familiale des fermes françaises. John remarque la haute

4. vient à leur rencontre, *comes to meet them.*

25 cheminée et les vieux ustensiles[5] de cuivre[6] accrochés au mur.[7]
On les distingue[8] à peine dans la demi-obscurité, car Mme
Deschamps tient les volets[9] fermés à cause de la chaleur.

—Vous allez prendre quelque chose, n'est-ce pas? leur
dit-elle. Par cette chaleur, vous devez en avoir besoin.

30   John boit enfin son verre de bière.

—Il faut que j'aille au jardin chercher des légumes et cueillir
des fleurs, dit Mme Deschamps aux jeunes gens lorsqu'ils sont
un peu reposés de leur fatigue. Voulez-vous m'accompagner?

Comme beaucoup de jardins en France, le jardin des
35 Deschamps est entouré de murs et ces murs sont couverts
d'espaliers[10] d'où pendent[11] des poires magnifiques. Le jardin
lui-même est divisé en carrés[12] séparés les uns des autres par de
petites allées. On se partage[13] le travail: tandis que[14] Mme
Deschamps cueille des roses et des oeillets, John cueille des
40 haricots verts et Roger choisit quelques pieds de salade.[15] Puis
tout le monde revient à la maison attendre le retour de M.
Deschamps. Il est en train de travailler dans un champ près
du village et il a promis de revenir[16] à midi et quart ou à midi
et demi, au plus tard.

5. un ustensile, *(cooking) utensil.*
6. le cuivre, *copper.*
7. accrochés au mur, *hanging on the wall.*
8. distinguer, *to see, distinguish.*
9. le volet, *shutter.*
10. un espalier, *fruit trees trimmed and trained to grow against a wall or trellis.*
11. pendre, *to hang.*
12. le carré, *square.*
13. partager, *to divide.*
14. tandis que, *while.*
15. le pied de salade, *head of lettuce.*
16. revenir, *to return.*

six o'clock. If I do not hurry, dinner will never be ready by[1] seven o'clock and my husband[2] will not be happy." Roger opened the garden gate. "What a[3] fine garden you have, cousin! How do you have time to take care of it, with all the work of the harvest?" "It's just a question[4] of finding time," answered Mrs. Deschamps. "I get up every morning at five o'clock to water my garden before the heat of the day ... Be careful to close the gate properly, Roger. If you leave it open, the hens get into the garden. Do you see that one over there? She is busy eating[5] my salad greens! Chase her out[6], will you? I am no longer young and I do not like to chase[7] hens." Roger shooed the hen out. Then he began[8] to pick green beans so that[9] dinner would be ready on time and so that Mr. Deschamps would be happy.

---

[1] *i.e.* at seven o'clock.   [2] husband, **le mari.**   [3] After **quel!** the noun is used without an article.   [4] Cf. Conv. 29, No. 10.   [5] Cf. Conv. 34, No. 4. [6] *lit.*: make her got out.   [7] chase, chase out, shoo out, **chasser.**   [8] See paragraph 92 (5).   [9] See paragraph 96 (3).

CONVERSATION 36

Une partie de pêche

Roger—[1]Si nous allions à la pêche demain matin?

John—[2]A quoi bon? Nous n'attraperons rien.

Roger—[3]Je n'y vais pas pour attraper quelque chose.

John—[4]Pourquoi y allez-vous alors?

Roger—[5]J'y vais parce que j'aime être [6]au bord de l'eau, à l'ombre des grands arbres. [7]Êtes-vous jamais allé à la pêche le matin de bonne heure?

John—[8]Oui, j'y suis allé quelquefois.

Roger—[9]N'aimez-vous pas être en plein air?

John—[10]Si. Mais je ne prends jamais de poissons.

Roger—[11]Moi non plus, mais cela ne fait rien. [12]Si l'on en prend, tant mieux, [13]si l'on n'en prend pas, tant pis.

John—[14]Où voulez-vous aller?

Roger—[15]Je connais un endroit sous le vieux pont, [16]de l'autre côté de la rivière, [17]où il y a des poissons gros comme ça!

Roger—[1]How about going fishing tomorrow morning?

John—[2]What's the use? We won't catch anything.

Roger--[3]I don't go to catch anything.

John—[4]Why do you go then?

Roger—[5]I go because I like to be [6]beside the water, in the shade of the tall trees. [7]Have you ever gone fishing in the early morning?

John—[8]Yes, I've gone occasionally.

Roger—[9]Don't you like to be in the open air?

John—[10]Yes. But I never catch any fish.

Roger—[11]Neither do I, but that makes no difference. [12]If you catch some, so much the better, [13]if you don't catch any, so much the worse.

John—[14]Where shall we go?

Roger—[15]I know a place under the old bridge [16]on the other side of the creek, [17]where there are fish as large as that! (*gesture*)

John—[18]Ceux que vous manquez?

Roger—[19]Ne vous moquez pas de moi...

John—[20]A quelle heure avez-vous l'intention de partir?

Roger—[21]De bonne heure. Il faudra que nous nous levions à 4 heures du matin.

John—[22]Mais il ne fait pas encore jour à cette heure-là!

Roger—[23]Justement! Nous verrons le soleil se lever sur la rivière. [24]De quoi vous plaignez-vous?

John—[18]The ones which get away?

Roger—[19]Do not make fun of me...

John—[20]What time do you plan to leave?

Roger—[21]Early. We'll have to get up at 4:00 A.M.

John—[22]But it isn't yet daylight at that time!

Roger—[23]Precisely! We shall see the sun rise over the creek. [24]What are you complaining about?

A. *Répondez en français aux questions suivantes:*

1. Où Roger propose-t-il d'aller demain matin? 2. Est-ce que John espère attraper quelque chose? 3. Est-ce que Roger va à la pêche pour attraper quelque chose? 4. Alors, pourquoi y va-t-il? 5. Est-ce que John est jamais allé à la pêche le matin de bonne heure? 6. A-t-il l'habitude de prendre beaucoup de poissons? 7. Et Roger? 8. Est-ce que Roger est content quand il prend des poissons? 9. Est-ce qu'il est mécontent quand il n'en prend pas? 10. Est-ce qu'il connaît un endroit où il y a de gros poissons? 11. Où se trouve cet endroit? 12. A quelle heure faudra-t-il qu'ils se lèvent? 13. Est-ce qu'il fait déjà jour à cette heure-là? 14. Pourquoi Roger veut-il partir de si bonne heure? 15. Avez-vous de la chance quand vous allez à la pêche? 16. Croyez-vous toujours ce que disent les pêcheurs?

B. *Demandez à un(e) autre étudiant(e):*

1. s'il (si elle) aime voir le soleil se lever sur la rivière. 2. s'il (si elle) aime voir le soleil se coucher sur le lac. 3. s'il (si elle) voudrait voir le soleil se lever au bord de la mer. 4. s'il (si elle) voudrait voir la lune (*moon*) se lever sur l'Atlantique. 5. s'il (si elle) aime aller à la pêche. 6. s'il (si elle) attrape quelque chose quand il (elle) va à la pêche. 7. s'il (si elle) aime être en plein air. 8. s'il (si elle) a jamais

attrapé des poissons.   9. s'il (si elle) connaît un endroit où il y a de gros poissons.   10. s'il (si elle) croit tout ce que disent les pêcheurs. 11. à quelle heure il (elle) part quand il (elle) va à la pêche.   12. de quoi il (elle) se plaint.   13. s'il fait jour à quatre heures du matin. 14. à quelle heure il fait jour au mois de mai.   15. s'il vaut mieux pêcher le matin ou le soir.

C. *Dites en français:*

1. That makes no difference.   2. So much the better.   3. So much the worse.   4. What's the use?   5. It's too bad.   6. You are lucky.   7. Don't make fun of me.   8. Are you making fun of me?   9. Are you making fun of him?   10. Do you intend to go fishing tomorrow morning? 11. The ones that get away (that you miss) are the largest.   12. A fish *that big* got away! (I just missed a fish *that big!*)   13. It was *that long!* 14. In any case we saw the sun rise over the creek.   15. I don't catch any fish.   16. I don't catch any either.   17. I don't like to do errands. 18. Neither do I.   19. I am not going to the dance.   20. I am not going either.   21. Early.   22. Precisely!

D. *Dictée d'après la trente-cinquième conversation.*

E. *Dialogue:*

Vous parlez d'une partie de pêche que vous avez faite.

CONVERSATION 37

Arrivée à la gare de Lyon

MARIE—[1]Bonjour, John. Bonjour, Roger. Je suis heureuse de vous revoir.

ROGER—[2]Nous aussi, nous sommes enchantés de vous revoir, Marie.

JOHN—[3]Vous nous avez manqué beaucoup, vous savez.

MARIE—[4]Flatteur!

ROGER—[5]C'est gentil de votre part d'être venue nous attendre à la gare.

MARIE—[6]Je me demande si vous vous rendez compte du sacrifice que j'ai fait. [7]Je devais jouer au tennis ce matin. [8]Mais quand j'ai appris que vous deviez revenir aujourd'hui, j'ai décidé de venir vous attendre ici.

ROGER—[9]Quand avez-vous reçu notre dépêche?

MARIE—[10]Il y a à peu près une heure. [11]Mais vous auriez dû me dire l'heure exacte de votre arrivée.

ROGER—[12]Nous ne la savions pas nous-mêmes. [13]Nous n'étions pas sûrs d'attraper le train de huit heures et demie.

MARY—[1]Hello, John. Hello, Roger. I am glad to see you again.

ROGER—[2]We are delighted to see you again too, Mary.

JOHN—[3]We have missed you very much, you know.

MARY—[4]Flatterer!

ROGER—[5]It's nice of you to have come to meet us at the station.

MARY—[6]I wonder if you realize the sacrifice I made. [7]I was to play tennis this morning. [8]But when I found out that you were to come back today, I decided to come to meet you here.

ROGER—[9]When did you get our wire?

MARY—[10]About an hour ago. [11]But you should have told me the exact time of your arrival.

ROGER—[12]We didn't know it ourselves. [13]We were not sure of catching the eight-thirty train.

MARIE—[14]John, votre concierge m'a téléphoné qu'un câblogramme pour vous est arrivé ce matin.

JOHN—[15]Oh! Je sais ce que c'est. [16]Hélène Frazer doit arriver ces jours-ci. [17]Elle m'indique sans doute le jour de son arrivée.

MARIE—[18]Tiens, tiens! Qui est cette Hélène?

JOHN—[19]C'est une jeune Américaine de mes amies qui est actuellement à Londres. [20]Elle m'a demandé de lui servir de guide à Paris.

MARY—[14]John, your concierge telephoned me that a cable came for you this morning.

JOHN—[15]Oh! I know what it is. [16]Helen Frazer is to arrive some time soon. [17]She's doubtless telling me the date of her arrival.

MARY—[18]Aha! Who is this Helen?

JOHN—[19]She is a friend of mine, an American girl who is in London at present. [20]She asked me to act as guide for her in Paris.

A. *Répondez en français à chacune des questions suivantes:*

1. A quelle gare John et Roger arrivent-ils? 2. Qui est venu les attendre à la gare? 3. Comment Marie savait-elle qu'ils allaient arriver ce matin-là? 4. Savait-elle l'heure exacte de leur arrivée? 5. Quand a-t-elle reçu leur dépêche? 6. Pourquoi John et Roger n'ont-ils pas indiqué l'heure exacte de leur arrivée? 7. Qu'est-ce que Marie devait faire ce matin-là? 8. Qu'est-ce qu'elle a décidé de faire quand elle a reçu leur télégramme? 9. Est-ce que John et Roger se rendent compte du sacrifice qu'elle a fait? 10. Étaient-ils sûrs d'attraper le train de huit heures et demie? 11. Comment Marie a-t-elle appris qu'il y a un câblogramme pour John? 12. Quand ce câblogramme est-il arrivé? 13. Est-ce que John sait ce que c'est? 14. Quand Hélène doit-elle arriver? 15. Qu'est-ce que dit Marie quand elle entend parler d'Hélène? 16. D'où vient Hélène? 17. Qu'est-ce qu'elle a demandé à John? 18. Où est-elle actuellement?

B. *Dites en français:*

manquer

1. We missed you very much. 2. I missed you very much. 3. He missed you very much. 4. She missed you very much. 5. We missed

John m a mangue

her very much.   6. I missed her very much.   7. I missed John.   8. I missed Mary.   9. I missed my parents.   10. My parents missed me.

J'ai mangé à mes parents

de votre part

1. It's nice of you to have come to meet us.   2. It's nice of you to have come to see us.   3. It's nice of you to have sent me those beautiful roses.
4. It's nice of you to have thought of your mother.

se rendre compte (de)

1. Do you realize the sacrifice I have made?   2. Do you realize that this church is very old?   3. Do you realize that we missed you very much?

je dois

1. I must be back at five o'clock.   2. I am supposed to finish my work before dinner.   3. I am supposed to go to the movies this evening.

je devrais

1. I should (ought to) be back at five o'clock.   2. I should finish my work before dinner.   3. I should go to the library this evening.

je devais

1. I was supposed to play tennis this morning.   2. I was supposed to go to Versailles.   3. I was supposed to go to the doctor's.   4. I was supposed to go and get my watch yesterday.

vous auriez dû

1. You should have told me the exact hour of your arrival.   2. You should have told me to wait for you.   3. You should have given me your address.   4. You should have sent me a telegram.   5. You should have answered that letter.   6. You should have eaten something.

il doit y avoir

1. There must be mushrooms in the woods.   2. There must be a train at five o'clock.   3. There must be room on the bus.   4. There must be fish in the creek.   5. There must be some near the old bridge.

C. *Demandez à un autre étudiant (à une autre étudiante):*

1. s'il (si elle) est heureux (heureuse) de revoir ses amis.   2. si ses amis lui manquent.   3. si ses parents lui manquent.   4. quand il (elle)

reverra ses parents   **5.** ce que c'est qu'un câblogramme.   **6.** s'il (si elle) reçoit souvent des dépêches.

D. *Dictée d'après la trente-sixième conversation.*

E. *Narration:*

Racontez ce que vous avez fait au cours d'un séjour dans une ferme. Dans cette ferme il y avait des vaches (*f.*) (*cows*), des porcs (*m.*) (*pigs*), des bœufs (*m.*) (*oxen*), des chevaux (*horses*), des moutons (*m.*) (*sheep*), des oies (*f.*) (*geese*). Dans les champs, dont le sol (*soil*) était très fertile, il y avait du blé (*wheat*), du foin (*hay*), de l'avoine (*f.*) (*oats*), des betteraves à sucre (*sugar beets*), etc.

XXIII GRAMMAR UNIT

Irregular Verbs in -oir

99. REMARKS ABOUT VERBS IN -oir.

The characteristics of this group are that they have two stems in the present indicative (pouvoir: peu-pouv-), an irregular future (je pourrai), and a past participle in -u (except s'asseoir).

As **pouvoir** corresponds to English *to be able, may, might, can,* and *could,* it is necessary to study with the greatest attention the use and meaning of the different tenses of this verb. **Devoir** is equally complicated and **vouloir** is only slightly less so.

100. Pouvoir, *to be able.*

PRÉSENT: *may, can*

— Est-ce que **je peux** voir la cham-   *May I* see the room? OR
  bre?   *Can I* see the room?
— Oui, **vous pouvez** la voir.   Yes, *you may* see it.

PASSÉ COMPOSÉ: *could, was able to*

— **Je n'ai pas pu** trouver une place   *I couldn't* find a seat in the bus.
  dans l'autobus.

FUTUR: *may, can*

— **Vous pourrez** revenir dans huit   *You may* come back in a week.
  jours.

CONDITIONNEL: *could, might*

— **Vous pourriez** changer de rôle   *You could* change places with a
  avec un millionnaire.   millionaire.

PRÉSENT: Je peux, tu peux, il peut, nous pouvons, vous pouvez, ils peuvent. *I may; I can; I am able.*

IMPARFAIT: Je pouvais, etc. *I was able, I could.* PASSÉ COM-
POSÉ: J'ai pu, etc. *I have been able, I could.*

FUTUR: Je pourrai, etc. *I shall be able, I can, I may.* CONDI-
TIONNEL: Je pourrais, etc. *I could, I might.*

101. Vouloir, *to want.*

PRÉSENT: *want*

—**Voulez-vous** essayer ce cha- peau?	*Do you want* to try on this hat?
—Roger **veut** aller à la pêche.	Roger *wants* to go fishing.
—John **ne veut pas** y aller.	John *refuses* to go.

PASSÉ COMPOSÉ: *wanted, decided*

—**J'ai voulu** profiter du beau temps.	*I decided* to take advantage of the fine weather.
—Marie **n'a pas voulu** sortir.	Marie *refused* to go out.

CONDITIONNEL: *would like, want*

—**Je voudrais** un billet aller et re- tour pour Reims.	*I would like* a round-trip ticket to Rheims.
—**Je voudrais** partir le plus tôt possible.	*I would like* to leave as soon as possible.

PRÉSENT: Je veux, tu veux, il veut, nous voulons, vous voulez,
ils veulent. *I want; I will* (i.e. *I insist*) .

IMPARFAIT: Je voulais, etc. *I wanted, I intended.* PASSÉ COM-
POSÉ: J'ai voulu, etc. *I wanted, I decided.*

FUTUR: Je voudrai, etc. *I shall want,* etc. CONDITIONNEL: Je
voudrais, etc. *I would like, I want.*

102. EXPRESSIONS WITH vouloir.

(1) **vouloir bien** *to be willing:*

—Je veux bien.	*I am willing.*
—**Voulez-vous bien** payer la cais- sière?	*Will you please* pay the cashier?
—**Voulez-vous bien** monter?	*Will you please* go up?
—**Je voudrais bien** avoir ma mon- tre le plus tôt possible.	*I would like* to have my watch as soon as possible.

(2) **vouloir dire,** *to mean:*

— Que **voulez-vous dire?**   What *do you mean?*
— Que **veut dire** «déçu»?   What *does* "déçu" *mean?*

103. Devoir.*

(1) The present tense is used to express

(*a*) probability:

— Il **doit être** chez lui en ce mo-   *He must be* (*probably is*) at
ment.   home now.
— Il **doit y avoir** un train vers 8   *There must be* a train around
heures.   8:00.

(*b*) an action which one expects to fulfill:

— Quand est-ce que **vous devez**   When *are you supposed to be*
être de retour?   back?
— **Je dois être** de retour demain.   *I am supposed to be* back tomorrow.

(*c*) necessity:

— **Vous devez changer** de train   *You have to change* trains at
à Épernay.   Epernay.

(2) The imperfect is most commonly used to express an action which was expected to take place but which did not necessarily take place:

— **Je devais** jouer au tennis ce   *I was to* (*was supposed to*) play
matin, mais j'ai décidé de   tennis this morning but I devenir vous attendre à la gare.   cided to come to meet you at
the station.

(3) The passé composé is most commonly used to express probability (past):

— Où est votre livre?   Where is your book.
— Je ne sais pas. **J'ai dû** le lais-   I don't know. *I must have* left
ser dans l'autobus.   it in the bus.

---

* **Devoir** is also used as a transitive verb meaning "to owe". Ex.: Vous me devez mille francs.

(4) The conditional is used to express the speaker's judgment as to the desirability or propriety of an action (present or future) :

— **Vous devriez** travailler davantage.

You should work harder.

— **Vous ne devriez pas** faire cela.

You ought not to do that.

(5) The conditional perfect is used to express the speaker's judgment (disapproval) of (*a*) something which has been done:

— **Vous n'auriez pas dû** faire cela.

You ought not to have done that.

or (*b*) something which has not been done:

— **Vous auriez dû** me dire l'heure exacte de votre arrivée.

You should have told me the exact time of your arrival.

PRÉSENT: Je dois, tu dois, il doit, nous devons, vous devez, ils doivent.

IMPARFAIT: Je devais, etc. PASSÉ COMPOSÉ: J'ai dû, etc. FUTUR: Je devrai, etc.

104. Falloir, *to have to, must, etc.:* IMPERSONAL.

— **Il faut que** j'aille en ville faire des courses.

I must go down town to do some errands.

— **Il a fallu que** nous attendions la correspondance.

We had to wait for the connection.

— **Il faudra que** nous nous levions de bonne heure.

We shall have to get up early.

— **Il ne faut pas** faire cela.

You must not do that.

— **Il faut** une heure pour aller de Paris à Versailles.

It takes an hour to go from Paris to Versailles.

PRÉSENT: Il faut (*must*). IMPARFAIT: Il fallait (*had to, should have*). PASSÉ COMPOSÉ: Il a fallu (*had to*). FUTUR: Il faudra (*will have to*).

105. Valoir* mieux: IMPERSONAL.

— Il **vaut mieux** laisser ceux dont vous n'êtes pas sûr.	*It is better* to leave the ones about which you are not sure.
— Il **vaudrait mieux** faire venir le médecin.	*It would be better* to send for the doctor.

PRÉSENT: Il vaut mieux (*It is better*). IMPARFAIT: Il valait mieux. PASSÉ COMPOSÉ: Il a mieux valu. FUTUR: Il vaudra mieux.

106. Pleuvoir, *to rain:* IMPERSONAL.

— S'il **pleut,** je prendrai un taxi.	*If it rains,* I'll take a taxi.
— Il **pleuvait** quand j'ai quitté la maison.	*It was raining* when I left the house.
— Il **a plu** cette nuit.	*It rained* last night.

PRÉSENT: Il pleut. *It rains, it is raining.* IMPARFAIT: Il pleuvait. *It was raining.* PASSÉ COMPOSÉ: Il a plu. *It rained.* FUTUR: Il pleuvra. *It will rain.*

107. Voir, *to see.*

— **Vous voyez** ce village là-bas?	*You see* that village over yonder?
— **Je vois** des champignons au bord de la route.	*I see* some mushrooms on the side of the road.
— Il y a longtemps que **je ne vous ai pas vu.**	*I haven't seen* you in a long time.
— **Je vois venir** le facteur.	*I see* the postman *coming.*

PRÉSENT: Je vois, tu vois, il voit, nous voyons, vous voyez, ils voient *I see, etc.*

IMPARFAIT: Je voyais, etc. *I saw,* etc. PASSÉ COMPOSÉ: J'ai vu, etc. *I saw, I have seen,* etc. FUTUR: Je verrai, etc. *I shall see, I'll see,* etc.

---

* **Valoir** is also used as a transitive verb meaning "to be worth". Ex.: Cette montre vaut cent mille francs.

108. Savoir, *to know, to know how.*

— **Savez-vous** quand vivait Jeanne d'Arc?	*Do you know* when Joan of Arc lived?
— **Je sais** qu'elle est morte en 1431.	*I know* that she died in 1431.
— Je vous le dirai aussitôt que **je le saurai.**	I shall tell you as soon as *I find out.*
— **Vous ne sauriez pas** dépenser votre argent.	*You wouldn't know how* to spend your money.
— **Savez-vous** conduire une auto?	*Do you know how* to drive a car?

PRÉSENT: Je sais, tu sais, il sait, nous savons, vous savez, ils savent *I know,* etc.

IMPARFAIT: Je savais, etc. *I knew,* etc. PASSÉ COMPOSÉ: J'ai su, etc. *I knew, I found out,* etc. FUTUR: Je saurai, etc. *I shall know how, I shall find out.*

A. *Dites en anglais ce que veut dire chacune des phrases suivantes:*

1. Pouvez-vous me donnez votre adresse?   2. Pourriez-vous me donner des renseignements?   3. Avez-vous pu trouver votre cravate?   4. Est-ce que je peux vous aider?   5. Voulez-vous des hors-d'œuvre?   6. Voudriez-vous venir avec moi au cinéma?   7. Voulez-vous bien monter?   8. Il n'a pas voulu.   9. Il vaut mieux partir tout de suite.   10. Il faut partir tout de suite.   11. Je dois être de retour demain.   12. Nous devons être de retour demain.   13. Il doit y avoir un train vers huit heures.   14. Il doit y avoir deux ans qu'il est à Paris.   15. Il doit y avoir deux heures que nous avons quitté Paris.   16. Je devais jouer au tennis ce matin.   17. Nous devions aller en France l'année dernière.   18. Marie devait aller au bal samedi dernier.   19. Nous avons dû prendre la mauvaise route.   20. Elle a dû attraper un rhume.   21. J'ai dû laisser mon portefeuille (*billfold*) sur la commode (*dresser*).   22. Vous devriez travailler davantage.   23. Vous devriez écrire souvent à vos parents.   24. Vous ne devriez pas aller si souvent au cinéma.   25. J'aurais dû aller à ma classe de mathématiques hier.   26. Nous aurions dû prendre la première route à gauche.   27. Ils auraient dû rester plus longtemps chez les Deschamps.

B. *Répondez en français à chacune des·questions suivantes:*

1. Pouvez-vous me donner votre adresse?   2. Est-ce que je peux voir la chambre?   3. Avez-vous pu dormir hier soir?   4. Est-ce que l'auto du docteur Lambert a pu s'arrêter à temps?   5. Est-ce que vous pourrez réparer ma montre?   6. Savez-vous conduire une auto?   7. Savez-vous jouer au tennis?   8. Savez-vous jouer aux cartes?   9. Si vous étiez riche, sauriez-vous dépenser votre argent?   10. Avez-vous vu le journal d'aujourd'hui?   11. Quand est-ce que vous verrez Paris?   12. Quand est-ce que vous reverrez vos parents?   13. Est-ce que vous recevez* souvent des nouvelles de votre famille?   14. Est-ce que vous avez jamais reçu des cartes-postales de Paris?   15. Est-ce que nous recevrons de vos nouvelles pendant les vacances?   16. Combien de temps faut-il pour aller de Paris à Versailles?   17. Combien de temps vous faut-il pour venir à l'université?   18. Combien de temps vous faudra-t-il pour faire vos courses?   19. Est-ce qu'il vaut mieux laisser les champignons dont on n'est pas sûr?   20. Est-ce que vous devez aller à la campagne pour le week-end?   21. Quand est-ce que vous devez être de retour?   22. A quelle heure devez-vous partir?   23. Qu'est-ce que Marie devait faire le jour où elle a reçu la dépêche de Roger?   24. Comment a-t-elle appris que ses amis devaient revenir ce jour-là?   25. Qu'est-ce que Roger aurait dû lui dire dans sa dépêche?   26. Est-ce que John et Roger auraient dû aller dire au revoir au curé?

C. *Dites en français:*

1. Can you . . . ?   2. Can I . . . ?   3. May I . . . ?   4. Could you tell me . . . ?   5. I could send it to you.   6. I could not find it.   7. I could not (*past*) get here sooner.   8. I'd like to see you.   9. I'd like to talk to you.   10. Do you want . . . ?   11. Would you like . . . ?   12. I want (*would like*) some handkerchiefs.   13. I am willing.   14. I won't!   15. Let's see.   16. I'll see.   17. I should work harder.   18. He should finish his work before dinner.   19. We ought to write to our friends.   20. You ought to come to see us oftener.   21. You should go to spend a few days in the country.   22. I must have left my book in the bus.   23. He must have taken the wrong road.   24. They must have sent

---

* For the forms of **recevoir** (to receive) see paragraph 161.

this telegram yesterday. **25.** They ought to have sent the telegram sooner. **26.** They ought not to have sent the telegram.

D. *Révision de la trente-quatrième conversation:*

1. Qu'est-ce que le curé était en train de faire quand Roger a sonné?
2. De quoi John s'excuse-t-il? **3.** Pourquoi John a-t-il envie de visiter l'église? **4.** Qu'est-ce que le curé venait de faire? **5.** Pourquoi le curé craint-il qu'ils ne soient un peu déçus? **6.** A quelle époque l'église a-t-elle été construite? **7.** Est-ce que Roger a entendu parler des vitraux de l'église? **8.** Est-ce que la plupart d'entre eux sont anciens?
9. Combien y a-t-il de vitraux vraiment anciens? **10.** Pourquoi l'intérieur des églises romanes est-il d'ordinaire sombre?

E. *Thème d'imitation:*

"I must tell you what happened to me last Saturday, John. That day I went fishing near the old bridge on the other side of the creek. You know the place, don't you? . . . Suddenly, I felt a fish on the end of my line[1]. I pulled it in to the bank[2] and I was going to take him out[3] of the water, when a fish *that big,* which was following mine, opened its enormous mouth[4], took my fish, and went away with it[5]." "You ought to put that in the paper," said John. "You caught the big fish, didn't you?" "No," Roger replied, "he broke my line." "That's really too bad," said John. "It's the sad story of the big fish that gets away[6]." "Don't make fun of me," answered Roger. "Big fish are much harder to catch than little ones, because they are larger. People[7] do not believe fishermen. They say: 'Oh! that's a fish story![8]' Believe me, those who say that do not know what they are saying."

---

[1] on the end of my line, **au bout de ma ligne.**   [2] Use **amener au bord.**
[3] take out, **sortir** (Sortir is used either as a transitive or intransitive verb).
[4] its enormous mouth, **une bouche énorme.**   [5] Omit *it.* Never mind if your sentence ends with **avec.** In such phrases, **avec** is regarded by grammarians as an adverb.   [6] *lit.:* that one misses.   [7] people, **les gens.**   [8] *lit.:* a story of fishermen.

A la terrasse d'un café

JOHN—[1]Asseyons-nous à la terrasse de ce café. [2]Nous pourrons voir passer les gens.

HELEN—[3]Quel est ce monument là-bas, au bout de la rue?

JOHN—[4]Vous devriez le reconnaître. C'est le Panthéon.

HELEN—[5]Oh! je m'en souviens. [6]C'est l'endroit où l'on enterre les grands hommes, n'est-ce pas?

JOHN—[7]Oui, quelques-uns d'entre eux. [8]On trouve là notamment les tombeaux de Voltaire et de Victor Hugo.

HELEN—[9]Pourquoi appelle-t-on cette partie de Paris le Quartier Latin?

JOHN—[10]Parce que c'est le quartier de l'université, et que le latin était autrefois la langue de l'université.

HELEN—[11]Où est donc la Sorbonne?

JOHN—[12]A deux pas d'ici. [13]Nous irons tout à l'heure, si vous voulez.

JOHN—[1]Let's sit down in this sidewalk café. [2]We can see the people go by.

HELEN—[3]What is that monument over there at the end of the street?

JOHN—[4]You ought to recognize it. It's the Panthéon.

HELEN—[5]Oh! I remember (it). [6]It's the place where they bury the great men, isn't it?

JOHN—[7]Yes, some of them. [8]In particular, there are the tombs of Voltaire and Victor Hugo.

HELEN—[9]Why do they call this part of Paris the Latin Quarter?

JOHN—[10]Because it is the quarter of the University, and that Latin was formerly the language of the University.

HELEN—[11]Well, where is the Sorbonne?

JOHN—[12]Just a step from here. [13]We'll go there after a while if you wish.

HELEN—[14]Pourquoi appelle-t-on l'université de Paris la Sorbonne? [15]J'ai lu l'explication quelque part, mais je ne me la rappelle pas.

JOHN—[16]C'est qu'au temps de Saint Louis,* un certain Robert de Sorbon a fondé un collège pour les étudiants de théologie. [17]Ce collège, appelé la Sorbonne, est devenu la Faculté des Lettres et la Faculté des Sciences.

HELEN—[18]Tous ces étudiants ont l'air sérieux et préoccupé . . .

JOHN—[19]Il y a de quoi. [20]Ils sont en train de passer leurs examens et les examens, en France, ne sont pas faciles.

HELEN—[14]Why do they call the University of Paris the Sorbonne? [15]I read the explanation somewhere, but I don't remember it.

JOHN—[16]It's that in the time of Saint Louis, a man named Robert de Sorbon founded a college for theology students. [17]This college, called the Sorbonne, has become the Faculty of Letters and the Faculty of Sciences.

HELEN—[18]All these students look serious and worried . . .

JOHN—[19]There is reason for it. [20]They are busy taking their examinations, and in France examinations are not easy.

A. *Répondez en français à chacune des questions suivantes:*

1. Où sont assis John et Hélène? 2. Dans quel quartier se trouve la terrasse où ils sont assis? 3. Quel monument voit-on de la terrasse de ce café? 4. Qu'est-ce que c'est que le Panthéon? 5. Connaissez-vous des hommes célèbres qui sont enterrés au Panthéon? 6. Pourquoi appelle-t-on cette partie-là de Paris le Quartier Latin? 7. Saviez-vous qu'autrefois tous les étudiants de l'université parlaient latin? 8. En quelle langue les professeurs faisaient-ils leurs conférences (*lectures*)? 9. Qui a fondé la Sorbonne? 10. Quand vivait Robert de Sorbon? 11. Qu'est-ce que c'était autrefois que la Sorbonne? 12. Qu'est-ce que c'est maintenant que la Sorbonne? 13. Où Hélène a-t-elle lu l'expli-

---

*Saint Louis (Louis IX), roi de France de 1226 à 1270. Il a fondé un hôpital pour trois cents chevaliers devenus aveugles au cours des croisades, d'où le nom de Quinze-Vingts donné à cet hôpital, qui existe toujours à Paris. On lui doit aussi la construction de la Sainte-Chapelle, un des plus élégants monuments de l'art gothique. La ville de Saint Louis, aux États-Unis, a été nommée d'après lui.

cation du nom «Sorbonne»? 14. Est-ce qu'elle se rappelle cette explication? 15. Pourquoi les étudiants ont-ils l'air sérieux et préoccupé? 16. Est-ce qu'il y a un Panthéon en Amérique? 17. Où est-ce qu'on enterre les grands hommes aux États-Unis? 18. Où est enterré George Washington? 19. Où est enterré Victor Hugo? 20. Croyez-vous que ce soit une bonne idée d'enterrer les grands hommes dans un monument comme le Panthéon? 21. Vous souvenez-vous de la date de la mort de Louis XIV?

B. *Demandez à un autre étudiant (à une autre étudiante):*

1. ce que c'est que ce monument là-bas au bout de la rue. 2. quelle langue on parlait autrefois dans les universités. 3. ce qu'est devenu le collège fondé par Robert de Sorbon. 4. dans quel siècle la Sorbonne a été fondée. 5. s'il (si elle) savait pourquoi on appelle l'Université de Paris «la Sorbonne.»

C. *Dites en français:*

1. We can see people go by. 2. We can see fine cars go by. 3. We can see the trains go by. 4. We can see beautiful ladies go by. 5. Latin used to be the language of the University. 6. The students used to speak Latin. 7. The professors used to give their lectures in Latin. 8. There is good reason ... 9. There is reason to be worried. 10. There is no reason to be worried. 11. There is no reason to thank me. 12. You are welcome **(Il n'y a pas de quoi).** 13. In the time of Saint Louis. 14. In the 13th century. 15. In 1270. 16. In the time of Louis XIV. 17. In 1789. 18. In 1870. 19. In 1914. 20. In 1941. 21. In 1946. 22. In 1954. 23. In 1956.

parce que, à cause de

1. We cannot go out because it is raining. 2. We cannot go out because of the rain. 3. I have to work because of my examination tomorrow. 4. I have to work because I have an examination tomorrow. 5. I am worried because I am taking my examinations. 6. I am worried because of my examinations.

(*a*) *Employez* **se rappeler** *dans chacune des phrases suivantes:*

1. I read the explanation somewhere, but I don't remember it.　2. I saw that explanation somewhere, but I don't remember it.　3. I used to know his address, but I don't remember it.　4. Do you remember it? 5. I do not remember it any longer.

(*b*) *Employez* **se souvenir de** *dans chacune des phrases précédentes:*

D. *Dictée d'après la trente-septième conversation.*

Le long des quais

HELEN—[1]Que regardent ces gens-là, le long de la Seine?

JOHN—[2]Ils examinent les étalages des bouquinistes.

HELEN—[3]Que vendent ces bouquinistes?

JOHN—[4]Toute sorte de choses. [5]Les uns vendent de vieilles estampes, d'autres des timbres-poste, d'autres de vieilles pièces de monnaie, mais la plupart font le commerce des livres d'occasion.

HELEN—[6]Mon frère m'a demandé de lui envoyer des timbres. [7]Traversons la rue. [8]Nous pourrons jeter un coup d'œil sur les étalages.

JOHN—[9]Savez-vous quels timbres votre frère veut se procurer?

HELEN—[10]Oui, j'ai dans mon sac une liste qu'il a dressée.

HELEN (au bouquiniste)—[11]Avez-vous les timbres indiqués sur cette liste?

HELEN—[1]What are these people looking at along the Seine?

JOHN—[2]They are examining the displays of the old book dealers.

HELEN—[3]What do those old book dealers sell?

JOHN—[4]All sorts of things. [5]Some sell old prints, others postage stamps, others old coins, but most of them deal in second-hand books.

HELEN—[6]My brother asked me to send him some stamps. [7]Let's cross the street. [8]We can take a look at the displays.

JOHN—[9]Do you know what stamps your brother wants to get?

HELEN—[10]Yes. I have in my bag a list which he drew up.

HELEN—[11]Have you the stamps noted on this list?

LE BOUQUINISTE—[12]Voyons un peu ... Martinique, 1886; Second Empire, 1853; Sénégal, 1903; etc. [13]Oui, mademoiselle. Je crois les avoir tous, sauf les timbres du Second Empire, série 1853. [14]Il ne m'en reste aucun.

HELEN—[15]Tant pis.

LE BOUQUINISTE—[16]Voulez-vous consulter cet album? [17]Vous y trouverez peut-être certains timbres qui vous intéressent.

HELEN—[18]Je ne connais pas grand'chose aux timbres-poste.

JOHN—[19]Vous n'avez qu'à choisir les plus jolis!

HELEN—[20]Oh non! Il y a quelque temps, j'ai envoyé plusieurs timbres à mon frère. [21]J'avais choisi les plus jolis. [22]Mais il avait déjà la plupart d'entre eux, et il m'a dit que mon choix ne valait* rien.

LE BOUQUINISTE—[12]Let's take a look ... Martinique, 1886; Second Empire, 1853; Sénégal, 1903; etc. [13]Yes, Mademoiselle, I think I have them all, except the 1853 series of the Second Empire. [14]I haven't a one of them left.

HELEN—[15]Too bad.

LE BOUQUINISTE—[16]Do you want to look at this album? [17]You will perhaps find in it certain stamps which interest you.

HELEN—[18]I don't know much about postage stamps.

JOHN—[19]All you have to do is to choose the prettiest (ones).

HELEN—[20]Oh no! Some time ago, I sent several stamps to my brother. [21]I had chosen the prettiest. [22]But he already had most of them and he told me my selection was no good (was worth nothing).

A. *Répondez en français à chacune des questions suivantes:*

1. Où sont les étalages des bouquinistes? 2. Que vendent les bouquinistes? 3. Où iriez-vous si vous vouliez acheter des livres d'occasion? 4. Qui est-ce qui a demandé à Hélène de lui envoyer des timbres? 5. Pourquoi Hélène propose-t-elle de traverser la rue? 6. Comment sait-elle quels timbres son frère veut se procurer? 7. Où a-t-elle mis la liste qu'il lui a envoyée? 8. Connaissez-vous quelques-uns des timbres qu'il voudrait se procurer? 9. Est-ce que le bouquiniste a tous les timbres qu'Hélène voudrait acheter? 10. Est-ce qu'il lui reste des

* From **valoir,** used here as transitive verb menaing "to be worth."

timbres du Second Empire, série 1853? **11.** Qu'est-ce que c'est qu'un album? **12.** Pourquoi Hélène ne sait-elle pas quels timbres choisir dans l'album? **13.** Quels timbres John lui dit-il de choisir? **14.** Pourquoi ne suit-elle pas son conseil? **15.** Est-ce que vous collectionnez les timbres-poste? **16.** Est-ce que vous collectionnez autre chose? **17.** Est-ce que tous les vieux timbres valent quelque chose? **18.** Est-ce que vous avez des timbres français? **19.** Avez-vous des timbres des colonies françaises? **20.** Savez-vous le nom de quelques-unes des colonies françaises? **21.** Connaissez-vous des gens qui font collection de timbres? **22.** Connaissez-vous des gens qui font collection de vieilles pièces de monnaie?

B. *Demandez à un autre étudiant (à une autre étudiante):*

1. ce que vendent la plupart des bouquinistes. **2.** où l'on vend des timbres-poste. **3.** s'il (si elle) connaît des gens qui font collection de vieilles estampes. **4.** s'il (si elle) a le timbre de la Martinique, 1886. **5.** s'il reste au marchand des timbres du Second Empire. **6.** si Hélène sait quels timbres son frère veut se procurer. **7.** si tous les vieux timbres ont de la valeur (*value*). **8.** si Hélène s'est déjà procuré des timbres pour son frère. **9.** pourquoi Hélène a choisi les plus jolis timbres. **10.** ce qu'on met dans un album. **11.** ce qu'Hélène a envoyé à son frère il y a quelque temps. **12.** s'il (si elle) a déjà entendu parler des bouquinistes de Paris.

C. *Dites en français:*

1. Most stamps are worthless **(ne valent rien).** **2.** Most old books are worthless. **3.** I haven't a one left. **4.** I haven't many left. **5.** I have lots of them left. **6.** I have two Martinique stamps left. **7.** Do you have any Second Empire stamps left? **8.** You see the displays of the "bouquinistes" along the Seine. **9.** There are many old stores along this street. **10.** You can buy secondhand books along the Seine. **11.** You find old prints along the streets of the Latin Quarter. **12.** You find cafés along the Grand Boulevards. **13.** I think I have all of them except the Second Empire stamps. **14.** I have read all the plays of Shakespeare except Henry VI. **15.** I know all the students in the class except one or two. **16.** I don't know much about stamps. **17.** I don't know much about old prints.   **18.** I haven't much to do today. **19.** I did not do much yesterday.   **20.** I did not buy much.   **21.** All you have to do is to choose the prettiest ones.   **22.** Just turn to the right (You have only to turn to the right).   **23.** Just follow this street. **24.** Just cross the street.   **25.** Just ask for the concierge.   **26.** Just write to your brother that you could not find the (those) stamps.

D. *Dictée d'après la trente-huitième conversation.*

E. *Dialogue.*

Vous voyez à la devanture (*shop window*) d'un magasin où l'on vend des objets d'art, une série de gravures représentant des coins du vieux Paris. Vous demandez des renseignements sur l'auteur de ces gravures, la date, etc., et vous discutez du prix avec le marchand.

XXIV

GRAMMAR UNIT

Indefinite Adjectives and Pronouns;
Use of Articles and Prepositions Summarized

109. INDEFINITE ADJECTIVES AND PRONOUNS.

The word "indefinite" when applied to adjectives and pronouns means that the adjective or pronoun concerned does not define or determine the person or thing to which it refers. The corresponding indefinite adjectives and pronouns in English are: *each, every, several, all, no, such, same,* etc.

110. COMMONEST INDEFINITE ADJECTIVES AND PRONOUNS WHICH HAVE THE SAME FORM.

— Avez-vous **tous** ces timbres? (*adj.*)

Have you got *all* these stamps?

— Oui, je crois les avoir presque **tous.** (*pron.*)

Yes, I think I have almost *all* of them.

— J'ai envoyé **plusieurs** timbres à mon frère. (*adj.*)

I sent *several* stamps to my brother.

— Je lui en ai envoyé **plusieurs.** (*pron.*)

I sent him *several.*

— Il ne me reste **aucun** timbre du Second Empire. (*adj.*)

I haven't *a single* Second Empire stamp left.

— Il ne m'en reste **aucun.** (*pron.*)

I haven't *a single one* left.

— Avez-vous **d'autres** journaux? (*adj.*)

Have you *other* papers?

— Non, je n'en ai pas **d'autres.** (*pron.*)

No, I have no *others.*

— C'est la **même** écharpe que celle de mon amie. (*adj.*)

It is the *same* scarf as that of my friend.

— C'est la **même** que la sienne. (*pron.*)

It is the *same* as hers.

[263]

The forms of these adjectives and pronouns are:

> tout, toute, tous,* toutes: *all, every*
> plusieurs: *several*
> aucun, aucune: adj. *no, not a;* pron. *none, not a one*
> autre, autres: adj. *other;* pron. *another one, others*
> même, mêmes: adj. *same;* pron. *same one, same ones*

When **aucun** is used with a verb, the verb must be preceded by **ne.** Note, however, that **pas** is not used with **aucun.**

111. COMMONEST INDEFINITE ADJECTIVES AND PRONOUNS
WHOSE CORRESPONDING FORMS ARE DIFFERENT.

— Il pleut **chaque** fois que je vais
à la pêche. (*adj.*)

It rains *each* time I go fishing.

— **Chacun** de ces timbres vaut
mille francs. (*pron.*)

Each of these stamps is worth a
thousand francs.

— J'espère que vous allez passer
quelques jours avec nous
(*adj.*)

I hope you are going to spend *a
few* days with us.

— Voilà des champignons. Si nous
en rapportions **quelques-uns**
à la maison? (*pron.*)

There are some mushrooms.
What if we took home *a few*
of them?

— Avez-vous **quelque** chose de
meilleur? (*adj.*)

Have you *some*thing better?

— Est-ce que **quelqu'un** est venu?
(*pron.*)

Did *anyone* come?

1. The corresponding forms of these adjectives and pronouns are:

> ADJECTIVE: chaque, *each*
> PRONOUN: chacun, chacune, *each, each one*
> ADJECTIVE: Quelque, quelques, *some, a few*
> PRONOUN: Quelqu'un, quelques-uns, quelques-unes, *some-
> body, someone; some, a few*

---

* When **tous** is used as a pronoun, the final **s** is pronounced.

2. They of course agree in gender and number with the noun to which they refer; **quelqu'un** in the singular is usually thought of as neither masculine nor feminine.

3. When **quelque chose** or **rien** is followed by an adjective, the adjective is preceded by **de** and has the masculine form. Ex.: **quelque chose de bon,** *something good;* **rien d'intéressant,** *nothing interesting.*

112. INDEFINITE PRONOUNS WHICH HAVE NO CORRESPONDING INDEFINITE ADJECTIVE.

—**On** trouve des bouquinistes le long de la Seine.	*You* find secondhand book dealers along the Seine.
— Est-ce que John est venu me voir?	Did John come to see me?
—Non, **personne n'**est venu.	No, *no one* came.
—Je n'ai vu **personne.**	I have not seen *anyone.*
— Êtes-vous occupé ce soir?	Are you busy this evening?
—Non, je n'ai **rien** à faire.	No, I have *nothing* to do.
—**Rien** du tout.	*Nothing* at all.
— Je n'ai trouvé **rien** d'intéressant dans ce journal.	I didn't find *anything* interesting in that paper.
—**Les uns** vendent de vieilles estampes, d'autres des timbres-poste et d'autres de vieilles pièces de monnaie.	*Some* sell old prints, others postage stamps, and others old coins.
— Avez-vous ces deux timbres?	Have you these two stamps?
—Non, je n'ai **ni l'un ni l'autre.**	No, I have *neither.*

1. The forms of these pronouns are:

l'un, l'une, les uns, les unes, *the one, the ones*
on, *one, you, we, they, people, someone, anybody*
personne, *no one, nobody*
rien, *nothing*

2. When **rien** or **personne** is used with a verb, the verb is preceded by **ne. Pas** is not used with **rien** or **personne.**

113. USE OF DEFINITE ARTICLE IN FRENCH CONTRARY TO ENGLISH USAGE.

(1) With nouns which indicate profession or official function:

— **Le docteur Lambert** n'a pas pu s'arrêter à temps.	*Doctor Lambert* couldn't stop in time.
— Bonjour, **monsieur le curé.**	Good morning, *sir* (*to a priest*).

(2) With parts of the body, when the person concerned is clearly identified by the context:

— Elle a **les yeux bleus.**	She has *blue eyes.*
— Je commence à avoir mal **aux jambes.**	*My legs* are beginning to hurt.
— Le chapeau que vous avez **sur la tête.**	The hat you have *on your head.*
— Je **me** suis lavé **les mains.**	I washed *my hands.*

(3) With the names of the days of the week, to indicate habitual occurrence:

— Je vais à la pêche **le** samedi.	I *usually* go fishing *on* Saturday.
BUT: Je vais à la pêche samedi.	I am going fishing Saturday (i.e. next Saturday).

(4) In the expressions **le matin, l'après-midi, le soir, la nuit,** meaning *in the:*

— Je me lève **le** matin de bonne heure.	I get up early *in the* morning.
— Je vais au laboratoire l'après-midi.	I go to the laboratory *in the* afternoon.

(5) With expressions of measure in specifying the price:

— Les œufs coûtent deux cent cinquante francs la **douzaine.**	Eggs cost 250 francs *a dozen.*
— Le lait coûte cinquante francs **le litre.**	Milk costs 50 francs *a liter.*
— Ce tabac coûte soixante francs **le paquet.**	This tobacco costs 60 francs *a package.*

— Cette étoffe coûte cinq cents francs le mètre.

This material costs 500 francs *per meter*

— Le beurre coûte deux cent cinquante francs la livre.

Butter costs 250 francs *per pound.*

Note that you say **vingt francs pièce,** *twenty francs apiece* or *each;* and that with the expressions of time, you use **par** when the price is being specified. Ex.: — Quel est le loyer? — Six mille francs **par mois.**

114. OMISSION OF INDEFINITE ARTICLE IN FRENCH CONTRARY TO ENGLISH USAGE.

(1) When a noun, especially a proper name, is followed by a second noun which is added to explain the first one, the second noun ordinarily has no article:

— Vous êtes bien M. John Hughes, ingénieur-chimiste?

Are you (indeed) Mr. John Hughes, *a* chemical engineer?

— C'est le Louvre, ancien palais royal.

It is the Louvre, *a* former royal palace.

(2) When a noun (or personal pronoun) referring to a person is followed by the verb **être** and a noun indicating profession or nationality, the latter is used without an article:

— Il est Américain, mais sa femme est Française.

He is *an* American, but his wife is French.

— M. Brown est banquier.

Mr. Brown is *a* banker.

Do not forget that a noun following **c'est** is always used with an article. Ex.: **C'est** un banquier. **C'est** un Américain.

115. USE OF PREPOSITIONS AND DEFINITE ARTICLES WITH GEOGRAPHICAL NAMES.

(1) Continents and countries which are feminine:

— J'irais **en** Suisse et **en** Belgique.

I would go *to* Switzerland and *to* Belgium.

— J'irais **en** Amérique et **en** Afrique.

I would go *to* America and *to* Africa.

— Il est **en** France.   He is *in* France.
— Les olives viennent **de** France,   Olives come *from* France, Spain
    d'Espagne et **d'**Afrique.   and Africa.

With the name of a continent or a country which is femi-
nine, you use **en** without an article to express *to* or *in,* and **de**
without an article to express *from:* **en** France, **de** France.
However, if the geographical name has a modifier (l'Amérique
du Sud), careful speakers use **dans** WITH THE ARTICLE to express
to or *in* and **de** WITH THE ARTICLE to express *from:*

— Ces oranges viennent **de l'A-**   These oranges come *from* North
    frique du Nord.   Africa.
— Un de mes oncles habite **dans**   One of my uncles lives *in* South
    l'Amérique du Sud.   America.

    (2) Countries which are masculine:

— Il demeure **au** Canada.   He lives *in* Canada.
— Il vient **du** Mexique.   He comes *from* Mexico.
— J'irais **aux** États-Unis voir les   I would go *to the* United States
    gratte-ciel.   to see the skyscrapers.

You always use the article in combination with **à** or **de** with
the names of countries which are masculine.

    (3) Names of cities:

— Il demeure **à** Clermont-Fer-   He lives *in* Clermont-Ferrand.
    rand.
— Je suis né **à** Rouen.   I was born *in* Rouen.
— Mon père vient **de** Paris.   My father comes *from* Paris.
— Êtes-vous allé **à** Versailles?   Have you been *to* Versailles?

You never use an article with the name of a city except
with **Le Havre** and a few other cities in which the article is
a part of the name. Ex.: — Connaissez-vous **Le Havre?** Êtes-
vous allé à **La Nouvelle-Orléans?**

A. *Répondez affirmativement à chacune des questions suivantes, en employant le pronom indéfini convenable:*

1. Est-ce qu'Hélène a envoyé plusieurs timbres à son frère? 2. Est-ce que le marchand a tous les timbres qu'Hélène voudrait acheter? 3. Est-ce qu'il a d'autres timbres? 4. Est-ce qu'il reste au marchand des timbres du Second Empire? 5. Avez-vous trouvé toutes les estampes que vous vouliez acheter? 6. Avez-vous vu quelques-unes des estampes de Daumier? 7. Est-ce que quelqu'un est venu vous voir hier soir? 8. Est-ce que vous avez quelque chose à faire cet après-midi?

B. *Répondez négativement à chacune des questions suivantes, en employant le pronom indéfini convenable:*

1. Est-ce qu'il vous reste des timbres du Second Empire? 2. Est-ce que le marchand a tous les timbres qu'Hélène voudrait acheter? 3. Est-ce qu'il a d'autres timbres à vendre? 4. Est-ce que vous avez vu quelqu'un devant la maison? 5. Avez-vous acheté quelque chose au Bon Marché? 6. Avez-vous quelque chose à faire ce soir?

C. *Répondez négativement en français à chacune des questions suivantes, en employant l'expression* **ni l'un ni l'autre:**

1. Avez-vous ces deux timbres? 2. Voulez-vous du café ou du thé (*tea*)? 3. Avez-vous écrit à votre père ou à votre mère? 4. Est-ce que votre frère ou votre sœur vous a écrit?

D. *Répondez en français à chacune des questions suivantes:*

1. Comment diriez-vous bonjour à un curé de village? 2. Comment diriez-vous bonjour au maire (*mayor*) d'une ville? 3. Si vous écriviez une lettre à un Consul de France, comment commenceriez-vous votre lettre? (Monsieur le Consul) 4. Avez-vous mal aux jambes quand vous allez à bicyclette? 5. Allez-vous chez le dentiste (*dentist*) quand vous avez mal aux dents? 6. Est-ce que vous vous lavez les mains avant de déjeuner? 7. Est-ce que vous allez au cinéma le soir? 8. Allez-vous au cinéma ce soir? 9. Combien coûte le beurre actuellement? 10. Quel est le prix des mouchoirs qu'a achetés Marie? 11. Combien coûtent les cigarettes? 12. Quel est le prix du lait? 13. Combien coûtent les œufs? 14. Qu'est-ce que fait John Hughes? 15. Qu'est-ce que fait son ami M. Brown? 16. Quelle est la nationalité de M. Brown? 17. Qu'est-ce que c'est que le Louvre? 18. Quelles langues parle-t-on

au Canada?   **19.** Espérez-vous aller en France l'été prochain?   **20.** Êtes-vous allé à La Nouvelle-Orléans?   **22.** Avez-vous entendu parler du Havre?

E. *Dites en français:*

(*a*)   **1.** Every day.   **2.** All the stamps.   **3.** All the old prints.   **4.** All the old books.   **5.** Every week.   **6.** Every Thursday.   **7.** Each time.   **8.** Sometimes.   **9.** Several times.   **10.** Many times (often).   **11.** Something.   **12.** Something good.   **13.** Something else.   **14.** Something better.   **15.** Nothing.   **16.** Nothing interesting.   **17.** Nothing else.   **18.** Nothing important.   **19.** Somebody.   **20.** Nobody.   **21.** Everybody.   **22.** Everywhere.   **23.** Elsewhere **(ailleurs)**.   **24.** Once.   **25.** Always.   **26.** Twice.

(*b*)   **1.** What do you do Saturday afternoons?   **2.** I often go to the movies on Saturday afternoon.   **3.** What are you going to do next Saturday?   **4.** I intend to go fishing Saturday afternoon.

(*c*)   **1.** These oranges cost ten francs apiece.   **2.** I go to my French class several times a week.   **3.** Eggs cost two hundred and fifty francs a dozen.   **4.** Sugar costs fifty francs a pound.   **5.** It costs a hundred francs a kilo **(le kilo)**.

(*d*)   **1.** I am a student.   **2.** I am an American.   **3.** My father is an engineer.   **4.** My uncle is English.   **5.** He is a doctor.

(*e*)   **1.** Helen is now in London.   **2.** She is in England.   **3.** She is going to France.   **4.** She intends to go to Switzerland, Belgium, Italy, and Spain.   **5.** She lives in the United States.   **6.** She will arrive at Calais on Monday.   **7.** She is going to spend a few days in Normandy.   **8.** She will arrive in Paris Friday.

F. *Révision des trente-cinquième et trente-sixième conversations:*

1. Pourquoi Madame Deschamps veut-elle aller au jardin?   **2.** Qu'est-ce que Roger offre de faire?   **3.** Pourquoi Madame Deschamps lui dit-elle de bien fermer la porte?   **4.** Qu'est-ce qu'elle fera des fleurs qu'elle va cueillir?   **5.** Pourquoi ne s'occupe-t-elle pas davantage de son jardin?   **6.** Pourquoi n'y a-t-il pas de maïs dans son jardin?

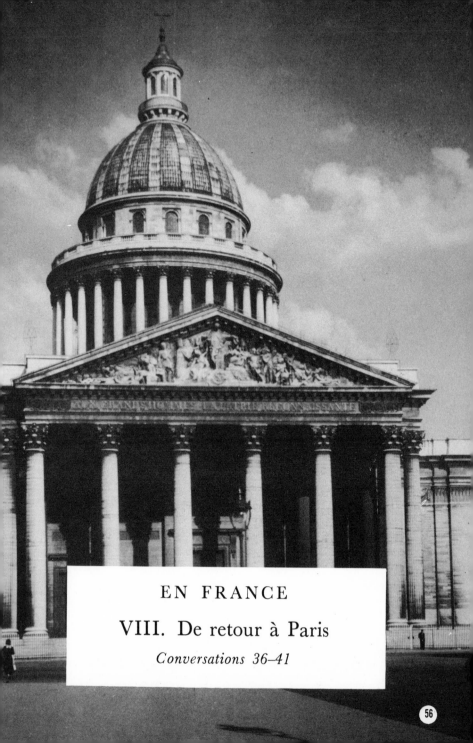

EN FRANCE

VIII. De retour à Paris

Conversations 36–41

—Si nous visitions le Panthéon? dit un jour John à Roger. Je sais que Rousseau, Voltaire et d'autres y sont enterrés, mais je n'y suis jamais entré.

Les deux jeunes gens se dirigent[1] donc vers le Panthéon. A
5 quelque distance, ils s'arrêtent un instant pour regarder la façade[2] de l'édifice.

—Vous voyez là-haut[3] la Patrie[4] entre la Liberté et l'Histoire en train de distribuer des prix[5] aux grands hommes, explique Roger. Regardez l'inscription: AUX GRANDS HOMMES LA
10 PATRIE RECONNAISSANTE.[6]

1. se diriger, *to go.*
2. la façade, *front of a building.*
3. là-haut, *up there.*
4. la Patrie, *the Fatherland, the Country.*

Tout en montant l'escalier, Roger lui dit un mot de l'histoire du Panthéon. C'est une ancienne église du dix-huitième siècle, que la Révolution a transformée en temple destiné[7] à servir de lieu de sépulture[8] à ses grands hommes. On y a enterré ensuite
15 un certain nombre d'hommes politiques ou d'écrivains[9] plus ou moins continuateurs[10] de la tradition révolutionnaire, Hugo et Zola par exemple.

A l'intérieur, un guide explique aux visiteurs les peintures murales qui représentent des scènes de la vie de sainte Gene-
20 viève. C'était une jeune fille qui vivait il y a quinze cents ans et qui, selon[11] la légende, a sauvé[12] Paris d'Attila et de ses Huns. Elle est devenue la patronne[13] de la ville . . . Le guide conduit ensuite ses visiteurs dans la galerie souterraine où se trouvent

5. le prix, *the prize.*
6. (DEDICATED) TO THE GREAT MEN (BY THEIR) GRATEFUL COUNTRY.
7. destiné, *intended.*
8. la sépulture, *burial.*
9. un écrivain, *writer.*
10. plus ou moins continuateurs de, *who more or less follow.*
11. selon, *according to.*
12. sauver, *to save.*
13. la patronne, *patron saint.*

les tombeaux. D'une voix monotone, il récite des phrases
apprises[14] par coeur. Arrivé devant le tombeau de Rousseau, il
explique que «par la porte entr'ouverte[15] du tombeau sort une
main tenant une torche allumée.»[16] Symbolisme assez lugubre,[17]
pense John, mais fort clair.

Après leur visite, les deux jeunes gens descendent le boulevard Saint-Michel jusqu'à la Seine. Arrivés en vue de Notre-
Dame, ils tournent à gauche. Les rues le long de la Seine
dominent le fleuve[18] et c'est sur le parapet du fleuve, à l'ombre
des arbres, que les bouquinistes ont installé leurs boîtes. John
s'étonne un peu du choix de cet endroit.

14. appris, *p.part. of* apprendre.
15. entr'ouvert, *partly open.*
16. allumé, *lighted.*
17. symbolisme assez lugubre, *rather dreadful symbolism.*
18. le fleuve, *river.*

35 —Vous avez peut-être vu de vieilles estampes représentant des ponts de Paris d'autrefois, explique Roger. Chaque côté des ponts était alors occupé par toute sorte de boutiques.[19] C'était un excellent endroit pour le commerce des livres, des modes,[20] etc., puisque les ponts étaient sans cesse[21] traversés par une
40 foule[22] de gens. Je suppose que quelques-uns de ces commerçants,[23] chassés[24] des ponts, eurent l'ingénieuse[25] idée de s'installer le long du fleuve.

19. la boutique, *shop*.
20. modes (pl.), *women's hats and other apparel*.
21. sans cesse, *continually*.
22. la foule, *crowd*.
23. le commerçant, *merchant*.
24. chassés, *expelled, driven away*.
25. ingénieux, *clever*.

Tout en marchant, John jette un coup d'oeil sur les
étalages. Il voit là toute sorte de choses, livres anciens et
45 modernes, timbres-poste et vieilles pièces de monnaie pour les
collectionneurs. Dans une petite boutique du quai Malaquais,
il achète une paire de vieux pistolets—«pour ma chambre en
Amérique,» explique-t-il à Roger. Il met l'un des pistolets dans
la poche droite, l'autre dans la poche gauche de son pardessus.

50 —Attention! lui dit en riant[26] son ami. Si un agent de
police vous voyait, il pourrait bien vous faire un procès-verbal,
pour avoir sur vous des armes prohibées![27]

26. en riant, *laughing.*

27. armes prohibées, *concealed (for-
bidden) weapons.*

John n'est pas très alarmé par cette éventualité.[28] Les deux amis continuent leur promenade, traversent la Seine, la Place
55 de la Concorde, et finissent l'après-midi à la terrasse d'un café sur les Grands Boulevards.

28. une éventualité, *outcome.*

7. Est-ce qu'il a beaucoup plu cette année-là? 8. Pourquoi ne veut-elle pas que John arrose le jardin tout de suite? 9. A quel moment de la journée vaut-il mieux arroser un jardin? 10. Quand Roger veut-il aller à la pêche? 11. Pourquoi John ne veut-il pas y aller? 12. Est-ce que Roger prend d'habitude beaucoup de poissons? 13. Où se trouve l'endroit où il y a de gros poissons? 14. Pourquoi John se moque-t-il de Roger? 15. A quelle heure faudra-t-il qu'ils se lèvent? 16. Aimez-vous mieux la pêche ou la chasse (*hunting*)? 17. En quelle saison la chasse est-elle ouverte?

G. *Thème d'imitation:*

Along the Seine, especially near the Ile de la Cité, are[1] the displays of the old-book dealers. Those dealers in old books are ordinarily elderly people. Each of them has one or two boxes[2] which he opens in the morning and closes in the evening. Nearly all of them buy and sell secondhand books. The Parisians, in particular those who like old books, enjoy spending[3] an afternoon looking at the displays. A hundred years ago, you could get rare books for a few *sous*. But things have changed a great deal since[4]. *Sous* no longer exist, rare books are becoming rarer and rarer[5] and the dealers in old books know the value of what they sell. However, you still find things worth buying[6] in their displays, which are[7] a part of the Parisian landscape like Notre-Dame or the Eiffel Tower.

---

[1] See Conv. 14, No. 14. [2] box, **la boîte.** [3] enjoy spending, **passer volontiers.** [4] Conv. 21, No. 6. [5] rarer and rarer, **de plus en plus rares.** [6] worth buying, **intéressant.** [7] to be a part of, **faire partie de.**

Aux Tuileries

John—[1]Maintenant entrons dans le Jardin des Tuileries.* [2]Que pensez-vous de ce coin de Paris?

Helen—[3]Je suis étonnée de trouver tant d'espace au cœur même de la ville. [4]Je n'avais aucune idée de l'étendue de la Place de la Concorde.† [5]Mais, dites-moi, quel est ce grand bâtiment devant nous?

John—[6]C'est le Louvre, ancien palais royal.‡

Helen—[7]Est-ce que c'est là qu'est le musée du Louvre?

John—[8]Oui; mais le musée n'occupe qu'une partie de l'édifice. [9]Le reste est occupé par des bureaux des ministères.

Helen—[10]Et voilà l'Arc de Triomphe. [11]D'après les photographies que j'ai vues, je le croyais plus grand.

John—[1]Now, let's go into the Tuileries Gardens. [2]What do you think of this section of Paris?

Helen—[3]I am astonished to find so much (open) space in the very heart of the city. [4]I had no idea of the size of the Place de la Concorde. [5]But, tell me, what is this great building in front of us?

John—[6]It's the Louvre, a former royal palace.

Helen—[7]Is that where the Louvre Museum is?

John—[8]Yes; but the museum occupies only a part of the building. [9]The rest is occupied by offices of ministries.

Helen—[10]And there is the Arch of Triumph. [11]From the photographs I have seen, I thought it was larger.

* Jardin d'un ancien palais habité par Napoléon et détruit par le feu en 1871.

† La vaste Place de la Concorde, dont le centre est occupé par un obélisque, est entourée de statues monumentales symbolisant les principales villes de France.

‡ La construction du Louvre actuel, commencée au XVIème siècle, n'a été terminée que vers la fin du XIXème siècle.

JOHN—[12]C'est l'Arc de Triomphe du Carrousel que vous voyez là. [13]L'autre, celui de l'Étoile,* est au bout de l'avenue des Champs-Élysées.† [14]Si vous vous retournez, vous pourrez le voir là-bas...

HELEN—[15]Regardez cette petite fille qui pleure, John. [16]Le vent a emmené son bateau à voile au milieu du bassin. [17]Est-ce que vous pouvez l'aider?

JOHN—[18]J'aurais beau faire. [19]Le bateau est trop loin pour que je puisse l'atteindre. [20]Le vent finira sans doute par le ramener au bord.

HELEN—[21]J'ai envie de cueillir une de ces fleurs comme souvenir de notre promenade.

JOHN—[22]Gardez-vous-en bien. [23]Si un agent de police vous voyait, il pourrait bien vous faire un procès-verbal!

JOHN—[12]That's the Arch of Triumph of the Carrousel that you see there. [13]The other one, that of the Étoile, is at the end of the Champs Élysées. [14]If you turn around, you can see it over there...

HELEN—[15]Look at this little girl who is crying, John. [16]The wind has carried her sailboat to the middle of the pool. [17]Can you help her?

JOHN—[18]Whatever I would do would be in vain. [19]The boat is too far for me to be able to reach it. [20]The wind will finally bring it back to the edge, no doubt.

HELEN—[21]I wish I could pick one of those flowers as a souvenir of our walk.

JOHN—[22]Don't do anything of the kind. [23]If a policeman should see you, he might very well give you a ticket!

A. *Répondez en français à chacune des questions suivantes:*

1. Où John et Hélène entrent-ils? 2. Qu'est-ce que c'est que le Jardin des Tuileries? 3. De quoi Hélène est-elle étonnée? 4. Est-ce qu'elle croyait que la Place de la Concorde était aussi vaste? 5. Quel est le grand bâtiment qu'elle voit devant elle? 6. Qu'est-ce que c'est que le Louvre? 7. Où se trouve le musée du Louvre? 8. Est-ce que le musée occupe tout l'édifice? 9. Qu'est-ce qui occupe le reste de

---

* Arc de Triomphe, dédié aux armées de Napoléon Ier. Il doit son nom aux douze avenues qui rayonnent autour de la place, formant une étoile dont il occupe le centre.

† Belle avenue qui va de la Place de la Concorde à la Place de l'Étoile.

l'édifice? **10.** Combien y a-t-il d'arcs de triomphe à Paris? **11.** Qui les a fait construire? **12.** Où se trouve l'Arc de Triomphe de l'Étoile? **13.** Pourquoi la petite fille pleure-t-elle? **14.** Qu'est-ce qu'Hélène demande à John de faire? **15.** Qu'est-ce que répond John? **16.** Pourquoi ne peut-il pas atteindre le petit bateau? **17.** Comment le bateau reviendra-t-il au bord? **18.** Pourquoi Hélène a-t-elle envie de cueillir une fleur? **19.** Pourquoi John lui dit-il de ne pas le faire?

B. *Répondez en français à chacune des questions suivantes:*

1. Avez-vous jamais entendu parler du Louvre? **2.** Avez-vous jamais entendu parler du Jardin des Tuileries? **3.** Avez-vous vu des photographies de l'Arc de Triomphe de l'Étoile? **4.** Connaissez-vous quelques tableaux (*pictures*) qui sont au Louvre? **5.** Y a-t-il des arcs de triomphe en Amérique? **6.** Est-ce que vous avez jamais cueilli des fleurs dans un jardin public? **7.** Est-ce qu'un agent de police vous a jamais fait un procès-verbal? **8.** Êtes-vous jamais allé dans un bateau à voile?

C. *Dites en français:*

(*a*) **1.** Let's go into the garden. **2.** They went into the garden to pick some flowers. **3.** We will go into the house. **4.** Come into the living room **(le salon).**

(*b*) **1.** From the photographs I have seen, I thought it was larger. **2.** According to her picture, I thought she was smaller. **3.** According to her telegram, she is to arrive tomorrow. **4.** According to what she told me, she will arrive by plane **(par avion).**

(*c*) **1.** The wind will finally bring it to the edge, no doubt. **2.** He finally answered my letter. **3.** I finally found the stamp which was missing. **4.** The girl I was waiting for finally came.

(*d*) **1.** Whatever I would do would be in vain. **2.** Whatever I would try **(essayer)** would be in vain. **3.** Whatever you would try would be in vain. **4.** It would be no use for you to try. **5.** It will be no use for you to try. **6.** It is no use for you to try. **7.** It is no use for you to try, you won't catch anything. **8.** Do what you will, you will not find that stamp.

(e) 1. What is that large building in front of us? It is the Louvre, a former royal palace. 2. What's that statue in front of the Panthéon? It's the Thinker (le Penseur), a statue of Auguste Rodin. 3. What's that novel you have in your hand (à la main)? It's *Le Comte de Monte Cristo,* a novel of Dumas père. 4. What's the play (la pièce) you are going to see? It's *La Dame aux Camélias,* a drama of Dumas fils. 5. Who's the gentleman with whom you were talking? It's M. Lejeune, a former Cabinet member (ministre). 6. It's M. Bedel, a former professor at the Sorbonne.

D. *Dictée d'après la trente-neuvième conversation.*

E. *Dialogue:*

"Have you been to the Louvre?" "Yes. I have just visited a part of the museum." "Which part?" "The picture galleries (Les galeries de peinture)." "Did you see the Mona Lisa (la Joconde)?" "Yes. I looked for it everywhere. But it was no use looking. I could not find it. I finally asked the guard (le gardien) . . ." "What do you think of it?" "It's doubtless a very fine picture. But I don't know much about pictures."

A Notre-Dame

JOHN—[1]Nous sommes maintenant dans l'Île de la Cité.*

HELEN—[2]Est-ce qu'on n'appelle pas aussi cette île l'Île-de-France?

JOHN—[3]J'ai peur que vous ne confondiez vos îles, Hélène. [4]L'Île-de-France est la région autour de Paris. [5]L'île de la Cité est une île au milieu de la Seine.

HELEN—[6]Je reconnais, à droite, les tours de Notre-Dame. [7]Si nous visitions Notre-Dame?

JOHN—[8]Mais oui. Traversons la place et entrons dans la cathédrale.

HELEN—[9]Attendez que je prenne une photo.

Dans Notre-Dame

HELEN—[10]Comme l'intérieur est vaste et silencieux! [11]On ose à peine parler, même à voix basse. [12]Je voudrais bien assister à une messe à Notre-Dame.

JOHN—[1]We are now on the Island of the City.

HELEN—[2]Don't they also call this island the Island of France?

JOHN—[3]I am afraid you are confusing your islands, Helen. [4]The Île-de-France is the region around Paris. [5]The Île de la Cité is an island in the middle of the Seine.

HELEN—[6]I recognize on the right the towers of Notre-Dame. [7]Suppose we visit Notre-Dame.

JOHN—[8]Certainly. Let's cross the square and go into the cathedral.

HELEN—[9]Wait for me to take a picture.

In Notre-Dame

HELEN—[10]How large and silent the interior is! [11]You hardly dare speak, even in a low voice. [12]I would like to go to a service at Notre-Dame.

---

*Le mot cité est employé à Paris, comme à Londres, pour désigner la partie la plus ancienne et la plus centrale de la ville.

JOHN—[13]Si vous voulez, nous reviendrons dimanche prochain. [14]Vous pourrez entendre les grandes orgues.

HELEN—[15]Est-ce qu'on peut monter en *haut des tours?

JOHN—[16]Rien de plus facile. [17]Cet escalier en colimaçon nous y conduira. [18]En arrivant en haut, vous pourrez prendre d'autres photos.

En haut d'une des tours de Notre-Dame

HELEN—[19]Je suis essoufflée . . . [20]Mais quel panorama! On voit Paris tout entier.

JOHN—[21]Devant vous, vous avez la Sainte-Chapelle, le Louvre et les Champs-Elysées; sur la rive gauche, le Quartier Latin et la Sorbonne; et sur la rive droite, les grands boulevards et Montmartre.

HELEN—[22]J'ai hâte de visiter les quartiers de Paris que je ne connais pas encore.

JOHN—[13]If you want to, we will come back next Sunday. [14]You will be able to hear the great organ.

HELEN—[15]Can you go up to the top of the towers?

JOHN—[16]Nothing is easier. [17]This spiral staircase will take us up there. [18]When we get up to the top, you can take some more pictures.

At the top of one of the towers of Notre-Dame

HELEN—[19]I am out of breath... [20]But what a panorama! You can see all Paris.

JOHN—[21]In front of you, you have the Sainte-Chapelle, the Louvre and the Champs-Elysées; on the left bank, the Latin Quarter and the Sorbonne; and on the right bank, the great boulevards and Montmartre.

HELEN—[22]I am very eager to visit the parts of Paris with which I am not yet acquainted.

A. Répondez en français à chacune des questions suivantes:

1. Où sont John et Hélène maintenant? **2.** Qu'est-ce que c'est que l'Île-de-France? **3.** Où se trouve l'Île de la Cité? **4.** Que confond Hélène? **5.** Qu'est-ce qu'elle voit à droite? **6.** Qu'est-ce qu'elle propose de faire? **7.** Qu'est-ce qu'Hélène veut faire avant d'entrer dans la cathédrale? **8.** Comment trouve-t-elle l'intérieur de la cathédrale? **9.** A quoi Hélène voudrait-elle assister? **10.** Quand John propose-t-il

---

* Aspirate h.

de revenir? **11.** Pourquoi propose-t-il de revenir ce jour-là? **12.** Est-ce qu'on peut monter en haut des tours de Notre-Dame? **13.** Comment y monte-t-on? **14.** Qu'est-ce qu'Hélène pourra faire en arrivant en haut? **15.** Comment se sent-elle en arrivant en haut? **16.** Qu'est-ce qu'on voit du haut des tours de Notre-Dame? **17.** Qu'est-ce qu'on voit sur la rive gauche? **18.** Qu'est-ce qu'on voit sur la rive droite? **19.** Qu'est-ce qu'Hélène a hâte de visiter? **20.** Quels quartiers de Paris a-t-elle déjà visités?

B. *Demandez à quelqu'un:*

1. s'il voudrait assister à une messe à Notre-Dame. **2.** s'il voudrait assister à une représentation (*performance*) à l'Opéra. **3.** s'il voudrait assister à un concert au Théâtre des Champs-Elysées. **4.** s'il voudrait voir une pièce de Molière à la Comédie-Française. **5.** s'il voudrait voir la Place de la Concorde. **6.** s'il voudrait voir l'Arc de Triomphe. **7.** s'il voudrait visiter le Musée du Louvre. **8.** s'il voudrait visiter un des grands magasins de Paris. **9.** s'il sait conduire une auto. **10.** s'il aime bien conduire une auto. **11.** s'il voudrait conduire une auto à Paris.

C. *Dites en français:*

(*a*) **1.** Wait for me to take a picture. **2.** Wait for me to get a package of cigarettes. **3.** Wait for me to buy a paper. **4.** Wait for me to glance at **(sur)** the paper.

(*b*) **1.** I recognize on the right the towers of Notre-Dame. **2.** I recognize on the left the Panthéon. **3.** I recognize in front of us the Eiffel Tower.

(*c*) **1.** There are many factories around Paris. **2.** There used to be a château in the middle of the Garden of the Tuileries. **3.** There is an Egyptian Obelisk **(un obélisque égyptien)** in the middle of the Place de la Concorde. **4.** Have you ever been up **(monter)** to the top of the towers of Notre-Dame? **5.** I would like to go up to the top of the Eiffel Tower. **6.** From the top of the towers of Notre-Dame, you can see all of Paris.

(*d*) **1.** I am most eager to see you again. **2.** I am most eager to begin my work again. **3.** I am most eager to see the Sainte-Chapelle.

4. I feel like **(avoir envie de)** going to the country. **5.** I feel like resting this afternoon. **6.** I would like to visit Notre-Dame. **7.** I am most eager to go to France.

D. *Dictée d'après la quarantième conversation.*

E. *Dialogue:*

Vous montez avec un ami (une amie) en haut d'un gratte-ciel de New-York. Vous prenez l'ascenseur (*elevator*). Arrivé(e) en haut, vous attirez l'attention de votre ami(e) sur le port, les principaux monuments, les parcs, etc.

XXV

Use of Infinitives and Present Participles

116. VERBS WHICH MAY TAKE INFINITIVES.

(1) Verbs and verbal expressions followed by the preposition **de** which take infinitives:

— **Permettez-moi de** vous présenter mon ami John Hughes.
Allow me to introduce my friend John Hughes.

— **Vous serez obligé de** passer la nuit à Épernay.
You will be obliged to spend the night at Epernay.

— **Je regrette d'**être en retard.
I am sorry to be late.

— **Nous avons décidé de** profiter du beau temps.
We decided to take advantage of the fine weather.

— **J'ai demandé** à mon père **de** m'envoyer un chèque.
I asked my father *to* send me a check.

— **Il m'a dit de** ne pas l'attendre.
He told me *not to* wait for him.

1. The commonest verbs followed by **de** which may take infinitives are: **décider de, se dépêcher de, dire de, essayer de, être obligé de, permettre de, refuser de,** etc., and such expressions as **avoir besoin de, avoir l'habitude de, être en train de,** etc.

2. You have seen that some of these verbs may govern a subordinate clause. Ex: —Il m'a dit **qu'il reviendrait.** Je regrette **qu'il soit venu.**

(2) Verbs followed by the preposition **à** which take infinitives:

— **Il a commencé à** pleuvoir.
It began to rain.

— **Avez-vous appris à** parler français?
Have you learned to speak French?

— **Nous avons continué à** marcher.
We kept on walking.

— **Vous n'avez qu'à** traverser la rue.   *You have only to cross* the street.

The commonest verbs followed by the preposition **à** which take infinitives are: **aider à,** *to help;* **apprendre à,** *to learn;* **commencer à; continuer à; réussir à,** *to succeed;* **inviter à,** *to invite;* **se mettre à,** *to begin;* etc.

(3) Verbs which may take infinitives without a preposition:

— **Je vais faire** des courses cet après-midi.   *I am going to do* some errands this afternoon.

— **Pouvez-vous** me **donner** votre adresse?   *Can you give* me your address?

— **Je dois partir** par le train de sept heures.   *I am to leave* by the seven o'clock train.

— **Voulez-vous faire** une promenade avec moi?   *Do you want to take* a walk with me?

— **Faut-il changer** de train en route?   *Must one change* trains on the way?

The commonest verbs which may take an infinitive without a preposition are: **aller; devoir; faire; falloir (il faut,** etc.) ; **oser,** *to dare;* **pouvoir; savoir; venir; vouloir;** *etc.*

117. FORMS OF THE VERB USED AFTER PREPOSITIONS.

(1) Present infinitive after prepositions **par, pour, sans,** and expressions such as **avant de:**

— Il m'a envoyé une dépêche **avant de partir.**   He sent me a wire *before leaving.*

— Il est parti **sans dire** au revoir.   He left *without saying* good-bye.

— Le vent finira **par le ramener** au bord.   The wind will finally *bring* it *back* to the edge.

— Nous ne l'attendrons pas **pour déjeuner.**   We will not wait lunch for him (We will not wait for him *to have lunch*).

— **Pour arriver** à l'heure, j'ai quitté la maison à sept heures.   *So as to arrive* on time, I left home at seven o'clock.

Pour is generally used with an infinitive to express the idea *so as to* or *in order to;* but when it is used after **aller** with an infinitive, it has the meaning *for the express purpose of.* Ex.:

— Je vais en ville **faire** des courses.   I am going down town *to do* some errands.

— Je vais en ville **pour faire** des courses.   I am going down town *for the express purpose of doing* some errands.

    (2) Perfect infinitive after **après:**

—**Après avoir visité** Versailles, nous sommes allés à Fontainebleau.   *After visiting (having visited)* Versailles, we went to Fontainebleau.

—**Après être allé** en Normandie, John est allé en Bretagne.   *After going (having gone)* to Normandy, John went to Brittany.

    (3) Present participle after **en:**

—**En partant** à cinq heures, vous serez chez vous à sept heures.   *By leaving* at five o'clock, you will be home at seven.

—**En arrivant** en haut, vous pourrez prendre d'autres photos.   *On arriving* at the top, you can take some more pictures.

The present participle of verbs may be found by adding the ending **-ant** to the stem of the first person plural of the present indicative, except for the verbs **avoir, être,** and **savoir** whose present participles are, respectively, **ayant, étant,** and **sachant.**

A. *Répondez en français à chacune des questions suivantes:*

1. Vous êtes-vous dépêché(e) de déjeuner ce matin?   **2.** Avez-vous regretté de ne pas vous être levé(e) plus tôt?   **3.** Avez-vous l'habitude de vous dépêcher le matin?   **4.** Qu'est-ce que le curé était en train de faire quand John et Roger sont arrivés?   **5.** Quand avez-vous appris à conduire une auto?   **6.** Quand avez-vous commencé à étudier le français?   **7.** A quelle heure a-t-il commencé à pleuvoir hier soir?   **8.** Qu'est-ce que vous avez à faire cet après-midi?   **9.** Quand John ira-t-il chercher sa montre? **10.** Prenez-vous l'autobus pour venir à l'université? **11.** Est-ce que vous attendez qu'il fasse chaud pour aller nager (*swim*)? **12.** Avez-vous l'intention d'aller en France un de ces jours? **13.** Est-ce qu'Hélène a réussi à trouver tous les timbres qu'elle cherchait? **14.** Quand John et Hélène doivent-ils revenir à Notre-Dame? **15.** Pouvez-vous me vendre un timbre de la Martinique? **16.** Voudriez-vous collectionner les vieilles pièces de monnaie? **17.** Seriez-vous content(e) de passer quelques jours dans une ferme? **18.** Quels quartiers de Paris Hélène a-t-elle vus avant de visiter Notre-Dame? **19.** Où veut-elle aller après avoir visité Notre-Dame? **20.** Pourquoi a-t-elle envoyé une dépêche à John? **21.** Qu'est-ce qu'Hélène a dit en arrivant en haut d'une des tours de Notre-Dame?

B. *Dites en français:*

1. I am glad to know it. **2.** I am glad he knows it. **3.** I am glad you know it. **4.** I am sorry to leave. **5.** I am sorry he has gone. **6.** Helen wants to visit all the museums in Paris. **7.** She wants me to go with her. **8.** I shall wait for you until noon. **9.** I shall wait for you until you come. **10.** I am sending him a wire to announce my arrival. **11.** I am sending him a wire so he will know I am coming tomorrow. **12.** Do you have to change trains on the way? **13.** Yes, you have to change at Philadelphia. **14.** He left without leaving his address. **15.** He finally sent me his address. **16.** We finally decided to stay at home. **17.** I finally found the Mona Lisa **(La Joconde).** **18.** That goes without saying. **19.** You (One) cannot get in without buying a ticket. **20.** To get to an eight-o'clock class on time, you have to get up early. **21.** After having visited England, she went to France. **22.** After having gone to Rouen, she went to Paris. **23.** After walking all the afternoon, Marie was very tired. **24.** Before having breakfast, he bought a paper. **25.** After having breakfast, we glanced at the paper. **26.** By leaving at five o'clock, he will be at home at seven-thirty. **27.** In looking at the displays of the old book sellers, I found a beautiful print. **28.** In going to the Panthéon we will see the Sorbonne. **29.** In going to the Île de la Cité, we will cross the Pont-Neuf.*

---

* Le Pont-Neuf *(The New Bridge)* est le plus célèbre des ponts de Paris. Bien qu'il ait été construit au commencement du dix-septième siècle, on l'appelle toujours le Pont-Neuf.

30. While looking for wild flowers, we found some mushrooms.   31. He told me to wait for him.   32. He told me not to wait for him.   33. He told me to hurry.   34. He told me not to hurry.   35. He told me not to bother.   36. I took a taxi so as not to be late.   37. He asked me not to leave before seeing him.   38. I told you not to pick those mushrooms.

C. *Révision des trente-septième et trente-huitième conversations:*

1. Qui est venu attendre John et Roger à la gare?   2. Est-ce que Marie leur a manqué?   3. Qu'est-ce que Marie devait faire le jour de leur arrivée?   4. Comment a-t-elle appris qu'ils devaient arriver?   5. Qu'est-ce qu'ils auraient dû lui dire dans leur dépêche?   6. Pourquoi ne lui ont-ils pas dit l'heure exacte de leur arrivée?   7. Est-ce qu'ils se rendent compte du sacrifice qu'elle a fait?   8. Comment John a-t-il appris qu'Hélène Frazer devait arriver ces jours-ci?   9. Dans quel quartier se trouve le Panthéon?   10. Connaissez-vous quelques-uns des livres de Victor Hugo?   11. Est-ce que la Sorbonne est loin du Panthéon?   12. A quelle époque Saint Louis était-il roi de France?   13. Quand Robert de Sorbon a-t-il fondé son collège?   14. Est-ce que vous vous rappelez le nom de l'hôpital fondé à Paris par Saint Louis?   15. De quel style d'architecture est la Sainte-Chapelle?   16. Connaissez-vous d'autres monuments en France qui datent de l'époque gothique?

REFERENCE MATERIALS

VERB FORMS
A. Regular Verbs

118. FORMATION OF REGULAR VERBS FROM KEY FORMS.

All the forms of regular verbs can be derived from the following key forms: the present infinitive, the present indicative, the past participle, and the passé simple. The following paragraphs contain an explanation of the way the various forms can be derived.

119. FORMS WHICH CAN BE DERIVED FROM THE INFINITIVE.

(1) To form the future tense, add to the infinitive* the endings: **-ai, -as, -a, -ons, -ez, -ont.** Examples:

donner	je donnerai	*I shall give*
finir	je finirai	*I shall finish*
vendre	je vendrai	*I shall sell*

(2) To form the present conditional, add to the infinitive* the endings: **-ais, -ais, -ait, -ions, -iez, -aient.** Examples:

donner	je donnerais	*I should* or *would give*
finir	je finirais	*I should* or *would finish*
vendre	je vendrais	*I should* or *would sell*

120. FORMS WHICH CAN BE DERIVED FROM THE PRESENT INDICATIVE.†

(1) To form the present participle, drop the **-ons** of the first person plural of the present indicative and add the ending **-ant.** Examples:

---

* For infinitives of the third conjugation, the **-e** of the **-re** ending is omitted. Ex.: je vendrai, je répondrai, etc.

† For the formation of the present indicative of regular verbs, see paragraph 14 (1); paragraph 33 (1); and paragraph 35 (1).

nous donnons	donnant	*giving*
nous finissons	finissant	*finishing*
nous vendons	vendant	*selling*

(2) To form the imperfect indicative, drop the **-ons** of the first person plural of the present indicative and add the endings: **-ais, -ais, -ait, -ions, -iez, -aient.** Examples:

nous donnons	je donnais	*I was giving, etc.*
nous finissons	je finissais	*I was finishing, etc.*
nous vendons	je vendais	*I was selling, etc.*

(3) To form the imperative, use the following forms of the present indicative without the pronoun subject: the second person singular, the first person plural, and the second person plural. Examples:

tu donnes	**donne(s)***	*give*
tu finis	**finis**	*finish*
tu vends	**vends**	*sell*
nous donnons	**donnons**	*let's give*
nous finissons	**finissons**	*let's finish*
nous vendons	**vendons**	*let's sell*
vous donnez	**donnez**	*give*
vous finissez	**finissez**	*finish*
vous vendez	**vendez**	*sell*

(4) To form the present subjunctive drop the **-ons** of the first person plural of the present indicative and add the endings: **-e, -es, -e, -ions, -iez, -ent.** Examples:

nous donnons	je donne	*I give*†
nous finissons	je finisse	*I finish*
nous vendons	je vende	*I sell*

---

* In verbs of the first conjugation, the **s** of the second singular ending is used only when followed by the word **y** or **en.**

† The subjunctive forms are translated in several different ways, depending upon the context.

121. FORMS IN WHICH THE PAST PARTICIPLE* IS USED.

(A) The past participle is used in conjunction with the different tenses of the auxiliary verb **avoir** (in a few cases **être**, see paragraph 32) to form the compound tenses of verbs.

(1) To form the *passé composé,* use the present tense of the auxiliary verb with the past participle of the verb. Examples:

j'ai donné   *I gave, I have given*
je suis arrivé   *I arrived, I have arrived*

(2) To form the pluperfect, use the imperfect tense of the auxiliary verb with the past participle of the verb. Examples:

j'avais donné   *I had given*
j'étais arrivé   *I had arrived*

(3) To form the past anterior (a literary tense which is approximately equivalent to the pluperfect), use the *passé simple* of the auxiliary verb with the past participle of the verb. Examples:

j'eus donné   *I had given*
je fus arrivé   *I had arrived*

(4) To form the future perfect, use the future tense of the auxiliary verb with the past participle of the verb. Examples:

j'aurai donné   *I shall have given*
je serai arrivé   *I shall have arrived*

(5) To form the conditional perfect, use the present conditional of the auxiliary verb with the past participle of the verb. Examples:

j'aurais donné   *I should* or *would have given*
je serais arrivé   *I should* or *would have arrived*

---

* For the formation of the past participle, see paragraphs 31 (3), 34 (3), 36 (2).

(6) To form the *passé composé* of the subjunctive, use the present subjunctive of the auxiliary verb with the past participle of the verb. Examples:

j'aie donné   *I have given, etc.*
je sois arrivé   *I have arrived, etc.*

(7) To form the pluperfect of the subjunctive, use the imperfect subjunctive of the auxiliary verb with the past participle of the verb, Examples:

j'eusse donné   *I had given, etc.*
je fusse arrivé   *I had arrived, etc.*

(8) To form the perfect infinitive, use the present infinitive of the auxiliary verb and the past participle of the verb. Examples:

avoir donné   *to have given*
être arrivé   *to have arrived*

(B) The past participle is used in conjunction with the different tenses of the auxiliary verb **être** to form the tenses of the passive voice of transitive verbs (i.e. of verbs normally conjugated with **avoir**). Examples:

PRESENT INDIC.	**je suis** flatté	*I am flattered*
IMPERFECT	**j'étais** flatté	*I was flattered*
FUTURE	**je serai** flatté	*I shall* or *will be flattered*
CONDITIONAL	**je serais** flatté	*I should* or *would be flattered*
PASSÉ COMPOSÉ	**j'ai été** flatté	*I was* or *have been flattered*
PLUPERFECT	**j'avais été** flatté	*I had been flattered*
PAST ANTERIOR	**j'eus été** flatté	*I had been flattered*

Although some of the forms of the passive voice look very complicated, they present no real difficulty either from the point of view of form or meaning. When broken down into their component parts and translated literally into English,

they practically always make good sense *and good English.*
Examples:

| Il avait été tué. | He | had | been | killed. |
| Vous auriez été étonné. | You | would have | been | surprised. |

The English passive voice is by no means always rendered in French by the passive voice. (See *use of faire with an infinitive* 93 (2).)

122. FORMS WHICH CAN BE DERIVED FROM THE PASSÉ SIMPLE.*

To form the imperfect subjunctive, drop the last letter of the first person singular of the *passé simple,* and add the endings: **-sse, -sses, -ˆt, -ssions, -ssiez, -ssent.**

PASSÉ SIMPLE		IMPERFECT SUBJ.
je donnai	*I gave*	je donnasse
je finis	*I finished*	je finisse
je vendis	*I sold*	je vendisse

The vowel preceding the **t** of the third person singular of the imperfect subjunctive always has a circumflex accent. Ex.: **donnât, finît, vendît, eût, fût,** etc.

123. REGULAR CONJUGATIONS.

(A) Infinitive and tenses formed on it:

FUTURE

I **donner**	II **finir**	III **vendre**
je donnerai	je finirai	je vendrai
tu donneras	tu finiras	tu vendras
il donnera	il finira	il vendra
nous donnerons	nous finirons	nous vendrons
vous donnerez	vous finirez	vous vendrez
ils donneront	ils finiront	ils vendront

---

* For the formation of the *passé simple,* see paragraph 70.

CONDITIONAL

je donnerais	je finirais	je vendrais
tu donnerais	tu finirais	tu vendrais
il donnerait	il finirait	il vendrait
nous donnerions	nous finirions	nous vendrions
vous donneriez	vous finiriez	vous vendriez
ils donneraient	ils finiraient	ils vendraient

(B) Present indicative and tenses which can be formed from it:

PRESENT INDIC.

je donne	je finis	je vends
tu donnes	tu finis	tu vends
il donne	il finit	il vend
nous **donnons**	nous **finissons**	nous **vendons**
vous donnez	vous finissez	vous vendez
ils donnent	ils finissent	ils vendent

IMPERATIVE

donne(s)	finis	vends
donnons	finissons	vendons
donnez	finissez	vendez

PRESENT PART.

donnant	finissant	vendant

IMPERFECT

je donnais	je finissais	je vendais
tu donnais	tu finissais	tu vendais
il donnait	il finissait	il vendait
nous donnions	nous finissions	nous vendions
vous donniez	vous finissiez	vous vendiez
ils donnaient	ils finissaient	ils vendaient

PRESENT SUBJUNCTIVE

je donne	je finisse	je vende
tu donnes	tu finisses	tu vendes
il donne	il finisse	il vende

nous donnions	nous finissions	nous vendions
vous donniez	vous finissiez	vous vendiez
ils donnent	ils finissent	ils vendent

(C) Past participle and tenses in which past participle appears:

(1) Verbs conjugated with **avoir:**

PAST PARTICIPLE

| **donné** | **fini** | **vendu** |

PASSÉ COMPOSÉ

| j'ai donné, etc. | j'ai fini, etc. | j'ai vendu, etc. |

PLUPERFECT

| j'avais donné, etc. | j'avais fini, etc. | j'avais vendu, etc. |

PAST ANTERIOR

| j'eus donné, etc. | j'eus fini, etc. | j'eus vendu, etc. |

FUTURE PERFECT

| j'aurai donné, etc. | j'aurai fini, etc. | j'aurai vendu, etc. |

CONDITIONAL PERFECT

| j'aurais donné, etc. | j'aurais fini, etc. | j'aurais vendu, etc. |

PASSÉ COMPOSÉ SUBJUNCTIVE

| j'aie donné, etc. | j'aie fini, etc. | j'aie vendu, etc. |

PLUPERFECT SUBJUNCTIVE

| j'eusse donné, etc. | j'eusse fini, etc. | j'eusse vendu, etc. |

PERFECT INFINITIVE

| avoir donné | avoir fini | avoir vendu |

PERFECT PARTICIPLE

| ayant donné | ayant fini | ayant vendu |

(2) Verbs conjugated with **être:**

PAST PARTICIPLE	**arrivé** (*from* arriver)
PASSÉ COMPOSÉ	je suis arrivé(e), etc.
PLUPERFECT	j'étais arrivé(e), etc.
PAST ANTERIOR	je fus arrivé(e), etc.
FUTURE PERFECT	je serai arrivé(e), etc.
CONDITIONAL PERFECT	je serais arrivé(e), etc.
PASSÉ COMPOSÉ SUBJUNCTIVE	je sois arrivé(e), etc.
PLUPERFECT SUBJUNCTIVE	je fusse arrivé(e), **etc.**
PERFECT INFINITIVE	être arrivé(e) (s)
PERFECT PARTICIPLE	étant arrivé(e) (s)

(D) Passé simple and imperfect subjunctive:

PASSÉ SIMPLE

je donnai	je finis	je vendis
tu donnas	tu finis	tu vendis
il donna	il finit	il vendit
nous donnâmes	nous finîmes	nous vendîmes
vous donnâtes	vous finîtes	vous vendîtes
ils donnèrent	ils finirent	ils vendirent

IMPERFECT SUBJUNCTIVE

je donnasse	je finisse	je vendisse
tu donnasses	tu finisses	tu vendisses
il donnât	il finît	il vendît
nous donnassions	nous finissions	nous vendissions
vous donnassiez	vous finissiez	vous vendissiez
ils donnassent	ils finissent	ils vendissent

124. VERBS OF THE FIRST CONJUGATION WHICH ARE REGU-
LAR EXCEPT FOR A SLIGHT VARIATION IN THEIR STEM.

(A) Verbs whose stem vowel is a mute **e** (acheter, appeler)
have two stems.

(1) Whenever in conjugation the mute **e** of the stem
vowel is followed by a syllable containing a mute **e**, the **e** of

the stem vowel is pronounced [ɛ]. This occurs in the following forms: the first, second, and third person singular and the third person plural of the present indicative and the present subjunctive (**-e, -es, -e, -ent**); the second person singular of the imperative (**-e** or **-es**); and the six forms of both the future and conditional (**-erai,** etc., **-erais,** etc.)

(2) Whenever the mute **e** of the stem vowel is followed by a syllable containing any vowel other than a mute **e,** it is pronounced [ə] as in the infinitive. This phenomenon is reflected in the spelling as follows:

(*a*) In **acheter,** *to buy;* **lever,** *to raise;* **mener,** *to lead;* and a few other verbs, the stem vowel is written **è** when followed by a syllable containing a mute **e.** Ex.: PRESENT: J'ach**è**te, tu ach**è**tes, il ach**è**te, nous achetons, vous achetez, ils ach**è**tent; FUTURE: **j'achèterai,** etc.; CONDITIONAL: **j'achèterais,** etc.

(b) In **appeler,** *to call;* **jeter,** *to throw;* and a few other verbs ending in **-eler, -eter,** the final **l** or **t** of the stem is doubled when followed by a mute syllable. Ex.: PRESENT: J'**appelle,** tu **appelles,** il **appelle,** nous appelons, vous appelez, ils **appellent;** FUTUR: j'**appellerai,** etc.

(B) In **espérer,** *to hope;* **céder,** *to yield;* **préférer,** *to prefer* and a few other verbs whose stem vowel is **é,** the stem vowel is written **è** and pronounced [ɛ] in the present indicative (and present subjunctive) when followed by a mute syllable. Ex.: PRESENT: J'esp**è**re, tu esp**è**res, il esp**è**re, nous espérons, vous espérez, ils esp**è**rent. (In the future and conditional, however, the stem vowel of these verbs is written **é.** Ex.: J'espérerai.)

(C) Verbs ending in **-cer, -ger, -yer** show a slight variation in the spelling of the stem *but not in its pronunciation.*

(1) In **commencer, avancer,** etc., the final **c** of the stem is written **ç** whenever in conjugation it is followed by an **a**

or **o.** Ex.: PRESENT: Je commence, tu commences, il commence, nous **commençons,** vous commencez, ils commencent; PRESENT PART.: **commençant;** IMPERFECT: je **commençais,** tu **commençais,** il **commençait,** nous commencions, vous commenciez, ils **commençaient;** PASSÉ SIMPLE: je **commençai,** etc.

(2) In **manger,** *to eat,* and other verbs ending in -ger, you write **ge** instead of **g** whenever the following vowel is **a** or **o.** Ex.. PRESENT: je mange, tu manges, il mange, nous **mangeons,** vous mangez, ils mangent; IMPERFECT: je **mangeais,** etc.; PASSÉ SIMPLE: je **mangeai,** etc.

(3) In **ennuyer,** *to bother,* and other verbs ending in -oyer, -uyer, you write **i** instead of **y** whenever the following letter is a mute **e.** Ex.: il **ennuie,** *but* nous **ennuyons.**

(4) In **payer,** *to pay,* and other verbs ending in -ayer, -eyer, you may write **y** throughout the verb, or, if you prefer, you may write **i** instead of **y** whenever the following letter is a mute **e.** Ex.: Je paye *or* je paie, *but* nous payons.

B. *Auxiliary Verbs*

125. CONJUGATION OF AUXILIARY VERBS **être** AND **avoir.**

SIMPLE TENSES

INFINITIVE

être, *to be*   avoir, *to have*

PRESENT INDICATIVE

je suis, *I am*	j'ai, *I have*
tu es	tu as
il est	il a
nous sommes	nous avons
vous êtes	vous avez
ils sont	ils ont

IMPERFECT

j'étais, *I was*	j'avais, *I had*
tu étais	tu avais
il était	il avait
nous étions	nous avions
vous étiez	vous aviez
ils étaient	ils avaient

PASSÉ SIMPLE

je fus, *I was*	j'eus, *I had*
tu fus	tu eus
il fut	il eut
nous fûmes	nous eûmes
vous fûtes	vous eûtes
ils furent	ils eurent

FUTURE

je serai, *I shall* or *will be*   j'aurai, *I shall* or *will have*
tu seras   tu auras
il sera   il aura
nous serons   nous aurons
vous serez   vous aurez
ils seront   ils auront

CONDITIONAL

je serais, *I should* or *would be*   j'aurais, *I should* or *would have*
tu serais   tu aurais
il serait   il aurait
nous serions   nous aurions
vous seriez   vous auriez
ils seraient   ils auraient

PRESENT SUBJUNCTIVE

je sois, *I am,* etc.   j'aie, *I have,* etc.
tu sois   tu aies
il soit   il ait
nous soyons   nous ayons
vous soyez   vous ayez
ils soient   ils aient

IMPERFECT SUBJUNCTIVE

je fusse, *I was,* etc.   j'eusse, *I had,* etc.
tu fusses   tu eusses
il fût   il eût
nous fussions   nous eussions
vous fussiez   vous eussiez
ils fussent   ils eussent

IMPERATIVE

sois, *be*   aie, *have*
soyons   ayons
soyez   ayez

PRESENT PARTICIPLE

étant   ayant

COMPOUND TENSES

PAST PARTICIPLE

été   **eu**

PASSÉ COMPOSÉ

j'ai été, *I was, I have been,* etc.   j'ai eu, *I had, I have had,* etc.

PLUPERFECT

j'avais été, *I had been,* etc.   j'avais eu, *I had had,* etc.

PAST ANTERIOR

j'eus été, *I had been,* etc.   j'eus eu, *I had had,* etc.

FUTURE PERFECT

j'aurai été, *I shall have been,* etc.   j'aurai eu, *I shall have had,* etc.

CONDITIONAL PERFECT

j'aurais été, *I should* or *would*   j'aurais eu, *I should* or *would*
    have been, etc.   *have had,* etc.

PASSÉ COMPOSÉ SUBJUNCTIVE

j'aie été, *I have been,* etc.   j'aie eu, *I have had,* etc.

PLUPERFECT SUBJUNCTIVE

j'eusse été, *I had been,* etc.   j'eusse eu, *I had had,* etc.

PERFECT INFINITIVE

avoir été, *to have been*   avoir eu, *to have had*

PERFECT PARTICIPLE

ayant été, *having been*   ayant eu, *having had*

C. Irregular Verbs

126. FORMATION OF IRREGULAR VERBS.

Although the rules for deriving the forms of regular verbs (see paragraphs 118-122) do not apply strictly to all irregular verbs, they do apply to a substantial proportion of their forms.

127. REFERENCE LIST OF COMMONEST IRREGULAR VERBS.

dépeindre	*see* craindre	138	inscrire	*see* écrire	145
déplaire	*see* plaire	157	interdire	*see* dire	143
déteindre	*see* craindre	138	intervenir	*see* venir	171
détenir	*see* tenir	167	introduire	*see* conduire	134
détruire	*see* conduire	134	joindre	*see* craindre	138
devenir	*see* venir	171	lire		151
devoir		142	maintenir	*see* tenir	167
dire		143	maudire	*see* dire	143
discourir	*see* courir	137	médire	*see* dire	143
disparaître	*see* connaître	135	mentir	*see* dormir	144
distraire	*see* traire	168	mettre		152
dormir		144	mourir		153
écrire		145	mouvoir		154
élire	*see* lire	151	naître		155
émettre	*see* mettre	152	obtenir	*see* tenir	167
émouvoir	*see* mouvoir	154	offrir	*see* ouvrir	156
endormir	*see* dormir	144	omettre	*see* mettre	152
s'endormir	*see* dormir	144	ouvrir		156
enfreindre	*see* craindre	138	paraître	*see* connaître	135
s'enfuir	*see* fuir	149	parcourir	*see* courir	137
entreprendre	*see* prendre	160	partir	*see* dormir	144
entretenir	*see* tenir	167	parvenir	*see* venir	171
entrevoir	*see* voir	174	peindre	*see* craindre	138
entr'ouvrir	*see* ouvrir	156	percevoir	*see* recevoir	161
envoyer		146	permettre	*see* mettre	152
éteindre	*see* craindre	138	plaindre	*see* craindre	138
être		125	se plaindre	*see* craindre	138
exclure	*see* conclure	133	plaire		157
extraire	*see* traire	168	pleuvoir		158
faire		147	poursuivre	*see* suivre	166
falloir		148	pourvoir	*see* voir	174
feindre	*see* craindre	138	pouvoir		159
fuir		149	prédire	see *dire*	143
geindre	*see* craindre	138	prendre		160
haïr		150	prescrire	*see* écrire	145
inclure	*see* conclure	133	pressentir	*see* dormir	144

128. acquérir, *to acquire.*

FUTURE
  j'acquerrai, etc.; COND. j'acquerrais, etc.

PRESENT INDICATIVE
  j'acquiers, tu acquiers, il acquiert,
  nous acquérons, vous acquérez, ils acquièrent.

IMPERATIVE
  acquiers, acquérons, acquérez.

PRES. PART.
  acquérant; IMPERFECT j'acquérais, etc.

PRES. SUBJ.
  j'acquière, tu acquières, il acquière,
  nous acquérions, vous acquériez, ils acquièrent.

PAST PARTICIPLE
  acquis; PASSÉ COMPOSÉ j'ai acquis, etc.

PASSÉ SIMPLE
  j'acquis, etc.; IMPER. SUBJ. j'acquisse, etc.

129. aller, *to go.*

FUTURE
  j'irai, etc.; COND. j'irais, etc.

PRESENT INDICATIVE
  je vais, tu vas, il va,
  nous allons, vous allez, ils vont.

IMPERATIVE
  va(s), allons, allez.

PRES. PART.
  allant; IMPERFECT j'allais, etc.

PRES. SUBJ.
  j'aille, tu ailles, il aille,
  nous allions, vous alliez, ils aillent.

PAST PARTICIPLE
  allé; PASSÉ COMPOSÉ je suis allé, etc.

PASSÉ SIMPLE
  j'allai, etc.; IMPERF. SUBJ. j'allasse, etc.

130. s'asseoir, *to sit down.*

FUTURE
je m'assiérai, etc.; COND. je m'assiérais, etc.

PRESENT INDICATIVE
je m'assieds, tu t'assieds, il s'assied,
nous nous asseyons, vous vous asseyez, ils s'asseyent.

IMPERATIVE
assieds-toi, asseyons-nous, asseyez-vous.

PRES. PART.
s'asseyant; IMPERFECT je m'asseyais, etc.

PRES. SUBJ.
je m'asseye, tu t'asseyes, il s'asseye,
nous nous asseyions, vous vous asseyiez, ils s'asseyent.

PAST PARTICIPLE
assis; PASSÉ COMPOSÉ je me suis assis, etc.

PASSÉ SIMPLE
je m'assis, etc.; IMPERF. SUBJ. je m'assisse, etc.

Alternate form of s'asseoir.

FUTURE
je m'assoirai, etc. *or* je m'asseyerai, etc.

CONDITIONAL
je m'assoirais, etc. *or* je m'asseyerais, etc.

PRESENT INDICATIVE
je m'assois, tu t'assois, il s'assoit,
nous nous assoyons, vous vous assoyez, ils s'assoient.

PRES. PART.
s'assoyant; IMPERFECT je m'assoyais, etc.

PRES. SUBJ.
je m'assoie, tu t'assoies, il s'assoie,
nous nous assoyions, vous vous assoyiez, ils s'assoient.

asseoir, *to seat* is conjugated like **s'asseoir** except that it takes the
auxiliary verb **avoir.**

131. battre, *to beat.*

All forms are regular except:

PRESENT INDICATIVE
je bats, tu bats, il bat,
nous battons, vous battez, ils battent.

Like **battre: abattre,** *to fell, to beat down;* **combattre,** *to fight,* and **se débattre,** *to struggle.*

132. boire, *to drink.*

FUTURE and COND. regular.

PRESENT INDICATIVE
je bois, tu bois, il boit,
nous buvons, vous buvez, ils boivent.

IMPERATIVE
bois, buvons, buvez.

PRES. PART.
buvant; IMPERFECT je buvais, etc.

PRES. SUBJ.
je boive, tu boives, il boive,
nous buvions, vous buviez, ils boivent.

PAST PARTICIPLE
bu; PASSÉ COMPOSÉ j'ai bu, etc.

PASSÉ SIMPLE
je bus, etc.; IMPERF. SUBJ. je busse, etc.

133. conclure, *to conclude.*

FUTURE and COND. regular.

PRESENT INDICATIVE
je conclus, tu conclus, il conclut,
nous concluons, vous concluez, ils concluent.

IMPERATIVE
conclus, concluons, concluez.

PRES. PART.

    concluant; IMPERFECT je concluais, etc.

PRES. SUBJ.

    je conclue, etc.

PAST PARTICIPLE

    conclu; PASSÉ COMPOSÉ j'ai conclu, etc.

PASSÉ SIMPLE

    je conclus, etc.; IMPERF. SUBJ. je conclusse, etc.

Like **conclure: exclure,** *to exclude,* and **inclure,** *to include,* except that the past participle of the latter is **inclus.**

134. conduire, *to conduct, to drive.*

FUTURE and COND. regular.

PRESENT INDICATIVE

    je conduis, tu conduis, il conduit,

    nous conduisons, vous conduisez, ils conduisent.

IMPERATIVE

    conduis, conduisons, conduisez.

PRES. PART.

    conduisant; IMPERFECT je conduisais, etc.

PRES. SUBJ.

    je conduise, etc.

PAST PARTICIPLE

    conduit; PASSÉ COMPOSÉ j'ai conduit, etc.

PASSÉ SIMPLE

    je conduisis, etc.; IMPERF. SUBJ. je conduisisse, etc.

Like **conduire: construire,** *to construct;* **déduire,** *to deduce;* **détruire,** *to destroy;* **introduire,** *to introduce;* **produire,** *to produce;* **reconduire,** *to lead back;* **réduire,** *to reduce;* **séduire,** *to seduce, to please;* **traduire,** *to translate;* etc.

135. connaître, *to know, to be acquainted with.*

FUTURE and COND. regular.

PRESENT INDICATIVE

    je connais, tu connais, il connaît,

    nous connaissons, vous connaissez, ils connaissent.

IMPERATIVE
connais, connaissons, connaissez.
PRES. PART.
connaissant; IMPERFECT je connaissais, etc.
PRES. SUBJ.
je connaisse, etc.
PAST PARTICIPLE
connu; PASSÉ COMPOSÉ j'ai connu, etc.
PASSÉ SIMPLE
je connus, etc.; IMPERF. SUBJ. je connusse, etc.

Like **connaître: apparaître,** *to appear;* **disparaître,** *to disappear;* **paraître,** *to appear;* **reconnaître,** *to recognize;* etc.

136. coudre, *to sew.*
FUTURE and COND. regular.
PRESENT INDICATIVE
je couds, tu couds, il coud,
nous cousons, vous cousez, ils cousent.
IMPERATIVE
couds, cousons, cousez.
PRES. PART.
cousant; IMPERFECT je cousais, etc.
PRES. SUBJ.
je couse, etc.
PAST PARTICIPLE
cousu; PASSÉ COMPOSÉ j'ai cousu, etc.
PASSÉ SIMPLE
je cousis, etc.; IMPERF. SUBJ. je cousisse, etc.

137. courir, *to run.*
FUTURE
je courrai, etc.; COND. je courrais, etc.
PRESENT INDICATIVE
je cours, tu cours, il court,
nous courons, vous courez, ils courent.

IMPERATIVE
>   cours, courons, courez.

PRES. PART.
>   courant; IMPERFECT je courais, etc.

PRES. SUBJ.
>   je coure, etc.

PAST PARTICIPLE
>   couru; PASSÉ COMPOSÉ j'ai couru, etc.

PASSÉ SIMPLE
>   je cours, etc.; IMPERF. SUBJ. je courusse, etc.

Like **courir: accourir,** *to hasten;* **discourir,** *to discourse;* **parcourir,** *to go over;* **secourir,** *to help;* etc.

138. craindre, *to fear.*

FUTURE and COND. regular.

PRESENT INDICATIVE
>   je crains, tu crains, il craint,
>   nous craignons, vous craignez, ils craignent.

IMPERATIVE
>   crains, craignons, craignez.

PRES. PART.
>   craignant; IMPERFECT je craignais, etc.

PRES. SUBJ.
>   je craigne, etc.

PAST PARTICIPLE
>   craint; PASSÉ COMPOSÉ j'ai craint, etc.

PASSÉ SIMPLE
>   je craignis, etc.; IMPERF. SUBJ. je craignisse, etc.

Like **craindre: astreindre,** *to compel;* **atteindre,** *to attain;* **contraindre,** *to compel;* **dépeindre,** *to depict;* **déteindre,** *to fade;* **enfreindre,** *to infringe;* **éteindre,** *to extinguish;* **feindre,** *to feign;* **geindre,** *to groan;* **joindre,** *to join;* **peindre,** *to paint;* **plaindre,** *to pity;* **se plaindre,** *to complain;* **rejoindre,** *to rejoin, to meet;* **restreindre,** *to restrain;* **teindre,** *to dye;* etc.

139. croire, *to believe.*

FUTURE and COND. regular.

PRESENT INDICATIVE
je crois, tu crois, il croit
nous croyons, vous croyez, ils croient.

IMPERATIVE
crois, croyons, croyez.

PRES. PART.
croyant; IMPERFECT je croyais, etc.

PRES. SUBJ.
je croie, tu croies, il croie,
nous croyions, vous croyiez, ils croient.

PAST PARTICIPLE
cru; PASSÉ COMPOSÉ j'ai cru, etc.

PASSÉ SIMPLE
je crus, etc.; IMPERF. SUBJ. je crusse, etc.

140. croître, *to grow.*

FUTURE and COND. regular.

PRESENT INDICATIVE
je croîs, tu croîs, il croît,
nous croissons, vous croissez, ils croissent.

IMPERATIVE
croîs, croissons, croissez.

PRES. PART.
croissant; IMPERFECT je croissais, etc.

PRES. SUBJ.
je croisse, etc.

PAST PARTICIPLE
crû; PASSÉ COMPOSÉ j'ai crû, etc.

PASSÉ SIMPLE
je crûs, etc.; IMPERF. SUBJ. je crusse, etc.

141. cueillir, *to pick, to gather.*

FUTURE
> je cueillerai, etc.; COND. je cueillerais, etc.

PRESENT INDICATIVE
> je cueille, tu cueilles, il cueille,
> nous cueillons, vous cueillez, ils cueillent.

IMPERATIVE
> cueille(s), cueillons, cueillez.

PRES. PART.
> cueillant; IMPERFECT je cueillais, etc.

PRES. SUBJ.
> je cueille, etc.

PAST PARTICIPLE
> cueilli; PASSÉ COMPOSÉ j'ai cueilli, etc.

PASSÉ SIMPLE
> je cueillis, etc.; IMPERF. SUBJ. je cueillisse, etc.

Like **cueillir: accueillir,** *to welcome;* and **recueillir,** *to gather, to collect.*
assaillir, *to assail* and **tressaillir,** *to start,* etc. are like **cueillir** except
that the future and conditional are regular.

142. devoir, *must,* etc.

FUTURE
> je devrai, etc.; COND. je devrais, etc.

PRESENT INDICATIVE
> je dois, tu dois, il doit,
> nous devons, vous devez, ils doivent.

IMPERATIVE
> ———

PRES. PART.
> devant; IMPERFECT je devais, etc.

PRES. SUBJ.
> je doive, tu doives, il doive,
> nous devions, vous deviez, ils doivent.

PAST PARTICIPLE
  dû; PASSÉ COMPOSÉ j'ai dû, etc.
PASSÉ SIMPLE
  je dus, etc.; IMPERF. SUBJ. je dusse, etc.

143. dire, *to say*.

FUTURE and COND. regular.
PRESENT INDICATIVE
  je dis, tu dis, il dit,
  nous disons, vous dites, ils disent.
IMPERATIVE
  dis, disons, dites.
PRES. PART.
  disant; IMPERFECT je disais, etc.
PRES. SUBJ.
  je dise, etc.
PAST PARTICIPLE
  dit; PASSÉ COMPOSÉ j'ai dit, etc.
PASSÉ SIMPLE
  je dis, etc.; IMPERF. SUBJ. je disse, etc.

Like **dire: redire,** *to say again.*

The following verbs are like **dire** except that the 2nd person plural of
the present indicative ends in **-disez: contredire,** *to contradict;* **se
dédire,** *to retract;* **interdire,** *to prohibit;* **médire,** *to slander;* **pré-
dire,** *to predict.*

maudire, *to curse* is conjugated like **finir.**

144. dormir, *to sleep.*

FUTURE and COND. regular.
PRESENT INDICATIVE
  je dors, tu dors, il dort,
  nous dormons, vous dormez, ils dorment.
IMPERATIVE
  dors, dormons, dormez.

PRES. PART.
> dormant; IMPERFECT je dormais, etc.

PRES. SUBJ.
> je dorme, etc.

PAST PARTICIPLE
> dormi; PASSÉ COMPOSÉ j'ai dormi, etc.

PASSÉ SIMPLE
> je dormis, etc.; IMPERF. SUBJ. je dormisse, etc.

Like **dormir: endormir,** *to put to sleep;* **s'endormir,** *to fall asleep;* etc.

The following verbs are conjugated like **dormir** but the present indicative of each is given in full:

bouillir, *to boil:* bous, bous, bout, bouillons, bouillez, bouillent.

mentir, *to lie,* and **démentir,** *to contradict:* mens, mens, ment, mentons, mentez, mentent.

partir, *to leave,* and **repartir,** *to leave again:* pars, pars, part, partons, partez, partent. (Conjugated with auxiliary **être.**)

se repentir, *to repent:* repens, repens, repent, repentons, repentez, repentent.

sentir, *to feel, to smell;* **consentir,** *to consent;* **pressentir,** *to have a presentiment;* **ressentir,** *to feel:* sens, sens, sent, sentons, sentez, sentent.

servir, *to serve;* **se servir de,** *to use:* sers, sers, sert, servons, servez, servent.

sortir, *to go out:* sors, sors, sort, sortons, sortez, sortent. (Conjugated with auxiliary **être.**)

145. écrire, *to write.*

FUTURE and COND. regular.

PRESENT INDICATIVE
> j'écris, tu écris, il écrit,
> nous écrivons, vous écrivez, ils écrivent.

IMPERATIVE
> écris, écrivons, écrivez.

PRES. PART.

écrivant; IMPERFECT j'écrivais, etc.

PRES. SUBJ.

j'écrive, etc.

PAST PARTICIPLE

écrit; PASSÉ COMPOSÉ j'ai écrit, etc.

PASSÉ SIMPLE

j'écrivis, etc.; IMPERF. SUBJ. j'écrivisse, etc.

Like **écrire: décrire,** *to describe;* **inscrire,** *to inscribe;* **prescrire,** *to pre‹ scribe;* **proscrire,** *to proscribe;* **souscrire,** *to subscribe;* etc.

146. envoyer, *to send.*

FUTURE

j'enverrai, etc.; COND. j'enverrais, etc.

PRESENT INDICATIVE

j'envoie, tu envoies, il envoie,
nous envoyons, vous envoyez, ils envoient.

IMPERATIVE

envoie(s), envoyons, envoyez.

PRES. PART.

envoyant; IMPERFECT j'envoyais, etc.

PRES. SUBJ.

j'envoie, tu envoies, il envoie,
nous envoyions, vous envoyiez, ils envoient.

PAST PARTICIPLE

envoyé; PASSÉ COMPOSÉ j'ai envoyé, etc.

PASSÉ SIMPLE

j'envoyai, etc.; IMPERF. SUBJ. j'envoyasse, etc.

Like **envoyer: renvoyer,** *to send back, to send away.*

147. faire, *to do, to make.*

FUTURE

je ferai, etc.; COND. je ferais, etc.

PRESENT INDICATIVE
  je fais, tu fais, il fait,
  nous faisons, vous faites, ils font.

IMPERATIVE
  fais, faisons, faites.

PRES. PART.
  faisant; IMPERFECT je faisais, etc.

PRES. SUBJ.
  je fasse, etc.

PAST PARTICIPLE
  fait; PASSÉ COMPOSÉ j'ai fait, etc.

PASSÉ SIMPLE
  je fis, etc., IMPERF. SUBJ. je fisse, etc.

Like **faire: contrefaire,** *to imitate;* **défaire,** *to undo;* **satisfaire,** *to satis-*
fy; etc.

148. falloir, *must,* etc. (impersonal).

FUTURE
  il faudra; COND. il faudrait.

PRESENT INDICATIVE
  il faut.

IMPERATIVE
  ———

PRES. PART.
  ——— IMPERFECT il fallait.

PRES. SUBJ.
  il faille.

PAST PARTICIPLE
  fallu; PASSÉ COMPOSÉ il a fallu.

PASSÉ SIMPLE
  il fallut; IMPERF. SUBJ. il fallût.

149. fuir, *to flee.*

FUTURE and COND. regular.

PRESENT INDICATIVE
  je fuis, tu fuis, il fuit,
  nous fuyons, vous fuyez, ils fuient.
IMPERATIVE
  fuis, fuyons, fuyez.
PRES. PART.
  fuyant; IMPERFECT je fuyais, etc.
PRES. SUBJ.
  je fuie, tu fuies, il fuie,
  nous fuyions, vous fuyiez, ils fuient.
PAST PARTICIPLE
  fui; PASSÉ COMPOSÉ j'ai fui, etc.
PASSÉ SIMPLE
  je fuis, etc.; IMPERF. SUBJ. je fuisse, etc.
Like **fuir: s'enfuir,** *to flee, to escape.*

150. *haïr, *to hate.*

FUTURE and COND. regular.
PRESENT INDICATIVE
  je hais, tu hais, il hait,
  nous haïssons, vous haïssez, ils haïssent.
IMPERATIVE
  hais, haïssons, haïssez.
PRES. PART.
  haïssant; IMPERFECT je haïssais, etc.
PRES. SUBJ.
  je haïsse, etc.
PAST PARTICIPLE
  haï; PASSÉ COMPOSÉ j'ai haï, etc.
PASSÉ SIMPLE
  je haïs, tu haïs, il haït,
  nous haïmes, vous haïtes, ils haïrent.
IMPERF. SUBJ. je haïsse, tu haïsses, il haït, etc.

---

* The **h** is aspirate in all the forms of **haïr.**

151. lire, *to read*.

FUTURE and COND. regular.

PRESENT INDICATIVE
>   je lis, tu lis, il lit,
>   nous lisons, vous lisez, ils lisent.

IMPERATIVE
>   lis, lisons, lisez.

PRES. PART.
>   lisant; IMPERFECT je lisais, etc.

PRES. SUBJ.
>   je lise, etc.

PAST PARTICIPLE
>   lu; PASSÉ COMPOSÉ j'ai lu, etc.

PASSÉ SIMPLE
>   je lus, etc.; IMPERF. SUBJ. je lusse, etc.

Like lire: élire, *to elect*.

152. mettre, *to put*.

FUTURE and COND. regular.

PRESENT INDICATIVE
>   je mets, tu mets, il met,
>   nous mettons, vous mettez, ils mettent.

IMPERATIVE
>   mets, mettons, mettez.

PRES. PART.
>   mettant; IMPERFECT je mettais, etc.

PRES. SUBJ.
>   je mette, etc.

PAST PARTICIPLE
>   mis; PASSÉ COMPOSÉ j'ai mis, etc.

PASSÉ SIMPLE
>   je mis, etc.; IMPERF. SUBJ. je misse, etc.

Like mettre: admettre, *to admit;* commettre, *to commit;* compromettre, *to compromise;* émettre, *to put out, to emit;* omettre, *to omit;* permettre, *to permit;* promettre, *to promise;* remettre, *to put back, to hand to;* soumettre, *to submit;* transmettre, *to transmit;* etc.

153. mourir, *to die.*

FUTURE
> je mourrai, etc.; COND. je mourrais, etc.

PRESENT INDICATIVE
> je meurs, tu meurs, il meurt,
> nous mourons, vous mourez, ils meurent.

IMPERATIVE
> meurs, mourons, mourez.

PRES. PART.
> mourant; IMPERFECT je mourais, etc.

PRES. SUBJ.
> je meure, tu meures, il meure,
> nous mourions, vous mouriez, ils meurent.

PAST PARTICIPLE
> mort; PASSÉ COMPOSÉ je suis mort(e), etc.

PASSÉ SIMPLE
> je mourus, etc.; IMPERF. SUBJ. je mourusse, etc.

154. mouvoir, *to move.*

FUTURE
> je mouvrai, etc.; COND. je mouvrais, etc.

PRESENT INDICATIVE
> je meus, tu meus, il meut,
> nous mouvons, vous mouvez, ils meuvent.

IMPERATIVE
> meus, mouvons, mouvez.

PRES. PART.
> mouvant; IMPERFECT je mouvais, etc.

PRES. SUBJ.
> je meuve, tu meuves, il meuve,
> nous mouvions, vous mouviez, ils meuvent.

PAST PARTICIPLE
> mû; PASSÉ COMPOSÉ j'ai mû, etc.

PASSÉ SIMPLE
    je mus, etc.; IMPERF. SUBJ. je musse, etc.

Like **mouvoir: émouvoir,** *to stir;* **s'émouvoir,** *to be stirred;* etc., except
that the past participle is **ému** — without the circumflex accent.

155. naître, *to be born.*

FUTURE and COND. regular.

PRESENT INDICATIVE
    je nais, tu nais, il naît,
    nous naissons, vous naissez, ils naissent.

IMPERATIVE
    nais, naissons, naissez.

PRES. PART.
    naissant; IMPERFECT je naissais, etc.

PRES. SUBJ.
    je naisse, etc.

PAST PARTICIPLE
    né; PASSÉ COMPOSÉ je suis né(e), etc.

PASSÉ SIMPLE
    je naquis, etc.; IMPERF. SUBJ. je naquisse, etc.

Like **naître: renaître,** *to be reborn.*

156. ouvrir, *to open.*

FUTURE and COND. regular.

PRESENT INDICATIVE
    j'ouvre, tu ouvres, il ouvre,
    nous ouvrons, vous ouvrez, ils ouvrent.

IMPERATIVE
    ouvre(s), ouvrons, ouvrez.

PRES. PART.
    ouvrant; IMPERFECT j'ouvrais, etc.

PRES. SUBJ.
    j'ouvre, etc.

Past Participle
ouvert; Passé Composé j'ai ouvert, etc.
Passé Simple
j'ouvris, etc.; Imperf. Subj. j'ouvrisse, etc.
Like ouvrir: couvrir, *to cover;* découvrir, *to discover;* entr'ouvrir, *to open slightly;* offrir, *to offer, to give;* souffrir, *to suffer,* etc.

157. plaire, *to please.*
Future and Cond. regular.
Present Indicative
je plais, tu plais, il plaît,
nous plaisons, vous plaisez, ils plaisent.
Imperative
plais, plaisons, plaisez.
Pres. Part.
plaisant; Imperfect je plaisais, etc.
Pres. Subj.
je plaise, etc.
Past Participle
plu; Passé Composé j'ai plu, etc.
Passé Simple
je plus, etc.; Imperf. Subj. je plusse, etc.
Like **plaire: déplaire,** *to displease.*

taire, *to say nothing about,* and **se taire,** *to be silent,* are conjugated like **plaire** except that the 3rd person singular of the present indicative is written without the circumflex accent.

158. pleuvoir, *to rain* (impersonal).
Future
il pleuvra; Cond. il pleuvrait.
Present Indicative
il pleut.
Pres. Part.
pleuvant; Imperfect il pleuvait.

PRES. SUBJ.
  il pleuve.
PAST PARTICIPLE
  plu; PASSÉ COMPOSÉ il a plu.
PASSÉ SIMPLE
  il plut; IMPERF. SUBJ. il plût.

159. pouvoir, *to be able, can,* etc.

FUTURE
  je pourrai, etc.; COND. je pourrais, etc.
PRESENT INDICATIVE
  je peux (je puis), tu peux, il peut,
  nous pouvons, vous pouvez, ils peuvent.
PRES. PART.
  pouvant; IMPERFECT je pouvais, etc.
PRES. SUBJ.
  je puisse, tu puisses, il puisse,
  nous puissions, vous puissiez, ils puissent.
IMPERATIVE
  ——— ——— ———

PAST PARTICIPLE
  pu; PASSÉ COMPOSÉ j'ai pu, etc.
PASSÉ SIMPLE
  je pus, etc.; IMPERF. SUBJ. je pusse, etc.

160. prendre, *to take.*

FUTURE and COND. regular.
PRESENT INDICATIVE
  je prends, tu prends, il prend,
  nous prenons, vous prenez, ils prennent.
IMPERATIVE
  prends, prenons, prenez.
PRES. PART.
  prenant; IMPERFECT je prenais, etc.

PRES. SUBJ.
je prenne, tu prennes, il prenne,
nous prenions, vous preniez, ils prennent.

PAST PARTICIPLE
pris; PASSÉ COMPOSÉ j'ai pris, etc.

PASSÉ SIMPLE
je pris, etc.; IMPERF. SUBJ. je prisse, etc.

Like **prendre: apprendre,** *to learn;* **comprendre,** *to understand;* **entreprendre,** *to undertake;* **reprendre,** *to take again,* etc.; **surprendre,** *to surprise;* etc.

161. recevoir, *to receive.*

FUTURE
je recevrai, etc.; COND. je recevrais, etc.

PRESENT INDICATIVE
je reçois, tu reçois, il reçoit,
nous recevons, vous recevez, ils reçoivent.

IMPERATIVE
reçois, recevons, recevez.

PRES. PART.
recevant; IMPERFECT je recevais, etc.

PRES. SUBJ.
je reçoive, tu reçoives, il reçoive,
nous recevions, vous receviez, ils reçoivent.

PAST PARTICIPLE
reçu; PASSÉ COMPOSÉ j'ai reçu, etc.

PASSÉ SIMPLE
je reçus, etc.; IMPERF. SUBJ. je reçusse, etc.

Like **recevoir: apercevoir,** *to catch a glimpse of;* **concevoir,** *to conceive;* **décevoir,** *to deceive;* **percevoir,** *to collect;* etc.

162. résoudre, *to resolve, to solve.*

FUTURE and COND. regular.

PRESENT INDICATIVE
>je résous, tu résous, il résoud,
>nous résolvons, vous résolvez, ils résolvent.

IMPERATIVE
>résous, résolvons, résolvez.

PRES. PART.
>résolvant; IMPERFECT je résolvais, etc.

PRES. SUBJ.
>je résolve, etc.

PAST PARTICIPLE
>résolu; PASSÉ COMPOSÉ j'ai résolu, etc.

PASSÉ SIMPLE
>je résolus, etc.; IMPERF. SUBJ. je résolusse, etc.

163. rire, *to laugh.*

FUTURE and COND. regular.

PRESENT INDICATIVE
>je ris, tu ris, il rit,
>nous rions, vous riez, ils rient.

IMPERATIVE
>ris, rions, riez.

PRES. PART.
>riant; IMPERFECT je riais, etc.

PRES. SUBJ.
>je rie, tu ries, il rie,
>nous riions, vous riiez, ils rient.

PAST PARTICIPLE
>ri; PASSÉ COMPOSÉ j'ai ri, etc.

PASSÉ SIMPLE
>je ris, etc.; IMPERF. SUBJ. je risse, etc.

Like **rire: sourire,** *to smile.*

164. savoir, *to know.*

FUTURE
>je saurai, etc.; COND. je saurais. etc.

PRESENT INDICATIVE
  je sais, tu sais, il sait,
  nous savons, vous savez, ils savent.
IMPERATIVE
  sache, sachons, sachez.
PRES. PART.
  sachant; IMPERFECT je savais, etc.
PRES. SUBJ.
  je sache, etc.
PAST PARTICIPLE
  su; PASSÉ COMPOSÉ j'ai su, etc.
PASSÉ SIMPLE
  je sus, etc.; IMPERF. SUBJ. je susse, etc.

165. suffire, *to suffice, to be enough.*
FUTURE and COND. regular.
PRESENT INDICATIVE
  je suffis, tu suffis, il suffit,
  nous suffisons, vous suffisez, ils suffisent.
IMPERATIVE
  suffis, suffisons, suffisez.
PRES. PART.
  suffisant; IMPERFECT je suffisais, etc.
PRES. SUBJ.
  je suffise, etc.
PAST PARTICIPLE
  suffi; PASSÉ COMPOSÉ j'ai suffi, etc.
PASSÉ SIMPLE
  je suffis, etc.; IMPERF. SUBJ. je suffisse, etc.

166. suivre, *to follow.*
FUTURE and COND. regular.
PRESENT INDICATIVE
  je suis, tu suis, il suit,
  nous suivons, vous suivez, ils suivent.

IMPERATIVE
   suis, suivons, suivez.
PRES. PART.
   suivant; IMPERFECT je suivais, etc.
PRES. SUBJ.
   je suive, etc.
PAST PARTICIPLE
   suivi; PASSÉ COMPOSÉ j'ai suivi, etc.
PASSÉ SIMPLE
   je suivis, etc.; IMPERF. SUBJ. je suivisse, etc.
Like **suivre: poursuivre,** *to pursue.*

167. tenir, *to hold.*

FUTURE
   je tiendrai, etc.; COND. je tiendrais, etc.
PRESENT INDICATIVE
   je tiens, tu tiens, il tient,
   nous tenons, vous tenez, ils tiennent.
IMPERATIVE
   tiens, tenons, tenez.
PRES. PART.
   tenant; IMPERFECT je tenais, etc.
PRES. SUBJ.
   je tienne, tu tiennes, il tienne,
   nous tenions, vous teniez, ils tiennent.
PAST PARTICIPLE
   tenu; PASSÉ COMPOSÉ j'ai tenu, etc.
PASSÉ SIMPLE
   je tins, tu tins, il tint,
   nous tînmes, vous tîntes, ils tinrent. IMPERF. SUBJ. je tinsse, etc.

Like **tenir: s'abstenir,** *to abstain;* **appartenir,** *to belong;* **contenir,** *to contain;* **détenir,** *to detain;* **entretenir,** *to keep in good condition;* **maintenir,** *to maintain;* **obtenir,** *to obtain;* **retenir,** *to retain;* **soutenir,** *to sustain.*

168. traire, *to milk.*

FUTURE and COND. regular.

PRESENT INDICATIVE
je trais, tu trais, il trait,
nous trayons, vous trayez, ils traient.

IMPERATIVE
trais, trayons, trayez.

PRES. PART.
trayant; IMPERFECT je trayais, etc.

PRES. SUBJ.
je traie, tu traies, il traie,
nous trayions, vous trayiez, ils traient.

PAST PARTICIPLE
trait; PASSÉ COMPOSÉ j'ai trait, etc.

PASSÉ SIMPLE
——; IMPERF. SUBJ. ——.

Like **traire: abstraire,** *to abstract;* **distraire,** *to distract;* **extraire,** *to extract;* **soustraire,** *to subtract;* etc.

169. vaincre, *to conquer.*

FUTURE and COND. regular.

PRESENT INDICATIVE
je vaincs, tu vaincs, il vainc,
nous vainquons, vous vainquez, ils vainquent.

IMPERATIVE
vaincs, vainquons, vainquez.

PRES. PART.
vainquant; IMPERFECT je vanquis, etc.

PRES. SUBJ.
je vainque, etc.

PAST PARTICIPLE
vaincu; PASSÉ COMPOSÉ j'ai vaincu, etc.

PASSÉ SIMPLE
je vainquis, etc.; IMPERF. SUBJ. je vainquisse, etc.

Like **vaincre: convaincre,** *to convince.*

170. valoir, *to be worth.*

FUTURE
> je vaudrai, etc.; COND. je vaudrais, etc.

PRESENT INDICATIVE
> je vaux, tu vaux, il vaut,
> nous valons, vous valez, ils valent.

IMPERATIVE
> vaux, valons, valez.

PRES. PART.
> valant; IMPERFECT je valais, etc.

PRES. SUBJ.
> je vaille, tu vailles, il vaille,
> nous valions, vous valiez, ils vaillent.

PAST PARTICIPLE
> valu; PASSÉ COMPOSÉ j'ai valu, etc.

PASSÉ SIMPLE
> je valus, etc.; IMPERF. SUBJ. je valusse, etc.

171. venir, *to come.*

FUTURE
> je viendrai, etc.; COND. je viendrais, etc.

PRESENT INDICATIVE
> je viens, tu viens, il vient,
> nous venons, vous venez, ils viennent.

IMPERATIVE
> viens, venons, venez.

PRES. PART.
> venant; IMPERFECT je venais, etc.

PRES. SUBJ.
> je vienne, tu viennes, il vienne,
> nous venions, vous veniez, ils viennent.

PAST PARTICIPLE
> venu; PASSÉ COMPOSÉ je suis venu(e), etc.

PASSÉ SIMPLE
je vins, tu vins, il vint,
nous vînmes, vous vîntes, ils vinrent. IMPERF. SUBJ. je vinsse, etc.

Like **venir**: **convenir**, *to agree, to suit;* **devenir**, *to become;* **intervenir**,
to intervene; **parvenir**, *to attain;* **prévenir**, *to warn,* etc.; **provenir**,
to come from; **revenir**, *to come back;* se **souvenir**, *to remember;*
etc.

172. vêtir, *to clothe.*

FUTURE and COND. regular.

PRESENT INDICATIVE
je vêts, tu vêts, il vêt,
nous vêtons, vous vêtez, ils vêtent.

IMPERATIVE
vêts, vêtons, vêtez.

PRES. PART.
vêtant; IMPERFECT je vêtais, etc.

PRES. SUBJ.
je vête, etc.

PAST PARTICIPLE
vêtu; PASSÉ COMPOSÉ j'ai vêtu, etc.

PASSÉ SIMPLE
je vêtis, etc.; IMPERF. SUBJ. je vêtisse, etc.

173. vivre, *to live.*

FUTURE and COND. regular.

PRESENT INDICATIVE
je vis, tu vis, il vit,
nous vivons, vous vivez, ils vivent.

IMPERATIVE
vis, vivons, vivez.

PRES. PART.
vivant; IMPERFECT je vivais, etc.

PRES. SUBJ.
je vive, etc.

PAST PARTICIPLE
vécu; PASSÉ COMPOSÉ j'ai vécu, etc.

PASSÉ SIMPLE
je vécus, etc.; IMPERF. SUBJ. je vécusse, etc.

174. voir, *to see.*

FUTURE
je verrai, etc.; COND. je verrais, etc.

PRESENT INDICATIVE
je vois, tu vois, il voit,
nous voyons, vous voyez, ils voient.

IMPERATIVE
vois, voyons, voyez.

PRES. PART.
voyant; IMPERFECT je voyais, etc.

PRES. SUBJ.
je voie, tu voies, il voie,
nous voyions, vous voyiez, ils voient.

PAST PARTICIPLE
vu; PASSÉ COMPOSÉ j'ai vu, etc.

PASSÉ SIMPLE
je vis, etc.; IMPERF. SUBJ. je visse, etc.

Like **voir: entrevoir,** *to catch sight of;* **revoir,** *to see again.*

prévoir is like **voir** except that the future and conditional are regular.

pourvoir is like **voir** except that the future and conditional are regular and that the passé simple is **je pourvus,** etc. and the imperfect subjunctive **je pourvusse,** etc.

175. vouloir, *to want, to will.*

FUTURE
je voudrai, etc.; COND. je voudrais, etc.

PRESENT INDICATIVE
   je veux, tu veux, il veut,
   nous voulons, vous voulez, ils veulent.
IMPERATIVE
   veux, voulons, voulez, *or*
   veuille, veuillons, veuillez.
PRES. PART.
   voulant; IMPERFECT je voulais, etc.
PRES. SUBJ.
   je veuille, tu veuilles, il veuille,
   nous voulions, vous vouliez, ils veuillent.
PAST PARTICIPLE
   voulu; PASSÉ COMPOSÉ j'ai voulu, etc.
PASSÉ SIMPLE
   je voulus, etc.; IMPERF. SUBJ. je voulusse, etc.

A. Table of Sounds of the French Language

As Represented by Symbols of the International Phonetic Alphabet

CONSONANTS

	Bi-labial	Labio-dental	Dental and Alveolar	Palato-alveolar	Palatal	Velar	Uvular
Plosive	p b		t d			k g	
Nasal	m		n		ɲ		
Lateral			l				
Rolled			r*				ʀ
Fricative		f v	s z	ʃ ʒ			
Semi-vowels	w ɥ				j (ɥ)	(w)	

VOWELS

	Front	Central	Back
Close	i y		u
Half-close	e ø	ə	o õ
Half-open	ɛ ɛ̃	œ œ̃	ɔ
Open	a	ɑ ɑ̃	

* The symbols [ʀ] and [r] represent two ways of producing "r" in French. The [ʀ] is produced between the back of the tongue and the soft palate, the [r] with the tip of the tongue against the teeth or gums. Only the [ʀ] is used in the phonetic transcriptions in this book, but the alveolar [r] is quite commonly used in many parts of France.

PHONETICS

A. *Table of Sounds*

See opposite page.

B. *Key to Phonetic Alphabet*

CONSONANTS

[p]   *as in* parlez-vous?
[b]   *as in* bonjour
[t]   *as in* tout droit
[d]   *as in* de rien
[k]   *as in* comment?
[g]   *as in* la gare
[m]   *as in* monsieur
[n]   *as in* une banane
[ɲ]   *as in* à la campagne
[l]   *as in* le château
[ʀ]   *as in* bonjour
[f]   *as in* en face
[v]   *as in* au revoir
[s]   *as in* s'il vous plaît
[z]   *as in* pas‿encore
[ʃ]   *as in* à gauche
[ʒ]   *as in* je vais

VOWELS

[i]   *as in* voici
[y]   *as in* sur la place
[e]   *as in* allez-vous?
[ø]   *as in* monsieur
[ə]   *as in* de rien
[ɛ]   *as in* êtes-vous?
[ɛ̃]   *as in* vin
[œ]   *as in* onze heures
[œ̃]   *as in* un restaurant
[a]   *as in* à la gare
[ɑ]   *as in* là-bas
[ɑ̃]   *as in* en France
[ɔ]   *as in* le bureau de poste
[o]   *as in* l'hôtel
[õ]   *as in* bonjour
[u]   *as in* bonjour

SEMI-VOWELS

[w]   *as in* oui
[j]   *as in* bien
[ɥ]   *as in* huit

[331]

C. Cardinal Numbers

Dates, numbers, counting.

(1) In dates, street numbers, telephone numbers, in count-ing, etc. the cardinal numbers are pronounced as follows:

1. õe	11. õz	21. vẽteõe
2. dø	12. duz	22. vẽtdø
3. tRwɑ	13. tRɛz	23. vẽttRwɑ
4. katR	14. katɔRz	24. vẽtkatR
5. sẽk	15. kẽz	25. vẽtsẽk
6. sis	16. sɛz	26. vẽtsis
7. sɛt	17. dissɛt	27. vẽtsɛt
8. ɥit	18. dizɥit	28. vẽtɥit
9. nœf	19. diznœf	29. vẽtnœf
10. dis	20. vẽ	

30. tRɑ̃t	31. tRɑ̃teõe	32. tRɑ̃tdø, etc.
40. kaRɑ̃t	41. kaRɑ̃teõe	42. kaRɑ̃tdø, etc.
50. sẽkɑ̃t	51. sẽkɑ̃teõe	52. sẽkɑ̃tdø, etc.
60. swasɑ̃t	61. swastɑ̃eõe	62. swasɑ̃tdø, etc.
70. swasɑ̃tdis	71. swasɑ̃teõz	72. swasɑ̃tduz, etc.

80. katRəvẽ	81. katRəvẽõe, etc.
90. katRəvẽdis	91. katRəvẽõz, etc.
100. sɑ̃	101. sɑ̃ õe 102. sɑ̃ dø, etc.
500. sẽsɑ̃	501. sẽsɑ̃ õe, etc.
600. sisɑ̃	601. sisɑ̃ õe, etc.
700. sɛtsɑ̃	701. sɛtsɑ̃ õe, etc.
800. ɥisɑ̃	801. ɥisɑ̃ õe, etc.
900. nœfsɑ̃	901. nœfsɑ̃ õe

1000. mil, 1001. mil õe, etc.	5000. sẽmil
1100. õzsɑ̃ *or* milsɑ̃	6000. simil
1200. duzsɑ̃ *or* mildøsɑ̃	7000. sɛtmil

1300.	trɛzsɑ̃ or miltʀwɑsɑ̃, etc.	8000.	ɥimil
2000.	dø mil	9000.	nœfmil
2100.	dømil sɑ̃	10.000.	dimil
2200.	dømildøsɑ̃	500.000.	sɛ̃sɑ̃mil
2300.	dømiltʀwɑsɑ̃, etc.	1.000.000.	œ̃miljõ

(2) When cardinal numbers are used purely as adjectives and are immediately followed by the nouns they modify,

(a) their final consonants are linked to a word beginning with a vowel:

1.	un enfant	œ̃nɑ̃fɑ̃
2.	deux enfants	døzɑ̃fɑ̃
3.	trois enfants	trwɑzɑ̃fɑ̃
5.	cinq enfants	sɛ̃kɑ̃fɑ̃
6.	six enfants	sizɑ̃fɑ̃
7.	sept enfants	sɛtɑ̃fɑ̃
8.	huit enfants	ɥitɑ̃fɑ̃
9.	neuf* enfants	nœfɑ̃fɑ̃
10.	dix enfants	dizɑ̃fɑ̃

(b) the final consonant of 2, 3, 5, 6, 8, 10, is silent before a word beginning with a consonant:

2.	deux francs	døfʀɑ̃
3.	trois francs	tʀwɑfʀɑ̃
5.	cinq francs	sɛ̃fʀɑ̃
6.	six francs	sifʀɑ̃
8.	huit francs	ɥifʀɑ̃
10.	dix francs	difʀɑ̃

(c) the pronunciation of the final consonant of 7 and 9 before a word beginning with a consonant is optional:

7.	sept francs	sɛtfʀɑ̃ or sɛfʀɑ̃
	dix-sept francs	dissɛtfʀɑ̃ or dissɛfʀɑ̃
9.	neuf francs	nœffʀɑ̃
	dix-neuf francs	diznœffʀɑ̃

---

* Note that in **neuf ans** and **neuf heures**, the f is pronounced **v**.

D. Transcriptions of Conversations

CONVERSATION 1

1. bõʒuʀ, məsjø. 2. bõʒuʀ, madam. 3. ɛtvu məsjø yg? 4. wi, madam, ʒəsчi məsjø yg. 5. kɔmɑ̃talevu? 6. bjɛ̃, mɛʀsi, evu? 7. pɑmal, mɛʀsi. 8. paʀlevu ɑ̃glɛ? 9. nõ, ʒən paʀl pɑzɑ̃glɛ. 10. mɛ vu paʀle fʀɑ̃sɛ, nɛspɑ? 11. wi, madam, ʒə paʀl ɶ̃pø fʀɑ̃sɛ. 12. vwasi yn lɛtʀ puʀ vu. 13. mɛʀsi boku. 14. dəʀjɛ̃, məsjø. 15. ɔʀvwaʀ, madam. 16. ɔʀvwaʀ, məsjø.

CONVERSATION 2
a la ɡaʀ

1. uɛl ʃato, silvuplɛ? 2. (ɶ̃nɑ̃plwaje) tudʀwɑ, məsjø. 3. ɛskəl myze ɛ dɑ̃l ʃato? 4. sɛʀtɛnmɑ̃, məsjø. 5. jatil ɶ̃ʀɛstɔʀɑ̃ pʀɛ dy ʃato? 6. wi, məsjø. ilja ɶ̃ ʀɛstɔʀɑ̃ pʀɛ dy ʃato. 7. mɛʀsi boku. 8. dəʀjɛ̃, məsjø.

dɑ̃ la ʀy

9. (a ɶ̃pɑsɑ̃) paʀdõ, məsjø. u ɛl byʀod pɔst? 10. syʀ la plas, la bɑ, a ɡoʃ. 11. jatil ɶ̃ byʀod taba pʀɛdisi? 12. mɛ wi, məsjø. ilja ɶ̃ byʀod taba dɑ̃ laʀyd la pɛ. 13. uɛ laʀyd lapɛ? 14. a dʀwat, məsjø. 15. mɛʀsi boku.

CONVERSATION 3
dɑ̃ laʀy

1. paʀdõ, uɛ lotɛl dyʃvalblɑ̃? 2. syʀ la plas, məsjø. 3. ɛskəsɛ lwɛ̃disi? 4. nõ, snɛpɑ lwɛ̃disi. 5. ɛskəsɛtɶ̃ bɔnotɛl? 6. wi, məsjø. sɛtɶ̃ tʀɛ bɔnotɛl. 7. ɛskə la kчizin ɛ bɔn? 8. wi, la kчizin ɛtɛksɛlɑ̃t. 9. jatil ɶ̃notʀotɛl isi? 10. wi, ilja ɶ̃notʀotɛl ɑ̃ fas də leɡliz. 11. mɛʀsi boku. 12. dəʀjɛ̃, məsjø.

a lotɛl dyʃvalblɑ̃

13. kɛl ɛl pʀid la pɑ̃sjõ? 14. kɛ̃z sɑ̃ fʀɑ̃ paʀ ʒuʀ. 15. kɛl ɛl pʀi deʀpɑ? 16. sɑ̃ sɛ̃kɑ̃t fʀɑ̃ puʀ ləpti deʒɶne (or puʀl pəti), tʀwasɑ̃ sɛ̃kɑ̃t fʀɑ̃ puʀl deʒɶne, e katʀə sɑ̃ fʀɑ̃ puʀl dine.

CONVERSATION 4

1. kɛl œʀ ɛtil? 2. ilɛtõzœʀ. 3. ɛskəldeʒœne ɛ pʀɛ? 4. nõ, məsjø. pazãkɔʀ. 5. a kɛl œʀ vulevu deʒœne? 6. a õzœʀ e kaʀ, 7. u a õzœʀ edmi. 8. a kɛlœʀ alevu a la gaʀ? 9. ʒvɛza la gaʀ a midi. 10. lə tʀẽ puʀ paʀi aʀiv a midi e kaʀ, nɛspa? 11. nõ, məsjø. ilaʀiv a døzœʀ mwẽlkaʀ. 12. alɔʀ, ʒvɛ deʒœne a midi, kɔm dabityd. 13. ɛskəl byʀod pɔst ɛtuvɛʀ sɛtapʀɛmidi? 14. wi, məsjø. ilɛtuvɛʀ də ɥitœʀ dy matẽ a sɛtœʀ dy swaʀ.

CONVERSATION 5

1. kɔmã vuzaplevu. məsjø? 2. ʒmapɛl ʒã yg. 3. kɛl ɛ vɔtʀ nasjɔnalite? 4. ʒsɥizameʀikẽ. 5. u ɛt vu ne? 6. ʒsɥi ne a filadɛlfi. 7. kɛl aʒ avevu? 8. ʒe vẽteœ̃nã. 9. kɛl ɛ vɔtʀə pʀɔfɛsjõ? 10. ʒsɥizẽʒenjœʀ ʃimist. 11. udmœʀevu? 12. ʒədmœʀ a paʀi. 13. kɛl ɛ vɔtʀ adʀɛs a paʀi? 14. kẽz avnyd lɔpsɛʀvatwaʀ. 15. u abit vo paʀã? 16. mõ pɛʀ abit a filadɛlfi. 17. ma mɛʀ ɛ mɔʀt. 18. avevu de paʀã ã fʀãs? 19. nõ, ʒnepad paʀã ã fʀãs. 20. vwasi vɔtʀə kaʀt didãtite. 21. mɛʀsi boku.

CONVERSATION 6

1. ʒe fẽ. 2. mwa osi. 3. alõ deʒœne. 4. vwasi œ̃ ʀɛstɔʀã. ãtʀõ. 5. vwasi yn tablə libʀ. asɛjevu. 6. gaʀsõ, dɔne mwa la kaʀt, silvuplɛ. 7. vwasi, məsjø. vulevu de ɔʀdœvʀ? 8. wi, apɔʀte mwa de ɔʀdœvʀ. 9. vulevu dy vẽ blã u dy vẽ ʀuʒ? 10. dy vẽ ʀuʒ, silvuplɛ. 11. kɛskə vuvule kɔm pladvjãd? 12. dy ʀɔsbif e de pɔmdətɛʀ fʀit. 13. kɛskə vuvule kɔm desɛʀ? 14. kɛskə vuzave? 15. nuzavõ de pɔm, de banan, de pwaʀ, e dy ʀɛzẽ. 16. apɔʀte mwa yn pwaʀ. 17. vulevu dy kafe? 18. wi, dɔnemwa dykafenwaʀ. 19. evu, məsjø. 20. mɛʀsi. ʒənɛmpal kafe. 21. gaʀsõ, ladisjõ, silvuplɛ. 22. tutsɥit, məsjø.

CONVERSATION 7

1. kɛlɛladat oʒuʀdɥi? 2. sɛtoʒuʀdɥi lə tʀãt sɛptãbʀ. 3. kã(t)alevu amaʀsɛj? 4. o mwadɔktɔbʀ. 5. vwasi mõnãplwa dytã: 6. ɔktɔbʀ e nɔvãbʀ amaʀsɛj; 7. desãbʀ, ʒãvje, e fevʀie apaʀi;

8. maʀs e avʀil a ljõ; **9.** mɛ, ʒɥẽ, ʒɥije, e u apaʀi... **10.** ɛskə vuzɛt libʀ lasmɛn pʀɔʃɛn? **11.** vwajõ — kɛl ʒuʀ ɛs oʒuʀdɥi? **12.** sɛtoʒuʀdɥi vɑ̃dʀədi. **13.** ʒ(ə)vɛz olabɔʀatwaʀ lœ̃di, maʀdi, mɛʀkʀədi e ʒødi. **14.** ʒ(ə)sɥi libʀ vɑ̃dʀədi, samdi e dimɑ̃ʃ. **15.** vulevuvniʀ a ʀwɑ̃ avɛkmwa? **16.** vɔlõtje. a kɛlœʀ partevu? **17.** lə tʀẽ paʀ a sẽkœʀ. **18.** sɛtɑ̃tɑ̃dy. a ʒødi apʀɛmidi.

CONVERSATION 8

1. ualevu? **2.** ʒ(ə)vɛzaʃte œ̃ ʒuʀnal. **3.** uvɑ̃tõ de ʒuʀno? **4.** õ vɑ̃ deʒuʀno obyʀodtaba. **5.** avevu deʒuʀno, madam? **6.** wi, məsjø. le vwala. **7.** dɔnemwal figaʀo, silvuplɛ. **8.** ləvwasi, məsjø. **9.** kõbjẽ(n)ɛs? **10.** kẽzfʀɑ̃. **11.** vwala œ̃ bijɛdsɑ̃fʀɑ̃. **12.** vwala la mɔnɛ: katʀəvẽsẽfʀɑ̃. **13.** avevu desigaʀɛt(z)ameʀikɛn? **14.** ʒəʀgʀɛt, məsjø. **15.** nunavõpad sigaʀɛt(z)ameʀikɛn. **16.** ʒ(ə)nɛmpɑ le sigaʀɛt fʀɑ̃sɛz. **17.** nuzavõ dytaba ameʀikẽ. **18.** kõbjẽ kutətil? **19.** il kut sɑ̃ sẽkɑ̃tfʀɑ̃l pakɛ. **20.** avevu la mɔnɛd milfʀɑ̃. **21.** ʒ(ə)kʀwakwi la vwala. **22.** ɛstu, məsjø? **23.** wi, sɛtu puʀoʒuʀdɥi.

CONVERSATION 9

1. kɔnɛsevu listwaʀ də fʀɑ̃s? **2.** sɛʀtɛnmɑ̃. ʒ(ə)kɔnɛ ʒandaʀk e napɔleõ. **3.** kɛskə vusaved ʒandaʀk? **4.** ʒsɛ kɛlɛne a dõʀmi. **5.** savevu u ɛ ne napɔleõ? **6.** ilɛ ne ɑ̃ kɔʀs, o dizɥitjɛm sjɛkl. **7.** kɛlɛladat dəlabata:j də vatɛʀlo? **8.** dizɥisɑ̃kẽz ɛ ladat dəla bata:j dəvatɛʀlo. **9.** napɔleõ ɛmɔʀ œ̃ pø plytaʀ. **10.** ɑ̃ kɛlane lwi katɔʀz ɛtilmɔʀ? **11.** il ɛmɔʀ ɑ̃ dissɛtsɑ̃kẽz. **12.** vu kɔnɛsel katɔʀzə ʒɥijɛ, nɛspɑ? **13.** bjẽnɑ̃tɑ̃dy. sɛl ʒuʀd la fɛt nasjɔnal ɑ̃fʀɑ̃s. **14.** savevu puʀkwa? **15.** paʀskə sɛl ʒuʀd la pʀiz dəla bastij, **16.** lə katɔʀz ʒɥijɛ, dissɛtsɑ̃ katʀəvẽnœf. **17.** ʒən vɛ ply vu pozed kɛstjõ. **18.** vusavetu!

CONVERSATION 10

1. kɔnɛsevu lwiz bədɛl? **2.** nõ, ʒən la kɔnɛpɑ. **3.** mɛ si. vuzave fɛ sa kɔnɛsɑ̃s ʃemaʀi samdi dɛʀnje. **4.** ɛs yn pətit ʒœnfij bʀyn? **5.** mɛ nõ. sɛtyn gʀɑ̃d ʒœnfij blõd. **6.** də kɛl kulœʀ sõ sezjø? **7.** ɛl a lezjøblø, kɔm tut leblõd. **8.** o! vupaʀled la ʒœnfij abije ɑ̃ blø?

9. ɛla leʃvø blõ, leʒu ʀoz e le lɛvʀ(ə) ʀuʒ, nɛspɑ? **10.** wi, sɛsa. **11.** e bjɛ̃? **12.** ɛl vasmaʀje ʒødi pʀɔʃɛ̃. **13.** avɛk ki? **14.** avɛk ʃaʀldypõ. **15.** ʒ(ə)kɔnɛ tʀɛbjɛ̃ ʃaʀl. **16.** kɛskilfɛ? **17.** ilɛtɛ̃ʒenjœʀ. **18.** kə pɑsevud ʃaʀl? **19.** ʒ(ə)pɑs kiladlaʃɑs. **20.** safjɑse ɛʒɔli e ɛlɛ tʀɛ ʒɑtij.

CONVERSATION 11

1. vulevu fɛʀ ynpʀɔmnad? **2.** ʒ(ə)vøbjɛ̃. kɛltɑfɛtil? **3.** ilfɛbo. **4.** mɛ(z)ilfɛ dyvɑ. **5.** ɛskilfɛfʀwɑ? **6.** nõ. pɑdytu. **7.** ilnəfɛ nitʀɔʃo nitʀɔfʀwɑ. **8.** sɛtœ̃botɑ puʀ ynpʀɔmnad. **9.** fotil pʀɑdʀ œ̃nɛ̃pɛʀmeabl? **10.** s(ə)nɛpɑ lapɛn. **11.** il nə vapɑ plœvwaʀ. **12.** ɛtvusyʀ kilnəvapɑ plœvwaʀ? **13.** wi. ləsjɛlɛblø, e ilfɛdysɔlej. **14.** ʒ(ə)vukʀwa. **15.** ʒekõfjɑs ɑvu.

(ynœʀ plytaʀ)

16. il plø; il pløtavɛʀs. **17.** ʒ(ə)sɥi muje ʒyskozo. **18.** sɛ vɔtʀə fot. **19.** ma fot? **20.** kɔmɑ sla? **20.** vusavebjɛ̃. ʒ(ə)ne ply kõfjɑs ɑvu.

CONVERSATION 12

1. ʀəgaʀde lanɛʒ! **2.** tjɛ̃! sɛ lapʀəmjɛʀfwa kilnɛʒ sɛtane. **3.** ʒ(ə)nɛm pɑdytu livɛʀ. **4.** õnpømɛmpɑ sɔʀtiʀ. **5.** mɛ si. **6.** ɑnivɛʀ õpøsɔʀtiʀ. **7.** e pɥi, õ pøpatine, fɛʀdyski, aleoteatʀ, obal, ɛtseteʀa. **8.** wi, mɛ livɛʀ dyʀ tʀɔ lõtɑ. **9.** kɛl sezõ pʀefeʀevu alɔʀ? **10.** ʒ(ə)kʀwa kəʒ pʀefɛʀ lete. **11.** ʒɛm vwaʀ de fœj syʀ lezaʀbʀ, **12.** e deflœʀ dɑleʒaʀdɛ̃. **13.** mɛ la kɑpaɲ ɛtosi bɛl ɑnotɔn kɑnete, **14.** e ilfɛ mwɛ̃ʃo. **15.** wi. lotɔn kɔmɑs bjɛ̃, **16.** mɛ(z)il finimal. **17.** ʒɛm mjøl pʀɛ̃tɑ. **18.** vuzave ʀezõ. **19.** tulmõd ɛ kõtɑd vwar vəniʀ lə pʀɛ̃tɑ.

CONVERSATION 13

1. ʒedekuʀsafɛʀ. **2.** ʒ(ə)vødabɔʀ aʃte dypɛ̃. **3.** õvɑdypɛ̃ alepisʀi, nɛspa? **4.** nõ. ilfotale ala bulɑʒʀi. **5.** ɑsɥit, ʒ(ə)vøzaʃted lavjɑd. **6.** kɛlɛspɛs dəvjɑd? **7.** dybœf e dypɔʀ. **8.** puʀ ləbœf, ale(z)ala buʃʀi. **9.** puʀ ləpɔʀ, ale(z)ala ʃaʀkytʀi. **10.** fotil ale a dø magazɛ̃ difeʀɑ? **11.** wi. ɑfʀɑs, leʃaʀkytje vɑd dypɔʀ. **12.** lebuʃe vɑd lezotʀəzɛspɛs dəvjɑd. **13.** ʒ(ə)vøzaʃte osi dypapje alɛtʀ. **14.** õvɑ dypapjealɛtʀ alafaʀmasi, nɛspɑ? 15. nõ. lefaʀmasjẽn vɑ̃d kədemedikamɑ̃. 16. u fotilale alɔʀ? 17. ale(z)ala libʀɛʀi u o byʀodtaba. 18. ẽsi, lebuʃen vɑ̃d pɑdpɔʀ, lefaʀmasjẽn vɑ̃d kə demedikamɑ̃, e õvɑ̃ dypapjealɛtʀ dɑ̃lebyʀod taba! 19. sɛtɛfʀɛjɑ̃, nɛspɑ? 20. sɛ formidabl.

Conversation 14

1. ʒ(ə)sɥizẽvite ʃe le bʀun. 2. le kɔnɛsevu? 3. nõ, ʒən le kɔnɛpɑ. 4. ɛskəs məsjø bʀun ɛtameʀikẽ? 5. wi, il ɛtameʀikẽ, mɛ safam ɛfʀɑ̃sɛz. 6. kɑ̃ məsjø bʀun ɛtilvəny ɑ̃fʀɑ̃s? 7. ilɛvny ɑ̃fʀɑ̃s ilja sẽkusizɑ̃. 8. ɛtil vəny diʀɛktəmɑ̃ dezetazyni? 9. nõ, ʒ(ə) kʀwa kilapɑse døzutʀwɑzɑ̃ ɑ̃nɑ̃glətɛʀ. 10. udmœʀ məsjø bʀun? 11. ildəmœʀ pʀɛ dy bwɑdbulɔɲ. 12. kɛskilfɛ? 13. ilɛbɑ̃kje. 14. sabɑ̃k sətʀuv pʀɛdlɔpeʀɑ. 15. kɔmɑ̃(t) avevufɛ sakɔnɛsɑ̃s? 16. sɛtœ̃ vjɛjamid mõpɛʀ. 17. ilɛvny suvɑ̃ ʃenu afiladɛlfi. 18. ɛtvudeʒɑ ale ʃelebʀun? 19. wi, ʒ(ə)sɥizale ʃezø plyzjœʀfwa. 20. safam elɥi õtete tʀɛzɛmabl puʀ mwa.

Conversation 15

1. uɛtvuzale sɛtapʀɛmidi? 2. ʒ(ə)sɥizale ɑ̃vil. 3. kɛskə vuzavefɛ? 4. ʒefɛdekuʀs. 5. kɛskəvuzave(z) aʃte? 6. bokud ʃoz. 7. ʒ(ə)sɥi dabɔʀ ale obazaʀ. 8. kɛskəsə kɑ̃bazaʀ? 9. sɛtœ̃maɡazẽ ulõvɑ̃ dətu, 10. a bõ marʃe. 11. ɑ̃sɥit, ʒ(ə)sɥizale ʃelamɔdist. 12. kwafɛʀ? 13. aʃte œ̃ ʃapo. 14. ləʃapok(ə) vuzave syʀlatɛt? 15. wi. ɛskilvuplɛ? 16. sɛʀtɛnmɑ̃. 17. ilɛtœ̃pødʀol. 18. mɛ(z)ilvuvatʀɛbjẽ. 19. ʒemaʀʃe tulapʀɛmidi. 20. ʒ(ə)sɥi(z) œ̃pøfatige. 21. ɛtvuzale ɑ̃vil apje? 22. wi, ʒevuly pʀɔfite dybotɑ̃. 23. ɑ̃tukɑ, sɛtpʀɔmnad mafɛ bokudbjẽ.

Conversation 16

1. bõʒuʀ, madam. avevu(z)ynʃɑ̃bʀə mœble alwe? 2. wi, məsjø. ʒɑ̃neyn oprəmje. 3. ɛskəʒpø lavwaʀ? 4. mɛwi, məsjø. paʀisi. 5. sɛlapʀəmjɛʀpɔʀtadʀwat ɑ̃ odlɛskalje. 6. vulevu bjẽ mõte? 7. vɔlõtje. 8. vwasi la ʃɑ̃bʀ. kɔmɑ̃ latʀuvevu? 9. ʒ(ə)latʀuv vʀɛmɑ̃ tʀɛzaɡʀeabl. 10. e ɛlɛ tʀɛtʀɑ̃kil. 11. ilnja ʒamɛdbʀɥi dɑ̃lkaʀtje. 12. tɑ̃mjø. 13. kaʀ ʒebəzwẽd tʀavajelswaʀ. 14. vwasi lasaldəbẽ.

avɛk oʃod tutlaʒuʀne. **15.** kɛlɛ l(ə)lwaje, silvuplɛ? **16.** si milfʀɑ̃ paʀmwɑ, məsjø. **17.** ʒ(ə)kʀwak(ə)setʃɑ̃bʀə m(ə) kõvjẽ tutafɛ. **18.** kɑ̃sʀatɛl pʀɛt? **19.** ɛskədmẽ matẽ vukõvjẽ? **20.** wi, paʀfɛtmɑ̃. **21.** sɛtɑ̃tɑ̃dy. **22.** admẽ, madam.

CONVERSATION 17

1. u iʀevu sɛtapʀɛmidi? **2.** ʒiʀe ɑ̃vil. **3.** kɛskəvufʀe? **4.** ʒəfʀe dekuʀs. **5.** kɛskəvuzaʃɛtʀe? **6.** ʒaʃɛtʀe cẽ mɑ̃to e ynʀɔb. **7.** kɔmɑ̃(t)iʀevu ɑ̃vil? **8.** ʒiʀe apje silfɛbo. **9.** vusʀe bjẽto fatiɡe. **10.** puʀkwan pʀənevupɑ lɔtɔbys? **11.** ʒ(ə)nɛmpɑ pʀɑ̃dʀə lɔtɔbys. **12.** ilja tʀɔdmõd. **13.** kɛskəvufʀe silplø? **14.** silplø, ʒ(ə)pʀɑ̃dʀecẽtaksi. **15.** akɛlœʀ ʀɑ̃tʀəʀevu? **16.** ʒ(ə)ʀɑ̃tʀəʀed bɔnœːʀ. **17.** nubliepɑ nɔtʀə ʀɑ̃devu puʀ səswaʀ. **18.** ʒnubliʀepɑ. **19.** akɛlœʀ finiʀevu vɔtʀə tʀavaj? **20.** ʒ(ə)finiʀe vɛʀ sizœʀ. **21.** a səswaʀ. **22.** ɑ̃tɑ̃dy. ʒvjẽdʀe vu ʃɛʀʃe a ɥitœʀ pʀesiz.

CONVERSATION 18

1. ʒ(ə)vudʀezcẽ bijɛ ale eʀtuʀ puʀ ʀẽs. **2.** kɛl klɑs, məsjø? **3.** s(ə)ɡõd, silvuplɛ. **4.** kõbjẽdtɑ̃sbijɛ ɛtilbõ? **5.** kẽz ʒuʀ, məsjø. **6.** ɛskəʒdwa ʃɑ̃ʒedtʀẽ ɑ̃ʀut? **7.** wi, vudve ʃɑ̃ʒe a epɛʀnɛ. **8.** kõbjẽdtɑ̃ fotilatɑ̃dʀə lakɔʀespõdɑ̃s? **9.** vuzɔʀe apøpʀɛ vẽminyt a epɛʀnɛ.

syʀ ləke a epɛʀnɛ

10. paʀdõ. syʀ kɛl vwa lətʀẽdʀẽs aʀivtil? **11.** isᵻ məsjø, syʀ la pʀəmjɛʀ vwa. **12.** lətʀẽ ɛtilalœʀ? **13.** nõ, məsjø. ilɛtɑ̃ʀtaʀ də diminyt. **14.** ɛskɛ ʒɔʀeltɑ̃ dale obyfɛ? **15.** vupuvezɛsɛje, mɛ depɛʃevu. **16.** lətʀẽ saʀɛt sœlmɑ̃ tʀwa minyt. **17.** sivumɑ̃kestʀẽ, vusʀezɔbliʒed pɑselanɥi a epɛʀnɛ.

CONVERSATION 19

1. kõbjẽ kut semuʃwaʀ? **2.** (ləvɑ̃dœʀ) tʀwa mil fʀɑ̃ laduzɛn, məsjø. **3.** dɔnemɑ̃ ynduzɛn, silvuplɛ. **4.** kõbjẽ kut sɛt pɛʀ də ɡɑ̃? **5.** dø mil sẽsɑ̃fʀɑ̃, məsjø: meʒvulalɛsʀe a dømilfʀɑ̃. **6.** seɡɑ̃sõtil dəbɔnkalite? **7.** sɛʀtɛnmɑ̃, məsjø. **8.** vun tʀuvʀe ʀjẽd mejœʀ. **9.** ɑ̃navevu dotʀ? **10.** wi, məsjø. ɑ̃vwasideɡʀi. **11.** bõ. dɔnelemwa. **12.** kɛlɛlpʀid səʃapo? **13.** tʀwa mil sẽ sɑ̃ fʀɑ̃, məsjø. **14.** vulevu

lɛsɛje? 15. vɔlõtje. 16. ilvuvatʀɛbjẽ. 17. ləvulevu? 18. wi mɛtelə
dãzœ̃kaʀtõ, silvuplɛ. 19. vulevu lãpɔʀte tutsɥit? 20. nõ, ʒən
ʀãtʀəpɑ ʃemwa mẽtnã. 21. e bjẽ, ʒ(ə)puʀe vulfɛʀãvwaje sɛtapʀɛmidi. 22. ʒ(ə)nepɑdaʀʒã syʀmwa... 23. slanfɛʀjẽ, məsjø. 24. nu-
vuzãvɛʀõ lafaktyʀ.

Conversation 20

1. bõʒuʀ ʒã. kɛskəvufɛt(z)isi? 2. vuvwaje, ʒatã lɔtɔbys. 3. ɛskə
vu latãdedpɥi lõtã? 4. ʒlatãdpɥi(z)œ̃kar dœʀ. 5. vʀɛmã? vuna-
vepɑvy dɔtɔbys dəpɥi(z)œ̃kaʀdœʀ? 6. si. œ̃nɔtɔbys ɛvny. 7. puʀkwan lavevupɑ pʀi? 8. ʒnepɑpymõte. 9. iletɛ kõplɛ. 10. vwasi
œ̃notʀ ɔtɔbys ki aʀiv. 11. ʒ(ə)vwa de ʒãdbu. 12. slanfɛʀjẽ.
13. mõtõ tudmɛm.

dã lɔtɔbys

14. ilnjapɑ bokudplas... 15. iljɔʀadlaplas ply lwẽ, kã leʒã
kɔmãsʀõ(t)a desãdʀ. 16. ʒ(ə)lɛspɛʀ. 17. u desãdevu? 18. ʒ(ə)-
desã(z)a laʀɛd laʀydlapɛ. 19. ʒ(ə)vɛʃelkwafœʀ. 20. mwa osi.
sivuvule, ʒiʀeavɛkvu. 21. ãtãdy. nupuʀõziale ãsãbl.

Conversation 21

1. a kɛlekɔl aljevu, kã vuzavje duzã? 2. ʒalɛzokɔlɛʒ, sɛtadiʀ a
lekɔls(ə)gõdɛʀ. 3. u abitjevu asmɔmãla? 4. ʒabitɛzyn pətitvil dezalp.
5. sɛtynʀeʒõ tʀɛ pitɔʀɛsk, nɛspɑ? 6. wi, mɛ sɛtvil a bjẽ ʃãʒedpɥi.
7. õni a kõstʀɥi dezyzin də pʀɔdɥi ʃimik. 8. lə pʀɔgʀɛ, vusave...
9. kɛskəvufəzje(z) alekɔl? 10. ʒ(ə)tʀavaje nœvœʀ par ʒuʀ. 11. kwa?
12. ʒi alɛ tulematẽ a sɛtœʀ, e ʒã sɔʀtɛ(z) a katʀœʀ dəlapʀɛ-
midi. 13. ɛskiljave bokudelɛv dãsɛtekɔl? 14. nõ. ilnjavɛgɛʀ plydsã-
telɛv. 15. ʒ(ə)kʀwakõtʀavajɛtʀo dãsɛtekɔl. 16. ʒənsɥipɑ tutafɛd-
vɔtʀavi, ʒã. 17. ʒ(ə)kʀwaksɛtekɔl mafɛbokudbjẽ.

Conversation 22

1. bõʒuʀ, maʀi. 2. ʒənvuzepɑvy obal samdidɛʀnje. 3. ʒɛspeʀɛ
puʀtã vuzivwaʀ. 4. ʒ(ə)sɥi ʀɛste alamɛzõ səswaʀla. 5. ʒənmə
sãtɛpɑ tʀɛbjẽ. 6. e ʒəmsɥi kuʃedbɔnœʀ. 7. ʒɛspɛʀ kə sla netɛʀjẽ.
8. ʒəlɛspeʀɛ(z)osi, 9. mɛl lãdmẽ, 10. ʒavɛ malalagɔʀʒ. 11. avevu-

fɛvniʀl(ə) mɛtsɛ̃? **12.** nõ. setɛ tusɛ̃pləma œ̃ʀym. **13.** ʒɛspɛr kəsnetɛpɑ gʀav. **14.** nõ. ʒ(ə)sɥi ʀɛsteoli døʒuʀ. **15.** mɛ̃tnɑ̃ ʒ(ə)vɛbokumjø. **16.** mɛ kɔmɑ̃ avevu(z)atʀape sla? **17.** vɑ̃dʀədi, ʀɔʒe e mwa avõfɛ(t) ynlõg pʀɔmnad. **18.** ilfəzɛbo, mɛ(z)ase fʀwɑ. **19.** nuzavõmaʀʃe dɑ̃lanɛʒ ʒyskalanɥi. **20.** ʒavɛfʀwa kɑ̃ʒ(ə)sɥi ʀɑ̃tʀe. **21.** vufʀe bjɛ̃d vuʀpoze. **22.** o, ʒnɑ̃muʀʀepɑ.

CONVERSATION 23

u ɛ makʀavat?

1. s(ə)ʀevu bjɛ̃topʀɛ, ʒɑ̃? **2.** wi, tutalœʀ. **3.** mɛ ʒənsɛpɑ(z) uʒemi makʀavatʀuʒ. **4.** ʒ(ə)pø vupʀɛte yndemjɛn. **5.** nõ, mɛʀsi. ʒnɛmpɑ levotʀ. **6.** vuzɛt bjɛ̃nɛmabl. **7.** vuvulediʀ kəʒnepadgu, nɛspɑ? **8.** ʒ(ə)vødiʀ sœlmɑ̃ kəʒɛm mjø mekʀavat kəlevotʀ. **9.** e bjɛ̃ ʃɛʀʃele, pɥiskə vulezɛmetɑ̃. **10.** ɛskəʒpø pɔʀte ynkʀavatvɛʀt avɛk œ̃ kõplɛblø? **11.** slamɛtegal... **12.** mɛ(z)avevuʀgaʀde dɑ̃ vɔtʀətiʀwaʀ? **13.** wi, ʒeʃɛʀʃe paʀtu. **14.** ʒvɛʀgaʀde dɑ̃lmjɛ̃. **15.** tjɛ̃! sɛtkʀavatʀuʒ nepazamwa. **16.** ɛskɛlɛtavu paʀazaʀ? **17.** mɛ wi, ɛlɛtamwa. **18.** selakʀavat kəʒ(ə)ʃɛʀʃɛ. **19.** puʀkwa etɛtɛl avɛklevotʀ? **20.** ʒ(ə)kʀwak labɔn admiʀtɑ̃ vokʀavat, kɛlaɛsejed mɑ̃dɔne yn!

CONVERSATION 24

ʀətuʀ de vakɑ̃s

1. tjɛ̃ bõswaʀ, maʀi! vuzɛt dəʀtuʀ? **2.** ʒ(ə)sɥi kõtɑ̃d vuʀvwaʀ. **3.** avevupɑsedbɔnvakɑ̃s dənɔel ɑ̃bʀətaɲ; **4.** wi, ɛksɛlɑ̃t, mɛʀsi; mɛ tʀɔkuʀt, kɔm tutlevakɑ̃s. **5.** kɑ̃ɛtvuʀvəny (*or* kɑ̃ɛtvu ʀəvny)? **6.** ʒ(ə)sɥiʀvəny (*or* ʒ(ə)sɥi ʀəvny) jɛʀswaʀ aõzœʀ. **7.** avevu fɛbõvwajaʒ? **8.** o! nə mɑ̃ paʀlepɑ! **9.** a ʀɛn, lɛkspʀɛsdəpari etɛbõde, **10.** e ʒe apɛn pytʀuve ynplas. **11.** e pɥi, ilfəzɛtɔʀibləmɑ̃ ʃo dɑ̃lkõpaʀtimɑ̃. **12.** vunavepadʃɑ̃s. **13.** ʒedine ovagõ ʀɛstɔʀɑ̃. **14.** sɛ la sœlpaʀti dyvwajaʒ kietɛ sypɔʀtabl. **15.** ɛmevu dine ovagõ ʀɛstɔʀɑ̃? **16.** ase. sɛtynfasõd pase yndəmiœʀ. **17.** kɛskəvuzavefɛ ləʒuʀ dənɔel? **18.** skõfɛ paʀtu səʒuʀla. **19.** nusɔmzale alamɛsdəminɥi. **20.** nuzavõfɛlʀevɛjõ ʃe le kɛʀgelen. **21.** ʒəmsɥi bjɛ̃namyze.

342 PHONETICS

CONVERSATION 25

si ʒɛtɛ ʀiʃ

1. kɛskəvufəʀje sivuzetjɛʀiʃ, rɔʒe? 2. ʒənsɛpɑ. 3. nə vudʀievupɑ vwajaʒe? 4. si, ʒ(ə)vudʀɛ vizite plyzjœʀ pei(z)etʀɑʒe. 5. u iʀjevu? 6. ʒiʀɛ(z)ɑ̃nitali, vizite flɔʀɑ̃s e rɔm, 7. ozetazyni, vwaʀ legʀatsjɛl, 8. e ɑ̃ʀysi vwaʀ skispɑs labɑ. 9. ɛskəsɛtu? 10. nõ. ʒaʃɛtʀɛ(z)yn gʀos ɔtɔmɔbil, 11. e ʒiʀɛ mamyze obɔʀdlamɛʀ. 12. ʒɛspɛʀ kəvun-səʀeʒamɛʀiʃ, rɔʒe. 13. puʀkwa ditvu sla? 14. paʀskə vusəʀje malœʀø. 15. vunsɔʀjepɑ depɑ̃se vɔtʀaʀʒɑ̃. 16. vuzave pøtɛtʀə ʀɛzõ. 17. ʒ(ə)vudʀɛ sœlmɑ̃ ɛtʀəʀiʃ də tɑ̃zɑ̃tɑ̃. 18. ʒe ynide, rɔʒe. 19. lakɛl? 20. ʃɛʀʃe ɑ̃e miljɔnɛʀ kipɑ̃s kɔmvu. 21. vupuʀje ʃɑ̃ʒedʀol 22. tulesimwa, paʀɛgzɑ̃pl!

CONVERSATION 26

a vɛʀsɑj

1. ʒənkʀwajɛpɑ vɛʀsɑj si gʀɑ̃. 2. tut ɛ maʒɛstɥø: le vastə saldyʃato, le lõgzale dypaʀk, le pjɛsdo, leʒaʀdɛ̃, lefõtɛn... 3. lwika-tɔʀz ɛmɛ lasplɑ̃dœʀ. 4. mɛtnɑ̃ kõpʀənevu puʀkwa õ laplɛ lə gʀɑ̃ ʀwa? 5. wi, ʒ(ə)kõpʀɑ̃. 6. nɔblɛs ɔbliʒ, vusave. 7. ʒəsɛkə lwikatɔʀz a fɛkõstʀɥiʀ vɛʀsɑj, 8. mɛ kiɛski lakõstʀɥi puʀ lɥi? 9. ɑ̃e dezaʀʃitɛkt ete mɑ̃saʀ. 10. ʒe ɑ̃tɑ̃dy paʀledlɥi. 11. nuzavõ(z)-ɑ̃nɑ̃glɛlmo «mænsard». 12. tjɛ̃! kɛskəsla vødiʀ? 13. ʒ(ə)kʀwak(ə)sɛt ynɛspɛsdətwa. 14. ləmo «mɑ̃saʀd» ɛgzistosi ɑ̃fʀɑ̃sɛ. 15. kɛskəsɛ kynmɑ̃saʀd? 16. sɛdɔʀdinɛʀ ynʃɑ̃bʀ(ə) sultwa. 17. sɛlakõmɛ levjømœbl, leʃɛzkɑse, letapiyze, ɛtseteʀa. 18. ləsɔʀ ɛpaʀfwa iʀɔnik. 19. kɛski vufɛdiʀ sla? 20. mɑ̃saʀ apɑsesavi akõstʀɥiʀdepalɛ, 21. e ilalɛse sõnõ aynɑ̃ɛbləʃɑ̃bʀ.

CONVERSATION 27

kɛskəvuzave?

1. kɛskəvuzave, maʀi? 2. ʒ(ə)neʀjɛ̃dytu, ʒ(ə)vuzasyʀ. 3. mɛsi, vuzave kɛlkəʃoz. 4. vuzavelɛʀ tʀist. 5. akwapɑ̃sevu? 6. ʒ(ə)pɑ̃s a ʒan. lakɔnɛsevu? 7. nõ, ʒənkʀwapɑ. ki ɛs? 8. sɛtyn dəmekuzin. 9. vuzave tɑ̃dkuzin. 10. lakɛl dəvokuzin ɛs? 11. sɛmakuzin kidmœʀ

aʀɛ̃s. 12. o wi! vumavedeʒapaʀledɛl. 13. kɛski lɥiɛtaʀive? 14. ʒɛʀsy jɛʀ ynlɛtʀ də matɑ̃t ɛʀnɛstin. 15. ɛlmekʀi k(ə) ʒanvasmaʀje ʒødipʀɔʃɛ̃. 16. kwa? ɛskə sɛtnuvɛl vuʀɑ̃tʀist? 17. nõ, okõtʀɛʀ. 18. kɛskivuzɑ̃nɥi alɔʀ? 19. ʒənpuʀepɑzale asõmaʀjaʒ. 20. sɛdɔmaʒ, ɑ̃nefɛ. 21. avɛk ki vɔtʀəkuzin səmaʀitɛl? 22. avɛkœ̃ʒœnɔm kəʒkɔnɛsɛ kɑ̃tilavɛdizɑ̃. 23. kɔmlətɑ̃pɑs!

CONVERSATION 28

œ̃naksidɑ̃

o kɔmisaʀjadpɔlis

1. (lə kɔmisɛʀ də pɔlis) vuzɛt bjɛ̃ məsjø ʒɑ̃ yg, ɛ̃ʒenjœʀʃimist, 2. dəmœʀɑ̃ kɛ̃z avnyd lɔpsɛʀvatwaʀ? 3. wi, məsjølkɔmisɛʀ. 4. jɛʀapʀɛmidi vuzavezete temwɛ̃dlaksidɑ̃, 5. okuʀdykɛl lədɔktœʀ lɑ̃bɛʀ aeteblɛse? 6. wi, məsjølkɔmisɛʀ. 7. u etjevu omɔmɑ̃ u lɔto dydɔktœʀ, 8. ki sɥivɛ laʀydvoʒiʀaʀ, 9. ɛtɑ̃tʀe ɑ̃kɔlizjõ avɛkœ̃ kamjõ, 10. vənɑ̃dlavny pɑstœʀ? 11. ʒetɛdvɑ̃ lɛ̃stity pɑstœʀ. 12. kɔmɑ̃ laksidɑ̃ atilyljø? 13. laʃose etɛtʀɛglisɑ̃t, 14. kaʀ ilavɛply. 15. lədɔktœʀlɑ̃bɛʀ, dõlɔtoalɛ tʀɛvit, 16. napɑpy saʀɛte atɑ̃. 17. akɛlvitɛs ləkamjõ alɛtil 18. kɑ̃ laksidɑ̃ ayljø? 19. a ɑ̃viʀõ tʀɑ̃t kilɔmɛtʀalœʀ. 20. ʒ(ə)vuʀmɛʀsi, məsjø. 21. skəvuvneddiʀ 22. ɛdakɔʀ avɛk leʀɑ̃seɲmɑ̃k nuzavõ deʒa.

CONVERSATION 29

ʃe lɔʀlɔʒe

1. kɛskilja, məsjø? 2. ʒvudʀɛ fɛʀ ʀepaʀe sɛt mõtʀ. 3. ʒle lɛsetõbe jɛʀ, 4. e ɛlnəmaʀʃ(ə)ply. 5. u avevuzaʃtesɛtmõtʀəla? 6. ʒleaʃte ɑ̃nameʀik. 7. ʒmɑ̃dutɛ. 8. ʒ(ə)ne ʒamɛ vy ynmõtʀ kɔmsa. 9. ɛskəvupuʀe laʀepaʀe tudmɛm? 10. ʒ(ə)kʀwa, ilsaʒi dynʀepaʀɑsjõ sɛ̃pl. 11. mɛ ʒɔsre ɔbliʒed fɛʀvəniʀ œ̃ʀsɔʀ. 12. puvevumdiʀ kɑ̃ mamõtʀəsʀapʀɛt? 13. vwajõ ... ʒvɛkɔmɑ̃de oʒurdɥi lɔʀsɔʀ dõʒebəzwɛ̃. 14. ʒə lɔʀsəvʀe (or ʒəlʀəsəvʀe) sɑ̃dut vɛʀ ləmiljødlasmɛnpʀɔʃen. 15. ʒ(ə)vudʀɛ bjɛ̃navwaʀ mamõtʀ lə plyto pɔsibl. 16. ʀəvne doʒuʀdɥi ɑ̃ ɥit. 17. bõ. ʒatɑ̃dʀe ʒyskə la ...

CONVERSATION 30

o bõmaʁʃe

1. (lavãdøz) kɛskəvudezire, madmwazɛl? 2. ʒ(ə)vudʁɛ(z)yne-
ʃaʁp. 3. ʃwazise, madmwazɛl. nuzavõzœ̃nɛksɛlɑ̃ ʃwa. 4. yndəmezami
ɑ̃nayn kəʒɛmboku. 5. ɛl la aʃte isi, ʒ(ə)kʁwa. 6. də kɛl kulœʁ ɛ
sɛldəvɔtʁami? 7. sɛtyneʃaʁp dəswablɑ̃ʃ. 8. kəpɑ̃sevud sɛteʃaʁpsi,
madmwazɛl? 9. kõbjɛ̃(n)ɛs? 10. dø milfʁɑ̃. 11. e sɛl la? 12. dø
mil tʁwɑ sɑ̃fʁɑ̃. 13. sɛtœ̃pøʃɛʁ. 14. avevu kɛlkəʃoz dəmɛjœʁmaʁʃe?
15. mɛwi, madmwazɛl. sɛlsi nəkutkə dizɥisɑ̃ fʁɑ̃. 16. ʒ(ə)kʁwak(ə)
ʒɛm mjø sɛlkə vumavemõtʁe tutalœʁ. 17. lakɛl, madmwazɛl?
18. sɛlsi. vulevu bjɛ̃ lamɛtʁə dɑ̃zynbwat? 19. vɔlõtje. deziʁevu
otʁəʃoz, madmwazɛl? 20. ʒ(ə)vudʁɛ(z)osi demuʃwaʁ. 21. ɛmevu
søsi? 22. kɛlɑ̃nɛlpʁi? 23. sɑ̃swasɑ̃tkɛzfʁɑ̃ lapjɛs. 24. ʒɑ̃pʁɑ̃dʁe
yndəmiduzɛn. 25. vulevubjɛ̃ pɛje lakɛsjɛʁ, madmwazɛl? 26. vutʁu-
vʁe vozaʃa alakɛs.

CONVERSATION 31

ɛkskyʁsjɔ alakɑ̃paɲ

1. ilja pʁɛskədøzœʁ kənuzavõkite məlœ̃. 2. ʒ(ə)kɔmɑ̃s a avwaʁ
maloʒɑ̃b. 3. ʒ(ə)nepɑ labityd dale abisiklɛt. 4. ʒ(ə)kʁwak(ə)nuza-
võpʁi lamɔvɛzʁut. 5. ʒɑ̃nepœʁ. 6. vwala œ̃nɔm kitʁavaj dɑ̃sõʃɑ̃.
7. ilpuʁa nudɔne deʁɑ̃sɛɲmɑ̃. 8. (alɔm) ɛskə nu sɔm lwɛ̃dfõtɛnblo?
9. mɛwi, mõpovʁ məsjø. 10. ʒsɥifaʃed vuzapʁɑ̃dʁ 11. kəvunɛt pɑdytu
syr labɔnʁut. 12. kɛlʁut fotil pʁɑ̃dʁ, alɔʁ? 13. vuvwajes vilaʒ, labɑ?
14. sɛ baʁbizõ. alezi. 15. alasɔʁti, pʁənel pʁəmje ʃmɛ̃ agoʃ. 16. il
vu mɛnʁa afõtɛnblo. 17. a kɛldistɑ̃s ɛsdisi? 18. sɛtasɛt u ɥi kilɔmɛtʁ.
19. zytalɔʁ! paʁsɛtʃalœʁ, s(ə)nɛpɑdʁol! 20. sivuzaveʃo e sivu-
zaveswaf, 21. vupuʁe vuzaʁɛte a baʁbizõ. 22. sɛmaʃam ki tjɛ̃
lobɛʁʒ 23. ʒyst ɑ̃fas dəlegliz.

CONVERSATION 32

aʁive alafɛʁm dedeʃɑ̃

1. bõʒuʁ makuzin. 2. tjɛ̃! bõʒuʁ ʁɔʒe. 3. kɛl bɔnsyʁpʁiz!
4. pɛʁmetemwad vupʁezɑ̃te ʒɑ̃ yg. 5. sɛ mõ mɛjœʁ ami. 6. ʒ(ə)sɥizœ-
ʁøz dəfɛʁ vɔtʁəkɔnesɑ̃s, məsjø. 7. ʁɔʒe masuvɑ̃ paʁledvu. 8. nuzavõ-

desided pRɔfite dybotɑ̃ puR v(ə)niʀvuvwaʀ. 9. sɛtynɛksɛlɑ̃tide.
10. avevu fɛbõvwajaʒ? 11. wi. mɛ nusɔmzasefatige. 12. asɛjevu
eʀpozevu. 13. vulevu pʀɑ̃dʀə kɛlkəʃoz? 14. ʒ(ə)pʀɑ̃dʀed labjɛʀ,
sivuzɑ̃nave. 15. evu, məsjø? 16. ʒ(ə)pʀɑ̃dʀe c̃evɛʀ dofʀɛʃ. 17. nə
pʀefeʀevupɑzotʀəʃoz? 18. mɛnõ, makuzin. ʒɑ̃ ɛtameʀikɛ̃. 19. ilnəbwa-
kədlo. 20. ʒɛspɛʀ bjɛ̃k(ə) vuzale pɑse kɛlkəʒuʀ avɛknu. 21. nun-
vulõpɑ vudeʀɑ̃ʒe. 22. nuzavõ lɛ̃tɑ̃sjõ dəʀpaʀtiʀ səswaʀ. 23. vunɛtpɑ
pʀɛse. 24. ʀɛste kɛlkəʒuʀ(z)isi. 25. sɛlmɔmɑ̃d lamwasõ. 26. sivuvule, vupuʀenuzɛde.

CONVERSATION 33

dɑ̃ lafɔʀɛd fõtɛnblo

1. ʒ(ə)vwa deʃɑ̃piɲõ obɔʀdlaʀut. 2. il dwatjɑ̃navwaʀ boku dɑ̃l
bwɑ. 3. si nuzɑ̃ʀapɔʀtjõ kɛlkəzc̃e alamɛzõ. 4. ɛskəvukɔnɛse leʃɑ̃piɲõ?
5. plyz u mwɛ̃. 6. ʀamɑse sœlmɑ̃ søsi. 7. ilsõ tʀɛfasil aʀkɔnɛtʀ.
8. lədsy ɛ bʀc̃e e lədsu ɛ ʒon. 9. bõ. mɛ ʒənsɛpɑ(z)u lemɛtʀ. 10. təne.
mɛtele dɑ̃səsak. 11. ɛskə səlɥisi ɛbõ. 12. wi. 13. e səlɥila?
14. ɛksɛlɑ̃. 15. o! ʒɑ̃vwaboku opjedsɛtaʀbʀ. 16. apɔʀte vɔtʀəsak,
vulevu? 17. fɛt(z)atɑ̃sjõ! 18. ɛskəvuvule(z)ɑ̃pwazɔne tutlafamij?
19. mɛ seʃɑ̃piɲõ ʀəsɑ̃bl a søkvumave mõtʀe. 20. lemɔvɛ ʃɑ̃piɲõ
ʀəsɑ̃bl(ə) boku obõ. 21. vuzɔʀjedym diʀsa plyto. 22. ʒe y tɔʀ dən
pɑ vu pʀevniʀ. 23. ɑ̃tukɑ, ilvomjø lɛse sø dõvunɛtpɑsyʀ.

CONVERSATION 34

a legliz dyvilaʒ

1. bõʒuʀ, məsjølkyʀe. 2. bõʒuʀ, mezami. 3. ɑ̃tʀedõ(k). 4. ʒetɛ-
zɑ̃tʀɛd tʀavaje dɑ̃mõʒaʀdɛ̃ kɑ̃vuzavesɔne. 5. nunuzɛkskyzõd vudeʀɑ̃ʒe
kɑ̃vuzɛt(z)ɔkype. 6. vun mədeʀɑ̃ʒe pɑdyte. 7. ʒvjɛ̃d taje meʀozje,
8. eʒsɥiza vɔtʀə dispozisjõ. 9. nuzavõzɑ̃tɑ̃dydir kəvuzave(z)yn tʀɛbɛ-
legliz, 10. e nuzavõ(z)ɑ̃vid lavizite. 11. ʒəmfʀe c̃eplɛziʀ dəvuza-
kõpaɲe dɑ̃vɔtʀvisit. 12. mɛʃkʀɛ̃ kəvunswaje c̃epødesy. 13. bjɛ̃kɛl
swaklase mɔnymɑ̃istɔʀik, 14. sɛtyn sɛ̃plegliz dəvilaʒ. 15. ʒely kɛlkəpaʀ
kəvɔtʀegliz datdyduzjɛmsjɛkl. 16. ynpaʀti sœlmɑ̃ dəledifisaktɥɛl dat
dəlepɔkʀɔman. 17. legliz aetebʀyle ɑ̃tʀɛzsɑ̃katʀəvẽduz, 18. e aete
ɑ̃paʀti ʀkõstʀɥit osjɛkləsɥivɑ̃. 19. ʒeɑ̃tɑ̃dypaʀle devitʀo dəvɔtʀegliz.
20. õdi kilsõ tʀɛvjø. 21. ʒənkʀwapɑ kiljɛplyd døzutʀwavitʀo vʀɛmɑ̃

ɑ̃sjɛ̃. 22. laplypaʀdɑ̃tʀø sõ ʀ(ə)lativmɑ̃ mɔdɛʀn. 23. vulevubjɛ̃nɑ̃tʀe
paʀsetpɔʀt? 24. lɛ̃teʀjœʀ dəlegliz ɛtœ̃pøsõbʀ, 25. mɛ vozjø sabi-
tyʀõvit alɔpskyʀite.

CONVERSATION 35

o ʒaʀdɛ̃

1. ilfok(ə)ʒajoʒaʀdɛ̃ kœjiʀdeflœʀ. 2. vulevuk(ə)nuvuzɛdjõ?
3. mɛwi. fɛt(z)atɑ̃sjõd bjɛ̃fɛʀmelapɔʀt. 4. ʒɑ̃nvøpak lepul pɥisɑ̃tʀe.
5. ɛlmɑ̃ʒapøpʀe tutmasalad. 6. kɛlflœʀ alevukœjiʀ? 7. deʀoz edɛ-
zœjɛ. 8. ʒɑ̃fʀe œ̃ebuke puʀ lasalamɑ̃ʒe. 9. vuzave(z)œ̃tʀɛboʒaʀdɛ̃.
10. ʒədvʀe mɑ̃nɔkype davɑ̃taʒ, 11. mɛ ʒne paltɑ̃. 12. ɛskəvuzave
dymais? 13. nõ, ʒ(ə)nɑ̃nepa. 14. dajœʀ, lete ɛtʀɔfʀe 15. puʀkəl
mais pɥis myʀiʀisi. 16. ʒ(ə)mɑ̃dutɛ(z) œ̃pø. 17. ʀəgaʀde sepwa,
seaʀiko, eseʃu. 18. ilpus amɛʀvej. 19. wi; mɛzilnagɛʀply sɛtane.
20. ynbɔnplɥi fʀɛbokudbjɛ̃ amelegym. 21. vulevuk(ə) nulezaʀozjõ?
22. ʒ(ə)kʀwakil vomjø(z)atɑ̃dʀ 23. ʒyskaskilfas mwɛ̃ʃo.

CONVERSATION 36

ynpaʀtid pɛʃ

1. si nuzaljõzalapeʃ dəmɛ̃matɛ̃? 2. akwabõ? nunatʀapʀõ ʀjɛ̃.
3. ʒ(ə)nivɛpa puʀatʀape kɛlkəʃoz. 4. puʀkwa jalevu, alɔʀ? 5. ʒivɛ
paʀskə ʒɛmɛtʀ 6. obɔʀdəlo, alõbʀədegʀɑ̃zaʀbʀ. 7. ɛtvuʒamɛzale
alapeʃ ləmatɛ̃dbɔnœʀ? 8. wi, ʒisɥizale kɛlkəfwa. 9. nɛmevupɑz
ɛtʀɑ̃plɛnɛʀ? 10. si. mɛ ʒɑ̃npʀɑ̃ ʒamɛdpwasõ. 11. mwa nõply, mɛ
slanfɛʀjɛ̃. 12. silõnɑ̃pʀɑ̃, tɑ̃mjø, 13. silõnɑ̃pʀɑ̃pa, tɑ̃pi. 14. u vule-
vuzale? 15. ʒkɔnɛ(z)œ̃nɑ̃dʀwa sulvjøpõ, 16. dəlotʀkoted laʀivjɛʀ,
17. u iljadepwasõ gʀokɔmsa! 18. søk vumɑ̃ke? 19. nəvumɔke-
padmwa... 20. akɛlœʀ avevulɛtɑ̃sjõd paʀtiʀ? 21. dəbɔnœʀ. ilfodʀak
nunuləvjõ vɛʀkatʀœʀ dymatɛ̃. 22. mɛzil nəfɛpɑzɑ̃kɔʀ ʒuʀ asɛtœʀla.
23. ʒystəmɑ̃. nuvɛʀõlsɔlej səlve syʀlaʀivjɛʀ. 24. dəkwa vuplɛɲevu?

CONVERSATION 37

aʀive alagaʀ dəljõ

1. bõʒuʀ, ʒɑ̃. bõʒuʀ, ʀɔʒe. ʒ(ə)sɥizœʀøz dəvuvwaʀ. 2. nu(z)osi,
nusɔmzɑ̃ʃɑ̃ted vuvwaʀ. 3. vunuzave mɑ̃ke boku, vusave. 4. flatœʀ!

5. seʒɑ̃tid vɔtRəpaR dɛtRə vny nuzatɑ̃dRalagaR. 6. ʒəmdəmɑ̃d
sivuvuRɑ̃dekõt dysakRifis kəʒefɛ. 7. ʒədvɛ ʒwe otɛnis səmatɛ̃.
8. mɛ kɑ̃ ʒeapRik vudəvjɛRvəniR (or RəvniR) oʒuRdɥi, ʒedesided vəniR
vuzatɑ̃dRisi. 9. kɑ̃(t)avevuRsy nɔtRə depeʃ? 10. ilja apøpRɛ(z)ynœR.
11. mɛvuzɔRjedym diR lœRɛgzakt(ə) dəvɔtRaRive. 12. nunlasavjõpɑ
numɛm. 13. nunetjõpɑsyR datRapeltRɛ̃ də ɥitœRedmi. 15. ʒɑ̃,
vɔtRəkõsjɛRʒ matelefɔne kœ̃ kɑblɔgRam puRvu ɛtaRivesmatɛ̃. 15. o!
ʒ(ə)sɛskəsɛ. 16. elɛnfRazɛRdwataRive seʒuRsi. 17. ɛlmɛ̃dik sɑ̃dut
ləʒuRd(ə)sõnaRive. 18. tjɛ̃, tjɛ̃! ki ɛ sɛt elɛn? 19. sɛtynamɛRikɛn
dəmezami kiɛtaktɥɛlmɑ̃(t)a lõdR. 20. ɛlmadmɑ̃ded lɥisɛRviRdəgid
apaRi.

Conversation 38

alatɛras dœ̃kafe

1. asɛjõnu(z)alatɛras dəskafe. 2. nupuRõ vwaRpase leʒɑ̃. 3. kɛl
ɛsmɔnymɑ̃ labɑ, obudlaRy? 4. vudəvRije ləRkɔnɛtR. sɛl pɑ̃teõ.
5. o! ʒmɑ̃ suvjɛ̃. 6. sɛlɑ̃dRwa u lõnɑ̃tɛR legRɑzɔm, nɛspɑ? 7. wi,
kɛlkəzœ̃ dɑ̃tRø. 8. õtRuvla nɔtamɑ̃ letõbodvɔltɛR, e dviktɔRygo.
9. puRkwa apɛltõ sɛtpaRtidpaRi ləkaRtjelatɛ̃? 10. paRskə sɛlkaR-
tjedlynivɛRsite, ekləlatɛ̃ etɛtotRəfwa la lɑ̃gdəlynivɛRsite. 11. u ɛ dõk
lasɔRbɔn? 12. adøpɑ disi. 13. nuziRõ tutalœR, sivuvule. 14. puR-
kwa apɛltõ lynivɛRsitedpaRi la sɔRbɔn? 15. ʒely lɛksplikɑsjõ kɛlkəpaR,
mɛ ʒən məlaRapɛlpɑ... 16. sɛkotɑ̃d sɛlwi, œ̃sɛRtɛ̃ RɔbɛRd(ə) sɔRbõ
afõde œ̃kɔleʒ puR lezetydjɑ̃d teɔlɔʒi. 17. sə kɔleʒ aple lasɔRbɔn
ɛdvəny (or ɛ dəvny) lafakyltedelɛtR e lafakyltedesjɑ̃s. 18. tusezetydjɑ̃
õlɛR seRjø e pRɛɔkype... 19. iljadkwa. 20. ilsõtɑ̃tRɛ̃dpase lœRzɛgzamɛ̃,
e lezɛgzamɛ̃ ɑ̃fRɑs, nəsõpɑ fasil.

Conversation 39

ləlõdeke

1. kəRgaRd seʒɑ̃la, ləlõd lasɛn? 2. ilzɛgzamin lezetalaʒ debukinist.
3. kəvɑ̃d sebukinist? 4. tutsɔRtdəʃoz. 5. lezœ̃vɑ̃d dəvjɛjzɛstɑ̃p, dotRə
detɛ̃bRəpɔst, dotRə dəvjɛj pjɛsdəmɔnɛ, mɛlaplypaR fõlkɔmɛRs delivRə-
dɔkazjõ. 6. mõfRɛR madmɑ̃ded lɥi ɑ̃vwaje detɛ̃bR. 7. tRavɛRsõlaRy.
8. nupuRõʒte œ̃kudœj syRlezetalaʒ. 9. savevu kɛltɛ̃bRə vɔtRəfRɛR

vøspрɔkyʀe? **10.** wi. ʒedãmõsak ynlistə kiladʀɛse. **11.** (o bukinist) avevu letɛ̃bʀəzɛ̃dike syʀsɛt list? **12.** vwajõzœ̃pø . . . maʀtinik dizчisãkatʀəvɛ̃sis; s(ə)gõtãpiʀ, dizчisãsɛ̃kãttʀwɑ; senegal diznœsãtʀwɑ; ɛtseteʀɑ. **13.** wi, madmwazɛl. ʒ(ə)kʀwa lezavwaʀ tus, sof letɛ̃bʀə dys(ə)gõtãpiʀ, seʀi dizчisãsɛ̃kãttʀwɑ. **14.** il nəmãʀɛst okœ̃. **15.** tãpi. **16.** vulevu kõsylte sɛtalbɔm? **17.** vuzitʀuvʀe pøtɛtʀ sɛʀtɛ̃ tɛ̃bʀ kivuzɛ̃teʀɛs. **18.** ʒənkɔnɛpa gʀãʃoz otɛ̃bʀəpɔst. **19.** vunaveka ʃwaziʀ leplyʒɔli. **20.** o nõ! iljakɛlkətã, ʒe ãvwaje plyzjœʀ tɛ̃bʀ amõfʀɛʀ. **21.** ʒavɛʃwazi leplyʒɔli. **22.** mɛ(z)ilavɛ deʒa laplypaʀ dãtʀø, e ilmadik mõʃwan valɛʀjɛ̃.

CONVERSATION 40

o tчilʀi

1. mɛ̃tnã, ãtʀõ dãlʒaʀdɛ̃ detчilʀi. **2.** kə pãsevudsəkwɛ̃d paʀi? **3.** ʒ(ə)sчizetɔned tʀuve tãdɛspas okœʀmɛm dəlavil. **4.** ʒ(ə)navɛzokynided letãdyd laplasd(ə)lakõkɔʀd. **5.** mɛ, ditmwa, kɛlɛsgʀãbatimãdvãnu? **6.** sɛləluvʀ, ãsjɛ̃palɛ ʀwajal. **7.** ɛskəsɛla kɛl myzedy luvʀ? **8.** wi; mɛl myze nɔkyp kynpaʀtid ledifis. **9.** lɔʀɛst ɛtɔkype paʀ debyʀo deministeʀ. **10.** e vwala laʀk də tʀiõf. **11.** dapʀɛ lefɔtɔgʀafik ʒevy, ʒəl kʀwaje plygʀã. **12.** sɛ laʀkdətʀiõf dykaʀuzɛl kəvuvwajela. **13.** lotʀ, selчid letwal, ɛtobudlavny de ʃãzelize. **14.** sivuvuʀtuʀne, vupuʀelvwaʀ labɑ . . . **15.** ʀəgaʀde sɛt pətitfij kiplœʀ, ʒã. **16.** ləvã a ãmne sõbatoavwal omiljø dybasɛ̃. **17.** ɛskəvupuʀe lɛde? **18.** ʒɔʀɛ bo fɛʀ. **19.** ləbato ɛtʀɔlwɛ̃ puʀkəʒpчis latɛ̃dʀ. **20.** ləvã finiʀa paʀ ləʀamneobɔʀ. **21.** ʒe ãvidkœjiʀ yndəseflœʀ, kɔmsuvniʀ dənɔtʀə pʀɔmnad. **22.** gaʀdevuzã bjɛ̃. **23.** si œ̃naʒãdpɔlis vuvwaje, ilpuʀe bjɛ̃ vufɛʀ œ̃pʀɔsevɛʀbal.

CONVERSATION 41

anɔtʀədam

1. nusɔm mɛ̃tnã dã lildəlasite. **2.** ɛskõnapɛlpazosi sɛtil lildəfʀãs? **3.** ʒe pœʀ kə vun kõfõdje vozil, elɛn **4.** lildəfʀãs ɛ laʀeʒjõ otuʀd(ə)paʀi. **5.** lildəlasite ɛtynil omiljød lasɛn. **6.** ʒəʀkɔnɛ(z)adʀwat letuʀ d(ə) nɔtʀədam. **7.** sinuvizitjõ nɔtʀədam? **8.** mɛwi. tʀavɛʀsõ laplas e ãtʀõ dãlakatedʀal. **9.** atãdekəʒpʀɛn ynfɔto.

(dɑ̃ nɔtRǝdam)

10. kɔm lɛ̃teRjœR ɛvast esilɑ̃sjø! 11. õnozapɛnpaRle mɛmavwabɑs.
12. ʒ(ǝ)vudRɛ bjɛ̃nasiste aynmɛs anɔtRǝdam. 13. sivuvule, nuRvjɛ̃dRõ
dimɑ̃ʃprɔʃɛ̃. 14. vupuRezɑ̃tɑ̃dRǝ leɡRɑ̃dzɔRɡ. 15. ɛskõpømõte ɑ̃ o
detuR? 16. Rjɛ̃d plyfasil. 17. sɛtɛskalje ɑ̃kɔlimasõ nuzikõdɥiRa.
18. ɑ̃naRivɑ̃(t)ɑ̃ o, vupuRepRɑ̃dRǝ dotRǝfɔto.

(ɑ̃ o dyndetuR dǝnɔtRǝdam)

19. ʒ(ǝ)sɥizesufle... 20. mɛ kɛlpanɔRama! õvwapaRi tutɑ̃tje.
21. dǝvɑ̃vu, vuzave la sɛ̃tʃapɛl, lǝluvR eleʃɑ̃zelize; syRlaRivɡoʃ, lǝ-
kaRtjelatɛ̃ e lasɔRbɔn; esyrlaRiv dRwat, leɡRɑ̃bulvaR emõmaRtR.
22. ʒe ɑt dǝvizite lekaRtjedpaRik(ǝ) ʒǝn kɔnɛpɑzɑ̃kɔR.

PRONUNCIATION

A. *The Relation Between French Spelling and French Pronunciation*

When students are first confronted with a passage printed in French, they often lapse into a state of semi-consciousness and merely pronounce words — without either trying to understand their meaning or to associate them with what they have already learned of the language. They even mispronounce words which they have been using — and pronouncing correctly — for several weeks.

In order to combat this tendency, it is useful to explain what reading in a foreign language means (see pp. xiii-xiv of the Introduction) and give them information about diacritical marks and about the way various combinations of vowels and consonants are pronounced. The following section contains the material we have found most effective. Useful as this information may be, however, rather than have students study the entire section at once, we try to introduce each item at a moment when it will actually clarify a difficulty which comes up in a reading exercise. For example, the moment at which the student will perhaps be most receptive to the statement that *-ien* is pronounced [jɛ̃] as in *bien, rien, le chien* is when he stumbles on the pronunciation of a form such as *Je viendrai.*

B. *Diacritical Signs*

The following typographical signs are used (*a*) to distinguish between two or more possible pronunciations of a letter, or (*b*) to distinguish between two words which are pronounced alike, and, except for the diacritical marks, are spelled alike. *In no case do these signs indicate that a syllable should be stressed.*

(1) The acute accent (´) (accent aigu) is used only on the vowel **e**: l'été, espérer. The **é** is practically always pronounced [e].

(2) The grave accent (`) (accent grave) is used mostly on **e** followed by a final **s** or **-re**: très, près, après-midi; père, frère, j'espère, ils allèrent. The **è** is always pronounced [ɛ].

This accent is also used on the **a** in the preposition **à**, *to,* to distinguish it from the third person singular of the present indicative of **avoir**. Likewise it is used on the **a** of the adverb **là**, *there,* to distinguish it from the article **la**, *the,* as well as on the **u** of the adverb **où**, *where,* to distinguish it from the conjunction **ou**, *or.*

(3) The circumflex accent (ˆ) (accent circonflexe) is found on all the vowels except **y**: **âme, même, île, hôtel, sûr.** An **â** is usually pronounced [ɑ], **ê** [ɛ], **î** [i], **ô** [o], **û** [y].

(4) The cedilla (¸) (cédille) under **c** indicates that the letter is pronounced [s].

(5) When a diaeresis (¨) (tréma) is placed over the second of two vowels, it indicates that the vowel so marked begins a new syllable. **Noël, naïf.** Note, however, that the name **Saint-Saëns** is pronounced [sɛ̃ sɑ̃s].

C. Elision

When a vowel is dropped out before a word beginning with a vowel or mute **h,** *elision* (élision) is said to take place. Elision is possible only in the following words: The **e** in: **je, me, te, se, ce, de, le, ne, que;** the **a** in **la;** and the **i** in the word **si** when it is followed by **il, ils.**

Elision is impossible before a word beginning with an aspirate **h** or before the word **onze:** le/huit octobre, le/onze mars.

D. Syllabication

In dividing French words into syllables, in so far as possible each syllable should begin with a consonant and end in a vowel.

(1) When a single consonant stands between two vowels, the consonant goes with the vowel which follows it: bu-reau, ta-bac, hô-tel, ga-re, vou-lez.

(2) When a double consonant (**tt, dd, pp,** etc.) stands between two vowels:

(*a*) in most cases it represents a single sound and stands in the following syllable: donnez [dɔne], allez [ale], excellent [ɛksɛlɑ̃], addition [adisjɔ̃];

(*b*) in some cases it represents two consonants, one of which is pronounced with the previous vowel and one with the following one: accident [aksidɑ̃], suggérer [sygʒeʀe].

(3) When two or more different consonants stand between vowels:

(*a*) one consonant may go with the vowel which precedes and one with the one which follows: mer-ci, par-lez, res-taurant, ob-ser-vatoire;

(*b*) two consonants may form a consonant cluster* and stand together at the beginning of the following syllable: ta-ble, li-bre, a-près, qua-tre;

(*c*) one consonant may go with the preceding vowel and a consonant cluster* may stand together at the beginning of the next syllable: en-ten-dre, or-ches-tre, mal-gré, em-ploi.

The digraphs **ch, ph, th, gn** (each of which of course represents a single sound) always stand with the vowel which follows.

---

* The following are the consonant clusters which occur commonly: **bl, cl, fl, gl, pl; br, cr, dr, gr, pr, tr, vr.**

E. Consonants

b	[b]	in practically all cases: une banane, le bébé.
	[p]	when followed by **t** or **s:** absurde, absent, absolument, obtenir.
		Silent when final: les soldats de plomb.
c	[k]	when followed by **a, o, u,** or **l, r:** le café, le corps, la curiosité, je crois.
	[s]	when followed by **e, i, y:** c'est, certainement, ici, la bicyclette.
	[k]	usually when final: avec, le sac.
		Silent in: le tabac, franc, blanc, le porc.
	[g]	in second, secondaire, anecdote.
ç	[s]	Used only before **a, o, u:** le français, le garçon, j'ai reçu.
cc	[k]	except when followed by **e, i, y:** accorder.
	[ks]	when followed by **e, i, y:** accepter, accident.
ch	[ʃ]	usually: chercher, le chimiste, chez, Charles.
	[k]	sometimes: un orchestre, le chœur.
d	[d]	in practically all cases: dans, l'addition, madame, le sud.
		Usually silent when final: le pied, le nid, le hasard, le nord.
	[t]	in: tout de suite, le médecin, quand il ...
f	[f]	in practically all cases: franc, le café.
	[f]	usually when final: le chef, neuf, le rosbif, un œuf.
		Silent in: les œufs, les bœufs, la clef.
	[v]	in: neuf heures, neuf ans.
g	[g]	when followed by **a, o, u,** or **l, r:** la gare, grand.
	[ʒ]	when followed by **e, i, y:** gentil, les gens, la girafe, le gymnase.

LETTER	PRONUNCIATION	
gg	[gʒ]	when followed by **e, i, y:** suggérer.
gn	[ɲ]	la campagne, la Bretagne, la vigne.
gu	[g]	in: la guerre, le guide.
	[gɥ]	in: aiguille.
	[gy]	in: aigu.
h		Always silent: l'homme, l'hôtel, les hors-d'œuvre.
j	[ʒ]	janvier, je déjeune.
k	[k]	le kilo.
l	[l]	usually pronounced even when final: l'hôtel, le cheval.
		Silent in: gentil, le fusil, le fils, le pouls.
	[j]	when preceded by **ai** or **ei:** le travail, le soleil, vieil, etc.
ll	[j]	when preceded by **ai, ei, ui:** travailler, vieille.
	[j]	usually when preceded by **i:** la fille, gentille, juillet, la famille.
	[l]	in: ville, village, mille, tranquille, illustrer, etc.
m	[m]	at the beginning of a syllable: aimer, madame, calme. When final in a syllable, **m** causes the preceding vowel to be nasalized but is not otherwise pronounced: faim [fɛ̃], chambre [ʃɑ̃bʀ], ensemble [ɑ̃sɑ̃bl], important [ɛ̃pɔʀtɑ̃].
mm	[m]	l'homme, comme, comment.
n	[n]	at the beginning of a syllable; nous, une, inutile. When final in a syllable or when followed by a consonant, **n** nasalizes a preceding vowel but is not otherwise pronounced: bon [bõ], vingt [vɛ̃], enfant [ɑ̃fɑ̃], intelligent [ɛ̃tɛliʒɑ̃], la France [lafʀɑ̃s]. Silent in **-ent** verb endings.
nn	[n]	bonne, sonner, donnez, l'année.
p	[p]	in practically all cases: le papier, le départ, l'aptitude, le pneu, la psychologie, le psaume. Usually silent when final: trop, beaucoup. Silent in: le temps, compter, la sculpture, etc.

LETTER	PRONUNCIATION

q, qu [k] in practically all cases: qui, que, quel, le coq.

qu [kw] in: une aquarelle, un aquarium.

r [ʀ] in practically all cases: la rue, très, l'art, vers.
Pronounced when final in: le fer, la mer, fier, cher, car, pour, l'hiver, etc.
Silent in infinitive ending **-er**, and in: boucher, boulanger, charcutier, épicier, monsieur, léger, premier, volontiers, etc.

s [s] at beginning of a word or when preceded or followed by a consonant: absent, sang, aspect, etc.
[z] when between vowels: la raison, la maison, les roses.
[z] when linked: vous‿avez.
Usually silent when final: les, tables, lesquels.
[s] in: le fils, mars, le sens, tous (*pronoun*), omnibus, autobus, Reims, Saint-Saëns, etc.

sc [sk] when followed by **a, o, u,** or **l, r:** la sculpture, scolaire.
[s] when followed by **e, i, y:** la science, le scénario.

ss [s] assez, aussi, essayer.

t [t] at beginning of a syllable: le temps, l'été, l'amitié.
Silent when final in verb forms (except in linking) and in most nouns and adjectives: le lit, le restaurant, élégant, différent, cent, vingt, excellent, tout, etc.
[t] in: l'est, l'ouest, net, dot, Brest, tact, intact, exact.

th [t] le thé, le théâtre.

ti [s] in **-tion** ending, and in: démocratie, initial, patience. etc.

v [v] in all cases: voulez-vous? avez-vous?

w [v] in: le wagon, Waterloo.
[w] in: le tramway, le sandwich.

x [ks] in: excellent, le luxe, l'index.
[gz] in: exact, exemple, examen.
[s] in: soixante; and in dix, six when final in a phrase.

[z]   in: dix, six when linked: dix‿enfants.

Silent in: dix, six, when followed by a word beginning with a pronounced consonant: dix francs; and in: la paix, la voix, etc.

z   [z]   le zéro, le gaz, zut!

Silent in -ez verb ending and in: chez (except in linking).

F. Vowels

LETTER   PRONUNCIATION

a, à	[a]	in most cases: la gare, l'accident, la table, à Paris.
	[ɑ]	in: pas, phrase, vase, etc.
â	[ɑ]	in most cases: âge, âme, pâle, château.
ai	[ɛ]	except when final: j'avais, il avait, il fait, ils avaient.
	[ə]	in: nous faisons, je faisais, tu faisais, etc.
	[e]	when final: j'ai, j'irai.
au	[o]	in most cases: au Canada, haut, il faut, chaud.
	[ɔ]	in: j'aurai, le restaurant, Paul.
ay	[ɛj]	in: essayer, payer, ayez.
	[ei]	in: le pays.
	[aj]	in: La Fayette.
è, ê	[ɛ]	je me lève, le père, la tête, vous êtes.
é	[e]	l'été, espérer, allé.
e	[ɛ]	when followed by two consonants or in final syllable when followed by a single pronounced consonant: rester, verte, avec, mettre; and in: il est.
	[e]	in final syllable when followed by silent **d, f, r, z:** pied, la clef, le boucher, allez; and in: et, and les, mes, etc.
	[ə]	in the words je, me, te, se, ce, le, de, ne, que; and in the first syllable of many words such as: venir, demander, demain, cheval, etc. This [ə] is usually omitted in conversation if the phrase is easily pronounced without that vowel. Silent in words of more than one syllable when final or when followed by silent **s** or **nt:** ville, robes, parle, parles, parlent.
eau	[o]	le bureau, l'eau, le veau.
ei	[ɛ]	la neige, la peine.

LETTER	PRONUNCIATION	
ey	[ɛj]	asseyez-vous.
eu	[œ]	in most cases when followed in the same word by a pronounced consonant: neuf, leur, jeune, Europe.
	[ø]	when final, or when followed by the sound [z] or a silent final consonant: un peu, deux, il veut, les yeux, heureuse.
	[y]	in passé simple, imperfect subjunctive, and past participle of avoir: j'eus, etc.; il eût, etc.; il a eu, etc.
i	[i]	ici.
o	[ɔ]	except when followed by a silent final consonant or the sound [z] or [sj]: notre, joli, l'école, objet, hors-d'œuvre, les pommes, la note, la dot, la robe.
	[o]	when followed by a silent final consonant or the sound [z] or [sj]: mot, dos, nos, gros, la rose, poser, position, motion.
ô	[o]	le nôtre, table d'hôte, ôter.
œu	[œ]	when followed in the same word by a pronounced consonant: la sœur, hors-d'œuvre, un œuf, le bœuf.
	[ø]	in the plural forms œufs [ø], bœufs [bø].
oi	[wa]	moi, une poire, la boîte, une fois.
	[wɑ]	trois, le mois, le bois, les pois, le roi, froid.
ou, où	[u]	nous, voulez-vous? toujours, où? ou.
oui	[wi]	Louis, oui.
oy	[waj]	loyer, soyons, voyons.
u	[y]	sur, plus, une, la rue, du café.
ua	[ɥa]	nuage.
ue	[ɥɛ]	actuel, actuellement.
ui	[ɥi]	puis, huit, je suis, la nuit, lui, le bruit, juillet.
uy	[yj]	gruyère.
	[ɥij]	fuyez, ennuyer, appuyer.

G. Nasal Vowels

(a) Generally speaking, when vowels are followed in the same syllable by **m**, **n**, the vowel is nasalized and the **m** or **n** is not pronounced.

LETTER	PRONUNCIATION	
a	[ã]	quand, sans, grand, l'anglais, la chambre, allemand.
ae	[ã]	Caen, Saint-Saëns.
ai	[ɛ̃]	le pain, le bain, la faim, la main.
ao	[ã]	Laon, le paon.
e	[ã]	en, ensemble, le temps, le membre, la dent, vendre, emmener [ãmne], l'ennui, évident.
	[a]	évidemment, solennel, la femme.
	[ɛ̃]	examen, européen, le citoyen.
i	[ɛ̃]	la fin, le vin, vingt, impossible.
ie	[jɛ̃]	bien, rien, le chien, ancien, il tient, vous viendrez, etc.
	[i]	in: ils étudient.
	[jã]	in: patience, orient, science.
o	[õ]	on, bon, non, sont, onze, l'oncle, le nom, le nombre, compter.
	[ə]	in: monsieur.
oi	[wɛ̃]	loin, moins, le coin, le point.
u	[œ̃]	un, chacun, lundi, le parfum.
	[ɔ]	in a few Latin words: album, postscriptum, maximum.
ui	[ɥɛ̃]	juin.

(b) Vowels followed by **mm, nn** are usually not nasalized.

a	[a]	année, constamment, élégamment.
e	[ɛ]	ennemi, prennent, tiennent, viennent.
o	[ɔ]	comme, comment, bonne, sonner, l'homme, nommer, le sommeil, Sorbonne, la monnaie.

PRONUNCIATION
EXERCISES

As we have explained in the *Introduction*, we believe the most effective way to give students a good accent in French is (1) to have them practice using complete phrases as they hear them spoken by the instructor and by the voices recorded on the records and (2) to give them explanations and exercises on difficulties that occur in phrases that are being learned. Practically all beginning students can repeat a phrase such as **Comment allez-vous?** correctly, with a minimum of practice; and once they can repeat this phrase correctly, they can produce the following French sounds: [k, ɔ, m, ɑ̃, t, a, l, e, v, u]. Thus they learn quite effortlessly the approximate pronunciation of ten of the thirty-six sounds of the French language; and what is more, they have a fair idea of how they really sound in words and phrases — rather than how they sound when enunciated one by one by a skilled linguist. In addition, many students immediately catch the rhythm of the French phrase and can sense that the sounds they are making are very different from the sounds, rhythm, and accent of the somewhat similar arrangement of sounds in the English words: *common, tally,* and *woo.*

But while many students have a good ear for language, others are able to imitate a phrase in French accurately only after they are made aware of the basic differences between the rhythm, accent, and pronunciation of English and French. Likewise, while many sounds can be quickly learned by mere imitation, there are a few which are so foreign that some students can not acquire them without expert guidance. Therefore, in the present edition, we are including a few explanations and drills that will help to drive home the basic features of the spoken language.

It is essential that students know from the beginning that French pronunciation can not be described in terms of English sounds. There are indeed similarities; but the similarities are usually deceptive, and students are all too quick to note them and to be mislead by them! Instead of telling students that French is *easy* because it is so much like English — as some teachers do, we warn them that one reason why French is *difficult* is that it looks like English and does not sound like it. It would scarcely be an exaggeration to say that no French sound is exactly like any English sound.

All the explanations and drills are planned to be used in teaching the first few Conversations. We believe this arrangement is desirable because (1) it is easier to produce the sounds correctly in French phrases than to learn the sounds individually and then learn to put them together to make French words and phrases, (2) each detail is introduced *à propos* of an authentic pattern of French which will be continually used, and (3) correct speech habits are acquired before the students have time to get bad ones. It is fairly easy to give beginning students a good French accent; but once they get a faulty one, it takes infinite patience, persistence, and know-how to correct it.

While our explanations of the way French sounds are produced are as accurate as we can make them, they are intended to confirm what students have more or less learned by imitation rather than to serve as a point of departure for consciously learning to pronounce the sounds. Although students are often fascinated with the mechanics of speech, we believe very little time should be devoted to pronunciation of individual sounds; and certainly no French class should ever resemble the comic scene that Molière created in *Le Bourgeois Gentilhomme* to show how simple minded poor Monsieur Jourdain was. Even the exercises on real difficulties such as the French "u" and the uvular "r" should take only two or three minutes. An exercise may be repeated whenever students show that they have not mastered a given point; but when an exercise is done a second or a third time, it should be done in a matter of seconds. Important as pronunciation is, the attention of students should not be unduly diverted from the main business of the course — that is, learning to *use* the language.

In the drills, we simply bring together words and phrases in which a given sound occurs, so that the students will focus their attention upon the sound and master it. The examples are always taken from Conversations that have already been studied; in this way, even in pronunciation drills, students are encouraged to associate sounds with meaning.

But why should we try to give students a good French accent? Occasionally there are students — very intelligent ones — who feel that correct pronunciation is not really important; and certain experts even declare that mere intelligibility is the goal. It is true that any Frenchman would understand "Common tally voo?" and certainly no one would imagine an American wanted to know the location of the royal wheel if he asked "Oo est la roo royal?" However, once you get off the beaten track of tourist expressions, French that is pronounced *à l'anglaise* isn't even comprehensible. And in reality "Common tally voo?" isn't French! It is a poor English imitation of French; and it is appropriate only for comic characters in the movies. The worst part of it all is that anglicising French phrases gives students a false sense of mastery, security — even superiority; but this sort of thing is like paddling around in the water with water wings instead of learning to swim.

Conversation 1

1. As there are always a few students who have already learned to say something like "Bonjoor' monsoor'", we explain

at once that the greeting has four equally stressed syllables. Then we tap out four sharp raps on the table and have the students repeat [bõ ʒuʀ mə sjø] stressing each syllable equally. If some students persist in saying "monsoor," we explain further that there is no "n" sound and no "r" sound in the French word **monsieur,*** that French people say [məsjø], that everyone has surely seen the word written "M'sieu" in stories where there are French characters. We then write [məsjø] on the blackboard and have the students repeat it several times. That takes care of "monsoor."

It also introduces the students to the use of phonetic symbols: they see immediately the practical value of a key to pronunciation. We use the symbols only for reference and do not ask students to learn the entire International Phonetic Alphabet.

2. As **bonjour** *does* have an [ʀ], and as some students will surely substitute an American "r" unless they are told and shown how to produce a French [ʀ], we use the following explanation and exercise:

(*1*) The French [ʀ]† is entirely different from ours. To produce it the back of the tongue is placed close to the soft palate as if to gargle. In order to avoid saying an American "r" unintentionally, the tip of the tongue should be placed firmly face down against the lower front teeth and held there.

(*2*) (*a*) With the tongue in this position, say "ugh"—as in English *mug*. (*b*) Repeat and prolong the "gh": Ugh-gh-gh-gh. (*c*) With the tongue still in position, repeat this sound without actually pronouncing the [g]. (*d*) Without moving the tongue, make the sound [ʀ] gently. (*e*) Repeat, using as little breath as possible. (*f*) Say:

---

* If students ask why the "n" and the "r" are not pronounced, we simply say that French (like English) spelling corresponds in general to the way words *used to be pronounced*.

† As most French people now use the uvular [ʀ], we do not mention the possibility of using the alveolar or trilled "r".

Bonjour and prolong the [ʀ]. (*g*) Repeat without prolonging the [ʀ].

(*3*) We usually repeat this drill towards the end of the first hour and add the following items: (*a*) Au revoir. (*b*) Pour vous. (*c*) Merci. (*d*) Parlez-vous français? (*e*) Je parle français. (*f*) De rien.

(*4*) We tell students who find it difficult to produce a uvular [ʀ] at first just to omit the [ʀ] for the time being. Under no circumstances should the American "r" be substituted for it! As a matter of fact, French people usually pronounce the [ʀ] very lightly—so lightly that Americans sometimes do not hear it at all. If students say [bõʒuː] and [oːvwaː], slightly lengthening the vowel in lieu of pronouncing an [ʀ], they will soon find they can say [bõʒuʀ] and [oʀvwaʀ] with a correct [ʀ].

3. On reaching the phrase **Voici une lettre pour vous**, we introduce the following drill:

(*a*) Say: voici; [i], [i], [i]. (*b*) Note that to pronounce the French [i] the tip of the tongue is down, the jaws are almost closed, and the lips are retracted. (*c*) Repeat "voici" and hold your mouth in the position for [i]. (*d*) Repeat [i] several times, being careful to say it crisply and without putting any other sound (such as ŭ or ĭ) before or after it. (*e*) With tongue and jaws still in position to say [i], round your lips slightly and say [y]. (*f*) Repeat [i] [y], [i] [y] very crisply, moving only the lips. (*g*) Say: [i] [y], Voici une lettre [vwasi yn lɛtʀ].

This drill may be repeated daily until all the students say [y] easily and naturally.

Conversation 2

1. Remark about accented syllables.

In English, certain syllables are strongly accented and others are given a very weak utterance. In pronouncing vowels in accented syllables, most of us tend to make them into diphthongs — that is, to insert a short ĭ or ŭ before or after the vowel: day (dāⁱ), die (dīⁱ), doe (dōᵘ), do (dᵘū) or (dⁱū); and as

for vowels in unaccented syllables, we make them all sound
very much alike: animal (an-uh-mul), mineral (min-uh-rul),
national (nash-uh-nul) or (nash-nul).

In French, on the contrary, words do not have accented
syllables and consequently every pronounced syllable receives
an equal amount of emphasis. Vowels are neither accented nor
slighted: they must all be sounded and each with its charac-
teristic timbre — except, of course, mute "e's" that are silent.
Instead of saying "Where's the restaurant?", with a strong
accent on *where* and on *rest-* as we would, a Frenchman who
is unfamiliar with our system of accentuation would say something like: "Wear eez zee res-tau-rant?" in six clear syllables of
equal length.

Pronounce the following pairs of words and note particularly that each
vowel in the French words must be sounded clearly, evenly, and
without diphthongization: animal, **a-ni-mal;** mineral, **mi-né-ral;** national, **na-tio-nal** [na-sjɔ-nal].

2. Rhythm Practice.

(*1*)   Practice the first two lines of Conversation 2, the first as a
rhythm group of seven equal syllables and the second as a rhythm
group of four syllables:

[u ɛl ʃa to, sil vu plɛ?]
[tu dʀwa mə sjø.]

In practicing these phrases, try to understand *in French* precisely what
you are saying; and try not to think of the English equivalent of any
of the French words.

(*2*)   Lines five and six may be divided into rhythm groups for practice:

[ja til œ̃ ʀɛs tɔ ʀɑ̃] (6 syllables) [pʀɛ dy ʃa to?] (4 syllables).
[wi mə sjø] [il ja œ̃ ʀɛs tɔ ʀɑ̃] [pʀɛ dy ʃa to].

3. Review of [y].

(*1*)   (*a*) Retract the lips and say [i]. (*b*) Round them and say
[y] — keeping the tip of the tongue firmly against the lower front
teeth.

(2) Repeat each of the following: (a) Voici une lettre. (b) Le bureau de poste [lə by ʀod pɔst]. (c) Le bureau de tabac [lə by ʀod ta ba]. (d) La rue de la Paix [la ʀyd la pɛ].

4. Explanation and exercise on [ɥ] as in "Je suis."

(1) (a) Say [i] [y] and hold the [y]. (b) Say [i] [y], [y] [i]. (c) Repeat slowly and carefully [y] [i], moving only the lips. (d) Now say the two sounds as close together as possible and produce the combination [ɥi]. (e) Repeat [ɥi] [ɥi] [ɥi].

(2) Repeat the following, being careful not to substitute the sound [w]: (a) Je suis Monsieur Hughes [ʒə sɥi mə sjø yg].* (b) Je suis.

CONVERSATION 3

1. Rhythm Practice.

Practice the first line as rhythm groups of two and seven syllables: [paʀ dõ] [u ɛ lo tɛl dyʃ val blɑ̃?].†

2. Explanation and drills on [e] as in "allez-vous" and [ø] as in "monsieur":

(1) Dites: (a) Comment allez-vous, Monsieur? (b) Allez. (c) [e], [e], [e]. Be careful not to insert any vowel sound before or after the [e].

(2) (a) Note that to pronounce the [e] in allez, the tip of the tongue is against the lower front teeth and the lips are retracted. (b) Repeat [i] [e], [i] [e].

(3) Dites: (a) Monsieur [mə sjø]. (b) [ø], [ø], [ø].

(4) (a) Note that the [ø] in monsieur is pronounced like the [e] in allez except that the lips are rounded. (b) Repeat [e] [ø], [e]

---

* French people who know English will probably call John Hughes [djɔn juz] or [iuz] or [hiuz]; but as the concierge doesn't know English, we assume that she would call him [ʒɑ̃ yg]—as in "Jean-Jacques" and "Hugues Capet."

† Throughout the course, whenever a student utters a phrase with an English accent, we recommend that the instructor indicate the correct number of syllables and the correct rhythm by tapping on the table as in teaching Bonjour, monsieur on the first day.

[ø], moving only your lips. (*c*) Repeat the following: monsieur; un peu; deux; deux cents.

3. Review of [ɥi].

(*1*) Dites: (*a*) [i] [y]. (*b*) [y] [i]. (*c*) [ɥi], [ɥi], [ɥi].
(*2*) Répétez: (*a*) Huit. (*b*) Dix-huit. (*c*) La cuisine. (*d*) Je suis.

4. Review of [ʀ].*

Répétez: (*a*) Bonjour. (*b*) Au revoir. (*c*) Dans la rue. (*d*) La rue de la Paix. (*e*) A la gare. (*f*) Un restaurant. (*g*) Pardon. (*h*) Près du château. (*i*) Tout droit. (*j*) Sur la place. (*k*) La concierge.

CONVERSATION 4

1. Drill on [ɛ].

(*1*) Dites: (*a*) Est-ce que le déjeuner est prêt? (*b*) [ɛ], [ɛ], [ɛ].
(*2*) Compare [i], [e], [ɛ].
(*3*) Répétez: (*a*) Cet après-midi. (*b*) N'est-ce pas? (*c*) Sept.
(*d*) Prêt. (*e*) Près d'ici. (*f*) Est-ce que le bureau de poste est ouvert?

2. Drill on [œ].

(*1*) Dites: (*a*) Quelle heure est-il? (*b*) Quelle heure . . .? (*c*) Heure. (*d*) [œ].
(*2*) (*a*) Note that the [œ] in **heure** is like the [ɛ] in **sept** except that the lips are rounded for [œ] and retracted for [ɛ]. (*b*) Répétez: [ɛ] [œ], [ɛ] [œ], moving only the lips.
(*3*) Répétez: (*a*) Quelle heure est-il? (*b*) Neuf heures [nœvœʀ].
(*c*) Neuf [nœf].

3. Comparison of [œ] and [ø].

(*a*) Compare the close [ø] as in **deux** and the open [œ] as in **heure.**
(*b*) Répétez: [ø] [œ]. Deux heures [dø z œʀ].

---

* The exercise on [ʀ] for Conversation 1 should be repeated whenever a student substitutes an American "r" for the uvular [ʀ].

Grammar Unit I

Explanation and exercise on the French [t].

We have noted that in English, vowels are given a very strong pronunciation in accented syllables and a very weak one in unaccented ones. Similarly, consonants are stressed at the beginning of accented syllables and slighted in other positions. Compare the initial and the final "t" in *temperate, talent, ticket;* the initial "t" is uttered with a puff of air (aspiration) and the second "t" (in final position phonetically) is scarcely heard at all.

In French, the [t] — and other pronounced consonants — are COMPLETELY articulated in all positions.

1. Most Americans produce an initial "t" with the tip of the tongue against the alveolar ridge (the ridge behind the upper front teeth) and use a relatively large amount of breath. But to produce the French [t], the upper surface of the tongue (not the tip) is placed against the alveolar ridge and a very small amount of breath is used.

2. Pronunciation Exercise.

(*1*) Pronounce the following pairs of words. For the English word, put the tip of the tongue against the alveolar ridge and exaggerate the pronunciation of the "t". For each French word, move the tongue forward consciously so that the tip is against the lower front teeth, and pronounce the [t] with as little breath as possible. Note the difference between the way the "t" sounds in the two languages. (*a*) *tobacco*, le tabac. (*b*) *tea*, le thé. (*c*) *two*, tout. (*d*) *toot*, toute. (*e*) *table*, la table. (*f*) *train*, le train. (*g*) *tray*, très. (*h*) *date*, la date. (*i*) *common, tally, woo;* Comment allez-vous?

(*2*) Repeat each of the following words and phrases, making it a point to keep the tip of the tongue down and to pronounce the consonants — especially the "t's" — with as little breath as possible: (*a*) du tabac. (*b*) des cigarettes. (*c*) les hôtels. (*d*) le petit hôtel.

(*e*) le petit déjeuner.   (*f*) le château.   (*g*) près du château.   (*h*) tout droit.   (*i*) à droite.   (*j*) s'il vous plaît.   (*k*) il est ouvert.

NOTE: Some instructors assume that if the French vowels are mastered, the consonants will take care of themselves; but we find that aside from the fact that it sounds outlandish to combine French vowels and English consonants, it is actually very difficult to pronounce certain French vowels correctly in combination with English consonants. Therefore, we recommend that the above drill be repeated daily until it is mastered. It is not just a question of pronouncing correctly the French [t] but of learning to put the tongue in the forward position in which approximately half the sounds of the French language are produced, namely: [t], [d], [l], [n], [s], [z], [ʃ], [ʒ], [j], [ɥ], [i], [y], [e], [ø], [ε], [œ], [ɛ̃], [œ̃].

Once this basic tongue position is mastered, many of the difficulties of French pronunciation disappear! On the other hand, if any of these consonants are produced with the tip of the tongue pointed towards the roof of the mouth, it is almost impossible to avoid putting a trace of the American retroflex "r" into words: **le** tends to become (ler) rhyming with *fur* as pronounced in the middle west, **de** (der), **du** (dŭr), **peu** (per), **rue** (rŭr), **je** (jer) and so on.

If the [ʒ] is produced like the "s" in *pleasure,* it is all but impossible to pronounce correctly the words **juin, juillet,** etc.: a [w] is inevitably substituted for the [ɥ].

If the "l" is pronounced as in English, it is very difficult to pronounce words like **il** without sounding an ŭ before the [l].

CONVERSATION 5

Although most students have noticed the distinction between the front [a] and the back [ɑ], the following explanation and drills may be useful.

1. Front [a].

(*1*) We have been using the sounds [a] as in **la gare** and [ɑ] as in **le château.** They are called the front [a] and the back [ɑ].

(*2*) Repeat the following words with the front [a]: (*a*) à la gare. (*b*) la place. (*c*) madame. (*d*) parlez. (*e*) le tabac.

(*3*) Compare [ɛ] and [a], noting that the jaws are further apart for [a] than for [ɛ].

2. Back [ɑ].

(*1*) Repeat the following words with the back [ɑ]: (*a*) le château. (*b*) pas encore. (*c*) n'est-ce pas? (*d*) tout droit. (*e*) quel âge ... ?

(*2*) Compare [a] and [ɑ] in là-bas [la bɑ], noting that the [ɑ] is produced further back in the mouth. The jaws are in approximately the same position but the tongue is more retracted in pronouncing [ɑ].

CONVERSATION 6

Explanation and drills on [ɔ] and [o].

1. Open [ɔ]. We have been using the open [ɔ] as in *votre adresse* and the close [o] as in *vos parents.*

(*1*) Repeat the following words with the open [ɔ]: (*a*) un restaurant. (*b*) pas encore. (*c*) alors. (*d*) le bureau de poste. (*e*) comme d'habitude. (*f*) votre profession. (*g*) votre nationalité. (*h*) du rosbif. (*i*) l'avenue de l'Observatoire. (*k*) une pomme. (*l*) ma mère est morte.

(*2*) Compare [œ] as in **neuf heures** and [ɔ] as in **alors.** Both are pronounced with the jaws well apart and with the lips rounded but the tongue moves forward for [œ] and back for [ɔ].

(*3*) Repeat: (*a*) [ɔ] [œ]. (*b*) des hors d'œuvre.

2. Close [o].

(*1*) Repeat the following words with the close [o]: (*a*) beaucoup. (*b*) **au** revoir. (*c*) le château. (*d*) le bureau. (*e*) l'hôtel. (*f*) l'hôtelier. (*g*) l'autre hôtel. (*h*) vos parents.

(2) Compare the open [ɔ] and the close [o].

(3) Note that in pronouncing the close [o], care must be taken to avoid putting the vowel sound ĕ or ŭ before or after the [o].

GRAMMAR UNIT II

Explanation and exercise on the mute "e".

1. The mute [ə]. In addition to the open [ɛ] (*as in* Vous êtes) and the close [e] (*as in* Vous allé*z*), there is the mute "e" which, as its name implies, is usually silent (*as in* Au r*e*voir). Although it is usually silent, it sometimes has the sound [ə] (as in D*e* rien).

(1) Repeat the following phrases, noting that practically all the mute "e's" are silent: (*a*) Où est l*e* musé*e*?   (*b*) l'hôtel du Ch*e*val Blanc.   (*c*) Est-c*e* que l*e* bureau d*e* post*e* est ouvert?   (*d*) la ru*e* d*e* la Paix.   (*e*) J*e* vais à la gar*e*.

(2) Repeat the following phrases, noting that some of the mute "e's" are pronounced [ə] :   (*a*) Est-c*e* que c'est un bon hôtel?   (*b*) Je n*e* parl*e* pas anglais.   (*c*) De rien.   (*d*) Le p*e*tit déjeuner.   (*e*) l'hôtelier.

2. There is no easy and dependable rule for sounding or omitting the mute "e's", but the following suggestions may be helpful.

(1) Although mute "e's" were normally pronounced a few hundred years ago, they have now practically disappeared from the spoken language. Generally speaking, (*a*) mute "e's" are not sounded in phrases which can be easily pronounced without them; (*b*) if mute "e's" occur initially in two successive syllables (*as in* Je n*e* parle pas anglais), the first one is pronounced [ə] and the second one is not sounded. Ex.: le ch*e*val, le r*e*pas, le p*e*tit déjeuner. But **ce que** is pronounced [skə].

(2) It is customary to sound the [ə] of the article "le" in pronouncing individual words (especially in giving a dictée) or at the beginning of a sentence. Ex.: le château est sur la place.

(*3*) As the rules for writing poetry were developed long ago, when mute "e's" were commonly pronounced, the [ə] preceding a consonant is commonly sounded in reading poetry or in singing. Ex.: **toute ma vie,** which would have three syllables [tut ma vi] in conversation, would have five in an operatic aria [tu tə ma vi ə].

(*4*) When in doubt as to the pronunciation of mute "e's" in this book, one can always consult the phonetic transcriptions of the Conversations (pages 334-349).

CONVERSATION 7

Explanation and exercises on nasal vowels.

The nasal vowels are produced by lowering the velum, thus adding the resonances of the nasal cavities to those of the oral cavities. As most Americans continually use nasal vowels in such words as *dam, domino, don't, dumb,* the thing to be learned is not so much how to pronounce the nasal vowels as how to pronounce them without sounding an "m" or "n" along with them.

1. The Nasal Vowel [ɛ̃].

(*1*) (*a*) Say: Très bien. (*b*) Compare [ɛ] and [ɛ̃]. (*c*) Repeat: Très bien.

(*2*) Repeat each of the following, being careful not to pronounce an "n": (*a*) De rien. (*b*) au coin de la rue. (*c*) le train. (*d*) cinq. (*e*) le vin rouge. (*f*) loin. (*g*) loin d'ici. (*h*) vingt-cinq.

2. The Nasal Vowel [ɑ̃].

(*1*) (*a*) Say: Je ne parle pas français. (*b*) Compare [ɑ] and [ɑ̃]. (*c*) Repeat: Pas français.

(*2*) Repeat each of the following, being careful not to sound an "n" or "m" after the nasal vowel: (*a*) comment. (*b*) Comment allez-vous? (*c*) le passant. (*d*) dans la rue. (*e*) deux cents francs. (*f*) en France. (*g*) La cuisine est excellente. (*h*) C'est entendu. (*i*) l'employé. (*j*) novembre. (*k*) décembre. (*l*) septembre.

3. The Nasal Vowel [õ].

(*1*) (*a*) Say: beau; bon. (*b*) Compare [o] and [õ].

(2) Repeat each of the following, being careful not to pronounce an "n" after the nasal vowels: (*a*) Bonjour. (*b*) Pardon. (*c*) Non. (*d*) Il est onze heures.

4. The Nasal Vowel [œ̃].

(*1*) (*a*) Say: neuf; un. (*b*) Compare [œ] and [œ̃]. (*c*) Repeat: neuf; un.

(2) Repeat each of the following, being careful not to pronounce an "n" after the nasal vowels: (*a*) un restaurant. (*b*) un bureau de tabac. (*c*) un déjeuner. (*d*) un passant.

(*3*) Note that the "n" *is* pronounced in liaison: (*a*) un‿hôtel. (*b*) un‿employé. (*c*) un‿étudiant. (*d*) un‿an. (*e*) vingt et un‿ans [vɛ̃teœ̃nɑ̃].

5. Review.

Pronounce the following phrases, enunciating each of the nasal vowels carefully: (*a*) un bon vin blanc [œ̃ bõ vɛ̃ blɑ̃] (a good white wine). (*b*) On vote à vingt-et-un ans [õ vɔt a vɛ̃te œ̃n ɑ̃] (you vote when you are 21).

Grammar Unit III

Explanation and exercise on linking **(la liaison).**

You have learned to say "les‿hôtels," "les‿Américains," and so on — giving the "s" the sound [z]. When a final consonant which is normally silent is pronounced with the initial vowel of the following word, it is said to be linked. **La liaison** means binding together. When linking takes place, two words are bound together: you say [lezotɛl] as if it were one word rather than [le zotɛl] as if it were two. A consonant that is linked should always be pronounced lightly.*

---

* Some authorities say that in linking the letter is "carried over" to the next word; but we avoid this term because it suggests to English speaking students that the letter should be given the importance of an initial consonant.

Linking takes place only between words that are closely related syntactically and which naturally fall into rhythmic groups (such as a noun and its modifiers).

1. With Linking.

Repeat the following, making the linking properly (without exaggeration):

(*1*) BETWEEN A NOUN AND ITS MODIFIERS: (*a*) *Article and noun:* Les‿enfants. Les‿hôtels. Les‿églises. Les‿heures. Les‿Américains. Les‿étudiants. Les‿Anglais. (*b*) *Adjective and noun:* Les bons‿hôtels. Les petits‿enfants. Trois‿heures. Six‿heures. Neuf‿heures [nœvœʀ]. Les‿Etats-Unis. Les Champs-Elysées. (*c*) *Article and adjective:* Les‿autres restaurants.

(2) BETWEEN PERSONAL PRONOUN AND VERB: (*a*) *Normal order:* Nous‿avons. Vous‿avez. Ils‿ont. Vous‿êtes. Vous‿allez. Ils‿entrent. Ils‿arrivent. Ils‿habitent. (b) INVERTED ORDER: Est-il? Sont-ils? Ont-ils. (*c*) Note that the tendency to bind verb forms together is so strong that if the third person singular of a verb does not end in a "t", a "t" is inserted between the verb and inverted pronoun anyway: A-t-il? Parle-t-il? Etudie-t-il?

(*3*) BETWEEN THE WORD **pas** AND AN ADVERB OR ADJECTIVE: Pas‿encore. Pas‿ici. Pas‿Américain.

2. Without Linking.

Repeat the following WITHOUT linking and note that linking DOES NOT take place:

(*1*) Between a noun subject and verb: Le train arrive. Les trains arrivent. Les Anglais aiment les sports.

(2) Before words beginning with an aspirate "h": des hors-d'œuvre.

(*3*) After the word et: Roger et elle. Vingt et un. (The "t" of et is never pronounced under any circumstances.)

3. Optional Linking.

In some cases, linking is optional. When in doubt, you can always consult the phonetic transcriptions of the Conversations. When linking is optional, the present trend in France is not to link.

CONVERSATION 8

Explanation and exercises on [n], [l], [s] and [z].

In practicing the French [t], we noted that the tip of the tongue must be against the lower front teeth and that the sound [t] is produced by touching the alveolar ridge with the upper surface of the tongue.

With the tongue in this position, repeat the following: le thé, la table, tout, total. This is essentially the tongue position for **n, l, s, z,** and several other French sounds. Repeat each of the following, holding the tip of the tongue firmly against the lower front teeth:

(*1*) [s] and [z]:   (*a*) Est-ce tout [ɛs tu]?   (*b*) C'est tout [sɛ tu]. (*c*) Des cigarettes américaines.   (*d*) Six cents [si sã].   (*e*) Seize cents [sɛz sã].   (*f*) Sept cent cinquante francs [sɛt sã sɛ̃kɑ̃t fʁã]. (*g*) Ils sont [ilsõ].   (*h*) Ils ont [ilzõ].

(*2*) [n]:   (*a*) Des bananes?   (*b*) Non, je n'aime pas les bananes. (*c*) Nous n'avons pas de cigarettes américaines.

(*3*) [l]:   (*a*) Quelle heure est-il?   (*b*) Je m'appelle Paul.   (*c*) Où est Alice?   (*d*) Elle est à l'hôtel.   (*e*) Comment va-t-elle?   (*f*) Pas mal. NOTE: In doing this drill on "l" be sure that there is no trace of an ŭ before the [l].

GRAMMAR UNIT IV

(See phonetic transcription of Cardinal Numbers on pp. 332-333.)

CONVERSATION 9

Explanation and exercise on [ʒ] as in *le déjeuner* and [ʃ] as in *le château.*

In French, these sounds are produced with the upper surface of the tongue close to the alveolar ridge and the tip of the tongue hanging down. They sound so much like the sounds we produce in the words *pleasure* and *shallow* that most Americans never bother to learn to pronounce them as the French do. But if you pronounce the [ʒ] with the tip of the tongue turned up — as in English, it is very difficult to pronounce correctly **je, juin, juillet,** and so on. On the other hand, if you produce the [ʒ] with the tongue in the right place, it is so close to the position for producing [ə], [i], [y], [ɥ] and other French sounds that these combinations become relatively easy.

Repeat each of the following carefully, trying to keep the tip of the tongue down: (*a*) le déjeuner. (*b*) je déjeune. (*c*) jeudi. (*d*) le huit juin. (*e*) je sais (slowly) [ʒə sɛ]. (*f*) je sais (quickly) [ʒsɛ]. (*g*) je suis. (*h*) Je suis ingénieur-chimiste. (*i*) le quatorze juillet. (*j*) Jeudi, je déjeune avec Jeanne. (*k*) Je vais acheter un journal.

CONVERSATION 10

Explanation and exercise on [j] as in *bien*.

To produce the sound [j] the upper surface of the tongue (not the tip) is close to the hard palate and the alveolar ridge.

1. Repeat each of the following and note that the sound [j] may be indicated by a variety of spellings:

(*1*) You have seen it represented by the letter "i": (*a*) bien. (*b*) monsieur. (*c*) de rien. (*d*) la pension [pãsjõ] (two syllables). (*e*) la nationalité (nasjɔnalite] (five syllables). (*f*) sa fiancée [fjɑ̃se] (two syllables). (*g*) janvier [ʒɑ̃vje] (two syllables). (*h*) le dix-huitième siècle.

(*2*) By the letter "y": (*a*) il y a [ilja] (two syllables). (*b*) Y a-t-il [jatil] (two syllables). (*c*) à Lyon. (*d*) les yeux bleus.

(*3*) By the letters "ll": (*a*) un billet. (*b*) habillée en bleu. (*c*) une jeune fille. (*d*) gentille. (*e*) la Bastille.

(*4*) By the letters "ill": (*a*) la bataille. (*b*) il travaille. (*c*) vieille.

2. The sound [j] is also represented sometimes by the letters **"il"** as in **le soleil** (the sun), **le travail** (the work) and so forth.

GRAMMAR UNIT V

Explanation and exercises on syllabication (in pronunciation).

As a means of combatting the tendency of Americans to carry their speech habits over into French, it is useful for students to note that insofar as possible each syllable in French begins with a consonant and ends in a vowel.

Repeat the following pairs of words and note especially the way the French words are divided: American, **A-mé-ri-cain**; nationality, **na-tio-na-li-té**; profession, **pro-fe-ssion**; democratic, **dé-mo-cra-tique**; Philadelphia, **Phi-la-del-phie**.

Note that **n, m** behave one way when they are followed by a vowel (i-nutile) and another when they are not (in-telligent, j'ai faim), but in both cases the principle that syllables tend to begin with a consonant and end with a vowel is preserved: [i-ny-til], [ɛ̃-tɛ-li-ʒɑ̃], [ʒe fɛ̃]. (See p. 354 for discussion of syllabication in writing.)

CONVERSATION 11

Explanation and exercise on [u] as in **beaucoup.**

1. [u].

(*1*) Repeat each of the following words and phrases, making it a point to sound the [u] clearly — without sounding an ĭ or ĕ before the [u]: (*a*) Bonjour. (*b*) Comment allez-vous? (*c*) beaucoup. (*d*) Voulez-vous? (*e*) tout droit. (*f*) C'est tout.

(2) Note that the [u] is produced with the tongue well retracted.

2. [u] and [y].

(*1*) As the jaws are close together and the lips rounded both for the [y] in **du** and for the [u] in **tout,** students often fail to give both vowels full value in the expression **Pas du tout.** The difference between [y] and [u] is that the tongue is fronted for [y] and retracted for [u].

(2) Repeat, first slowly and then rapidly, each of the following, con-

sciously fronting your tongue for [y] and retracting it for [u]:
(*a*) [y] [u], [y] [u], [y] [u].   (*b*) Du tout. Du tout. Du tout.
(*c*) [ɑ] [y] [u].   (*d*) Pas du tout.   (*e*) Je n'aime pas du tout
l'hiver.   (*f*) le musée du Louvre.

CONVERSATION 12

Explanation and exercises on [p], [f], [k].

The difference between the way these consonants are produced in English and in French is that in French they are pronounced with noticeably less breath than in English. Pronounce
each of the following pairs of words, enunciating the French
consonants with as little breath as possible:

(*1*) [p]:   (*a*) *put,* on peut.   (*b*) *Pooh-pooh,* on ne peut pas.
(*c*) *paper,* le papier.   (*d*) *petty,* petit.

(*2*) [f]:   (*a*) *flowers,* des fleurs.   (*b*) *finish,* il finit.   (*c*) *prefer,*
préférer.   (*d*) *fair,* faire du ski.   (*e*) *your fault,* votre faute.

(*3*) [k]:   (*a*) *Kelly,* Quelle heure ... ?   (*b*) *campaign,* la campagne.   (*c*) *coffee,* le café.

NOTE: One way to avoid putting too much stress on initial
consonants is to practice putting the consonant on the preceding word: le papier [lǝp apje]; des fleurs [def lœʀ]; le café
[lǝk afe].

Common Units of Measurement

FRENCH-ENGLISH

1 centimètre	.3937	of an inch
		(less than half an inch)
1 mètre	39.37	inches
		(about 1 yard and 3 inches)
1 kilomètre	.6213	of a mile
(1000 mètres)		(about ⅝ of a mile)
1 gramme	.03527	of an ounce
100 grammes	3.52	ounces
		(a little less than ¼ of a pound)
500 grammes	17.63	ounces
(une livre)		(about 1.1 pounds)
1000 grammes	35.27	ounces
(un kilo)		(about 2.2 pounds)
1 litre	1.0567	quarts
		(a fraction over a quart, liquid)

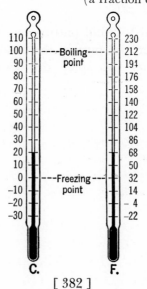

C.   F.

ILLUSTRATIONS

Reference is made to the number shown in the photograph.

bassy P. & I.D.)   **19.** Snowfall in the Parisian suburbs.
Bagneux. (Robert Doisneau, Rapho-Guillumette)   **20.** Place
de l'Opéra. (Robert Doisneau, Rapho-Guillumette)   **21.**
Chestnut trees (marronniers) in bloom. (Studio Limot, Rapho-
Guillumette   **22.** Gilbert's bookshop, Boulevard St. Michel.
(Ergy Landau, Rapho-Guillumette)

23. Departure of the Paris-Strasbourg Express, Gare de l'Est.
(Three Lions)   **24.** Schedule of departures, bus station, Paris.
(French Embassy P. & I.D.)   **25.** Lunch on one of the "Auto-
rails"—Bordeaux to Lyon. (French Embassy P. & I.D.)   **26.**
First-class on a modern train. (French Embassy P. & I.D.)
27. Air view of the village of Boissy l'Aillerie *(Seine-et-Oise)*.
(Robert Doisneau, Rapho-Guillumette)   **28.** Suburban house
at Sèvres, near Paris. (Girardon)   **29.** Vineyard at Hautvil-
liers, near Epernay. (French Embassy P. & I.D.)   **30.** Rheims
and the Cathedral. (French Embassy P. & I.D.)   **31.** Grape
harvest. Champagne. (Louis Henri, Rapho-Guillumette)

32. Ploumanac'h—rocky coast and lighthouse. (French Em-
bassy P. & I.D.)   **33.** Argentière, in the valley of Chamonix.
(Ergy Landau, Rapho-Guillumette)   **34.** The fort at Saint-
Malo. (French Embassy P. & I.D.)   **35.** The port at Saint-
Malo. (French Embassy P. & I.D.)   **36.** Sixteenth century
château, Josselin, Brittany. (French Embassy P. & I.D.)   **37.**
Mountain pass at Les Gets *(Haute-Savoie)*. (French Embassy
P. & I.D.)   **38.** General view of La Clusaz *(Haute-Savoie)*
(French Government Tourist Office)   **39.** Génissiat Dam,
between Geneva and Lyon. (French National Railroads)
40. Chemical factory, Berre. (French Embassy P. & I.D.)
41. Science class in the village school at Juillac. (André Gamet,
Rapho-Guillumette)

42. Interior, Versailles. (French Embassy P. & I.D.)   **43.**
Entrance to castle grounds with statue of Louis XIV, Versailles.

(Goursat, Rapho-Guillumette) **44.** Fountain of Neptune, Park of Versailles. (P. Pougnet, Rapho-Guillumette. **45.** Along a path in the Park of Versailles. (French Embassy P. & I.D.) **46.** Le Grand Trianon in the Park of Versailles. (French Embassy P. & I.D.) **47.** Policeman, Place de l'Opéra. (Marc Riboud, French Government Tourist Office)

48. White geese. Poitou: Saint Sauvant. (Robert Doisneau, Rapho-Guillumette) **49.** A glimpse of the forest of Fontainebleau. (French Embassy P. & I.D.) **50.** The Palace of Fontainebleau. (Ewing Galloway) **51.** Bicycles being unloaded from baggage car. (French National Railroads) **52.** National highway 36, near Melun. (J. Feuillie, Comm. Gen. du Tourisme) **53.** A Norman farmhouse. (Three Lions) **54.** Garden on a farm in the Départment of Seine-et-Oise. (Pierre Belzeaux, Rapho-Guillumette) **55.** Farmer at haymaking. (Three Lions)

56. The Pantheon. (Brassai, Rapho-Guillumette) **57.** Interior of the Pantheon. (French Embassy P. & I.D.) **58.** Mural: Life of Saint Geneviève. Puvis de Chavannes. (Gramstorff Bros., Malden, Mass.) **59.** Pont-Neuf. (French Embassy P. & I.D.) **60.** Bouquinistes along the Seine. (Georges Martin, Rapho-Guillumette) **61.** Pont-Neuf and the Île de la Cité. (French Embassy P. & I.D.) **62.** Place de la Concorde. (Van der Veen, Rapho-Guillumette)

VOCABULARIES

ABBREVIATIONS

abbr	abbreviation	*inf*	infinitive
adj	adjective	*interrog*	interrogative
adv	adverb	*m*	masculine
art	article	*n*	noun
*(asterisk)	aspirate *h*	*obj*	object
cond	conditional	*p part*	past participle
conj	conjunction	*p simple*	passé simple
conjug	conjugated	*pers*	person, personal
contr	contraction	*pl*	plural
dem	demonstrative	*poss*	possessive
dir obj	direct object	*pr*	present
f	feminine	*prep*	preposition
fut	future	*pron*	pronoun
imper	imperative	*rel*	relative
imperf	imperfect	*sg*	singular
ind	indicative	*subj*	subjunctive
indir obj	indirect object		

FRENCH-ENGLISH

A

a: il a [ila] *pr ind 3rd sg of* **avoir**

à [a] at, to, in, into, for by; **à jeudi** see you Thursday

abord: d'abord [dabɔʀ] first, at first, first of all

absent [apsɑ̃] absent

absolument [apsɔlymɑ̃] absolutely

absurde [apsyʀd] absurd

accent [aksɑ̃] *m* accent

accepter [aksɛpte] to accept

accident [aksidɑ̃] *m* accident

accompagner [akõpaɲe] to accompany, go with, go along

accord: d'accord [dakɔʀ] in agreement with

achat [aʃa] *m* purchase

acheter [aʃte] to buy

actuel [aktɥɛl] present

actuellement [aktɥɛlmɑ̃] at present

addition [adisjõ] *f* bill

admirable [admiʀabl] admirable

admirer [admiʀe] to admire

adorer [adɔʀe] to be crazy about

adresse [adʀɛs] *f* address

affirmativement [afiʀmativmɑ̃] affirmatively

Afrique [afʀik] *f* Africa; **l'Afrique du Nord** North Africa

âge [ɑʒ] *m* age; **quel âge avez-vous?** how old are you?; **d'un certain âge** elderly

agent [aʒɑ̃] *m* agent; **agent de police** policeman

agir: s'agir de [saʒiʀ də] *impers* to be a question of

agit: il s'agit de [ilsaʒidə] it is a question of

agréable [agʀeabl] pleasant

ai: j'ai [ʒe] *pr ind 1st sg of* **avoir**

aide [ɛd] *f* help

aider [ɛde] to help

aille: j'aille [ʒaj] *pr subj 1st sg of* **aller**

ailleurs [ajœʀ] elsewhere; **d'ailleurs** moreover, besides, anyway

aimable [ɛmabl] kind, nice

aimer [ɛme] to like, love; **aimer mieux** to prefer

ainsi [ɛ̃si] so, thus

air [ɛʀ] *m* air; **avoir l'air** to look, appear, seem; **en plein air** in the open

ait: il ait [ilɛ] *pr subj 3rd sg of* **avoir**

alarme [alaʀm] *f* alarm; **sonnette d'alarme** alarm signal

album [albɔm] *m* album

alla: il alla [ilala] *p simple 3rd sg of* **aller**

allais: j'allais [ʒalɛ] *imperf ind 1st sg of* **aller**

allé [ale] *p part of* **aller**

allée [ale] *f* walk, path

aller [ale] *m;* **aller et retour** round trip

aller [ale] to go; **aller bien** to feel well; **comment allez-vous?** how are you?; **ce chapeau vous va très bien** this hat is very becoming; **aller à pied** to walk; **aller chercher** to go get; **s'en aller** to go away

allez: vous allez [vuzale] *pr ind 2d pl of* **aller**

alors [alɔʀ] then

Alpes [alp] *f pl* Alps

américain [ameʀikɛ̃], **américaine** [ameʀikɛn] American (*takes a capital only when used as a noun referring to a person*)

Amérique [ameʀik] *f* America

ami [ami], **amie** [ami] friend

amusant [amyzã] amusing

amuser: s'amuser [samyze] to enjoy oneself

an [ã] *m* year; **tous les ans** every year

ancien [ãsjɛ̃], **ancienne** [ãsjɛn] former, old

anglais [ãglɛ], **anglaise** [ãglɛz] English (*takes a capital only when used as a noun referring to a person*)

Angleterre [ãglətɛʀ] *f* England

année [ane] *f* year

anniversaire [anivɛʀsɛʀ] *m* birthday

annoncer [anõse] to announce

août [u] *m* August

appartenir à [apaʀtəniʀa] to belong to (*conjug like* **tenir**)

appeler [aple] to call, name; **s'appeler** to be called, be named; **comment vous appelez-**vous? what is your name?; **je m'appelle** my name is

appétit [apeti] *m* appetite

apporter [apɔʀte] to bring; **apportez-moi** bring me

apprendre [apʀãdʀ] to learn, to tell (*conjug like* **prendre**)

après [apʀɛ] after; **d'après** according to

après-midi [apʀɛmidi] *m* afternoon; **l'après-midi** in the afternoon

arbre [aʀbʀ] *m* tree

arc [aʀk] *m* arch; **arc de triomphe** [aʀk dətʀiõf] arch of triumph; **arc en demi-cercle** [aʀk ãdmisɛʀkl] round arch

architecte [aʀʃitɛkt] *m* architect

architecture [aʀʃitɛktyʀ] *f* architecture

argent [aʀʒã] *m* money, silver

armée [aʀme] *f* army

arrêt [aʀɛ] *m* stop

arrêter: s'arrêter [saʀete] to stop

arrivée [aʀive] *f* arrival

arriver [aʀive] to arrive, come; to happen; **qu'est-ce qui lui est arrivé?** what happened to him (her)?

arroser [aʀoze] to water

art [aʀ] *m* art

article [aʀtikl] *m* article

artiste [aʀtist] *m* artist

ascenseur [asãsœʀ] *m* elevator

aspect [aspɛ] *m* aspect

asperge [aspɛʀʒ] *f* asparagus

aspirine [aspiʀin] *f* aspirin

asseoir: s'asseoir [saswaʀ] to sit down

asseyez-vous [asɛjevu] *imperat*
 2d pl of **s'asseoir**
assez [ase] enough, rather, fairly
assis [asi] *p part of* **asseoir**
assister à [asiste a] to attend
assurer [asyʀe] to assure
Athènes [atɛn] Athens
Atlantique [atlɑ̃tik] *m* Atlantic
atteindre [atɛ̃dʀ] to reach, attain
 (*conjug like* **peindre**)
attendre [atɑ̃dʀ] to wait, wait
 for, await; **s'attendre à** to expect
attention [atɑ̃sjɔ̃] *f* attention;
 faire attention to watch out
attentivement [atɑ̃tivmɑ̃] attentively
attirer [atiʀe] to attract
attraper [atʀape] to catch
au [o] *contr of* **à le**
auberge [obɛʀʒ] *f* inn
aucun [okœ̃], **aucune** [okyn]
 none; **ne … aucun** no …
aujourd'hui [oʒuʀdɥi] today;
 d'aujourd'hui en huit a week
 from today; **c'est aujourd'hui
 jeudi** today is Thursday
auquel [okɛl], **à laquelle** [ala-
 kɛl], **auxquels** [okɛl], **auxquelles** [okɛl] *prep* **à + lequel**,
 etc.
aurai: j'aurai [ʒɔʀe] *fut 1st sg
 of* **avoir**
aussi [osi] also, so, as, thus, therefore; **aussi … que** as …as
aussitôt que [ositokə] as soon as
auteur [otœʀ] *m* author
auto [ɔto] *f* auto, car
autobus [ɔtɔbys] *m* bus; **en autobus** on the bus, by bus

automne [otɔn] *m* fall, autumn
automobile [ɔtɔmɔbil] *f* auto, car
autour de [otuʀdə] around
autre [otʀ] other
autrefois [otʀəfwa] formerly,
 once
avait: il avait [ilavɛ] *imperf ind
 3rd sg of* **avoir; il y avait** there
 was, there were
avant [avɑ̃] before
avantage [avɑ̃taʒ] *m* advantage
avec [avɛk] with
avenue [avny] *f* avenue
aveugle [avœgl] blind
avez: vous avez [vuzave] *pr ind
 2d pl of* **avoir**
avion [avjɔ̃] *m* plane
avis [avi] *m* opinion, advice;
 être de l'avis de quelqu'un to
 agree with someone
avoine [avwan] *f* oats
avoir [avwaʀ] to have; **avoir besoin de** to need; **avoir peur** to
 be afraid; **avoir froid** to be
 cold; **avoir mal à la gorge** to
 have a sore throat; **avoir l'air**
 to seem; **avoir lieu** to take
 place; **qu'est-ce que vous avez?**
 what is the matter with you?;
 avoir envie de to feel like;
 avoir l'habitude de to be used
 to; **avoir faim** to be hungry;
 avoir soif to be thirsty; **avoir
 l'intention de** to intend to;
 avoir raison to be right; **avoir
 tort** to be wrong; **il y a** there
 is, there are; **il y a dix ans** ten
 years ago; **avoir beau** to be in
 vain, be of no avail
avril [avʀil] *m* April

ayez: vous ayez [vuzɛje] *pr subj 2d pl of* avoir

B

bain [bɛ̃] *m* bath; salle de bain *f* bathroom

bal [bal] *m* dance

Balzac [balzak] French novelist (1799-1850)

banane [banan] *f* banana

banque [bɑ̃k] *f* bank

banquier [bɑ̃kje] *m* banker

Barbizon [baʀbizɔ̃] village near Fontainebleau

bas [bɑ], basse [bɑs] low; à voix basse in a low voice

bassin [basɛ̃] *m* pool

Bastille: la Bastille [labastij] state prison, destroyed in 1789

bataille [bataj] *f* battle

bateau [bato] *m* boat

bâtiment [bɑtimɑ̃] *m* building

bazar [bazaʀ] *m* inexpensive department store

beau [bo], bel [bɛl], belle [bɛl], beaux [bo], belles [bɛl] beautiful, nice; il fait beau the weather is nice; avoir beau to be in vain, to be of no avail

beaucoup [boku] much, very much

Belgique [bɛlʒik] *f* Belgium

besoin [bəzwɛ̃] *m* need; avoir besoin de to need

betterave [bɛtʀav] *f* beet; betterave à sucre sugar beet

beurre [bœʀ] *m* butter

bicyclette [bisiklɛt] *f* bicycle

bien [bjɛ̃] *adv* well, indeed; eh bien? well?; *conj* bien que although; bien [bjɛ̃] *m* good; cette promenade m'a fait beaucoup de bien this walk did me a lot of good

bientôt [bjɛ̃to] soon

bière [bjɛʀ] *f* beer

billet [bijɛ] *m* ticket, banknote, bill; billet aller et retour round-trip ticket

Bizet [bizɛ] French musician (1838-1875)

blanc [blɑ̃], blanche [blɑ̃ʃ] white

blé [ble] *m* wheat

blesser [blɛse] to wound

bleu [blø] blue

blond [blɔ̃] blond

bœuf [bœf], *pl* bœufs [bø] *m* ox, beef

boire [bwaʀ] to drink

bois [bwɑ] *m* wood; le Bois de Boulogne park on the outskirts of Paris

bois: je bois [ʒəbwɑ] *pr ind 1st sg of* boire

boîte [bwat] *f* box

bon [bɔ̃], bonne [bɔn] good; de bonne heure early; la bonne route the right road

bondé [bɔ̃de] crowded

bonjour [bɔ̃ʒuʀ] *m* good morning, good afternoon, hello

bonne [bɔn] *f* maid

bonsoir [bɔ̃swaʀ] *m* good evening

bord [bɔʀ] *m* edge, side; au bord de la mer at the seashore

botanique [bɔtanik] *f* botany

bouche [buʃ] *f* mouth

boucher [buʃe] *m* butcher

boucherie [buʃʀi] *f* butcher's shop
boulangerie [bulɑ̃ʒʀi] *f* bakery
boulevard [bulvaʀ] *m* boulevard
bouquet [bukɛ] *m* bouquet
bouquiniste [bukinist] *m* dealer in old books
bout [bu] *m* end
bouteille [butɛːj] *f* bottle
bracelet [bʀaslɛ] *m* bracelet; **montre-bracelet** wrist watch
Bretagne [bʀətaɲ] *f* Brittany
bruit [bʀɥi] *m* noise
brûler [bʀyle] to burn
brun [bʀœ̃], **brune** [bʀyn] brown
bu [by] *p part of* **boire**
buffet [byfɛ] *m* lunchroom (in a railroad station)
bureau [byʀo] *m* office, desk
buvez: vous buvez [vubyve] *pr ind 2d pl of* **boire**

C

c' *see* **ce**
ça [sa] *(contr of* **cela)** that; **c'est ça** that's it, that's right
câblogramme [kɑblɔgʀam] *m* cablegram
Caen [kɑ̃] city in Normandy
café [kafe] *m* coffee, café
caisse [kɛs] *f* cashier's window
caissier [kɛsje], **caissière** [kɛsjɛʀ] cashier
Californie [kalifɔʀni] *f* California
Camélias: La Dame aux Camélias [ladamokamelja] play by Dumas Fils
camion [kamjɔ̃] *m* truck
campagne [kɑ̃paɲ] *f* country

Canada [kanada] *m* Canada
capitale [kapital] *f* capital
car [kaʀ] for, because
caractérisé [kaʀakteʀize] characterized
carte [kaʀt] *f* card, menu; **jouer aux cartes** to play cards; **carte-postale** *f* post card
carton [kaʀtɔ̃] *m* cardboard, cardboard box
cas [kɑ] *m* case; **en tout cas** at any rate
casser [kɑse] to break
cathédrale [katedʀal] *f* cathedral
cause [koz] *f* cause; **à cause de** because of
cave [kav] *f* cellar
ce [sə], **cet** [sɛt], **cette** [sɛt], **ces** [se] *adj* this, that; **cette écharpe-ci** this scarf; **cette écharpe-là** that scarf; **ce jour-là** that day; **ces jours-ci** some time soon
ce [sə] *pron* he, she, it, they, that; **ce qui, ce que** what
ceci [səsi] this
cela [sla] that
célèbre [selɛbʀ] well-known
celui [səlɥi], **celle** [sɛl], **ceux** [sø], **celles** [sɛl] the one; the ones; **celui-ci** this one; **celui-là** that one
cent [sɑ̃] a hundred
centre [sɑ̃tʀ] *m* center
cercle [sɛʀkl] *m* circle; **arc en demi-cercle** round arch
certain [sɛʀtɛ̃], **certaine** [sɛʀtɛn] certain

certainement [sɛʀtɛnmɑ̃] certain-ly

Cézanne [sezan] French painter (1839-1906)

chacun [ʃakœ̃], **chacune** [ʃakyn] each, each one

chaise [ʃɛz] *f* chair

chaleur [ʃalœr] *f* heat

chambre [ʃɑ̃bʀ] *f* room

champ [ʃɑ̃] *m* field

champignon [ʃɑ̃piɲõ] *m* mushroom

Champs-Élysées: les Champs-Élysées [leʃɑ̃zelize] avenue in Paris

chance [ʃɑ̃s] *f* luck; **avoir de la chance** to be lucky

changer [ʃɑ̃ʒe] to change; to change trains

Chantilly [ʃɑ̃tiji] town in the Île-de-France

chapeau [ʃapo] *m* hat

chaque [ʃak] each

charcuterie [ʃaʀkytʀi] *f* pork butcher shop

chasser [ʃase] to chase, to shoo out

chasse [ʃas] *f* hunting, hunting season

château [ʃɑto] *m* château, palace

chaud [ʃo] warm; **il fait chaud** it is warm; **j'ai chaud** I am warm

chauffeur [ʃofœʀ] *m* driver

chaussée [ʃose] *f* street, surface of a street

chaussure [ʃosyʀ] *f* shoe

chemin [ʃmɛ̃] *m* road

chèque [ʃɛk] *m* check

cher [ʃɛʀ], **chère** [ʃɛʀ] expensive

chercher [ʃɛʀʃe] to seek, look for; **aller chercher** to go for, go and get; **venir chercher** to come for

cheval [ʃval], *pl* **chevaux** [ʃvo] *m* horse

chevalier [ʃvalje] *m* knight

cheveu [ʃvø] *m* hair; **elle a les cheveux blonds** she has blond hair

chez [ʃe] at the house of, at the shop of; **chez moi** at my house; **chez eux** at their house; **chez le coiffeur** at the barber's

chimie [ʃimi] *f* chemistry

chimiste [ʃimist] *m* chemist; **ingénieur-chimiste** chemical engineer

choisir [ʃwaziʀ] to choose

choix [ʃwa] *m* choice

chose [ʃoz] *f* thing; **quelque chose** something; **autre chose** something else; **pas grand'chose** not much

chou [ʃu], *pl* **choux** [ʃu] *m* cabbage

ciel [sjɛl], *pl* **cieux** [sjø] *m* sky

cigarette [sigaʀɛt] *f* cigarette

cinéma [sinema] *m* movie

cinq [sɛ̃k] five

cinquantaine [sɛ̃kɑ̃tɛn] *f* about fifty

cinquante [sɛ̃kɑ̃t] fifty

cinquième [sɛ̃kjɛm] fifth

classe [klɑs] *f* class

classer [klɑse] to classify

client [klijɑ̃] *m* client

cœur [kœʀ] *m* heart

coiffeur [kwafœʀ] *m* barber

VOCABULARY ix conseil

coin [kwɛ̃] *m* corner, part of a town

colimaçon [kɔlimasõ] : escalier en colimaçon winding staircase

collection [kɔlɛksjõ] *f* collection; collection de timbres stamp collection

collectionner [kɔlɛksjɔne] to collect

collège [kɔlɛʒ] *m* secondary school

collision [kɔlizjõ] *f* collision

colonie [kɔlɔni] *f* colony

combien [kõbjɛ̃] how much, how many; combien de temps how long

Comédie-Française: la Comédie-Française [lakɔmedifRɑ̃sɛz] theatre in Paris

commander [kɔmɑ̃de] to order

comme [kɔm] as, like; comme d'habitude as usual

commencement [kɔmɑ̃smɑ̃] *m* beginning

commencer [kɔmɑ̃se] to begin

comment [kɔmɑ̃] how; comment allez-vous? how are you?; comment vous appelez-vous? what is your name?; comment cela? how is that?

commerce [kɔmɛRs] *m* commerce, trade

commissaire de police [kɔmisɛRdəpɔlis] *m* police lieutenant

commissariat de police [kɔmisaRjadpɔlis] *m* police station

commode [kɔmɔd] *f* dresser

compartiment [kõpaRtimɑ̃] *m* compartment

complet [kõplɛ], complète [kõplɛt] complete, full; complet [kõplɛ] *n m* man's suit

composer [kõpoze] to compose

comprendre [kõpRɑ̃dR] to understand (*conjug like* prendre); je comprends I understand; com prenez-vous? do you understand?

compte [kõt] : se rendre compte to realize

compter [kõte] to count

comte [kõt] *m* count

concert [kõsɛR] *m* concert

concierge [kõsjɛRʒ] *m or f* janitor, caretaker

Concorde: Place de la Concorde [kõkɔRd] square in Paris

conditionnel [kõdisjɔnɛl] *m* conditional

conduire [kõdɥiR] to lead; to drive a car

conférence [kõfeRɑ̃s] *f* lecture

confiance [kõfjɑ̃s] *f* confidence

confondre [kõfõdR] to confuse

confortable [kõfɔRtabl] comfortable

connais: je connais [ʒəkɔnɛ] *pr ind 1st sg of* connaître

connaissance [kɔnɛsɑ̃s] *f* acquaintance; faire la connaissance de to meet, become acquainted with

connaissez: vous connaissez [vukɔnɛse] *pr ind 2d pl of* connaître

connaître [kɔnɛtR] to know, be acquainted with

connu [kɔny] *p part of* connaître

conseil [kõsɛj] *m* advice

consentir [kõsɑ̃tiʀ] to consent
(conjug like sentir)
construction [kõstʀyksjõ] f construction, building
construire [kõstʀɥiʀ] to build;
faire construire to have built
consul [kõsyl] m consul
consulter [kõsylte] to consult,
look at
content [kõtɑ̃] glad
continental [kõtinɑ̃tal] continental
continuer [kõtinɥe] to continue
contraire [kõtʀɛʀ] adj contrary;
n m opposite; au contraire on
the contrary, far from it
convenable [kõvnabl] suitable
convenir [kõvniʀ] to suit, be appropriate (conjug like venir)
conversation [kõvɛʀsɑsjõ] f conversation
convient: il convient [ilkõvjɛ̃] pr
ind 3rd sg of convenir; cette
chambre me convient this room
suits me very well
Corot [kɔʀo] French painter
(1796-1875)
correspondance [kɔʀɛspõdɑ̃s] f
connection
Corse [kɔʀs] f Corsica
côté [kote] m side; à côté de
near, beside; de l'autre côté de
on the other side of
coucher: se coucher [skuʃe] to
lie down, go to bed
couleur [kulœʀ] f color
courant [kuʀɑ̃] current, common; une expression courante
an everyday expression

cours [kuʀ] m course; au cours
de in the course of, during
course [kuʀs] f errand; faire des
courses to do errands
court [kuʀ] short
cousin [kuzɛ̃], cousine [kuzin]
cousin
coûter [kute] to cost
couvrir [kuvʀiʀ] to cover (conjug like ouvrir)
craindre [kʀɛ̃dʀ] to fear (conjug
like plaindre)
crains: je crains [ʒə kʀɛ̃] pr ind
1st sg of craindre
cravate [kʀavat] f tie, necktie
crème [kʀɛm] f cream
croire [kʀwaʀ] to believe
crois: je crois [ʒəkʀwa] pr ind
1st sg of croire
croisade [kʀwazad] f crusade
croyez: vous croyez [vukʀwaje]
pr ind 2d pl of croire
cru [kʀy] p part of croire
cueillir [kœjiʀ] to pick
cuisine [kɥizin] f food, cooking
curé [kyʀe] m priest

D

d' see de
dame [dam] f lady
danger [dɑ̃ʒe] m danger
dangereux [dɑ̃ʒʀø], dangereuse
[dɑ̃ʒʀøz] dangerous
dans [dɑ̃] in, into, on
date [dat] f date
dater de [datedə] to date from
Daumier [domje] French painter
and etcher (1808-1879)
davantage [davɑ̃taʒ] more

de [də] of, from
debout [dəbu] standing
Debussy [dəbysi] French musician (1862-1918)
décembre [desɑ̃br] *m* December
décider [deside] to decide
déclaration [deklaʀɑsjõ] *f* declaration
déçu [desy] disappointed
dédier [dedje] to dedicate
défaire [defɛʀ] to undo (*conjug like* faire)
dehors [dəɔʀ] outside
déjà [deʒa] already, before
déjeuner [deʒœne] *m* lunch; petit déjeuner breakfast; déjeuner [deʒœne] to lunch, have lunch
délicieux [delisjø] delicious
demain [dəmɛ̃] tomorrow; après-demain day after tomorrow
demande [dəmɑ̃d] *f* request
demander [dəmɑ̃de] to ask; se demander to wonder
demeurer [dəmœʀe] to live, reside; où demeurez-vous? where do you live?; je demeure I live
demi [dəmi] half; onze heures et demie half past eleven; midi et demi half past twelve; une demi-heure a half hour
dent [dɑ̃] *f* tooth
dentiste [dɑ̃tist] *m* dentiste
départ [depaʀ] *m* departure
dépêche [depɛʃ] *f* telegram
dépêcher: se dépêcher [sədepɛʃe] to hurry
dépenser [depɑ̃se] to spend
depuis [dəpɥi] since, for; depuis quand? depuis combien de temps? how long?; j'attends

depuis un quart d'heure I have been waiting for a quarter of an hour
déranger [deʀɑ̃ʒe] to disturb, inconvenience
dernier [dɛʀnje], dernière [dɛʀnjɛʀ] last; dimanche dernier last Sunday
des [de] (*contr of* de les) of the, from the, some, any
descendre [desɑ̃dʀ] to go down
désirer [deziʀe] to wish, desire
dessert [desɛʀ] *m* dessert
dessiner [desine] to draw, draw the plans of
dessous [dəsu] under; *n m* lower side
dessus [dəsy] on, upon; *n m* top side; au-dessus de above
détruit [detʀɥi] destroyed
deux [dø] two
deuxième [døzjɛm] second; le deuxième (étage) the third floor
devant [dəvɑ̃] before, in front of
devanture [dəvɑ̃tyʀ] *f* shop window
devenir [dəvniʀ] to become (*conjug like* venir); qu'est-ce qu'il est devenu? what has become of him?
devez: vous devez [vudve] (*pr ind 2d pl of* devoir) you must, you are supposed to
deviez: vous deviez [vudəvje] (*imperf ind 2d pl of* devoir) you were to
devoir [dəvwaʀ] to owe, must, be supposed to, ought to, etc.; je dois I must, I am supposed

to; **je devais** I was supposed to; **j'ai dû** I must have, I had to; **je devrais** I should; **j'aurais dû** I should have
devriez: vous devriez [vudəvRie] (*pr condit 2d pl of* **devoir**) you should, you ought to
dictée [dikte] *f* dictation
différent [difeRɑ̃] different
difficile [difisil] difficult
dimanche [dimɑ̃ʃ] *m* Sunday; **le dimanche** on Sundays; **à dimanche** see you Sunday
dinde [dɛ̃d] *f* turkey
dîner [dine] *m* dinner; **dîner** [dine] to dine
dire [diR] to say, tell; **vouloir dire** to mean; **c'est-à-dire** that is to say
directement [diRɛktəmɑ̃] directly
dis: je dis [ʒədi] *pr ind 1st sg of* **dire**
discuter [diskyte] to discuss
disent: ils disent [ildiz] *pr ind 3rd pl of* **dire**
disposition [dispozisjɔ̃] *m* disposal; **je suis à votre disposition** I am at your service
distance [distɑ̃s] *f* distance; **à quelle distance?** how far?
dit: il dit [ildi] *pr ind 3rd sg of* **dire**
dites: vous dites [vudit] *pr ind 2d pl of* **dire**
dix [dis] ten
dixième [dizjɛm] tenth
dix-huit [dizɥit] eighteen
dix-neuf [diznœf] nineteen
dix-neuvième [diznœvjɛm] nineteenth

dix-sept [dissɛt] seventeen
docteur [dɔktœR] *m* doctor; **le docteur Lambert** Dr. Lambert
dois: je dois [ʒədwa] (*pr ind 1st sg of* **devoir**) I must, I am supposed to
dollar [dɔlaR] *m* dollar
dommage [dɔmaʒ] *m* **c'est dommage** it's too bad
donc [dɔ̃k] then, therefore; **et moi donc!** what about me!; **entrez donc** do come in
donner [dɔne] to give
dont [dɔ̃] whose, of whom, of which
dormir [dɔRmiR] to sleep
dort: il dort [ildɔR] *pr ind 3rd sg of* **dormir**
doute [dut] *m* doubt; **sans doute** no doubt, probably
douter: se douter de [sədutedə] to suspect
douzaine [duzɛn] *f* dozen; **une demi-douzaine** half a dozen; **vingt francs la douzaine** twenty francs a dozen
douze [duz] twelve
douzième [duzjɛm] twelfth
dresser [dRɛse] to draw up, make out
droit [dRwa] straight, right; **tout droit** straight ahead; **à droite** to, on the right
drôle [dRol] funny, queer
du [dy] (*contr of* **de le**) of the, from the, some, any
dû [dy] *p part of* **devoir**
Dumas [dyma] French novelist (1803-1870)
duquel [dykɛl], **de laquelle** [də-

lakɛl], desquels [dekɛl], desquelles [dekɛl] *rel pron; prep de* + lequel, etc.

dur [dyʀ] hard
durer [dyʀe] to last

E

eau [o] *f* water
écharpe [eʃaʀp] *f* scarf
école [ekɔl] *f* school
économie politique [ekɔnɔmi pɔlitik] *f* economics
écrire [ekʀiʀ] to write
écris: j'écris [ʒekʀi] *pr ind 1st sg of* écrire
écrivez: vous écrivez [vuzekʀive] *pr ind 2d pl of* écrire
édifice [edifis] *m* building
effet [ɛfɛ] *m* effect; en effet indeed
effrayant [ɛfʀejã] frightful
égal [egal] equal; ça m'est égal that's all the same to me
égaré [egaʀe] lost
église [egliz] *f* church
égyptien [eʒipsjɛ̃], égyptienne [eʒipsjɛn] Egyptian
Eiffel [ɛfɛl] French engineer (1832-1923)
élégant [elegã] graceful
élève [elɛv] *m or f* pupil
elle [ɛl] she, it
elles [ɛl] they
emmener [ãmne] to carry, take along
empire [ãpiʀ] *m* empire; Second Empire reign of Napoleon III (1852-1870)

emploi [ãplwa] *m* employment, use; emploi du temps *m* schedule
employé [ãplwaje] *m* employee
employer [ãplwaje] to employ, use
empoisonner [ãpwazɔne] to poison
emporter [ãpɔʀte] to take along, carry along
en [ã] *prep* in, into, at, to, by; en [ã] *pron* some, any, of it, of them
enchanté [ãʃãte] delighted
encore [ãkɔʀ] yet, still, again; pas encore not yet
endormir: s'endormir [sãdɔʀmiʀ] to fall asleep
endroit [ãdʀwa] *m* place
enfant [ãfã] *m or f* child
ennuyer [ãnɥije] to bother, worry
énorme [enɔʀm] enormous
ensemble [ãsãbl] together
ensuite [ãsɥit] then, afterwards
entendre [ãtãdʀ] to hear; entendre parler de to hear of; entendre dire que to hear that entendu [ãtãdy] *p part of* entendre; c'est entendu agreed, all right
enterrer [ãtɛʀe] to bury
entier [ãtje], entière [ãtjɛʀ] entire, whole; tout entier entirely
entouré de [ãtuʀe də] surrounded with
entre [ãtʀ] between, among; entre autres among others
entrer [ãtʀe] to enter, go in
enverrai: j'enverrai [ʒãvɛʀe] *fut 1st sg of* envoyer

envie [ɑ̃vi] *f* envy, desire; **avoir envie de** to feel like

environ [ɑ̃virõ] about

envoie: j'envoie [ʒɑ̃vwa] *pr ind 1st sg of* **envoyer**

envoyer [ɑ̃vwaje] to send; **envoyer chercher** to send for; **faire envoyer** to have (something) sent

épais [epɛ] thick

épaule [epol] *f* shoulder

Épernay [epɛrnɛ] town in Champagne

épicerie [episri] *f* grocery store

épidémie [epidemi] *f* epidemic

époque [epɔk] *f* period, time

escalier [ɛskalje] *m* stairway

espace [ɛspɑs] *m* space

Espagne [ɛspaɲ] *f* Spain

espagnol [ɛspaɲɔl] Spanish (*takes a capital only when used as a noun referring to a person*)

espèce [ɛspɛs] *f* kind, sort

espérer [ɛspere] to hope; **je l'espère** I hope so

essayer [ɛseje] to try, try on

essoufflé [ɛsufle] out of breath

est: il est [ilɛ] *pr ind 3rd sg of* **être**

Est [ɛst] *m* East

estampe [ɛstɑ̃p] *f* print, engraving, etc.

et [e] and; **et cætera** [ɛtsetera] etc.

était: il était [iletɛ] *imperf ind 3rd sg of* **être**

étalage [etalaʒ] *m* display

États-Unis [etazyni] *m pl* United States

été [ete] *m* summer; **été** [ete] *p part of* **être**

éteindre [etɛ̃dr] to extinguish (*conjug like* **peindre**)

étendue [etɑ̃dy] *f* extent, size

êtes: vous êtes [vuzɛt] *pr ind 2d pl of* **être**

étoffe [etɔf] *f* material

étoile [etwal] *f* star

étonné [etɔne] surprised

étranger [etrɑ̃ʒe], **étrangère** [etrɑ̃ʒɛr] foreign

être [ɛtr] to be; **c'est** it is; **est-ce?** is it?; **est-ce que?** is it that? **qu'est-ce que c'est que?** what is?; **c'est-à-dire** that is to say; **il est onze heures** it is eleven o'clock; **c'est aujourd'hui jeudi** today is Thursday; **être à** to belong to

étroit [etrwa] narrow

étudiant [etydjɑ̃], **étudiante** [etydjɑ̃t] student

eu [y] *p part of* **avoir**

eurent: ils eurent [ilzyr] *p simple 3rd pl of* **avoir**

Europe [œrɔp] *f* Europe

européen [œrɔpeɛ̃], **européenne** [œrɔpeɛn] European

eut: il eut [ily] *p simple 3rd sg of* **avoir: il y eut** there was, there were, there has been, there have been

eux [ø] they, them

exact [ɛgzakt] exact

examen [ɛgzamɛ̃] *m* examination

examiner [ɛgzamine] to examine

excellent [ɛksɛlɑ̃] excellent

excursion [ɛkskyrsjõ] *f* excursion

excuser: s'excuser [sɛkskyze] to apologize

exemple [ɛgzɑ̃pl] *m* example; **par exemple** for example

exercice [ɛgzɛʀsis] *m* exercise

exister [ɛgziste] to exist

explication [ɛksplikɑsjõ] *f* explanation

expliquer [ɛksplike] to explain

express [ɛkspʀɛs] *m* fast train

expression [ɛkspʀɛsjõ] *f* expression

F

face [fas] *f* face; **en face de** opposite

fâché [fɑʃe] sorry

facile [fasil] easy

facilement [fasilmɑ̃] easily

façon [fasõ] way, manner

facteur [faktœʀ] *m* postman

facture [faktyʀ] *f* bill

Faculté [fakylte] *f* a Division of a University

faim [fɛ̃] *f* hunger; **avoir faim** to be hungry

faire [fɛʀ] to do, make; **faire une promenade** to take a walk; **faire du ski** to go skiing; **quoi faire?** what for?; **faire la connaissance de** to meet, become acquainted with; **faire venir** to have ... come; **faire envoyer** to have ... sent; **faire attention** to watch out; **quel temps fait-il?** what kind of weather is it?; **il fait beau** the weather is nice; **il fait du vent** it is windy; **il fait nuit** it is dark; **cela ne fait**

rien it does not make any difference; **se faire un plaisir de** to be glad to; **faire bien de** to do well to

fais: je fais [ʒəfɛ] *pr ind 1st sg of* **faire**

faisait: il faisait [ilfəzɛ] *imperf ind 3rd sg of* **faire**; **il faisait beau** the weather was nice

fait [fɛ]; **tout à fait** quite, entirely

fait: il fait [ilfɛ] *pr ind 3rd sg of* **faire**

faites: vous faites [vufɛt] *pr ind 2d pl of* **faire**

falloir [falwaʀ] *impers verb* to have to; **il faut** one must, it is necessary; **il fallait, il a fallu** it was necessary; **il faudra** it will be necessary

famille [famij] *f* family

fasse: il fasse [ilfas] *pr subj 3rd sg of* **faire**

fatigué [fatige] tired

faut: il faut [ilfo] *pr ind 3rd sg of* **falloir**

faute [fot] *f* fault

favori [favɔʀi], **favorite** [favɔʀit] favorite

femme [fam] *f* woman, wife

fenêtre [fənɛtʀ] *f* window

ferai: je ferai [ʒəfʀe] *fut 1st sg of* **faire**

ferme [fɛʀm] *f* farm

fermer [fɛʀme] to close

fertile [fɛʀtil] fertile

fête [fɛt] *f* celebration, holiday

feu [fø] *m* fire

feuille [fœj] *f* leaf

février [fevʀie] *m* February

fiancée [fjɑ̃se] *f* fiancée
fièvre [fjɛvʀ] *f* fever
fille [fij] *f* daughter; **jeune fille** girl; **petite fille** little girl
film [film] *m* film, movie
finir [finiʀ] to finish
finissez: vous finissez [vufinise] *pr ind 2d pl of* **finir**
fixer [fikse] to decide upon
flatteur [flatœʀ] *m* flatterer
fleur [flœʀ] *f* flower
Florence [flɔʀɑ̃s] Florence
foin [fwɛ̃] *m* hay
fois [fwa] *f* time; **la première fois** the first time; **plusieurs fois** several times
fonder [fɔ̃de] to found
font: ils font [ilfɔ̃] *pr ind 3rd pl of* **faire**
fontaine [fɔ̃tɛn] *f* fountain
Fontainebleau [fɔ̃tɛnblo] town in the Île-de-France
forme [fɔʀm] *f* form
former [fɔʀme] to form
formidable [fɔʀmidabl] terrific
frais [fʀɛ], **fraîche** [fʀɛʃ] fresh, cool, cold
fraise [fʀɛz] *f* strawberry; **fraise des bois** wild strawberry
franc [fʀɑ̃] *m* franc
français [fʀɑ̃sɛ], **française** [fʀɑ̃sɛz] French (*takes a capital only when used as a noun referring to a person*)
France [fʀɑ̃s] *f* France
François Ier [fʀɑ̃swa pʀəmje] king of France (1494-1547)
fréquent [fʀekɑ̃] frequent
frère [fʀɛʀ] *m* brother

frit [fʀi] fried; **pommes de terre frites** French fried potatoes
froid [fʀwa] cold; **il fait froid** it is cold; **avoir froid** to be cold
fruit [fʀɥi] *m* fruit
furent: ils furent [ilfyʀ] *p simple 3rd pl of* **être**
fut: il fut [ilfy] *p simple 3rd sg of* **être**

G

galerie [galʀi] *f* gallery, hall
gant [gɑ̃] *m* glove
garage [gaʀaʒ] *m* garage
garçon [gaʀsɔ̃] *m* boy, waiter
garder [gaʀde] to keep; **se garder de** to be careful not to
gardien [gaʀdjɛ̃] *m* warden
gare [gaʀ] *f* station
gauche [goʃ] *f* left; **à gauche** to the left
gens [ʒɑ̃] *f pl* people
gentil [ʒɑ̃ti], **gentille** [ʒɑ̃tij] nice
glace [glas] *f* ice, mirror; **la Galerie des Glaces** the Hall of Mirrors
glissant [glisɑ̃] slippery
glisser [glise] to slide
gorge [gɔʀʒ] *f* throat; **avoir mal à la gorge** to have a sore throat
gothique [gɔtik] Gothic
goût [gu] *m* taste
grand [gʀɑ̃] tall, large, great
grand'mère [gʀɑ̃mɛʀ] *f* grandmother
gratte-ciel [gʀatsjɛl] *m* skyscraper
grave [gʀav] serious
grec [gʀɛk] Greek
gris [gʀi] gray

gros [gRo], grosse [gRos] big

guère [gɛR]; ne... guère scarcely, hardly

guichet [giʃe] *f* ticket window

guide [gid] *m* guide

H

(Words beginning with an aspirate h are shown thus: *haricot)

habile [abil] skillful

habiller [abije] to dress; s'habiller to get dressed

habite: il habite [ilabit] *pr ind 3rd sg of* habiter

habiter [abite] to live in

habitude [abityd] *f* habit, practice; comme d'habitude as usual; avoir l'habitude de to be used to

habituer: s'habituer à [sabitɥe a] to get used to

*haricot [aRiko] *m* bean

harmonie [aRmɔni] *f* harmony

*hasard [azaR] *m* chance; par hasard by chance

*hâte [ɑt] *f* haste; avoir hâte de to be eager to

*haut [o] *m* top, upper part; en haut de at the top of; là-haut up there

*héros [eRo] *m* hero

heure [œR] *f* hour, time; quelle heure est-il? what time is it?; il est onze heures it is eleven o'clock; une demi-heure a half hour; à l'heure on time; de bonne heure early; tout à l'heure in a while, a while ago

heureux [œRø], heureuse [œRøz] happy

hier [jɛR] *m* yesterday; hier soir last night

histoire [istwaR] *f* history, story; l'histoire de France French history

historique [istɔRik] historical

hiver [ivɛR] *m* winter

homme [ɔm] *m* man; jeune homme boy, young man

hôpital [ɔpital] *m* hospital

horloge [ɔRlɔʒ] *f* clock

horloger [ɔRlɔʒe] *m* jeweler

horriblement [ɔRibləmɑ̃] terribly

*hors-d'œuvre [ɔRdœvR] *m* hors d'œuvres

hôtel [otɛl] *m* hotel

hôtelier [otəlje] *m* hotel keeper

Hugo: Victor Hugo [viktɔRygo] French writer (1802-1885)

*huit [ɥit] eight; huit jours a week; d'aujourd'hui en huit a week from today

*huitième [ɥitjɛm] eighth

humble [œ̃bl] humble

humide [ymid] humid

I

ici [isi] here

idée [ide] *f* idea

identité [idɑ̃tite] *f* identity; carte d'identité identification card

il [il] he, it

île [il] *f* island; l'Île-de-France the region around Paris; l'Île de la Cité an island in the Seine, the heart of old Paris

ils [il] they

imaginer [imaʒine] to imagine
impair [ɛ̃pɛR] odd (*of numbers*)
imparfait [ɛ̃paRfɛ] imperfect
imperméable [ɛ̃pɛRmeabl] *m* raincoat
impression [ɛpRɛsjõ] *f* impression
incident [ɛ̃sidɑ̃] *m* incident
indéfini [ɛ̃defini] indefinite
indépendance [ɛ̃depɑ̃dɑ̃s] *f* independence
indiquer [ɛ̃dike] to indicate, tell
ingénieur [ɛ̃ʒenjœR] *m* engineer
injustice [ɛ̃ʒystis] *f* injustice
Institut [ɛ̃stity] *m* Institute
intelligent [ɛteliʒɑ̃] intelligent
intention [ɛ̃tɑ̃sjõ] *f* intention; **avoir l'intention de** to intend to
intéressant [ɛ̃teRɛsɑ̃] interesting, worth buying
intéresser [ɛ̃teRɛse] to interest
intérieur [ɛ̃teRjœR] *m* inside; **à l'intérieur** inside
interrogatif [ɛ̃teRɔgatif], **interrogative** [ɛ̃teRɔgativ] interrogative
invention [ɛ̃vɑ̃sjõ] *f* invention
inversion [ɛ̃vɛRsjõ] inversion
invitation [ɛ̃vitɑsjõ] *f* invitation
inviter [ɛ̃vite] to invite
irai: j'irai [ʒiRe] *fut 1st sg of* **aller**
irais: j'irais [ʒiRe] *cond 1st sg of* **aller**
ironique [iRɔnik] ironical
Italie [itali] *f* Italy
italien [italjɛ̃], **italienne** [italjɛn] Italian (*takes a capital only when used as a noun referring to a person*)

J

j' *see* **je**
jamais [ʒamɛ] never, ever; **ne ... jamais** never
jambe [ʒɑ̃b] *f* leg
jambon [ʒɑ̃bõ] *m* ham
janvier [ʒɑ̃vje] *m* January
jardin [ʒaRdɛ̃] *m* garden
jaune [ʒon] yellow
je [ʒə] I
Jeanne d'Arc [ʒandaRk] Joan of Arc (1412-1431)
jeter [ʒəte] to throw, cast; **jeter un coup d'œil sur** to take a look at
jeudi [ʒødi] Thursday
jeune [ʒœn] young; **jeune fille** girl
Joconde: la Joconde [laʒɔkõd] the Mona Lisa
joli [ʒɔli] pretty
joue [ʒu] *f* cheek
jouer [ʒwe] to play
jour [ʒuR] *m* day, daylight; **par jour** a day; **huit jours** a week; **quinze jours** two weeks; **tous les jours** every day; **ces jours-ci** some time soon; **il fait jour** it is daylight
journal [ʒuRnal], **journaux** [ʒuRno] *m* newspaper
journée [ʒuRne] *f* day; **toute la journée** all day
juillet [ʒɥijɛ] *m* July
juin [ʒɥɛ̃] *m* June
jusqu'à [ʒyska] until, up to, as far as; **jusque-là** that far, till then; **jusqu'à ce que** until
juste [ʒyst] exactly

K

kilo [kilo], kilogramme [kiloɡʀam] *m* kilo (2.2 lb)
kilomètre [kilɔmɛtʀ] *m* kilometer (about ⅝ mile)

L

l' *see* le, la
la [la] *art* the; *pron* her, it
là [la] there; là-bas over there; là-haut up there; ce jour-là that day
laboratoire [labɔʀatwaʀ] *m* laboratory
lac [lak] *m* lake
La Fayette [lafajɛt] French statesman (1757-1834)
laisser [lɛse] to let, leave; je vous la laisserai à deux mille francs I will let you have it for two thousand francs
lait [lɛ] *m* milk
laitue [lɛty] *f* lettuce
langue [lɑ̃ɡ] *f* language
laquelle *see* lequel
latin [latɛ̃] *m* Latin
laver [lave] to wash
le [lə] *art* the; *pron* him, it
leçon [ləsɔ̃] *f* lesson
légume [leɡym] *m* vegetable
lendemain: le lendemain [ləlɑ̃dmɛ̃] the next day
Le Nôtre [lənotʀ] French landscape architect (1613-1700)
lequel [ləkɛl], laquelle [lakɛl], lesquels [lekɛl], lesquelles [lekɛl] *rel pron* which; who, whom; lequel? laquelle? les-quels? lesquelles? *interrog pron* which? which one? which ones?
les [le] *art* the; *pron* them
lettre [lɛtʀ] *f* letter; papier à lettres stationery
leur [lœʀ] *pers pron* to them, them; leur [lœʀ], leurs [lœʀ] *poss adj* their; le leur, la leur, les leurs *poss pron* theirs
lever: se lever [səlve] to get up, rise
lèvre [lɛvʀ] *f* lip
librairie [libʀɛʀi] *f* bookstore
libre [libʀ] free
lieu [ljø] *m* place; avoir lieu to take place
ligne [liɲ] *f* line
lire [liʀ] to read
lis: je lis [ʒəli] *pr ind 1st sg of* lire
lisez: vous lisez [vulize] *pr ind 2d pl of* lire
liste [list] *m* list
lit [li] *m* bed
litre [litʀ] *m* litre (1.0567 qts. liquid)
littérature [liteʀatyʀ] *f* literature
livre [livʀ] *m* book
livre [livʀ] *f* pound; cent francs la livre a hundred francs a pound
loin [lwɛ̃] far
long [lɔ̃], longue [lɔ̃ɡ] long; le long de along
longtemps [lɔ̃tɑ̃] a long time, long; depuis longtemps for a long time
lorsque [lɔʀskə] when
louer [lwe] to rent
Louis XIV [lwikatɔʀz] king of France (1638-1715)

Louvre: le Louvre [ləluvʀ] former royal palace in Paris

loyer [lwaje] *m* rent

lu [ly] *p part of* **lire**

lui [lɥi] him; to him, to her, to it

lundi [lœ̃di] *m* Monday

lune [lyn] *f* moon

lunettes [lynɛt] *f pl* glasses

lycée [lise] *m* secondary school

M

M. *abbr of* **Monsieur**

ma *see* **mon**

madame [madam] *f* madam, Mrs.

mademoiselle [madmwazɛl] *f* Miss

magasin [magazɛ̃] *m* store

mai [mɛ] *m* May

main [mɛ̃] *f* hand

maintenant [mɛ̃tnɑ̃] now

maire [mɛʀ] *m* mayor

mais [mɛ] but; **mais oui** oh yes; **mais non** oh no

maïs [mais] *m* corn

maison [mɛzɔ̃] *f* house; **à la maison** at home

majestueux [maʒɛstɥø], **majestueuse** [maʒɛstɥøz] majestic

mal [mal] *m* pain; **mal de tête** *m* headache; **avoir mal à la tête** to have a headache; **faire mal** to hurt; **mal** [mal] *adv* badly; **pas mal** all right

malade [malad] sick

maladie [maladi] *f* sickness

malheureux [malœʀø], **malheureuse** [malœʀøz] unhappy

manger [mɑ̃ʒe] to eat

manquer [mɑ̃ke] to miss; **mes parents me manquent** I miss my parents

Mansard [mɑ̃saʀ] French architect (1646-1708)

mansarde [mɑ̃saʀd] *f* garret

manteau [mɑ̃to] *m* coat, cloak

marchand [maʀʃɑ̃] *m* merchant, dealer

marché [maʀʃe] *m* market; **à bon marché** cheap; **à meilleur marché** cheaper; **le Bon Marché** large department store in Paris

marcher [maʀʃe] to walk

mardi [maʀdi] *m* Tuesday

marguerite [maʀgəʀit] *f* daisy

mari [maʀi] *m* husband

mariage [maʀjaʒ] *m* marriage, wedding

marier: se marier [smaʀje] to get married

marron [maʀɔ̃] brown; **les yeux marron** brown eyes

mars [maʀs] *m* March

Marseille [maʀsɛj] city in southern France

Martinique [maʀtinik] *f* Martinique

mathématiques [matematik] *f pl* mathematics

matin [matɛ̃] *m* morning; **le matin** in the morning; **tous les matins** every morning

mauvais [mɔvɛ] or [movɛ] bad, wrong; **la mauvaise route** the wrong road

me [mə] me, to me

mécontent [mekɔ̃tɑ̃] dissatisfied

médecin [metsɛ̃] *m* physician

médicament [medikamã] *m* medicine, drug

meilleur, meilleure, meilleurs, meilleures [mɛjœʀ] (*compar of* bon) better; le meilleur, la meilleure, les meilleurs, les meilleures (*superl of* bon) the best

Melun [məlœ̃] town in the Île-de-France

même [mɛm] *adv* even; ne ... même pas not even; tout de même nevertheless, anyway; au cœur même de Paris in the very heart of Paris; le même, la même, les mêmes *adj and pron* the same

mener [məne] to lead

mer [mɛʀ] *f* sea

merci [mɛʀsi] thank you

mercredi [mɛʀkʀədi] *m* Wednesday

mère [mɛʀ] *f* mother

merveille [mɛʀvɛj], à merveille marvelously

mes *see* mon

messe [mɛs] *f* mass

mètre [mɛtʀ] *m* meter (39.37 inches)

mettez: vous mettez [vumɛte] *pr ind 2d pl of* mettre

mettre [mɛtʀ] to put, put on; se mettre à to begin; mettre une lettre à la poste to mail a letter

meuble [mœbl] *m* piece of furniture; les meubles furniture

meublé [mœble] furnished

Mexique [mɛksik] *m* Mexico

midi [midi] *m* noon; après-midi *m* afternoon

mien: le mien [ləmjɛ̃], la mienne [lamjɛn], les miens [lemjɛ̃], les miennes [lemjɛn] mine

mieux [mjø] *adv* (*compar of* bien) better; aimer mieux to prefer; tant mieux so much the better; le mieux (*superl of* bien) the best; de son mieux the best he could

milieu [miljø] *m* middle; au milieu de in the middle of, in the midst of

mille [mil] a thousand

Millet [milɛ] French painter (1815-1875)

million [miljõ] *m* million

millionnaire [miljɔnɛʀ] *m* millionaire

ministère [ministɛʀ] *m* ministry

ministre [ministʀ] *m* Cabinet member

minuit [minɥi] *m* midnight

minute [minyt] *f* minute

mis [mi] *p part of* mettre

Mlle *abbr of* Mademoiselle

Mme *abbr of* Madame

modiste [mɔdist] *f* milliner

moi [mwa] I, me, to me

moins [mwɛ̃] less; moins ... que less ... than; à moins que unless; deux heures moins le quart a quarter of two

mois [mwa] *m* month; au mois de décembre in December

Molière [mɔljɛʀ] French playwright (1622-1673)

moment [mɔmã] *m* moment, time; à ce moment-là at that time; au moment de at the time of; **au moment où** at the time when

mon [mõ], **ma** [ma], **mes** [me] my

monde [mõd] *m* world, people; **tout le monde** everybody

monnaie [mɔnɛ] *f* change; **porte-monnaie** *m* change purse

monsieur [məsjø] *m* Sir, Mr., gentleman

«Monte-Cristo» [mõtəkristo] **Le Comte de** a novel by Dumas

monter [mõte] to go up

Montmartre [mõmartr] a section of Paris

montre [mõtr] *f* watch; **montre-bracelet** wrist watch

montrer [mõtre] to show

monument [mɔnymã] *m* monument

monumental [mɔnymãtal] monumental

moquer: se moquer de [səmɔke də] to laugh at, make fun of

mort [mɔr] *p part of* mourir

Moscou [mɔsku] Moscow

mot [mo] *m* word

mouchoir [muʃwar] *m* handkerchief

mouillé [muje] wet

mourir [murir] to die

mourut: il mourut [ilmury] *p simple 3rd sg of* mourir

mousquetaire [muskətɛr] *m* musketeer; **«Les Trois Mousquetaires»** a novel by Dumas

mouton [mutõ] *m* sheep

mur [myr] *m* wall

mûrir [myrir] to ripen, mature

musée [myze] *m* museum

musique [myzik] *f* music

N

n' *see* **ne**

nager [naʒe] to swim

naître [nɛtr] to be born

Napoléon [napɔleõ] emperor of the French (1769-1821)

national [nasjɔnal] national

nationalité [nasjɔnalite] *f* nationality

ne [nə] not, no; **ne ... pas** not, no; **ne ... plus** no more, no longer; **ne ... que** only; **ne ... ni ... ni** neither ... nor; **ne ... guère** hardly, scarcely; **ne ... personne** nobody; **ne ... aucun(e)** none

né [ne] *p part of* naître; **je suis né à Philadelphie** I was born in Philadelphia

négatif (negatif], **négative** [negativ] negative

négativement [negativmã] negatively

neige [nɛʒ] *f* snow

neiger [nɛʒe] to snow; **il neige** it is snowing

neuf [nœf] nine

neuf [nœf], **neuve** [nœv] new

neuvième [nœvjɛm] ninth

ni [ni] neither, nor; **ne ... ni ... ni** neither ... nor; **ni l'un ni l'autre** neither

noblesse [nɔblɛs] *f* nobility

Noël [nɔɛl] *m* Christmas

noir [nwar] black

nom [nõ] *m* name

nombre [nõbʀ] *m* number
nommé [nɔmé] named
non [nõ] no; **non plus** either
Nord [nɔʀ] *m* North
Normandie [nɔʀmãdi] *f* Normandy
notamment [nɔtamã] among others
notre [nɔtʀ], nos [no] *adj* our; le nôtre [lǝnotʀ], la nôtre, les nôtres *pron* ours
nous [nu] we, us, to us
nous-mêmes [numɛm] ourselves
nouveau [nuvo], nouvel, nouvelle [nuvɛl], nouveaux, nouvelles new; **de nouveau** again, once more; **La Nouvelle-Orléans** New Orleans
nouvelle [nuvɛl] *f* piece of news
novembre [nɔvãbʀ] *m* November
nuit [nɥi] *f* night, darkness; **il fait nuit** it is dark
nul [nyl], nulle [nyl] no, no one; **nulle part** nowhere

O

obéir [ɔbeiʀ] to obey
obélisque [ɔbelisk] *m* obelisk
objet [ɔbʒɛ] *m* object
obliger [ɔbliʒe] to oblige; **noblesse oblige** rank imposes obligations
obscurité [ɔpskyʀite] *f* darkness
observatoire [ɔpsɛʀvatwaʀ] *m* observatory
occasion [ɔkɑzjõ] *f* occasion, bargain; **livre d'occasion** second-hand book

occupé [ɔkype] busy
occuper: **s'occuper de** [sɔkype dǝ] to take care of
octobre [ɔktɔbʀ] *m* October
oculiste [ɔkylist] *m* oculist
œil [œj], *pl* yeux [jø] *m* eye
œillet [œjɛ] *m* carnation
œuf [œf], *pl* œufs [ø] *m* egg
offrir [ɔfʀiʀ] to offer (*conjug like* ouvrir)
oie [wɑ] *f* goose
oiseau [wazo] *m* bird
olive [ɔliv] *f* olive
on [õ] one, they, someone
oncle [õkl] *m* uncle
ont: **ils ont** [ilzõ] *pr ind 3rd pl of* avoir
onze [õz] eleven
onzième [õzjɛm] eleventh
opéra [ɔpeʀa] *m* opera, opera house
opposé [ɔpoze] *m* opposite
orange [ɔʀãʒ] *f* orange
ordinaire [ɔʀdinɛʀ] ordinary; **d'ordinaire** usually
orgues [ɔʀg] *f pl* organ
os [ɔs], *pl* os [o] *m* bone; **je suis mouillé jusqu'aux os** I am wet to the skin
oser [oze] to dare
ou [u] or
où [u] where, where?, in which, when; **d'où le nom** whence the name
oublier [ublie] to forget
oui [wi] yes
ouvert [uvɛʀ] *p part of* ouvrir
ouvrir [uvʀiʀ] to open

P

pain [pɛ̃] m bread

pair [pɛʀ]; nombre pair even number

paire [pɛʀ] f pair

paix [pɛ] f peace

palais [palɛ] m palace

panorama [panɔʀama] m sight, panorama

Panthéon: le Panthéon [ləpɑ̃teõ] m monument in Paris

papier [papje] m paper; papier à lettres stationery

paquet [pakɛ] m package, pack

par [paʀ] by, through; par jour a day; par ici this way

parc [paʀk] m park

parce que [paʀskə] because

pardon [paʀdõ] pardon me, excuse me

parent [paʀɑ̃] m parent, relative

parfaitement [paʀfɛtmɑ̃] perfectly

parfois [paʀfwa] sometimes

Paris [paʀi] m Paris

parisien [paʀizjɛ̃], parisienne [paʀizjɛːn] Parisian (takes a capital only when used as a noun referring to a person)

parle: je parle [ʒəpaʀl] pr ind 1st sg of parler

parler [paʀle] to speak; entendre parler de to hear of

parlez: vous parlez [vupaʀle] pr ind 2d pl of parler

part [paʀ] f share; quelque part somewhere; nulle part nowhere; c'est gentil de votre part it is nice of you

partie [paʀti] f part; en partie in part; partie de pêche fishing trip

partir [paʀtiʀ] to leave; je pars I leave, I am leaving

partout [paʀtu] everywhere

pas [pɑ] not; ne ... pas not, no; pas encore not yet; pas du tout not at all

pas [pɑ] m step; à deux pas d'ici just a step from here

passant [pɑsɑ̃] m passer-by

passer [pɑse] to spend; to go by; comme le temps passe! how time flies!; passer un examen to take an examination; se passer [spɑse] to happen, take place

Pasteur [pɑstœʀ] French scientist (1822-1895)

patiner [patine] to skate

pauvre [povʀ] poor

payer [pɛje] to pay

pays [pei] m country

paysage [peizaʒ] m landscape

pêche [pɛʃ] f fishing; aller à la pêche to go fishing

pêcheur [pɛʃœʀ] m fisherman

peindre [pɛ̃dʀ] to paint

peine [pɛn] f trouble; ce n'est pas la peine it is not worth while, don't bother; à peine scarcely, hardly

peint [pɛ̃] p part of peindre

peintre [pɛ̃tʀ] m painter

pendant que [pɑ̃dɑ̃kə] as, while

pendule [pɑ̃dyl] f clock

pensée [pɑ̃se] f pansy

penser [pɑ̃se] to think, believe; **penser à** to think of; **penser de** to have an opinion about

penseur [pɑ̃sœʀ] *m* thinker; **le Penseur** a statue by Rodin

pension [pɑ̃sjõ] *f* room and board

père [pɛʀ] *m* father

permettre [pɛʀmɛtʀ] to allow

permission [pɛʀmisjõ] *f* permission

personne [pɛʀsɔn] *f* person; no one, nobody; **ne ... personne** no one

petit [pɔti] small, little; **petit déjeuner** breakfast

peu [pø] little; **un peu** a little; **à peu près** about

peur [pœʀ] *f* fear; **avoir peur de** to be afraid of; **avoir peur que** to be afraid that; **de peur que** for fear that

peut: il peut [ilpø] *pr ind 3rd sg of* **pouvoir**

peut-être [pøtɛtʀ] perhaps

pharmacie [faʀmasi] *f* drugstore

pharmacien [faʀmasjɛ̃] *m* druggist

Philadelphie [filadɛlfi] Philadelphia

photo [fɔto] *f* photograph, picture

photographie [fɔtɔgʀafi] *f* photograph, picture

phrase [fʀɑz] *f* sentence

pièce [pjɛs] *f* coin; play, a piece; **dix francs (la) pièce** ten francs a piece; **pièce d'eau** ornamental pool

pied [pje] *m* foot; **aller à pied** to walk

pique-nique [piknik] *m* picnic; **faire un pique-nique** to go on a picnic

pis [pi] worse; **tant pis** so much the worse, too bad

pittoresque [pitɔʀɛsk] picturesque

pivoine [pivwan] *f* peony

place [plas] *f* square, space, room, seat; **il y de la place** there is room; **à votre place** if I were you

placer [plase] to place

plaignez: vous vous plaignez [vuvuplɛɲe] *pr ind 2d pl of* se **plaindre**

plaindre: se plaindre [sɔplɛ̃dʀ] to complain

plaire [plɛʀ] to please; **s'il vous plaît** please; **est-ce que mon chapeau vous plaît?** do you like my hat?

plaisir [pleziʀ] *m* pleasure; **se faire un plaisir de** to be glad to

planter [plɑ̃te] to plant

plat *m* dish; **plat de viande** [pladvjɑ̃d] meat course, main course

plein [plɛ̃], **pleine** [plɛn] full; **en plein air** in the open

pleurer [plœʀe] to cry, weep

pleut: il pleut [ilplø] *pr ind 3rd sg of* **pleuvoir**

pleuvait: il pleuvait [ilplœvɛ] *imperf ind 3rd sg of* **pleuvoir**

pleuvoir [plœvwaʀ] to rain; **il pleut à verse** it is pouring

plu [ply] *p part of* **pleuvoir**

pluie [plɥi] *f* rain

plupart   xxvi   FRENCH-ENGLISH

plupart: la plupart [laplypaʀ] most, the greater part; la plupart d'entre eux most of them
pluriel [plyʀjɛl] m plural
plus [ply] more; ne ... plus no more, no longer; plus ... que more ... than; plus de more than; le plus grand the tallest; moi non plus nor I either
plusieurs [plyzjœʀ] several
poche [pɔʃ] f pocket
point [pwɛ̃] m point; point de vue point of view
pointure [pwɛ̃tyʀ] f size
poire [pwaʀ] f pear
pois [pwɑ] m pea
poisson [pwasõ] m fish
police [pɔlis] f police; agent de police m policeman
pomme [pɔm] f apple; pomme de terre f potato
pont [põ] m bridge; le Pont-Neuf bridge in Paris
porc [pɔʀ] m pork, pig
port [pɔʀ] m port
porte [pɔʀt] f door, gate
portefeuille [pɔʀtəfœj] m pocket-book, billfold
porte-monnaie [pɔʀtmɔnɛ] m change purse
porter [pɔʀte] to carry, wear, bear
poser [poze] to set, lay, place; poser une question to ask a question
possible [pɔsibl] possible
poste [pɔst] f post, post office
pour [puʀ] to, for, in order to, so as to; pour que in order that, so that

pourquoi [puʀkwa] why; pourquoi pas? why not?
pourrai: je pourrai [ʒəpuʀe] fut 1st sg of pouvoir
pourtant [puʀtɑ̃] however
pousser [puse] to grow; faire pousser to grow (transitive)
pouvez: vous pouvez [vupuve] pr ind 2d pl of pouvoir
pouvoir [puvwaʀ] to be able to, can, could, may, might
précédent [pʀesedɑ̃] preceding
préfecture [pʀefɛktyʀ] f office of a "préfet," administrator of a "département"
préférer [pʀefeʀe] to prefer
premier [pʀəmje], première [pʀəmjɛʀ] first; le premier avril the first of April; premier [pʀəmje] m second floor
prendre [pʀɑ̃dʀ] to take; prendre quelque chose to have something to eat or to drink
prends: je prends [ʒəpʀɑ̃] pr ind 1st sg of prendre
prenez: vous prenez [vupʀəne] pr ind 2d pl of prendre
préoccupé [pʀeɔkype] worried
près [pʀɛ] near, near by; près de near; à peu près about
présenter [pʀezɑ̃te] to introduce
président [pʀezidɑ̃] m president
presque [pʀɛskə] almost
pressé [pʀese]; être pressé to be in a hurry
prêt [pʀɛ] ready
prêter [pʀete] to lend
prévenir [pʀevniʀ] to warn (conjug like venir)
principal [pʀɛ̃sipal] principal

printemps [pRɛ̃tɑ̃] *m* spring; **au printemps** in the spring

pris [pRi] *p part of* **prendre**

prise [pRiz] *f* taking

prix [pRi] *m* price

procès-verbal [pRɔsɛvɛRbal] *m* police ticket

prochain [pRɔʃɛ̃], **prochaine** [pRɔʃɛn] next; **dimanche prochain** next Sunday; **la semaine prochaine** next week

procurer: **se procurer** [spRɔkyRe] to get

produit [pRɔdɥi] *m* product

professeur [pRɔfɛsœR] *m* professor

profession [pRɔfɛsjõ] *f* profession

profiter de [pRɔfite də] to take advantage of

progrès [pRɔgRɛ] *m* progress

promenade [pRɔmnad] *f* walk, drive; **faire une promenade** to take a walk; **faire une promenade en auto** to take a ride

promettre [pRɔmɛtR] to promise

pronom [pRɔnõ] *m* pronoun

proposer [pRɔpoze] to suggest

propre [pRɔpR] own

provision [pRɔvizjõ] *f* supply; **provisions** provisions

pu [py] *p part of* **pouvoir**

public [pyblik], **publique** [pyblik] public; **jardin public** public park

puis [pɥi] then; **et puis** and besides

puissent: **ils puissent** [ilpɥis] *pr subj 3rd pl of* **pouvoir**

puisque [pɥiskə] since

Pyrénées: **les Pyrénées** [lepiRene] *f pl* chain of mountains in southern France

Q

qu' *see* **que**

quai [ke] *m* platform, street along a river

qualité [kalite] *f* quality

quand [kɑ̃] when, when?; **depuis quand?** how long? since when?

quarante [kaRɑ̃t] forty

quart [kaR] *m* quarter; **onze heures et quart** a quarter past eleven; **onze heures moins le quart** a quarter to eleven

quartier [kaRtje] *m* quarter, part of a city

quatorze [katɔRz] fourteen

quatre [katR] four

quatre-vingts [katRəvɛ̃] eighty

quatre-vingt-dix [katRəvɛ̃dis] ninety

quatrième [katRiɛm] fourth

que [kə] *rel pron* whom, which; **ce que** [skə] that which, what; **que?** [kə]; **qu'est-ce qui?** [kɛski]; **qu'est-ce que?** [kɛskə] what?; **qu'est-ce que c'est que?** what is?; **que** *conj* that

quel? **quelle? quels? quelles?** [kɛl] *interrog adj* what?; **quel...!** what a...!

quelque, quelques [kɛlkə] some, a few; **quelque chose** something

quelquefois [kɛlkəfwa] sometimes

quelques-uns [kɛlkəzœ̃], **quelques-unes** [kɛlkəzyn] some, a few

quelqu'un [kɛlkœ̃] somebody, someone
question [kɛstjõ] *f* question
qui [ki] *rel pron* who, whom, which; **ce qui** [ski] what; **qui?** [ki] *interrog pron* who? whom?; **qui est-ce qui?** who?; **qui est-ce que?** whom?; **à qui est cette cravate?** whose tie is this?
quinze [kɛ̃z] fifteen; **Quinze-Vingts** [kɛ̃ʒ vɛ̃] i.e. 300, name of a hospital in Paris
quinzième [kɛ̃zjɛm] fifteenth
quitter [kite] to leave
quoi [kwa] what, what?; **à quoi bon?** what is the use?; **il y a de quoi** there is reason for it; **il n'y a pas de quoi** you are welcome

R

raisin [ʀɛzɛ̃] *m* grapes
raison [ʀɛzõ] *f* reason; **avoir raison** to be right
ramasser [ʀamɑse] to pick, pick up, gather
rappeler: se rappeler [səʀaple] to remember
rapporter [ʀapɔʀte] to take back, bring back
rare [ʀaʀ] rare
ravager [ʀavaʒe] to ravage
rayonner [ʀɛjɔne] to radiate
recevoir [ʀəsəvwaʀ] to receive
recevrai: je recevrai [ʒəʀəsəvʀe] *fut 1st sg of* **recevoir**
reconnaître [ʀəkɔnɛtʀ] to recognize

reconstruire [ʀəkõstʀɥiʀ] to rebuild
reçu [ʀəsy] *p part of* **recevoir**
refus [ʀəfy] *m* refusal
refuser [ʀəfyze] to refuse
regarder [ʀəgaʀde] to look, look at
région [ʀeʒjõ] *f* region
règne [ʀɛɲ] *m* reign
regretter [ʀəgʀɛte] to regret, be sorry for
Reims [ʀɛ̃s] Rheims, city in Champagne
reine [ʀɛn] *f* queen
rejoindre [ʀəʒwɛ̃dʀ] to meet, catch up with
relativement [ʀəlativmɑ̃] relatively
remède [ʀəmɛd] *m* remedy
remercier [ʀəmɛʀsje] to thank
remplacer [ʀɑ̃plase] to replace
Renaissance [ʀənɛsɑ̃s] *f* Renaissance
rencontrer [ʀɑ̃kõtʀe] to meet
rendez-vous [ʀɑ̃devu] *m* appointment
rendre [ʀɑ̃dʀ] to render, give back; to make; **est-ce que cela vous rend triste?** does it make you sad?; **se rendre compte** to realize
rendu [ʀɑ̃dy] *p part of* **rendre**
renseignement [ʀɑ̃sɛɲmɑ̃] *m* information
renseigner [ʀɑ̃sɛɲe] to inform, give out information
réparation [ʀepaʀɑsjõ] *f* repair
réparer [ʀepaʀe] to repair; **faire réparer** to have (something) repaired

repartir [RəpaRtiR] to leave again, set out again

repas [Rəpɑ] m meal

répéter [Repete] to repeat

répondez: vous répondez [vuRepõde] pr ind 2d pl of répondre

répondre [RepõdR] to answer

réponse [Repõs] f answer

reposer: se reposer [səRpoze] to rest

représentation [RəpRezɑ̃tɑsjõ] f performance

représenter [RəpRezɑ̃te] to represent

résidence [Rezidɑ̃s] f residence

ressembler à [Rəsɑ̃ble a] to resemble, look like

ressort [RəsɔR] m spring

restaurant [Restɔrɑ̃] m restaurant

reste [Rɛst] m rest, remainder

rester [Rɛste] to stay; to be left, remain; il reste there remains, there remain

rétabli [Retabli] recovered

retard [RətaR] m delay, lateness; en retard late

retour [RətuR] m return; aller et retour round trip; être de retour to be back

retourner [RətuRne] to go back; se retourner [səRtuRne] to turn around

retrouver [Rətruve] to find again, meet

réussir à [ReysiR a] to succeed in

réveiller: se réveiller [səRevɛje] to wake up

réveillon [Revɛjõ] m meal eaten on Christmas eve

revoir [RəvwaR] to see again (conjug like voir); au revoir good-bye

revue [Rəvy] f review, magazine

rhume [Rym] m cold

riche [Riʃ] rich

rien [Rjɛ̃] nothing; ne . . . rien nothing; de rien you are welcome; rien d'intéressant nothing interesting

risquer de [Riske də] to risk

rive [Riv] f bank; la rive droite the right bank of the Seine in Paris; la rive gauche the left bank

rivière [RivjɛR] f river, creek

robe [Rɔb] f dress

Rodin [Rɔdɛ̃] French sculptor (1840-1917)

roi [Rwa] m king

rôle [Rol] m role, part

roman [Rɔmɑ̃] m novel

roman [Rɔmɑ̃], romane [Rɔman] romanesque (architecture)

Rome [Rɔm] Rome

Ronsard [RõsaR] French poet (1524-1585)

rosbif [Rɔsbif] m roast beef

rose [Roz] rosy, pink

rose [Roz] f rose

rosier [Rozje] m rosebush

Rouen [Rwɑ̃] city in Normandy

rouge [Ruʒ] red

route [Rut] f road; en route on the way; la bonne route the right road; la mauvaise route the wrong road

royal [Rwajal] royal

rue [Ry] f street

russe [ʀys] Russian (*takes a capital only when used as a noun referring to a person*)

Russie [ʀysi] *f* Russia

S

s' *see* **si** *or* **se**

sa *see* **son**

sac [sak] *m* bag

sacrifice [sakʀifis] *m* sacrifice

saint [sɛ̃] saint, holy; **la Sainte-Chapelle** XIIIth century church in Paris

sais: je sais [ʒəsɛ] *pr ind 1st sg of* **savoir**

saison [sɛzõ] *f* season

sait: il sait [ilsɛ] *pr ind 3rd sg of* **savoir**

salade [salad] *f* salad; lettuce, etc.

salle [sal] *f* room; **salle à manger** dining room; **salle de bain** bathroom

salon [salõ] *m* living room

samedi [samdi] *m* Saturday

sandwich [sɑ̃dwitʃ] *m* sandwich

sans [sɑ̃] without

sauf [sof] except

sauriez: vous sauriez [vusɔʀje] *cond 2d pl of* **savoir**

sauvage [sovaʒ] wild

savez: vous savez [vusave] *pr ind 2d pl of* **savoir**

savoir [savwaʀ] to know, know how

science [sjɑ̃s] *f* science

se [sə] oneself, himself, herself, themselves; to oneself, etc.

second [səgõ] second; **seconde** *f* second class

Seine [sɛn] *f* Seine

seize [sɛz] sixteen

semaine [səmɛn] *f* week; **la semaine prochaine** next week

Sénégal [senegal] *m* Senegal

sentir [sɑ̃tiʀ] to smell; **se sentir** to feel

sept [sɛt] seven

septembre [sɛptɑ̃bʀ] *m* September

septième [sɛtjɛm] seventh

serai: je serai [ʒəsʀe] *fut 1st sg of* **être**

série [seʀi] *f* series

sérieux [seʀjø], **sérieuse** [seʀjøz] serious

sert: il sert [ilsɛʀ] *pr ind 3rd sg of* **servir**

service [sɛʀvis] *m* service

servir à [sɛʀviʀ a] to serve, be of use; **se servir de** to use; **se servir** to help oneself

ses *see* **son**

seul, seule [sœl] alone, single

seulement [sœlmɑ̃] only, but

si [si] if, whether, so; **si** [si] yes; **mais si** oh yes

siècle [sjɛkl] *m* century; **au treizième siècle** in the thirteenth century

sien: le sien [ləsjɛ̃], **la sienne** [lasjɛn], **les siens** [lesjɛ̃], **les siennes** [lesjɛn] *poss pron* his, hers

silencieux [silɑ̃sjø], **silencieuse** [silɑ̃sjøz] silent

simple [sɛ̃pl] simple

simplement [sɛ̃pləmɑ̃] simply, merely

six [sis] six

sixième [sizjɛm] sixth

ski [ski] *m* ski; **faire du ski** to go skiing

sœur [sœR] *f* sister

soie [swa] *f* silk

soif [swaf] *f* thirst; **avoir soif** to be thirsty

soir [swaR] *m* evening; **le soir** in the evening; **hier soir** last night

soirée [swaRe] *f* evening

soit: il soit [ilswa] *pr subj 3rd sg of* **être**

soit [swa] either, or; **soit ... soit** either ... or

soixante [swasɑ̃t] sixty

soixante-dix [swasɑ̃tdis] seventy

sol [sɔl] *m* soil, ground

soleil [sɔlɛj] *m* sun; **il fait du soleil** the sun is shining

sombre [sõbR] dark

sommes: nous sommes [nusɔm] *pr ind 1st pl of* **être**

son [sõ], **sa** [sa], **ses** [se] *poss adj* his, her, its

sonner [sɔne] to ring

sont: ils sont [ilsõ] *pr ind 3rd pl of* **être**

Sorbon [sɔRbõ] founder of the Sorbonne (1201-1274)

Sorbonne: la Sorbonne [lasɔR-bɔn] Division of Letters and Science of the University of Paris

sort [sɔR] *m* fate

sorte [sɔRt] *f* sort, kind

sortie [sɔRti] *f* exit, going out

sortir [sɔRtiR] to go out

souffrir [sufRiR] to suffer (*conjug like* **ouvrir**)

souhaiter [swɛte] to wish

souligné [suliɲe] underlined

sous [su] under

souvenir [suvniR] *m* souvenir

souvenir: se souvenir [səsuvnir] to remember (*conjug like* **venir**)

souvent [suvɑ̃] often

soyez: vous soyez [vuswaje] *pr subj 2d pl of* **être**

splendeur [splɑ̃dœR] *f* splendor

style [stil] *m* style

substantif [sypstɑ̃tif] *m* noun

sucre [sykR] *m* sugar

Sud [syd] *m* South

suggérer [syɡʒeRe] to suggest

suis: je suis [ʒəsɥi] *pr ind 1st sg of* **être**; **je suis** [ʒəsɥi] *pr ind 1st sg of* **suivre**

Suisse [sɥis] *f* Switzerland

suite [sɥit] *f* succession, continuation; **tout de suite** [tut sɥit] right away

suivant [sɥivɑ̃] following

suivre [sɥivR] to follow, to take (a course)

sujet [syʒɛ] *m* subject; **au sujet de** about

supportable [sypɔRtabl] bearable, endurable

sur [syR] on, upon, about

sûr [syR] sure

surpris [syRpRi] surprised *p part of* **surprendre**

surprise [syRpRiz] *f* surprise

symboliser [sɛ̃bɔlize] to symbolize

T

tabac [taba] *m* tobacco
table [tabl] *f* table
tableau [tablo] *m* picture, painting
tailler [taje] to trim
tant [tã] so much, so many; **tant mieux** so much the better
tante [tãt] *f* aunt
tapis [tapi] *m* rug
tard [taʀ] late; **plus tard** later; **au plus tard** at the latest
taxi [taksi] *m* taxi
te [tə] to you, for you (*familiar*)
tel: un tel [œ̃tɛl], **une telle** [yntɛl], **de tels** [dətɛl], **de telles** [dətɛl] such a, such
téléphone [telefɔn] *m* telephone
témoin [temwɛ̃] *m* witness; **être témoin de** to witness
température [tɑ̃peʀatyʀ] *f* temperature
temps [tã] *m* time, weather; **emploi du temps** *m* schedule; **quel temps fait-il?** how is the weather?; **à temps** on time; **combien de temps?** how long?; **avoir le temps de** to have time to
tenez! [təne] here!
tenir [təniʀ] to hold; **tenir une auberge** to run an inn
tennis [tenis] *m* tennis; **jouer au tennis** to play tennis
terminer [tɛʀmine] to finish
terrasse [tɛʀas] *f* terrace
terre [tɛʀ] *f* earth, ground
tête [tɛt] *f* head
texte [tɛkst] *m* text
thé [te] *m* tea

théâtre [teɑtʀ] *m* theatre
théologie [teɔlɔʒi] *f* theology
tien: le tien [lətjɛ̃], **la tienne** [latjɛn], **les tiens** [letjɛ̃], **les tiennes** [letjɛn] yours (*familiar*)
tiens! [tjɛ̃] well!
tient: il tient [iltjɛ̃] *pr ind 3rd sg of* **tenir**
timbre [tɛ̃bʀ] *m* stamp; **timbre-poste** postage stamp
tiroir [tiʀwaʀ] *m* drawer
toi [twa] you (*familiar*)
toit [twa] *m* roof
tomate [tɔmat] *f* tomato
tombeau [tõbo] *m* monumental tomb
tomber [tõbe] to fall
ton [tõ], **ta** [ta], **tes** [te] your (*familiar*)
tort [tɔʀ] *m* wrong; **avoir tort** to be wrong
tôt [to] soon; **plus tôt** sooner; **le plus tôt possible** as soon as possible
toucher [tuʃe] to touch; **toucher un chèque** to cash a check
toujours [tuʒuʀ] always, still
tour [tuʀ] *f* tower
Tours [tuʀ] city in Touraine
tout [tu], **toute** [tut], **tous** [tu], **toutes** [tut] *adj* all, every; **toute la journée** all day; **tous les jours** every day; **tout le monde** everybody; **tout** [tu], **toute** [tut], **tous** [tus], **toutes** [tut] *pron* all, everybody, everything; **tout** [tu] *adv* all, quite, completely; **tout à fait** quite; **tout de suite** right away;

tout à l'heure a while ago, in a while; pas du tout not at all; tout de même all the same; rien du tout nothing at all; tout à coup suddenly

train [tʀɛ̃] *m* train; en train de in the act of

tranquille [tʀɑ̃kil] quiet

transposer [tʀɑ̃spoze] to transpose

travail [tʀavaj] *m* work

travailler [tʀavaje] to work

traverser [tʀavɛʀse] to cross

treize [tʀɛz] thirteen

treizième [tʀɛzjɛm] thirteenth

trente [tʀɑ̃t] thirty

très [tʀɛ] very, very much

triste [tʀist] sad

Troglodyte [tʀɔɡlɔdit] *m* cave dweller

trois [tʀwɑ] three

troisième [tʀwɑzjɛm] third

trop [tʀɔ] too, too much, too many

trouver [tʀuve] to find, think; comment la trouvez-vous? how do you like it?; vous trouvez? do you think so?; se trouver to be, be located

tu [ty] you (*familiar*)

Tuileries: les Tuileries [letɥilʀi] park in Paris

U

un [œ̃] *m* a, an; one; l'un one

une [yn] *f* a, an; one; l'une one

université [ynivɛʀsite] *f* University

uns: les uns [lezœ̃], les unes [lezyn] some; les un(e)s ... les autres some ... the others; les un(e)s ... d'autres some ... others

user [yze] to wear out

usine [yzin] *f* factory, plant

V

va: il va [ilva] *pr ind 3rd sg of* aller

vacances [vakɑ̃s] *f pl* vacation, holiday; en vacances on vacation

vache [vaʃ] *f* cow

vais: je vais [ʒəvɛ] *pr ind 1st sg of* aller

valeur [valœʀ] *f* value; avoir de la valeur to be valuable

valoir [valwaʀ] to be worth; il vaut mieux it is better, it is preferable

vaste [vast] vast

Vaugirard: rue de Vaugirard [ʀydvoʒiʀaʀ] street in Paris

vaut: il vaut [ilvo] *pr ind 3rd sg of* valoir

venant [vənɑ̃] *pr part of* venir

vend: il vend [ilvɑ̃] *pr ind 3rd sg of* vendre

vendeur [vɑ̃dœʀ], vendeuse [vɑ̃døz] salesman, salesgirl

vendre [vɑ̃dʀ] to sell

vendredi [vɑ̃dʀədi] *m* Friday

venez: vous venez [vuvne] *pr ind 2d pl of* venir

venir [vəniʀ] to come; faire venir to have ... come; venir de to have just; il vient d'arriver he

has just come; **il venait d'arriver** he had just come

vent [vɑ̃] *m* wind; **il fait du vent**
it is windy

verre [vɛʀ] *m* glass, lens

verrons: nous verrons [nuvɛʀõ]
fut 1st pl of **voir**

vers [vɛʀ] towards, about; **vers
deux heures** around two
o'clock

Versailles [vɛʀsɑj] city near
Paris

verser [vɛʀse] to pour; **il pleut
à verse** it is pouring

veut: il veut [ilvø] *pr ind 3rd sg
of* **vouloir**

veux: je veux [ʒəvø] *pr ind 1st
of* **vouloir**

viande [vjɑ̃d] *f* meat

victime [viktim] *f* victim

vie [vi] *f* life

viens: je viens [ʒəvjɛ̃] *pr ind 1st
sg of* **venir**; **je viens de** I
just...

vient: il vient [ilvjɛ̃] *pr ind 3rd
sg of* **venir**

vieux [vjø] *m,* **vieil** [vjɛj] *m,*
vieille [vjɛj] *f,* **vieux** [vjø] *m
pl,* **vieilles** [vjɛj] *f pl* old; **mon
vieux** pal, old man

village [vilaʒ] *m* village

ville [vil] *f* city, town; **en ville**
down town

vin [vɛ̃] *m* wine

vingt [vɛ̃] twenty

violette [vjɔlɛt] *f* violet

visite [vizit] *f* visit

visiter [vizite] to visit

vite [vit] fast

vitesse [vitɛs] *f* speed

vitrail [vitʀaj] *m,* **vitraux** [vitʀo]
pl stained glass window

vivait: il vivait [ilvivɛ] *imperf
ind 3rd sg of* **vivre**

vivre [vivʀ] to live

voici [vwasi] here is; **le voici, la
voici** here it is, here he is, here
she is

voie [vwɑ] *f* track

voile [vwal] *f* sail; **bateau à voile**
m sail boat

voir [vwaʀ] to see; **voir venir** to
see...coming

vois: je vois [ʒəvwa] *pr ind 1st
sg of* **voir**

voisin [vwazɛ̃], **voisine** [vwazin]
neighbor, neighboring

voix [vwa] *f* voice; **à voix basse**
in a low voice

volontiers [vɔlõtje] willingly,
gladly

Voltaire [vɔltɛʀ] French philoso-
pher and writer (1694-1778)

vos *see* **votre**

votre [vɔtʀ], **vos** [vo] *poss adj*
your

vôtre: le vôtre [ləvotʀ], **la vôtre**
[lavotʀ], **les vôtres** [levotʀ]
poss pron yours

voudrais: je voudrais [ʒəvudʀɛ]
cond 1st sg of **vouloir**

voulez: vous voulez [vuvule] *pr
ind 2d pl of* **vouloir**

vouloir [vulwaʀ] to want, wish;
to like; **vouloir bien** to be willing, be kind enough to; **je voudrais bien** I would like; **vouloir dire** to mean

vous [vu] you, to you

voyage [vwajaʒ] *m* trip

voyez: vous voyez [vuvwaje] *pr ind 2d pl of* voir

voyons [vwajõ] *imper 1st pl of* voir

vrai [vrɛ] true

vraiment [vrɛmã] truly, really

vu [vy] *p part of* voir

vue [vy] *f* view, sight; **point de vue** *m* point of view

W

wagon [vagõ] *m* car; **wagon-res-taurant** diner

week-end [wikɛnd] *m* week end

Y

y [i] to it, at it, to them, at them, there; **il y a** there is, there are; **y a-t-il?** is there? are there?; **il y avait** there was, there were; **il y a cinq ans** five years ago; **il y a un quart d'heure que j'attends** I have been waiting for fifteen minutes; **qu'est-ce qu'il y a?** what is the matter?

yeux [jø] *pl of* œil; **elle a les yeux bleus** she has blue eyes

Z

zéro [zero] zero

zut! [zyt] confound it!

ENGLISH-FRENCH

A

a un *m,* une *f*

able: to be able to pouvoir

about *prep* vers; *adv* à peu près, environ; *prep* au sujet de, à propos de; **about what time?** vers quelle heure?; **about one hundred** une centaine; **what about you?** et vous?; **how about going fishing?** si nous allions à la pêche?

above au-dessus de

absent absent

accent accent *m*

accept accepter

accident accident *m*

according to d'après

acquaintance connaissance *f;* **I made his acquaintance** j'ai fait sa connaissance

acquainted: to be acquainted with connaître

across en face de, de l'autre côté de

act: to act as servir de

actor, actress acteur, actrice

adjective adjectif *m*

admirable admirable

admire admirer

advantage avantage *m;* **to take advantage of** profiter de

advice conseil *m;* **to follow (an) advice** suivre un conseil

affirmative affirmatif *m,* affirmative *f*

affirmatively affirmativement

afraid: to be afraid of avoir peur de; **I am afraid so** j'en ai peur

Africa Afrique *f;* **North Africa** l'Afrique du Nord

after après; **after having gone to Normandy, he went to Brittany** après être allé en Normandie, il est allé en Bretagne

afternoon après-midi *m;* **in the afternoon** l'après-midi

afterwards après, ensuite

again de nouveau, encore

age âge *m;* **how old are you?** quel âge avez-vous?

ago: five years ago il y a cinq ans; **a while ago** tout à l'heure; **some time ago** il y a quelque temps

agree être de l'avis de, être d'accord avec

agreeable agréable

agreed c'est entendu, entendu

ahead: straight ahead tout droit

air air *m;* **in the open air** en plein air

album album *m*

all tout, toute, tous, toutes; **is that all?** est-ce tout?; **not at all** pas du tout; **all of Paris** Paris tout entier; **all right** c'est entendu; **it is all right with me** cela m'est égal

allow permettre de

all right bon, bien, pas mal

almost presque

along le long de; to go along accompagner, suivre, venir

Alps Alpes *f pl*

already déjà

also aussi

although bien que, quoique

always toujours

am: I am je suis

America Amérique *f;* South America l'Amérique du Sud

American américain *m*, américaine *f*

among entre, parmi; among others entre autres

amusing amusant

an un *m,* une *f*

and et

announce annoncer

another un autre *m,* une autre *f*

answer réponse *f;* to answer répondre

any du, de la, de l', des, de, en; not any ne...pas de; not any more... ne...plus (de)

anyone quelqu'un; not...anyone ne...personne

anything quelque chose; not ... anything ne...rien

anyway tout de même; d'ailleurs

apologize s'excuser de

appetite appétit *m*

apple pomme *f*

appointment rendez-vous *m*

April avril *m*

architect architecte *m*

arch arc *m;* arch of triumph arc de triomphe; round arch arc en demi-cercle

are: they are ils sont; there are il y a; you are vous êtes; are you? êtes-vous?

army armée *f*

around vers, autour de; around five o'clock vers cinq heures; around Paris autour de Paris

arrival arrivée *f*

arrive arriver; it arrives il arrive

art art *m*

article article *m*

artist artiste *m*

as comme, pendant que; as...as aussi...que

ask demander, poser une question

asleep endormi; to fall asleep s'endormir

asparagus asperge *f*

aspect aspect *m*

aspirin aspirine *f*

astonish étonner

at à, chez; at the au, à la, à l', aux; at Marie's chez Marie; at about six o'clock vers six heures

Athens Athènes

Atlantic Atlantique

attain atteindre

attention attention *f*

attentively attentivement

attract attirer

August août *m*

aunt tante *f*

author auteur *m*

auto auto *f*

avenue avenue *f*

await attendre

away: to go away partir, s'en aller; **right away** tout de suite; **to send away** renvoyer

B

back: to go back (home) rentrer; **to be back** être de retour

bad mauvais; **it is too bad** c'est dommage; **too bad** tant pis

badly mal

bag sac *m*

bakery boulangerie *f*

banana banane *f*

bank banque *f;* rive *f*

banker banquier *m*

barber coiffeur *m;* **to the barber's** chez le coiffeur

bath bain *m;* **bathroom** salle de bain *f*

battle bataille *f*

be: to be être; **how are you?** comment allez-vous?; **I am well** je vais bien; **he will be** il sera; **he would be** il serait; **there is, there are** il y a; **there was, there were** il y avait; **there will be** il y aura; **to be cold** avoir froid; **to be hungry** avoir faim; **to be right** avoir raison; **to be wrong** avoir tort; **to be (located)** se trouver; **to be (used) for** servir à; **I am to** je dois; **I was to** je devais

bean *haricot *m*

bear: to bear porter; supporter

beautiful beau, bel *m;* belle *f;* beaux *m pl;* belles *f pl*

because parce que; **because of** à cause de

become devenir

becoming: your hat is very becoming votre chapeau vous va très bien

bed lit; **to go to bed** se coucher; **to stay in bed** rester au lit

beef bœuf *m; roast beef* rosbif *m*

been été *p part of* être

beer bière *f*

beet betterave *f;* **sugar beet** betterave à sucre

before (*time*) avant, avant que; déjà; (*place*) devant

begin commencer, se mettre à

beginning commencement *m*

Belgium Belgique *f*

believe croire, penser

belong appartenir à, être à

beside à côté de

besides puis, d'ailleurs, en outre

best *adj* le meilleur, la meilleure, les meilleurs, les meilleures; *adv* le mieux; **the best he could** de son mieux

better *adj* meilleur, meilleure, meilleurs, meilleures; *adv* mieux; **I like spring better** j'aime mieux le printemps; **so much the better** tant mieux; **I am better** je vais mieux; **it is better to** il vaut mieux; **it would be better to** il vaudrait mieux

bicycle bicyclette *f;* **to bicycle** aller à bicyclette

big grand, gros; **that big** gros comme ça

bill addition *f;* facture *f;* **a fifty-franc bill** un billet de cinquante francs

billfold portefeuille *m*
bird oiseau *m*
birthday anniversaire *m*
bit: a bit un peu
black noir
blind aveugle
blond blond
blue bleu, bleue, bleus, bleues
board: room and board pension *f*
boat bateau *m*
bone os *m*
book livre *m;* **secondhand-book dealer** bouquiniste *m;* **second-hand book** livre d'occasion
bookstore librairie *f*
born né; **to be born** naître
botany botanique *m*
bother: to bother ennuyer, déranger, se déranger
bottle bouteille *f*
bottom fond *m*
boulevard boulevard *m*
bouquet bouquet *m*
box boîte *f;* carton *m*
boy garçon, petit garçon, jeune homme *m*
bread pain *m*
break: to break casser
breakfast petit déjeuner *m*
breath souffle *m;* **to be out of breath** être essoufflé
bridge pont *m*
bring apporter; **bring me** apportez-moi; **to bring over** apporter; **to bring back** rapporter
Brittany Bretagne *f*
brother frère *m*
brown brun, marron; **she has brown eyes** elle a les yeux marron (*no agreement*)

brunette brune *f*
brush: to brush brosser
build: to build construire; **to have built** faire construire
building bâtiment *m*
burn: to burn brûler
bury enterrer
bus autobus *m;* **on the bus** en autobus
busy occupé; **to be busy** être en train de (*followed by inf*)
but mais
butcher boucher *m;* **butcher shop** boucherie *f;* **pork butcher** charcutier *m;* **pork butcher's** charcuterie *f*
butter beurre *m*
buy: to buy acheter; **worth buying** intéressant
by par, de; *with pr part* en

C

cabbage chou *m*
Cabinet member ministre *m*
cable câblogramme *m*
café café *m*
California Californie *f*
call: to call appeler; **to be called** s'appeler
can (pouvoir) : **can you?** pouvez-vous?; **I can** je peux; **you can** vous pouvez, on peut
Canada Canada *m*
canal canal *m*
capital capitale *f*
car wagon (train) *m;* auto *f;* automobile *f*
card carte *f;* **to play cards** jouer aux cartes

care soin *m;* to take care of s'occuper de

careful: to be careful faire attention; to be careful not to se garder de

caretaker concierge *m or f*

carnation œillet *m*

carpet tapis *m*

carry porter; to carry away emmener, emporter

case cas *m;* in any case en tout cas; in case of en cas de

cash: to cash toucher (un chèque)

cashier caissier *m,* caissière *f;* cashier's window caisse *f*

catch: to catch attraper; to catch up with rejoindre, rattraper

cathedral cathédrale *f*

cellar cave *f*

center centre *m*

century siècle *m;* in the fifteenth century au quinzième siècle

certain certain

certainly certainement, volontiers

chair chaise *f*

chance occasion *f,* *hasard *m;* by chance par hasard; to have a chance to avoir l'occasion de

change monnaie *f;* change purse porte-monnaie *m;* to change changer; to change trains changer de train

characterized caractérisé

chase: to chase, to chase out chasser

château château *m*

cheap bon marché, à bon marché; cheaper (à) meilleur marché

check chèque *m*

cheek joue *f*

chemical *adj* chimique; chemical engineer ingénieur-chimiste *m*

chemistry chimie *f*

child enfant *m or f*

choose choisir

Christmas Noël *m;* Christmas Day le jour de Noël; Christmas Eve Midnight party le réveillon

church église *f*

cigarette cigarette *f*

city ville *f*

class classe *f*

classify classer

clock horloge *f,* pendule *f*

close fermer; it closes il ferme

coat (ladies') manteau *m*

coffee café *m*

coin pièce *f,* pièce de monnaie *f*

cold (*illness*) rhume *m;* (*temperature*) froid; it is cold il fait froid; I am cold j'ai froid

collect: to collect ramasser; collectionner

collection collection *f;* stamp collection collection de timbres

college collège *m*

collide entrer en collision (avec)

colony colonie *f*

color couleur *f;* what color? de quelle couleur?

come venir, arriver; he came il est venu; did he come? est-il venu? to come back revenir, rentrer; to come in entrer; to come for, come to get venir chercher; to come along venir avec, accompagner; to have (someone) come faire venir (quelqu'un)

comfortable confortable

compartment compartiment *m*
complain se plaindre de
complete complet *m*, complète *f*
compose composer
conditional conditionnel *m*
confidence confiance *f*
confound it! zut!
confuse confondre
connection correspondance *f*
consent: to consent consentir à
consul consul *m*
continue continuer à
contrary contraire *m;* **on the contrary** au contraire
conversation conversation *f*
cool frais *m*, fraîche *f*
corn maïs *m*
corner coin *m*
cost: to cost coûter
could (pouvoir) : **I could** je pouvais, j'ai pu, je pourrais; **I could have** j'aurais pu
count: to count compter
country campagne *f;* pays *m;* **in the country** à la campagne; **country house** maison de campagne
course cours *m;* **main course** plat de viande *m;* **of course** naturellement, mais oui, bien entendu; **in the course of** au cours de
cousin cousin *m*, cousine *f*
cover: to cover couvrir
cow vache *f*
crazy: to be crazy about adorer
cream crème *f*
creek rivière *f*
cross: to cross traverser
crowded bondé

crusade croisade *f*
cry: to cry pleurer

D

daisy marguerite *f*
dance bal *m*
danger danger *m*
dangerous dangereux *m,* dangereuse *f*
dare: to dare oser
dark sombre; **it is dark** il fait nuit
darkness obscurité *f*
date date *f*, rendez-vous *m;* **to date from** dater de
day jour *m,* journée *f;* **per day, a day** par jour; **all day** toute la journée; **every day** tous les jours; **that day** ce jour-là; **the next day** le lendemain; **day after tomorrow** après-demain
daylight jour *m;* **it is daylight** il fait jour
dead mort
deal: a great deal beaucoup; **a great deal of** beaucoup de; **a good rain would do a great deal for my vegetables** une bonne pluie ferait du bien à mes légumes; **to deal in** faire le commerce de
dealer marchand *m*, marchande *f;* **secondhand-book dealer** bouquiniste *m*
December décembre *m*
decide décider, vouloir; **to decide upon** fixer
dedicate dédier
delay retard *m*
delicious délicieux, délicieuse

delighted enchanté
dentist dentiste *m*
departure départ *m*
descend: to descend descendre
desk bureau *m*
dessert dessert *m*
destroy détruire
dictation dictée *f*
die: to die mourir; **he died** il est mort
difference différence *f;* **it doesn't make any difference** cela ne fait rien
different différent
difficult difficile
dine dîner; **dining room** salle à manger
diner wagon-restaurant *m*
dinner dîner *m;* **to have dinner** dîner
directly directement
disappointed déçu
discuss discuter
display étalage *m*
distance distance *f*
do faire; **do you...?** est-ce que...?; **don't you? doesn't it?** n'est-ce pas?; **I did** j'ai fait; **I shall do** je ferai; **I should do** je ferais; **yes, you do** mais si; **how do you do?** comment allez-vous?; **to do again** refaire; **all you have to do...** vous n'avez qu'à; **don't do anything of the sort** gardez-vous en bien
doctor docteur *m*, médecin *m*
dollar dollar *m*
door porte *f*
doubt doute *m;* **no doubt, doubtless** sans doute

down en bas; **to go down** descendre; **down town** en ville
dozen douzaine *f;* **fifty francs a dozen** cinquante francs la douzaine
draw up dresser (une liste)
drawer tiroir *m*
dress robe *f;* **to dress** habiller; **to get dressed** s'habiller; **to be dressed** être habillé
dresser commode *f*
drink: to drink boire
drive: to drive conduire; **to drive a car** conduire
driver chauffeur *m*
drop: to drop laisser tomber
drugstore pharmacie *f*

E

each *adj* chaque; *pron* chacun, chacune; **each one** chacun, chacune; **ten francs each** dix francs (la) pièce
eager: to be eager to avoir *hâte de
early de bonne heure
easily facilement
East est *m*
easy facile
eat manger
economics économie politique *f*
edge bord *m*
egg œuf *m*
Egyptian égyptien *m*, égyptienne *f*
eight *huit
eighteen dix-huit
eighth *huitième
eighty quatre-vingts

either: either...or soit...soit;
not...either ne...non plus;
nor I either moi non plus
elderly d'un certain âge
elevator ascenseur *m*
eleven onze
eleventh onzième
else: something else autre chose;
nothing else rien d'autre
elsewhere ailleurs
emblem emblème *m*
empire empire *m*
employee employé *m*
end fin *f,* bout *m;* at the end of
the street au bout de la rue;
to end finir, terminer, achever
endurable supportable
engineer ingénieur *m;* chemical
engineer ingénieur-chimiste *m*
England Angleterre *f*
English anglais *m,* anglaise *f*
enormous énorme, vaste
entire entier *m,* entière *f*
entirely tout à fait
epidemic épidémie *f*
equivalent équivalent
errand course *f;* to do errands
faire des courses
Europe Europe *f*
European européen *m,* européenne *f*
even pair (*of numbers*)
even même
evening soir *m,* soirée *f;* in the
evening le soir; every evening
tous les soirs; good evening
bonsoir
ever jamais

every chaque, tout; every day
tous les jours; every six months
tous les six mois
everyone chacun, tout le monde
everything tout
everywhere partout
exact exact
examination examen *m*
examine examiner
example exemple *m;* for example
par exemple
excellent excellent
except sauf, excepté
exercise exercice *m*
exist exister
exit sortie *f*
expect attendre, s'attendre à
expensive cher *m,* chère *f*
explain expliquer
explanation explication *f*
express express *m*
extinguish éteindre
eye œil *m sg,* yeux *pl*

F

factory usine *f*
fall automne *m;* in the fall en
automne; to fall tomber; to
fall asleep s'endormir
family famille *f*
famous célèbre
far loin; as far as jusqu'à; that
far jusque-là; far from loin de
farm ferme *f*
fast vite; how fast? à quelle vitesse?
fate sort *m*
father père *m*
fault faute *f*

favorite favori *m*, favorite *f*

fear peur *f;* **for fear that** de peur que; **to fear** craindre, avoir peur de (que)

February février *m*

feel: to feel sentir, se sentir; **to feel like** avoir envie de

fertile fertile

fever fièvre *f*

few peu, peu de, quelques; **a few** *pron* quelques-uns, quelques-unes

fiancé, fiancée fiancé *m*, fiancée *f*

field champ *m*

fifteen quinze

fifteenth quinzième

fifth cinquième

fifty cinquante; **about fifty** une cinquantaine

film film *m*

finally finalement; finir par; **he finally came** il a fini par venir

find: to find trouver, retrouver; **to find out** apprendre

fine beau; **it is fine weather** il fait beau

finish: to finish finir, terminer

fire feu *m*

first *adj* premier *m*, première *f; adv* d'abord

fish poisson *m*

fisherman pêcheur *m*

fishing pêche *f*

five cinq

flatterer flatteur *m*

floor étage *m;* **the second floor** le premier (étage); **the third floor** le second (étage)

flower fleur *f*

fly: to fly voler; **how time flies!** comme le temps passe!

follow suivre

following suivant

fond: to be fond of aimer

food (*cooking*) cuisine *f*

foot pied *m*

for pour; depuis; pendant; **I have been waiting for a quarter of an hour** j'attends depuis un quart d'heure

foreign étranger *m*, étrangère *f*

forget oublier de

form forme *f*

former ancien *m*, ancienne *f*

formerly autrefois

forty quarante

found fonder

fountain fontaine *f*

four quatre

fourteen quatorze

fourth quatrième

franc franc *m*

free libre

French français *m*, française *f*

Friday vendredi *m*

friend ami *m*, amie *f*

frightful effrayant

from de, depuis, d'après; **from the** du, de la, de l', des

front: in front of devant

fruit fruit *m*

full plein, complet

fun: to make fun of se moquer de

funny drôle (de)

furnished meublé

furniture meubles *m pl;* **a piece of furniture** un meuble further plus loin; further on plus loin

future futur *m*

G

gallery galerie *f;* picture gallery galerie de peinture

garage garage *m*

garden jardin *m*

garret mansarde *f*

gate porte *f*

gentleman monsieur *m*

get prendre, avoir, obtenir, recevoir, se procurer; to get in, to get into entrer, monter; to get out sortir; to go to get aller chercher; to come to get venir chercher; to get to arrivér à; to get up se lever; to get home rentrer; to get on monter; to get off descendre; to get used to s'habituer à; to get to the top arriver en haut

girl jeune fille *f;* little girl petite fille; girl friend amie

give donner; to give a ticket faire un procès-verbal

glad content, heureux; I'll be glad to volontiers

gladly volontiers

glance: to glance at jeter un coup d'œil sur

glass verre *m;* glasses lunettes *f pl*

glove gant *m*

go aller; I go, I am going je vais; he goes, he is going il va; you go, you are going vous allez; I shall go j'irai; I should go j'irais; it is going to il va; to go in entrer; to go out sortir; to go up monter; to go down descendre; to go to bed se 'coucher; to go along venir avec, accompagner; to go in for aimer; to go away partir, s'en aller; to go with accompagner; to go through visiter

good bon; good-looking beau, joli; it's no good cela ne vaut rien; good bien *m*

good-bye au revoir

goose oie *f*

Gothic gothique

graceful élégant, gracieux

grandmother grand'mère *f*

grapes raisin *m sg*

gray gris

Greek grec *m*, grecque *f*

green vert; salad greens salade *f*

grocer épicier *m*

grocery épicerie *f;* grocery store épicerie *f*

grow pousser

guide guide *m*

H

habit habitude *f*

had eu *p part of* avoir

hair cheveu *m;* she has blond hair elle a les cheveux blonds

half demi *m*, demie *f;* half past eleven onze heures et demie; a half hour une demi-heure

hall galerie *f*

ham jambon *m*

hand main *f;* secondhand book livre d'occasion

handkerchief mouchoir *m*

happen arriver, se passer, avoir lieu

happy heureux *m,* heureuse *f;* content

hard dur

hardly à peine, ne...guère

harmony harmonie *f*

harvest moisson *f*

hat chapeau *m*

have avoir; **I have** j'ai; **I haven't** je n'ai pas; **have you?** avez-vous?; **to have to** devoir, il faut..., être obligé de, avoir besoin de; **I can have it sent to you** je peux vous le faire envoyer; **to have something to eat or drink** prendre quelque chose; **I have to** je dois; **I had to** j'ai dû; **all you have to do** vous n'avez qu'à

hay foin *m*

he il, lui, c'

head tête *f*

headache mal de tête *m;* **to have a headache** avoir mal à la tête; **a sure enough headache** un bon mal de tête

hear entendre; **to hear of** entendre parler de; **to hear that** entendre dire que

heart cœur *m;* **in the very heart of Paris** au cœur même de Paris

heat chaleur *f*

hello bonjour

help: to help aider; **to help oneself** se servir

hen poule *f*

her *pers pron* la, lui, elle; *poss adj* son, sa, ses

here ici; **here is, here are** voici; **here it is** le voici; **here they are** les voici; **here!** tenez!

hers le sien, la sienne, les siens, les siennes

him le, lui; **to him, for him** lui

his *poss adj* son, sa, ses; *poss pron* le sien, la sienne, les siens, les siennes

historical historique

history histoire *f;* **French history** l'histoire de France

hold: to hold tenir

holiday fête *f;* **Christmas holidays** vacances de Noël

home maison *f;* **he is at home** il est chez lui; **to get home** rentrer

hope: to hope espérer; **I hope so** je l'espère

hors d'oeuvres *hors-d'œuvre *m*

horse cheval *m sg,* chevaux *pl*

hospital hôpital *m*

hot chaud; **it is hot** il fait chaud

hotel hôtel *m*

hour heure *f;* **a half hour** une demi-heure

house maison *f;* **at our house** chez nous; **at their house** chez eux

how comment; **how much, how many** combien; **how much is it?** combien est-ce?; **how long** combien de temps

however pourtant, cependant

humble humble

humid humide

hundred cent; **about a hundred** une centaine

hungry: to be hungry avoir faim; **I am hungry** j'ai faim hurry: to hurry se dépêcher; to be in a hurry être pressé

hurt: to hurt blesser, avoir mal à, faire mal à; my legs are beginning to hurt je commence à avoir mal aux jambes; these shoes hurt my feet ces chaussures me font mal aux pieds

husband mari *m*

I

I je, moi

idea idée *f*

identification identité *f*

if si, s'

imagine imaginer

immediately tout de suite

important important

impression impression *f*

in dans, en, à, de; in Paris à Paris; in France en France; in Canada au Canada; in South America dans l'Amérique du Sud; in 1715 en 1715; in the XVth century au quinzième siècle; in the month of October au mois d'octobre; in the spring au printemps; in the fall en automne; in winter en hiver; in the morning le matin; at 7:00 in the morning à sept heures du matin; in a half hour dans une demi-heure; in a week dans huit jours; in time à temps; in the country à la campagne; in the course of au cours de

incident incident *m*

indeed en effet, bien

independence indépendance *f*; Independence Day le jour de la Déclaration de l'Indépendance

indicate indiquer

indirect indirect

inform renseigner

information renseignements *m pl*

injustice injustice *f*

inn hôtel *m*, auberge *f*; innkeeper hôtelier *m*

inside intérieur *m*; à l'intérieur; to go inside entrer

intelligent intelligent

intend to avoir l'intention de

interest: to interest intéresser

interesting intéressant

interior intérieur

interrogative interrogatif *m*, interrogative *f*

introduce présenter

invention invention *f*

invitation invitation *f*

invite inviter

ironical ironique

is est; it is c'est, il est, elle est; is it? est-ce? est-ce que c'est?; there is il y a; is there? y a-t-il?; it is four o'clock il est quatre heures; it is cold il fait froid

island île *f*

it *subj* il, elle, ce; it is c'est, il est, elle est; *dir obj* le, l', la; *ind obj* y; of it en

Italian italien *m* italienne *f*

Italy Italie *f*

its son, sa, ses

J

January janvier *m*
jeweler horloger *m,* bijoutier *m;*
  at the jeweler's chez l'horloger
July juillet *m*
June juin *m*
just seulement, tout simplement;
  to have just venir de; **I have**
  just finished je viens de finir

K

keep: to keep garder, tenir, retenir; **to keep on** continuer de
keeper garde *m,* gardien *m;* **hotel**
  keeper hôtelier *m*
kilo kilo *m;* **five hundred francs**
  a kilo cinq cents francs le kilo
kilometer kilomètre *m*
kind espèce *f,* sorte *f*
king roi *m*
knight chevalier *m*
know savoir, connaître; **I know** je
  sais, je connais; **do you know?**
  savez-vous? connaissez-vous?; **I**
  shall know je saurai; **I should**
  know je saurais; **to know how**
  savoir (*see Conv 9*)
known connu, célèbre

L

laboratory laboratoire *m*
lack: to lack manquer
lady dame *f*
lake lac *m*
land terre *f,* pays *m*
landscape paysage *m*
language langue *f*

large grand, gros, vaste; **as large**
  as that gros comme ça
last dernier *m,* dernière *f;* **last**
  week la semaine dernière; **last**
  night hier soir; **last Saturday**
  samedi dernier; **to last** durer
late tard, en retard; **later** plus
  tard; **at the latest** au plus tard;
  I shall finish late je finirai tard;
  do you think I'll be late?
  croyez-vous que je sois en retard?
Latin latin
lead: to lead mener, conduire
leaf feuille *f*
learn apprendre
least: the least le moins, la moins,
  les moins
leave: to leave partir, s'en aller;
  quitter; laisser; **when are you**
  leaving? quand partez-vous?;
  I am leaving tomorrow je m'en
  vais demain; **we left Melun two**
  hours ago il y a deux heures
  que nous avons quitté Melun;
  as you leave the village à la
  sortie du village; **it is better to**
  leave those you are not sure of
  il vaut mieux laisser ceux dont
  vous n'êtes pas sûr
lecture conférence *f*
left gauche; **to the left** à gauche
left: I have not one of them left
  il ne m'en reste aucun
leg jambe *f*
lend prêter
less moins; **less...than** moins...
  que; (*numbers*) moins de;
  more or less plus ou moins;
  she is less tall than her brother

elle est moins grande que son frère; **there were less than a hundred pupils** il y avait moins de cent élèves

lesson leçon *f*

let permettre, laisser; **I'll let you have it for 2000 francs** je vous la laisserai à 2.000 francs

letter lettre *f*

lettuce laitue *f*, salade *f*

lie: to lie down se coucher

lieutenant lieutenant *m;* **police lieutenant** commissaire de police *m*

life vie *f*

like comme; **to like** aimer; **I like** j'aime; **do you like?** aimez-vous?; **do you like it?** est-ce qu'il vous plaît?; **how do you like it?** comment le (la) trouvez-vous?; **would you like to...?** voulez-vous bien...?; **I would like** je voudrais; **do you like my hat?** est-ce que mon chapeau vous plaît?

line ligne *f*

lip lèvre *f*

list liste *f*

literature littérature *f*

little *adj* petit; *adv* peu; **a little** un peu

live vivre; **to live at** demeurer, habiter

London Londres

long *adj* long *m*, longue *f; adv* longtemps; **no longer** ne... plus; **all day long** toute la journée; **how long?** combien de temps?; **for a long time** depuis longtemps, pendant longtemps

look regard *m*, coup d'œil *m;* **to take a look at** jeter un coup d'œil sur; **to look** regarder, avoir l'air; **it looks very well on you** il vous va très bien; **to look for** chercher; **good-looking** beau, joli; **to look like** ressembler à; **to look over** visiter; **to look at** regarder

lost perdu, égaré

lot: a lot of, lots of beaucoup de

Louis XIV Louis quatorze

low bas *m*, basse *f*

luck chance *f;* **to be lucky** avoir de la chance; **tough luck!** vous n'avez pas de chance!; **what luck!** quelle chance! quelle veine!

lunch déjeuner *m;* **to have lunch** déjeuner; **lunchroom** buffet *m;* **to lunch** déjeuner

M

Madam madame *f*

magnificence splendeur *f*

maid bonne *f;* **nursemaid** bonne *f*

mail: to mail mettre (une lettre) à la poste

main principal; **main course** plat de viande *m*

majestic majestueux *m*, majestueuse *f*

make faire; *followed by adj* rendre: **does that make you sad?** est-ce que cela vous rend triste?

man homme *m*

many beaucoup; **so many** tant; **too many** trop; **how many?** combien?

March mars *m*

marriage mariage *m*

marry se marier; **to get married** se marier

marvelously à merveille

mass messe *f;* **midnight mass** la messe de minuit

material étoffe *f*

mathematics mathématiques *f pl*

matter: what is the matter? qu'est-ce qu'il y a?; **what is the matter with you?** qu'est-ce que vous avez?; **nothing is the matter with me** je n'ai rien

mature: to mature mûrir

May mai *m*

may (pouvoir): **I may** je peux, je pourrai; **may I?** est-ce que je peux?

mayor maire *m*

me me, moi

meal repas *m*

mean: to mean vouloir dire

meat viande *f*

medicine médicament *m*

meet: to meet rencontrer, rejoindre, faire la connaissance de; **I met him** j'ai fait sa connaissance; **to come to meet** venir attendre

mention: to mention parler de

menu carte *f*

merchant marchand *m* marchande *f*

meter mètre *m;* **six francs a meter** six francs le mètre

Mexico Mexique *m*

middle milieu *m;* **in the middle of** au milieu de

midnight minuit *m*

midst milieu *m;* **in the midst of** au milieu de

might (pouvoir): **I might** je pourrais

milk lait *m*

milliner modiste *f*

million million *m*

millionaire millionnaire *m*

mind: if you don't mind si vous voulez

mine le mien, la mienne, les miens, les miennes; **it is mine** c'est à moi; **a friend of mine** un de mes amis

ministry ministère *m*

minute minute *f*

mirror glace *f*

Miss mademoiselle *f*

miss: to miss manquer

moment moment *m;* **a moment ago** tout à l'heure; **at the moment when** au moment où; **at the moment of** au moment de

Mona Lisa la Joconde

Monday lundi *m*

money argent *m*

month mois *m;* **per month, a month** par mois

monument monument *m*

monumental monumental

moon lune *f*

more plus, davantage; **not...any more** ne...plus; **more...than** plus...que; (*numbers*) plus de; **no more** ne...plus de; **more or less** plus ou moins; **more and more** de plus en plus; **some more** encore, d'autres; **he is more intelligent than his brother;** il est plus intelligent

que son frère; **there were hardly more than a hundred pupils**
il n'y avait guère plus de cent
élèves; **you can take some more
pictures** vous pourrez prendre
d'autres photos

morning matin *m;* **good morning**
bonjour; **every morning** tous
les matins; **in the morning** le
matin

most la plupart; **most of them** la
plupart d'entre eux

mother mère *f*

mouth bouche *f*

movie film *m,* cinéma *m;* **movie
house** cinéma *m*

Mr. Monsieur *m;* **Mr. Duval** M.
Duval

much beaucoup; **very much** beaucoup; **so much** tant; **too much**
trop; **how much?** combien?;
not much pas beaucoup, pas
grand'chose

museum musée *m*

mushroom champignon *m*

music musique *f*

musketeer mousquetaire *m*

must (devoir, falloir): **must I?**
faut-il?; **I must** je dois, il faut
que je...; **I must have** j'ai dû;
there must be il doit y avoir

my mon, ma, mes

N

name nom *m;* **what is your name?**
comment vous appelez-vous?;
my name is je m'appelle; **to
name** nommer; **to be named**
s'appeler

named nommé

narrow étroit

national national

nationality nationalité *f*

near près de; **near here, nearby**
près d'ici

nearly presque

necessary nécessaire; **it is necessary** il faut que

need: to need avoir besoin de

negative négatif *m,* négative *f*

negatively négativement

neighbor voisin *m,* voisine *f*

neighboring voisin *m,* voisine *f*

neither ni l'un ni l'autre; **neither
...nor** ne...ni...ni...

never jamais, ne...jamais

new nouveau *m,* nouvelle *f;* neuf
m, neuve *f;* **New Orleans** La
Nouvelle-Orléans

news nouvelles *f pl*

newspaper journal *m,* journaux
pl

next prochain; **next Saturday** samedi prochain; **next week** la
semaine prochaine; **the next
day** le lendemain

next *adv* ensuite, puis

nice gentil *m* gentille *f;* aimable;
it is nice of you c'est gentil de
votre part

night nuit *f;* **last night** hier soir;
tonight ce soir; **at night** la nuit

nightfall nuit *f*

nine neuf

nineteen dix-neuf

nineteenth dix-neuvième

ninety quatre-vingt-dix

no non, ne...pas de; **no one** personne, ne...personne

nobility noblesse *f*
nobody personne, ne...personne
noise bruit *m*
none aucun *m,* aucune *f; ne...* aucun(e)
noon midi *m;* **at noon** à midi
nor ni; **neither...nor** ne...ni... ni...
Normandy Normandie *f*
North nord *m;* **North Africa** l'Afrique du Nord
not ne...pas; **not at all** pas du tout; **not much** pas beaucoup, pas grand'chose; **not one** aucun(e), ne...aucun(e)
note: to note noter
nothing rien, ne...rien; **nothing at all** rien du tout; **nothing interesting** rien d'intéressant; **nothing else** rien d'autre
noun nom *m*
novel roman *m*
November novembre *m*
now maintenant
nowhere nulle part
number nombre *m*
nursemaid bonne *f*

O

oats avoine *f*
obelisk obélisque *m*
obey obéir à
object objet *m*
observatory observatoire *m*
occasionally quelquefois
occupy occuper
o'clock heure *f;* **it is eleven o'clock** il est onze heures
October octobre *m*

odd impair (*of numbers*)
of de; **of the** du, de la, de l', des; **of it, of them** en
offer: to offer offrir
office bureau *m*
often souvent
O.K. entendu
old vieux, vieil *m;* vieille *f;* vieux *m pl;* vieilles *f pl;* ancien, ancienne; **how old are you?** quel âge avez-vous? **old man** mon vieux
olive olive *f*
on sur, à, en, dans; **on the bus** dans l'autobus; **on the train** dans le train; **on time** à l'heure; **on Wednesday** mercredi; **on Christmas Day** le jour de Noël; **on arriving** en arrivant
once une fois, autrefois; **once a week** une fois par semaine
one un, une; *pers pron* on, l'on; *dem pron* **the one, the ones** celui, celle, ceux, celles; **this one** celui-ci, celle-ci; **that one** celui-là, celle-là; **not one** aucun(e), ne...aucun(e); **no one** personne, ne...personne; **I have one** j'en ai un(e); **here are some gray ones** en voici des gris
only *adj* seul; *adv* seulement, ne...que
open ouvert *adj and p part of* ouvrir; **to open** ouvrir; **it opens** il ouvre
opera opéra *m*
opposite opposé *m; adv* en face (de)
or ou; **either...or** soit...soit

orange orange *f*
order: in order to pour, afin de; to order commander
organ orgues *f pl*
other autre; some...others les uns...d'autres; the other one l'autre
ought (devoir): you ought to come vous devriez venir; you ought to have come vous auriez dû venir
our notre *sg*, nos *pl*
ours le nôtre, la nôtre *sg*, les nôtres *pl*
ourselves nous-mêmes; by ourselves seuls
out: to go out sortir; he is out il est sorti
outside dehors, en dehors
over sur; over there là-bas
owe devoir
own propre; they were victims of their own injustice ils furent victimes de leurs propres injustices
ox bœuf *m*

P

package paquet *m*
pain mal *m*
paint: to paint peindre
painter peintre *m*
painting peinture *f*
pair paire *f*
pal mon vieux
palace palais *m*
panorama panorama *m*
pansy pensée *f*

paper papier *m;* newspaper journal *m;* writing paper papier à lettres
pardon: to pardon pardonner; pardon me pardon
parent parent *m*
Parisian parisien, parisienne
park parc *m;* public park jardin public
part partie *f;* part of town quartier *m*
particular particulier *m*, particulière *f;* in particular notamment
partly en partie
party soirée *f*
passer-by passant *m*
pasteboard (box) carton *m*
patient malade *m or f;* client (d'un médecin) *m*
pay: to pay payer; to pay for payer
pea pois *m*
pear poire *f*
peony pivoine *f*
people gens *pl*, monde *m;* too many people trop de monde
per: 30 kilometers per hour 30 kilomètres à l'heure; per month par mois; per dozen la douzaine
perfectly parfaitement, tout à fait
performance représentation *f*
perhaps peut-être
period période *f;* époque *f*
perish mourir; perish the thought! ne m'en parlez pas!
permission permission *f*
person personne *f*

personal personnel *m,* personnelle *f*

pharmacist pharmacien *m*

photograph photographie *f*

pick: to pick cueillir, ramasser

picnic pique-nique *m*

picture photographie *f,* photo *f,* tableau *m;* **to take a picture** prendre une photo

picturesque pittoresque

piece pièce *f,* morceau *m;* **ten francs a piece** dix francs (la) pièce

pig porc *m*

pink rose

pity: to pity plaindre

place endroit *m,* place *f;* **in your place** à votre place; **to take place** avoir lieu

plan: to plan avoir l'intention de; **to plan a garden** dessiner un jardin

plane avion *m*

plant: to plant planter

platform quai *m*

play pièce *f;* **to play** jouer; **to play tennis** jouer au tennis; **to play cards** jouer aux cartes; **to play the violin** jouer du violon

pleasant agréable; **the weather is pleasant** il fait bon

please s'il vous plaît; **to please** plaire à

plural pluriel *m*

pocket poche *f;* **pocketbook** portefeuille *m*

poem poème *m,* poésie *f*

point point *m;* **point of view** point de vue *m*

poison: to poison empoisonner

police police *f;* **police station** commissariat de police *m;* **police lieutenant** commissaire de police *m*

policeman agent de police *m*

pool bassin *m;* **ornamental pool** pièce d'eau *f*

poor pauvre

pork porc *m;* **pork butcher** charcutier *m;* **pork butcher's** charcuterie *f*

port port *m*

possible possible

post card carte-postale *f*

postman facteur *m*

post office bureau de poste *m,* poste *f*

potato pomme de terre *f;* **French fried potatoes** pommes de terre frites

pound livre *f;* **25 francs a pound** 25 francs la livre

pour verser; **it is pouring** il pleut à verse

practically à peu près

practice habitude *f*

preceding précédent

prefer préférer, aimer mieux

present *adj* présent, actuel; **at present** actuellement

president président *m*

pretty *adj* joli; *adv* assez; **pretty well** assez, assez bien

price prix *m*

priest curé *m*

print estampe *f,* gravure *f*

probably sans doute; **there is probably a train** il doit y avoir un train

profession profession *f*
professor professeur *m*
progress progrès *m*
promise promettre
pronoun pronom *m*
properly bien, comme il faut
provision provision *f*
pull: to pull tirer; **to pull it in to
the bank (shore)** l'amener au
bord
pupil élève *m or f*
purchase achat *m*
purse bourse *f;* **change-purse**
porte-monnaie *m*
put mettre; **to put out** (to bother)
déranger

Q

quality qualité *f*
quarter quart *m,* quartier *m;* **a
quarter past eleven** onze heures
et quart; **a quarter of two** deux
heures moins le quart; **the Latin Quarter** le Quartier Latin
queen reine *f*
question question *f;* **it is a question of** il s'agit de; **to be a
question of** s'agir de
quiet tranquille
quite tout à fait

R

radiate rayonner
rain pluie *f;* **to rain** pleuvoir; **it
is raining** il pleut; **it was raining** il pleuvait; **it had rained**
il avait plu
raincoat imperméable *m*

rare rare
rather plutôt, assez, un peu
ravage: to ravage ravager
reach: to reach atteindre
read: to read lire; **I have read**
j'ai lu
ready prêt
realize se rendre compte de
really vraiment, je vous assure;
really! tiens!
reason raison *f;* **there is reason
for it** il y a de quoi
rebuild reconstruire
receive recevoir; **I received** j'ai
reçu
recognize reconnaître
red rouge
refusal refus *m*
refuse refuser
region région *f*
regret: to regret regretter de
reign règne *m*
relative parent *m,* parente *f*
relatively relativement
remedy remède *m*
remember se rappeler, se souvenir
de
rent loyer *m;* **to rent** louer; **for
rent** à louer
repair réparation *f;* **repair job** réparation; **to repair** réparer; **to
have repaired** faire réparer
repeat répéter
replace remplacer
reply: to reply répondre à
represent représenter
request demande *f*
residence résidence *f*
rest reste *m,* repos *m;* **to rest** se
reposer

restaurant restaurant m
return: to return here revenir
(ici); to return (some place
else) retourner; to return home
rentrer (à la maison)
review révision f, revue f
rich riche
ride promenade (à bicyclette, en
auto) $f;$ to ride aller en auto,
à bicyclette
right droit (*opposite of* left),
bon (*opposite of* wrong); on,
to the right à droite; the right
road la bonne route; to be
right avoir raison; that's right
justement; all right bon, entendu; right to jusqu'à; right
away tout de suite
rise: to rise se lever
risk risque $m;$ to run the risk
risquer de
road route $f;$ the right road la
bonne route; the wrong road
la mauvaise route; country road
chemin m
romanesque roman, romane
roof toit m
room chambre f, salle $f;$ room
and board pension $f;$ bathroom
salle de bain; lunchroom buffet $m;$ dining room salle à
manger; living room salon $m;$
(space) place $f;$ there is room
il y a de la place
rose rose f
rosebush rosier m
rosy rose
royal royal

run: to run courir; my watch
doesn't run ma montre ne marche pas; to run an inn tenir
une auberge
Russia Russie f
Russian russe

S

sacrifice sacrifice m
sad triste
saint saint; la Sainte-Chapelle
XIIIth century Gothic church
in Paris
sail voile $f;$ sailboat bateau à
voile m
salad salade $f;$ salad greens salade f
salesgirl vendeuse f
salesman vendeur m
same même; the same le même,
la même, les mêmes; that's all
the same to me cela m'est égal
sandwich sandwich m, sandwichs
pl
Santa Claus le Père Noël
Saturday samedi $m;$ on Saturdays
le samedi
say dire; they say on dit; how
does one say? comment dit-
on?; that is to say c'est-à-dire
scarcely à peine, ne...guère
scarf écharpe f
schedule emploi du temps m
school école $f;$ secondary school
lycée m, collège $m;$ at school
à l'école
science science f
sea mer $f;$ seashore le bord de la
mer

season saison *f*

seat place *f*

second second, deuxième; **the second floor** le premier (étage); **second class** seconde *f*, deuxième (classe) *f*

secondary secondaire; **secondary school** lycée *m*, collège *m*

section section *f*

see: to see voir; **I see** je vois; **let's see** voyons; **you see** vous voyez; **I saw** j'ai vu; **I'll see** je verrai; **see you Sunday** à dimanche

seem: to seem to avoir l'air de

seen vu *p part of* voir

selection choix *m*

sell vendre; **where do they sell newspapers?** où vend-on des journaux?

send envoyer; **to send for** envoyer chercher, faire venir; **to send away, send back** renvoyer

sentence phrase *f*

September septembre *m*

series série *f*

serious sérieux *m*, sérieuse *f*; grave

serve servir à

service service *m*; **I am at your service** je suis à votre disposition

set: to set mettre, poser; **to set out** partir

seven sept

seventeen dix-sept

seventh septième

seventy soixante-dix

several plusieurs; **several times** plusieurs fois

shade ombre *f*; **in the shade** à l'ombre

she elle, ce

sheep mouton *m*

shine: the sun is shining il fait du soleil

shoe chaussure *f*, soulier *m*

to shoo out chasser

shop magasin *m*; **tobacco shop** bureau de tabac *m*; **shop window** devanture *f*; **to shop** faire des courses

shore bord *m*, rive *f*; **seashore** le bord de la mer

short court

should (devoir): **you should** vous devriez; **you should have** vous auriez dû

shoulder épaule *f*

show: to show montrer

sick malade

side côté *m*, bord *m*; **on the other side of** de l'autre côté de; **on the side of** au bord de; **the under side** le dessous

sidewalk trottoir *m*; **sidewalk café** la terrasse d'un café

significance signification *f*; **do you know the significance of...?** connaissez-vous?

silent silencieux *m*, silencieuse *f*

silk soie *f*

simple simple

since depuis, puisque

single seul; **not a single** ne...aucun

Sir Monsieur

sister sœur *f*

sit s'asseoir, être assis; **sit down** asseyez-vous; **to sit down at the table** se mettre à table

six six

sixteen seize

sixth sixième

sixty soixante

size étendue *f*, pointure *f*

skate: to skate patiner

ski: to ski faire du ski

skillful habile

skin peau *f;* **I am wet to the skin (to the bones)** je suis mouillé(e) jusqu'aux os

sky ciel *m*

skyscraper gratte-ciel *m*

sleep: to sleep dormir; **to fall asleep** s'endormir

slippery glissant

small petit

snow neige *f;* **to snow** neiger

so aussi, si, ainsi; **so that** pour que; **so as to** pour

soil sol *m*

some du, de la, de l', des; *adj* quelque *sg*, quelques *pl; pron* en; quelques-uns, quelques-unes; les uns, les unes; **some of them** quelques-uns; **some...the others** les uns...les autres; **some...others** les uns...d'autres; **some more** encore, d'autres

someone quelqu'un

something quelque chose; **something good** quelque chose de bon; **something else** autre chose

sometimes quelquefois, parfois

somewhere quelque part

soon bientôt, tôt; **sooner** plus tôt; **as soon as possible** le plus tôt possible

sore: to have a sore throat avoir mal à la gorge

sorry fâché; **I am sorry** je regrette, je suis fâché

sort espèce *f*

South sud *m*

souvenir souvenir *m*

space espace *m*

Spain Espagne *f*

Spanish espagnol

speak parler; **do you speak?** parlez-vous?; **I speak** je parle; **he speaks** il parle

speed vitesse *f*

spend passer, dépenser; **he spent three years in England** il a passé trois ans en Angleterre; **he spent his life building castles** il a passé sa vie à construire des palais

splendor splendeur *f*

spring printemps (saison) *m;* ressort (d'une montre) *m;* **in the spring** au printemps

square place *f*

stained glass window vitrail *m,* vitraux *pl*

stair escalier *m*

staircase escalier *m;* **spiral staircase** escalier en colimaçon

stamp timbre *m;* **postage stamp** timbre-poste *m*

standing debout

star étoile *f*

start: to start commencer, se mettre à; **we started to work at 1:30**

nous nous sommes mis à travailler à une heure et demie

station gare *f*

stay: to stay rester

step pas *m;* **steps** escalier *m;* **a step from here** à deux pas d'ici

still toujours, encore

stop arrêt *m;* **to stop** arrêter, s'arrêter

store magasin *m*

story histoire *f*

straight droit; **straight ahead** tout droit

strawberry fraise *f;* **wild strawberry** fraise des bois *f*

street rue *f;* **surface of a street** chaussée *f*

structure bâtiment *m*

student étudiant *m,* étudiante *f*

study: to study étudier

style style *m*

succeed in réussir à

such un tel, une telle, de tels, de telles; **such a watch** une telle montre

suddenly tout à coup

suffer souffrir

sugar sucre *m*

suggest suggérer, proposer

suit complet *m;* **to suit** convenir à; **this room suits me perfectly** cette chambre me convient parfaitement

suitable convenable

summer été *m;* **in summer** en été

sun soleil *m;* **the sun is shining** il fait du soleil

Sunday dimanche *m;* **see you Sunday** à dimanche

suppose supposer; **suppose we take a few of them back home?** si nous en rapportions quelques-uns à la maison?; **I am supposed to** je dois

sure sûr

surface surface *f;* **surface of a street** chaussée *f;* **the upper surface** le dessus

surprise surprise *f*

surprised surpris *p part of* surprendre

surround with entourer de

suspect: to suspect se douter de; **I suspected it** je m'en doutais

swim: to swim nager

Switzerland Suisse *f*

symbolize symboliser

T

table table *f*

take prendre, emporter, mener, conduire; **to take a walk** faire une promenade; **you take** vous prenez; **I took** j'ai pris; **to take place** avoir lieu; **to take along** emporter, emmener; **how long does it take?** combien de temps faut-il?; **to take an examination** passer un examen; **this road will take you to Fontainebleau** ce chemin vous mènera à Fontainebleau

taking prise *f*

talk: to talk parler; **to talk over** parler de

tall grand

taste goût *m*

taxi taxi *m*

tea thé *m*
telegram dépêche *f*, télégramme *m*
telephone: to telephone téléphoner
tell dire; **to tell about** parler de
temperature température *f*
ten dix
tennis tennis *m;* **to play tennis** jouer au tennis
tenth dixième
terrific formidable
terrifically terriblement, horriblement
text texte *m*
thank remercier; **thank you** merci
that (those) *dem adj* ce, cet *m*, cette *f*, ces *pl;* ce...-là, cette...-là, ces...-là; **that** *dem pron* celui *m*, celle *f*, ceux *m pl*, celles *f pl;* cela; **that's it** c'est cela; **that** *rel pron* qui, que, lequel, laquelle, lesquels, lesquelles; **all that** tout ce qui, tout ce que; **that** *conj* que
the le, la, l', les
theater théâtre *m*
their *poss adj* leur *sg*, leurs *pl*
theirs *poss pron* le leur, la leur, les leurs
them les; leur; eux, elles; **of them** en
then alors, ensuite, puis; ainsi
theology théologie *f*
there là, y; **there is, there are** il y a; **is there? are there?** y a-t-il?
these *dem adj* ces, ces...-ci; *dem pron* ceux-ci *m*, celles-ci *f*
they ils, elles; on
thick épais
thing chose *f;* **many things** beaucoup de choses

think penser à, penser de, croire, trouver; **what do you think of Charles?** que pensez-vous de Charles?; **I think so** je crois que oui; **she thought it was very good** elle l'a trouvé très bon; **I thought that** je croyais que; **I thought so** je m'en doutais
thinker penseur *m*
third troisième
thirst soif *f;* **to be thirsty** avoir soif
thirteen treize
thirteenth treizième
thirty trente
this *dem adj* ce, cet *m*, cette *f;* ce...-ci, cet...-ci, cette...ci; **this** *dem pron* celui *m*, celle *f;* celui-ci, celle-ci; ceci; **this one** celui-ci, celle-ci
those *dem adj* ces, ces...-là; *dem pron* ceux-là *m*, celles-là *f*
thousand mille
three trois
throat gorge *f*
Thursday jeudi *m*
ticket billet *m;* **ticket window** guichet *m;* **to give a ticket** faire un procès-verbal
tie cravate *f*
till jusqu'à; **till Sunday** à dimanche; **till then** jusque-là
time temps *m*, heure *f*, fois *f*, moment *m;* **what time is it?** quelle heure est-il?; **at what time?** à quelle heure?; **the first time** la première fois; **several times** plusieurs fois; **to have time to** avoir le temps de;

on time à l'heure; at that time à ce moment-là, à cette époque; to have a good time s'amuser, s'amuser bien; from time to time de temps en temps; in time à temps; at the time when au moment où; at the time of au moment de; some time soon ces jours-ci; some time ago il y a quelque temps; harvest time le moment de la moisson

tired fatigué

to à, en, pour, chez, jusqu'à; to the au, à la, à l', aux; it is ten minutes to four il est quatre heures moins dix; to the right à droite; to the top of en haut de; in the middle of au milieu de; I would go to Italy j'irais en Italie; to the United States aux États-Unis; to South America dans l'Amérique du Sud; to Versailles à Versailles; a round-trip ticket to Rheims un billet aller et retour pour Reims; to the Brown's chez les Brown; to our house chez nous; to the country à la campagne; I am wet to the skin (bones) je suis mouillé jusqu'aux os; they have been very nice to me ils ont été très aimables pour moi; how long does it take to go to Versailles? combien de temps faut-il pour aller à Versailles?; I'll be glad to volontiers; she is to arrive soon elle doit arriver ces jours-ci

tobacco tabac m; tobacco shop bureau de tabac m

today aujourd'hui; today is Friday c'est aujourd'hui vendredi

together ensemble

tomato tomate f

tomb tombe f, (monumental) tombeau m

tomorrow demain; day after tomorrow après-demain

too trop, aussi

tooth dent f; to have a toothache avoir mal aux dents

top haut m; at the top of en *haut de; from the top of du *haut de

towards vers

tower tour f; the Eiffel tower la tour Eiffel

town ville f; down town en ville

track voie f

train train m; on the train dans le train

travel: to travel voyager

tree arbre m

trim: to trim tailler

trip voyage m; round trip aller et retour; to have a good trip faire bon voyage

trouble peine f; it is not worth the trouble ce n'est pas la peine

truck camion m

true vrai

try: to try essayer; to try on essayer

Tuesday mardi m

turkey dinde f

turn: to turn tourner; to turn around se retourner

twelfth douzième

twelve douze; **twelve o'clock (noon)** midi; **twelve o'clock (midnight)** minuit

twenty vingt

twenty-one vingt et un

twice deux fois

two deux

U

uncle oncle *m*

under sous, dessous; **under side** dessous *m*

understand comprendre; **do you understand?** comprenez-vous?; **I understand** je comprends

undo défaire

unhappy malheureux *m*, malheureuse *f*

United States États-Unis *m pl;* **in the United States** aux États-Unis

University université *f*

unless à moins que

until jusqu'à, jusqu'à ce que; **until tomorrow** à demain

up en haut; **up there** là-haut; **to go up** monter

upper: **upper surface** dessus *m*

use emploi *m;* **what's the use?** à quoi bon?; **there is no use trying** vous avez beau essayer; **to use** employer, se servir de; **to be used for** servir à; **used to** *expressed by imperf ind:* **I used to go** j'allais; **to be used to** avoir l'habitude de; **to get used to** s'habituer à

usual: **as usual** comme d'habitude

usually d'habitude, d'ordinaire

V

vacation vacances *f pl;* **on vacation** en vacances

vain: **in vain** avoir beau + *infin:* **you'll try in vain** vous aurez beau essayer

value valeur *f;* **to be valuable** avoir de la valeur

vegetable légume *m*

very très; **in the very heart of Paris** au cœur même de Paris

victim victime *f*

view vue *f;* **point of view** point de vue *m*

village village *m*

violet violette *f*

visit visite *f;* **to visit** visiter (*things*), aller voir

voice voix *f;* **in a low voice** à voix basse

W

waiter garçon *m*

wake up se réveiller

waken se réveiller

walk promenade *f*, allée *f*

walk: **to walk** marcher, aller à pied

wall mur *m*

want: **to want** vouloir, avoir envie de; **I want** je veux; **he wants** il veut; **do you want?** voulez-vous?

warm chaud; **it is warm** il fait chaud; **I am warm** j'ai chaud

warn prévenir; **I warn you** je vous préviens

was: I was j'étais, j'ai été; I was born in Philadelphia je suis né à Philadelphie

wash: to wash laver; to wash one's hands se laver les mains

watch montre *f;* wrist watch montre-bracelet *f;* to watch out faire attention à

water eau *f;* to water arroser

way moyen *m,* façon *f;* this way par ici; on the way en route; it's a way of passing half an hour c'est une façon de passer une demi-heure; to lose one's way s'égarer

wear porter; to wear out user

weather temps *m;* how is the weather? quel temps fait-il?; the weather is fine il fait beau

Wednesday mercredi *m*

week semaine *f;* in a week dans huit jours; in two weeks dans quinze jours; last week la semaine dernière; a week from today d'aujourd'hui en huit; every week tous les huit jours

weekend week-end *m*

welcome: you are welcome de rien, il n'y a pas de quoi

well bien, eh bien!, tiens!; I am well je vais bien

were: you were vous étiez, vous avez été; where were you born? où êtes-vous né?

wet mouillé; I am wet to the skin (to the bones) je suis mouillé jusqu'aux os

what? *interrog adj* quel? quelle? quels? quelles?; what? *interrog pron* que? qu'est-ce qui? qu'est-ce que? quoi?; what is? qu'est-ce que c'est que?; what for? pourquoi?; what *rel pron* ce qui, ce que; what is...ce que c'est que...

whatever: whatever you do will be in vain vous aurez beau faire

wheat blé *m*

when quand, lorsque; où

whence d'où

whenever quand, chaque fois que

where où

which? *interrog adj* quel? quelle? quels? quelles?; which? *interrog pron* lequel? laquelle? lesquels? lesquelles?; which one? lequel? laquelle?; which ones? lesquels? lesquelles?; which *rel pron* qui, que; lequel, laquelle, lesquels, lesquelles; of which dont; in which où

while tandis que, pendant que; a while ago, in a while tout à l'heure

white blanc *m,* blanche *f*

who? *interrog pron* qui? qui est-ce qui?; who *rel pron* qui; lequel, laquelle, lesquels, lesquelles

whom? *interrog pron* qui? qui est-ce que?; whom *rel pron* qui, que; lequel, laquelle, lesquels, lesquelles; of whom dont, duquel; to whom à qui

whose? *interrog pron* à qui?; whose gloves are these? à qui sont ces gants?; at whose house? chez qui?; whose *rel pron* dont, de qui

why pourquoi; **why not?** pourquoi pas?

wife femme *f*

wild sauvage; **wild flower** fleur sauvage *f;* **wild strawberry** fraise des bois *f*

willing: I am willing je veux bien

wind vent *m;* **it is windy** il fait du vent

window fenêtre *f;* **ticket window** guichet *m;* **cashier's window** caisse *f;* **shop window** devanture *f;* **stained glass window** vitrail *m,* vitraux *pl*

wine vin *m*

winter hiver *m;* **in winter** en hiver

wire dépêche *f,* télégramme *m*

wish: to wish souhaiter; **if you wish** si vous voulez

with avec

without sans

witness témoin *m;* **to witness** être témoin de

wonder: to wonder se demander

wood bois *m*

word mot *m*

work travail *m;* **to work** travailler

world monde *m*

worried préoccupé

worse *adj* pire; *adv* pis; **so much the worse** tant pis

worth: to be worth valoir; **it is not worth while** ce n'est pas la peine

wound: to wound blesser

write écrire

wrong: the wrong road la mauvaise route; **to be wrong** avoir tort; **something is wrong** il y a (vous avez) quelque chose

Y - Z

year an *m,* année *f;* **every year** tous les ans

yellow jaune

yes oui, si

yesterday hier

yet encore, déjà; **not yet** pas encore

you vous; tu, te, toi

young jeune

your votre *sg,* vos *pl;* ton, ta, tes

yours le vôtre, la vôtre, les vôtres; le tien, la tienne, les tiens, les tiennes; **is it yours?** est-ce à vous?; **a friend of yours** un de vos amis

zero zéro *m*

INDEX